データ収集　整形の自動化

がしっかりわかる

Excel パワークエリの教科書

Power Query

きたみあきこ 著

SB Creative

サンプルのダウンロード

本書で解説しているサンプルファイルは、以下のサポートページよりダウンロードできます。解説している機能の動作確認などにご活用ください。

本書サポートページ　https://isbn2.sbcr.jp/24699/

本書の対応バージョン

本書はExcel 2021/2019/Microsoft 365に対応しています。ただし、記載内容には一部、全バージョンに対応していないものもあります。また、本書では主にWindows 11、Microsoft 365 Personalの画面を用いて解説しています。そのため、ご利用のExcelやOSのバージョン・種類によっては項目の位置などに若干の差異がある場合があります。ご注意ください。

本書に関するお問い合わせ

この度は小社書籍をご購入いただき誠にありがとうございます。小社では本書の内容に関するご質問を受け付けております。本書を読み進めていただきます中でご不明な箇所がございましたらお問い合わせください。なお、ご質問の前に小社Webサイトで「正誤表」をご確認ください。最新の正誤情報を上記のサポートページに掲載しております。上記ページの「正誤情報」のリンクをクリックしてください。なお、正誤情報がない場合、リンクをクリックすることはできません。

ご質問送付先

ご質問については下記のいずれかの方法をご利用ください。

Webページより

上記のサポートページ内にある「お問い合わせ」をクリックすると、メールフォームが開きます。要綱に従って質問内容を記入の上、送信ボタンを押してください。

郵送

郵送の場合は下記までお願いいたします。

〒105-0001
東京都港区虎ノ門2-2-1
SBクリエイティブ　読者サポート係

はじめに

「タイパ」や「コスパ」が重視されるビジネス活動において、定型的なデータ処理の自動化は重要な課題ではないでしょうか。POSレジや基幹システムから日々出力される大量のデータを整形してデータ分析に回す、そのような単純かつ手間の掛かるルーチンワークは、自動化して業務の効率化を図りたいものです。

そこで出番となるのが、Excelに搭載されている「パワークエリ」です。パワークエリは、CSVやAccess、PDF、Webなど、さまざまな場所からデータを集めて整形し、Excelに取り込むまでを自動化するツールです。自動化のために、難しい関数やプログラミングを覚える必要はありません。パワークエリの機能や操作をマスターすれば、誰でも簡単にルーチンワークを自動化することができます。

本書は、パワークエリの解説本です。初心者が実務で利用することを想定して、パワークエリの使い方を基本から応用まで操作画面を交えながら丁寧に解説しています。随所にコラムを散りばめ、理解を深めるための関連知識や一歩進んだ使い方なども盛り込みました。

「全国の支店から集まる売上データを統合して売上分析したい」「POSレジから出力される会計データを商品リストと結合して集計したい」「Webで提供される為替データを定期的に取り込んで財務分析に役立てたい」「発行済みの請求書を自動で取り込んでデータベース化したい」……。そんな要望に応える内容になっています。

パワークエリを活用することで皆さんの業務が効率化される、本書がその一助となれば幸いです。

2024年6月　きたみ あきこ

本書の使い方

本書は、パワークエリをはじめて使う人や、業務で活用したい人を対象に、基本的な操作方法と業務で役立つちょっとした活用方法を丁寧に解説しています。

第1章から第9章までは、パワークエリの操作を手順とともに解説していますので、サンプルファイルを使用して実際に操作しながらスキルを身に付けられます。第10章では実務に近い例を使用して、データの取得から整形、読み込みまでの一連の操作を確認できます。また、目次から目的の操作だけを参照することもできます。

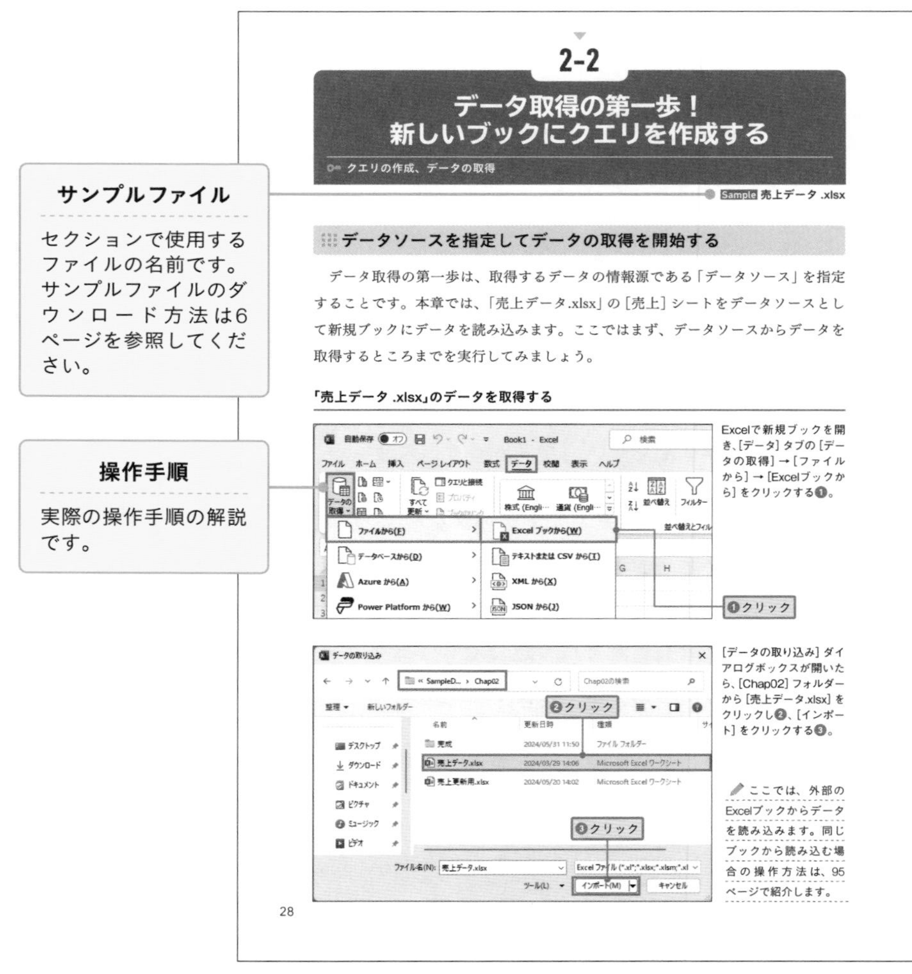

STEP 1 目次をさらっと見て、パワークエリの概要を知る。

STEP 2 1章から一通り読み、基本の使い方を学ぶ。

STEP 3 「STEP UP」や第10章を読み、実務で活用するイメージを掴む。

STEP 4 操作に迷ったときなどにリファレンスとして使う。

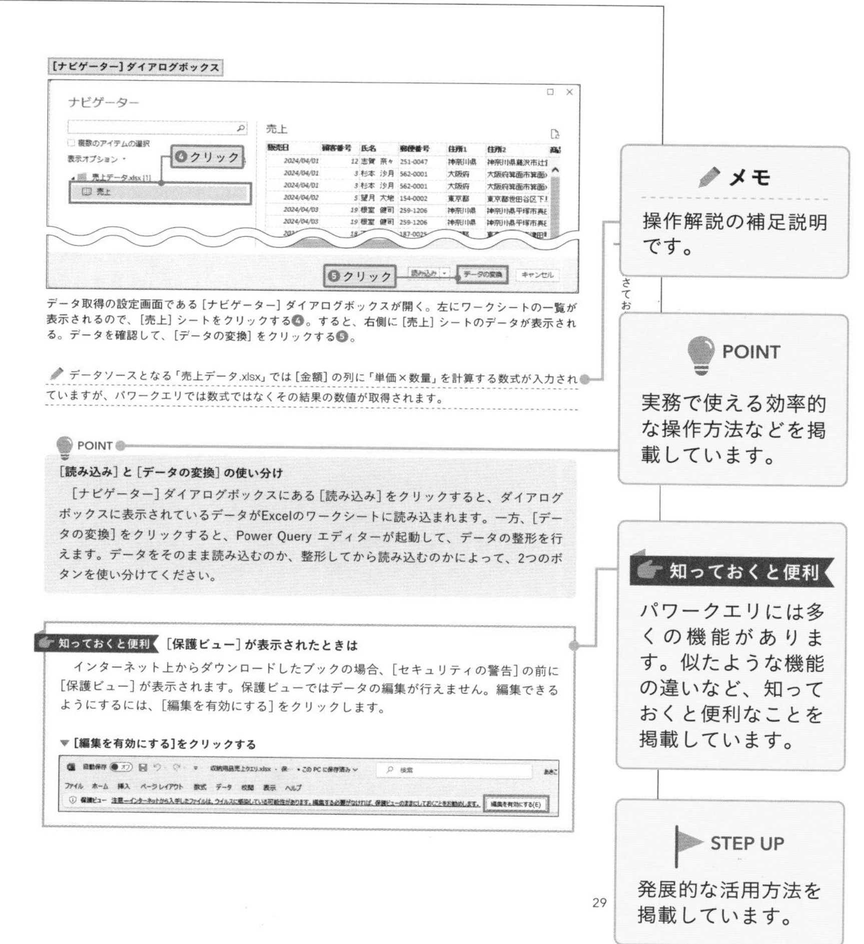

[ナビゲーター] ダイアログボックス
ナビゲーター
複数のアイテムの選択
表示オプション
売上データ.xlsx [1]
売上
❹クリック
❺クリック
読み込み
データの変換
キャンセル
データ取得の設定画面である [ナビゲーター] ダイアログボックスが開く。左にワークシートの一覧が表示されるので、[売上] シートをクリックする❹。すると、右側に [売上] シートのデータが表示される。データを確認して、[データの変換] をクリックする❺。
データソースとなる「売上データ.xlsx」では [金額] の列に「単価×数量」を計算する数式が入力されていますが、パワークエリでは数式ではなくその結果の数値が取得されます。
POINT
[読み込み] と [データの変換] の使い分け
[ナビゲーター] ダイアログボックスにある [読み込み] をクリックすると、ダイアログボックスに表示されているデータがExcelのワークシートに読み込まれます。一方、[データの変換] をクリックすると、Power Query エディターが起動して、データの整形を行えます。データをそのまま読み込むのか、整形してから読み込むのかによって、2つのボタンを使い分けてください。
知っておくと便利 [保護ビュー] が表示されたときは
インターネット上からダウンロードしたブックの場合、[セキュリティの警告] の前に [保護ビュー] が表示されます。保護ビューではデータの編集が行えません。編集できるようにするには、[編集を有効にする] をクリックします。
▼ [編集を有効にする]をクリックする
編集を有効にする(E)
29

メモ

操作解説の補足説明です。

POINT

実務で使える効率的な操作方法などを掲載しています。

知っておくと便利

パワークエリには多くの機能があります。似たような機能の違いなど、知っておくと便利なことを掲載しています。

STEP UP

発展的な活用方法を掲載しています。

サンプルファイルのダウンロード

学習を進める前に、本書で使用するサンプルファイルをダウンロードしてください。以下のサポートページよりダウンロードできます。

URL https://isbn2.sbcr.jp/24699/

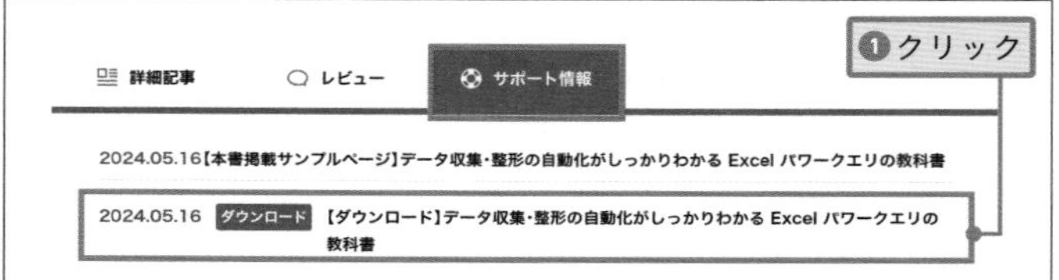

上記のURLを入力してWebページを開き、[サポート情報]→[ダウンロード]をクリックします❶。

ダウンロード

【ダウンロード】データ収集・整形の自動化がしっかりわかる Excel パワークエリの教科書

2024.05.16

対象書籍

データ収集・整形の自動化がしっかりわかる Excel パワークエリの教科書

以下のリンクより、本書掲載のサンプルファイルをダウンロードできます。

サンプルファイルはZIP形式の圧縮ファイルで配布しております。ご利用の環境にあわせて展開し、WindowsのCドライブに保存してご活用ください。

========

ダウンロードファイル SampleData.zip ❷クリック

========

[SampleData.zip]をクリックします❷。

ダウンロードが完了したら[フォルダーに表示]をクリックします❸。

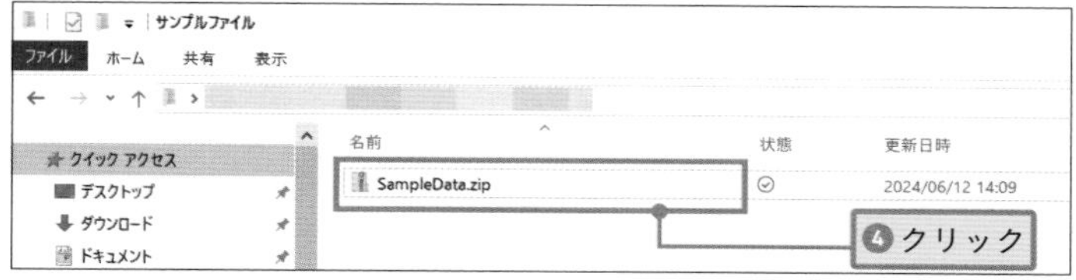

[ダウンロード]フォルダーが開いたら、ダウンロードされた[SampleData.zip]をダブルクリックします❹。

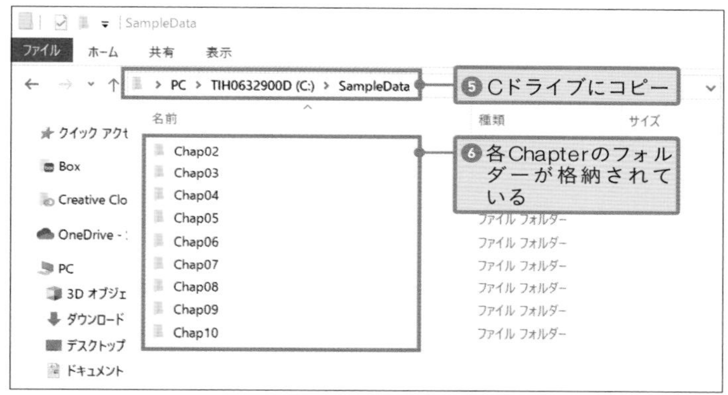

ZIPファイルが展開されたら、Cドライブに[SampleData]フォルダーをドラッグ&ドロップでコピーします❺。

[SampleData]フォルダーをクリックすると、各Chapterのフォルダーが表示されます❻。

解凍した[SampleData]フォルダーはCドライブ直下にコピーして使用してください。

サンプルファイルの構成

フォルダーごとに各Chapterで使用するサンプルファイルが格納されています。

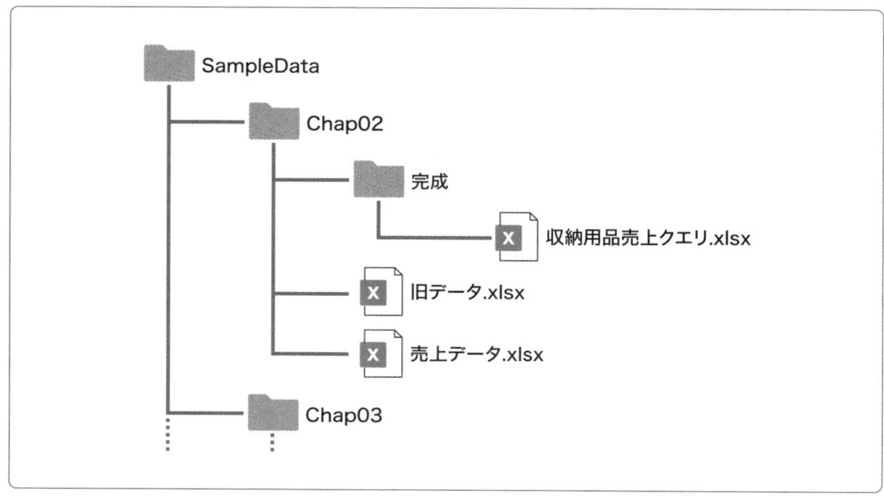

Contents

Chapter

01

パワークエリの概要を理解しよう

パワークエリを使用する前に、概要をつかんでおきましょう。パワークエリを使うと何ができるのか、どんな点が便利なのか、どんな画面で作業するのか、大まかに理解できればOKです。

1-1 パワークエリって何？

パワークエリ、クエリ

パワークエリはデータの取得を自動化する機能

日々たまっていく大量のデータの整理に追われ、疲弊していないでしょうか？

- 業務システムから毎月出力される表を分析しやすいように加工する
- 各支店から送られてくる毎日の売上データを1つの表に統合する

このような定期的に発生する面倒なルーチンワークは、「パワークエリ」に任せましょう。パワークエリは、外部データの「取得」「整形」「読み込み」といった一連の作業を自動化する機能です。パワークエリでは、外部ファイルに接続してデータを取得し、それを必要な形に整理・加工し、Excelのワークシートに読み込むまでの一連の手順を「クエリ」という単位で保存します。クエリ自体は読み込み先のブックに保存されます。クエリは、元データに変更や追加があったときに何度でも実行できます。つまり、一度クエリを作れば、取得から整形、読み込みまでを繰り返し自動実行できるのです。

▼パワークエリの機能

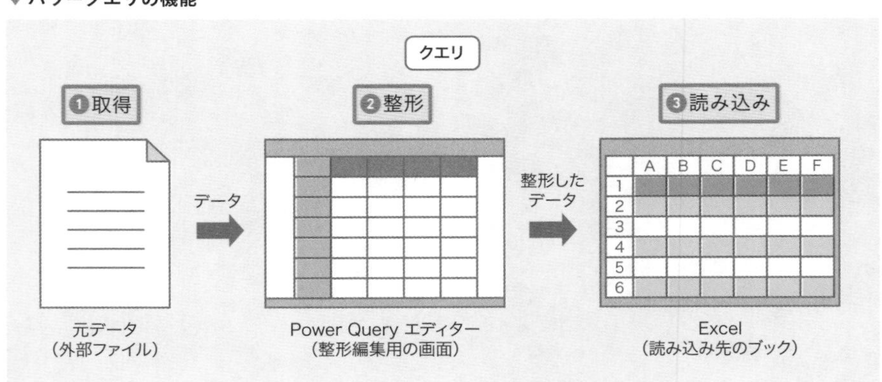

クエリには外部ファイルのデータをExcelに読み込むまでの「取得→整形→読み込み」の手順が保存されており、同じ手順をあとから繰り返し自動実行できる。

データの取得

パワークエリでは、外部ファイルに接続してデータを取得します。必要に応じて何度でも同じファイルに接続し、最新のデータを取得し直せます。ほかのExcelブックや同じブック内のテーブル、CSVファイル、テキストファイル、Accessデータベース、PDF、Webページなどからデータを取得できます。

データの整形

整形の作業は「Power Query エディター」という専用の画面で行います。不要な列や行の削除、計算列や連番列の追加、文字種の統一、グループ集計など、多彩な編集を行えます。また、複数の表の統合も可能です。データは外部ファイルから読み込み先ブックへの一方通行で、Power Query エディターで行った編集が外部ファイルのデータに影響することはありません。

▼ Power Query エディター

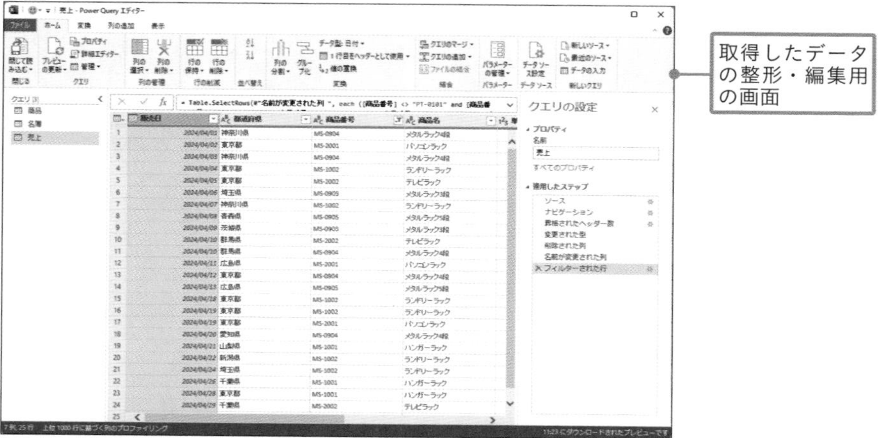

データの読み込み

Power Query エディターで整形したデータは、クエリの保存先であるブックに読み込まれます。ブック内のワークシートに読み込むこともできますし、ワークシートに表示せずにブック内のデータの格納領域に読み込んで、より高度な使い方をすることもできます。

ワンクリックで最新データを自動読み込み！

クエリには「取得→整形→読み込み」の手順が記録されており、元データにデータが追加された場合や、フォルダーに新しいファイルが追加されたときに、「更新」ボタンをクリックすることで同じ手順を繰り返し自動実行できます。

更新を実行すると、前回と同じファイルやフォルダーから最新データが取得され、前回と同じ整形作業が行われ、前回と同じ読み込み先に読み込まれます。例えば前回の整形作業でコード番号の列を大文字に統一したとします。すると次回は「更新」のワンクリックで、最新データが大文字に統一された状態で素早く読み込まれるというわけです。

▼ ファイルにデータが追加された場合

今月クエリを作成

翌月以降は更新するだけ

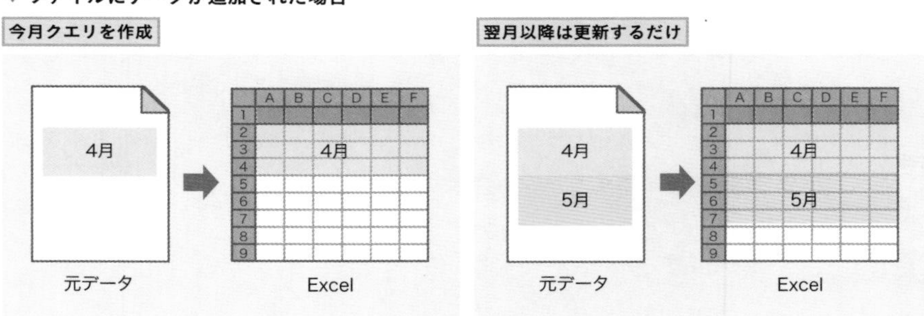

今月クエリを作成して4月分のデータを読み込んだ。

翌月は「更新」のワンクリックで4～5月のデータを読み込める。

▼ フォルダーに新しいファイルが追加された場合

今月クエリを作成

売上フォルダー

4月

5月

元データ

A B C D E F

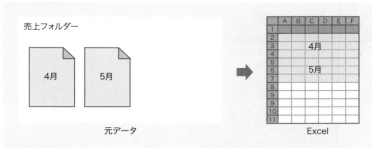

4月

5月

Excel

今月クエリを作成して「売上フォルダー」内のファイルを統合した。

翌月以降は更新するだけ

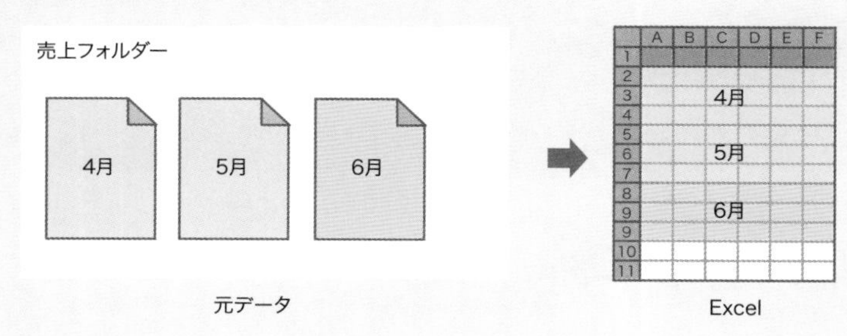

翌月は「更新」のワンクリックで新しいファイルを統合できる。

POINT

元データの場所と名前をきちんと検討してからはじめよう

パワークエリでは、取得する外部ファイルの場所を「C:¥SampleData¥Chap02¥売上データ.xlsx」のように絶対パスで記録します。そのため外部ファイルの移動や名前変更は、更新の際のトラブルの元になります。あとで変更せずに済むように、事前に外部ファイルをどこに置くか、名前を何にするか、きちんと検討しましょう。

知っておくと便利 Power Query エディターを経由しない読み込みも可能

データを整形する必要がない場合は、Power Query エディターを経由しないでExcelに直接データを読み込むことが可能です。データの取得時に表示される設定画面でExcelに直接読み込むか、Power Query エディターで編集するかを選択できます。直接読み込む場合も、編集する場合と同様にExcelブックにクエリが作成されます。

▼ **データの読み込みのイメージ**

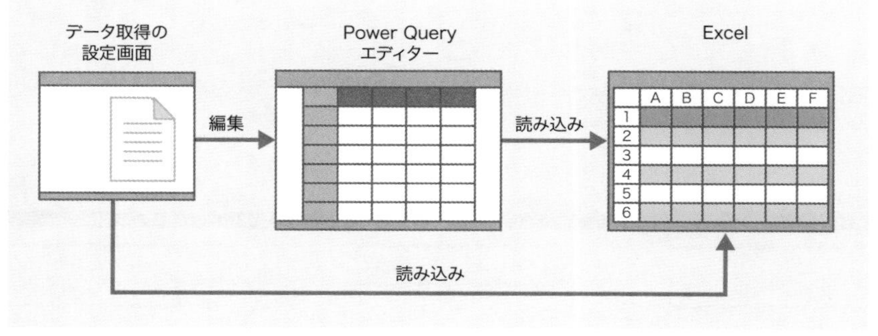

1-2

パワークエリの編集環境

Power Query エディター

Power Query エディターの画面構成

パワークエリでは、データの整形作業をExcelとは別画面の「Power Query エディター」で行います。ここではPower Query エディターの各領域の名称や表示方法を紹介します。現時点ではピンとこない説明があるかもしれませんが、今後実際に作業していく中で、必要なときにこのページに戻って確認してください。

▼Power Query エディターの画面

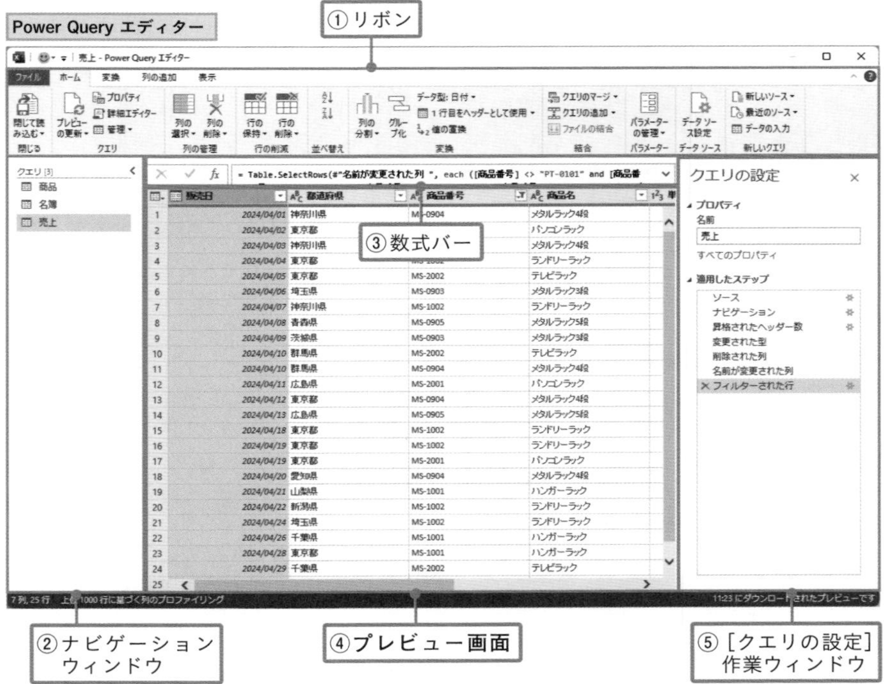

▼ Power Query エディターの各部の機能

名称	説明
①リボン	データの整形や加工などに使用するボタンが機能ごとにタブに分けられて並べられている。
②ナビゲーションウィンドウ	ブックに保存されているクエリの名前が一覧表示される。クエリ名をクリックすると編集対象のクエリを切り替えられる。
③数式バー	選択しているステップの処理内容が「M言語」というプログラミング言語の式で表示される。
④プレビュー画面	ナビゲーションウィンドウで選択されているクエリのデータが表示される。データの整形や加工などの編集結果を確認できる。
⑤[クエリの設定]作業ウィンドウ	[名前]欄でクエリの名前を変更できる。[適用したステップ]欄にはPower Query エディターで実行した1つひとつの処理に名前が付けられて一覧表示される。この1つひとつの処理を「ステップ」と呼ぶ。一覧からステップを選択すると、そのステップの実行直後のデータがプレビュー画面に表示される。

Power Query エディターの各部の表示設定

ナビゲーションウィンドウは、下図のように < をクリックすると折りたためます。その分、プレビュー画面を広く使用できます。再表示したいときは、 > をクリックします。

数式バーに表示される式が長いときは、∨と∧で高さを切り替えられます。

[クエリの設定]作業ウィンドウは、[表示]タブの[クエリの設定]をクリックするごとに表示と非表示を切り替えられます。

▼ 各領域の表示切り替え

クリックするとナビゲーションウィンドウを折りたたみ／展開できる
[表示]タブの[クエリの設定]をクリックすると[クエリの設定]作業ウィンドウの表示／非表示を切り替えられる
クリックすると数式バーの高さを切り替えられる

リボンの各タブの役割

Power Query エディターのリボンには、［ホーム］［変換］［列の追加］［表示］の4つのタブがあります。各タブの大まかな役割を押さえておきましょう。

▼［ホーム］タブ

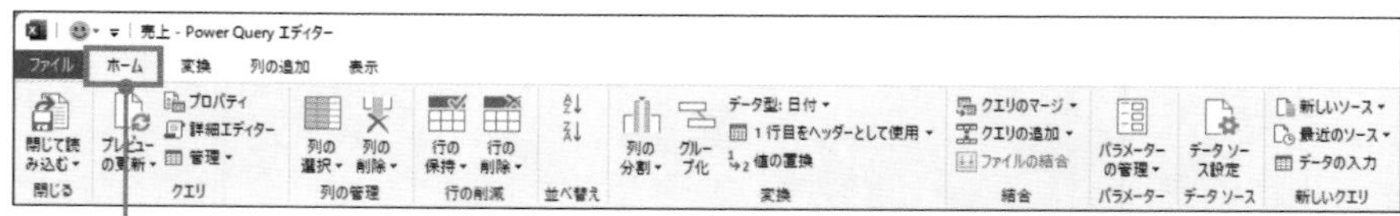

クエリ全体に関する機能が並んでいる。［変換］タブの中で特に使用頻度の高いボタンは、［ホーム］タブの［変換］グループからも実行できる

▼［変換］タブ

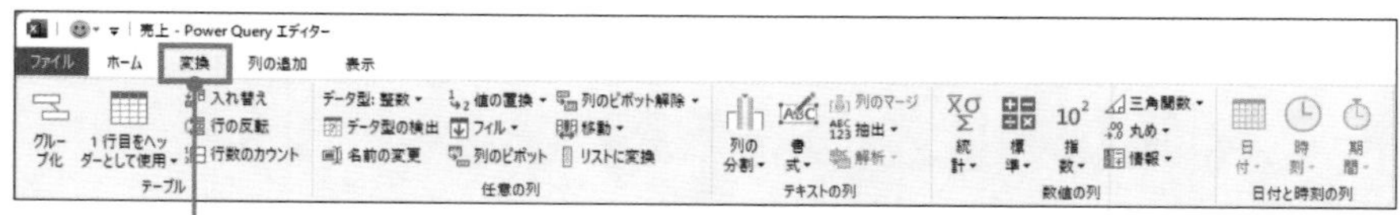

テーブルの構造や列の値を変換するための機能が並んでいる。［列の追加］タブと同じ名前のボタンがあるが、こちらのボタンは既存の列自体を変換するための機能となる

▼［列の追加］タブ

新しい列を追加するための機能が並んでいる。［変換］タブと同じ名前のボタンがあるが、こちらのボタンは指定した列をもとに新しい列を追加するための機能となる

▼［表示］タブ

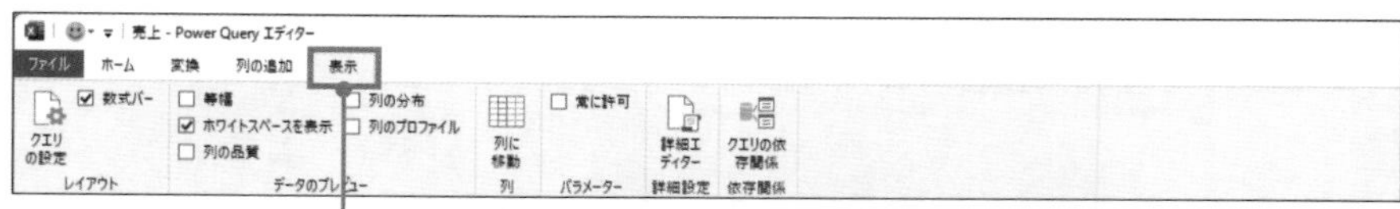

Power Query エディターの画面設定や、［詳細エディター］（→57ページ）［クエリの依存関係］（→313ページ）などのウィンドウの表示をするための機能が並んでいる

Chapter

02

何はさておき
パワークエリを体験してみよう

パワークエリは、手動による面倒なデータ整理を自動化する魔法のような機能です。百聞は一見に如かず。この章では、パワークエリの便利さを実感していただくために、簡単な例で一通りの作業を体験します。

2-1 パワークエリを体験 ～この章で行うこと～

本章の概要

この章で行う作業をイメージする

次節からは、サンプルファイルを使用して実際に手を動かしながらパワークエリを体験していきます。その前に、どのような作業を行うのかをイメージしておきましょう。

ここでは自社の主力商品である収納用品のうち、セット販売の商品がいつどの地域でどれだけ売れたのかを長期にわたり観察・分析することになったと想定します。社内で使用している売上管理システムからは、下図のように顧客情報やセット品以外の商品など、不要な情報が含まれた状態でデータが出力されるものとします。出力形式はExcelブック形式です。また、商品番号が「MS」ではじまる商品がセット品です。

▼ 売上管理システムから出力される売上データ

売上データ.xlsx

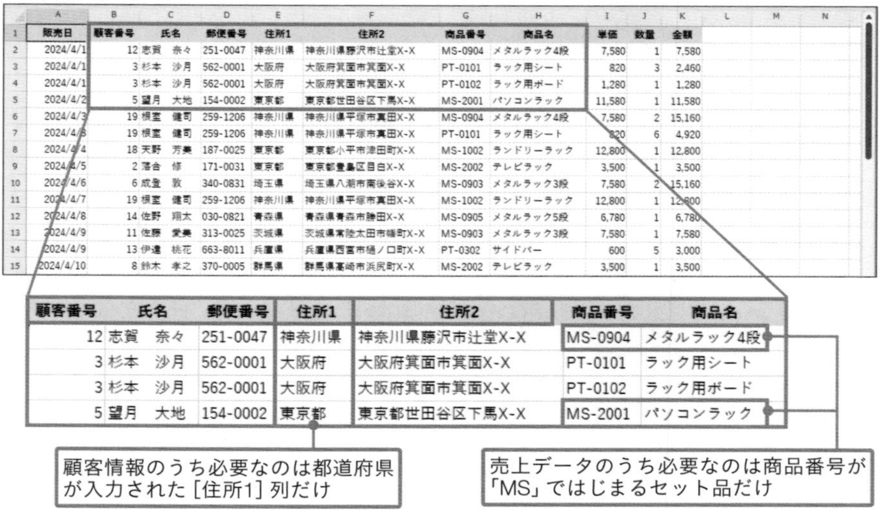

	A	B	C	D	E	F	G	H	I	J	K
1	販売日	顧客番号	氏名	郵便番号	住所1	住所2	商品番号	商品名	単価	数量	金額
2	2024/4/1	12	志賀　奈々	251-0047	神奈川県	神奈川県藤沢市辻堂X-X	MS-0904	メタルラック4段	7,580	1	7,580
3	2024/4/1	3	杉本　沙月	562-0001	大阪府	大阪府箕面市箕面X-X	PT-0101	ラック用シート	820	3	2,460
4	2024/4/1	3	杉本　沙月	562-0001	大阪府	大阪府箕面市箕面X-X	PT-0102	ラック用ボード	1,280	1	1,280
5	2024/4/2	5	望月　大地	154-0002	東京都	東京都世田谷区下馬X-X	MS-2001	パソコンラック	11,580	1	11,580
6	2024/4/3	19	根室　健司	259-1206	神奈川県	神奈川県平塚市真田X-X	MS-0904	メタルラック4段	7,580	2	15,160
7	2024/4/3	19	根室　健司	259-1206	神奈川県	神奈川県平塚市真田X-X	PT-0101	ラック用シート	820	6	4,920
8	2024/4/4	18	天野　芳美	187-0025	東京都	東京都小平市津田町X-X	MS-1002	ランドリーラック	12,800	1	12,800
9	2024/4/5	2	落合　修	171-0031	東京都	東京都豊島区目白X-X	MS-2002	テレビラック	3,500	1	3,500
10	2024/4/6	6	成登　敦	340-0831	埼玉県	埼玉県八潮市南後谷X-X	MS-0903	メタルラック3段	7,580	2	15,160
11	2024/4/7	19	根室　健司	259-1206	神奈川県	神奈川県平塚市真田X-X	MS-1002	ランドリーラック	12,800	1	12,800
12	2024/4/8	14	佐野　翔太	030-0821	青森県	青森県青森市勝田X-X	MS-0905	メタルラック5段	6,780	1	6,780
13	2024/4/9	11	佐藤　愛美	313-0025	茨城県	茨城県常陸太田市幡町X-X	MS-0903	メタルラック3段	7,580	1	7,580
14	2024/4/9	13	伊達　桃花	663-8011	兵庫県	兵庫県西宮市樋ノ口町X-X	PT-0302	サイドバー	600	5	3,000
15	2024/4/10	8	鈴木　孝之	370-0005	群馬県	群馬県高崎市浜尻町X-X	MS-2002	テレビラック	3,500	1	3,500

顧客番号	氏名	郵便番号	住所1	住所2	商品番号	商品名
12	志賀　奈々	251-0047	神奈川県	神奈川県藤沢市辻堂X-X	MS-0904	メタルラック4段
3	杉本　沙月	562-0001	大阪府	大阪府箕面市箕面X-X	PT-0101	ラック用シート
3	杉本　沙月	562-0001	大阪府	大阪府箕面市箕面X-X	PT-0102	ラック用ボード
5	望月　大地	154-0002	東京都	東京都世田谷区下馬X-X	MS-2001	パソコンラック

顧客情報のうち必要なのは都道府県が入力された［住所1］列だけ

売上データのうち必要なのは商品番号が「MS」ではじまるセット品だけ

実際の現場でも共有のシステムから出力されるデータに、個別の業務には不要な列や行が含まれていることが少なくありません。不要なデータが大量にあると、パフォーマンスの低下につながります。パワークエリを使用して、「売上データ.xlsx」から不要な列や行を削除し、今回のデータ分析に必要なデータだけが抜き出された表を作成してみましょう。

▼ **パワークエリを使用して行いたいこと**

収納用品売上クエリ.xlsx

	A	B	C	D	E	F	G	H	I	J
1	販売日	都道府県	商品番号	商品名	単価	数量	金額			
2	2024/4/1	神奈川県	MS-0904	メタルラック4段	7580	1	7580			
3	2024/4/2	東京都	MS-2001	パソコンラック	11580	1	11580			
4	2024/4/3	神奈川県	MS-0904	メタルラック4段	7580	2	15160			
5	2024/4/4	東京都	MS-1002	ランドリーラック	12800	1	12800			
6	2024/4/5	東京都	MS-2002	テレビラック	3500	1	3500			
7	2024/4/6	埼玉県	MS-0903	メタルラック3段	7580	2	15160			
8	2024/4/7	神奈川県	MS-1002	ランドリーラック	12800	1	12800			
9	2024/4/8	青森県	MS-0905	メタルラック5段	6780	1	6780			
10	2024/4/9	茨城県	MS-0903	メタルラック3段	7580	1	7580			
11	2024/4/10	群馬県	MS-2002	テレビラック	3500	1	3500			

[住所1] の列名を「都道府県」に変更し、その他の顧客情報の列を削除する

商品番号が「MS」ではじまる商品の行だけを読み込む

売上管理システムには、日々の売上データが蓄積されていきます。翌月の出力ファイルには新しいデータが追加されますが、更新を行えば最新のファイルから必要なデータだけを素早く読み込むことができます。手作業のデータ整理が自動化されるので、その分の時間をより建設的な業務に回せるのではないでしょうか。

クエリ名は、初期設定で取得元の名前が流用されます。例えば、[売上] シートから取得したクエリの名前は「売上」になります。

知っておくと便利 **データをスムーズに取得するための準備**

パワークエリで取得する表は、次のルールに沿った形式に整えておくと、スムーズに取得・整形できます。この章で使用する「売上データ.xlsx」の表も、このルールに沿っています。

- 表の先頭行に、ほかの列と重複しない列見出しが入力されている
- 表の中に空白行や空白列が含まれない
- 表のほかに余分なデータが入力されていない
- 列ごとにデータの種類（数値、文字列など）が揃えられている

2-2

データ取得の第一歩！新しいブックにクエリを作成する

クエリの作成、データの取得

Sample 売上データ.xlsx

データソースを指定してデータの取得を開始する

データ取得の第一歩は、取得するデータの情報源である「データソース」を指定することです。本章では、「売上データ.xlsx」の［売上］シートをデータソースとして新規ブックにデータを読み込みます。ここではまず、データソースからデータを取得するところまでを実行してみましょう。

「売上データ.xlsx」のデータを取得する

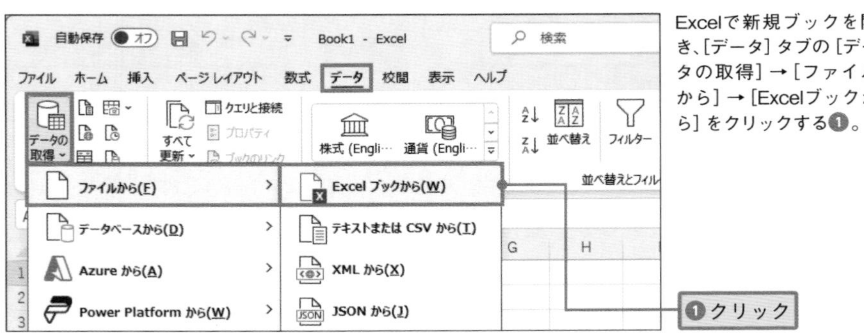

Excelで新規ブックを開き、［データ］タブの［データの取得］→［ファイルから］→［Excelブックから］をクリックする❶。

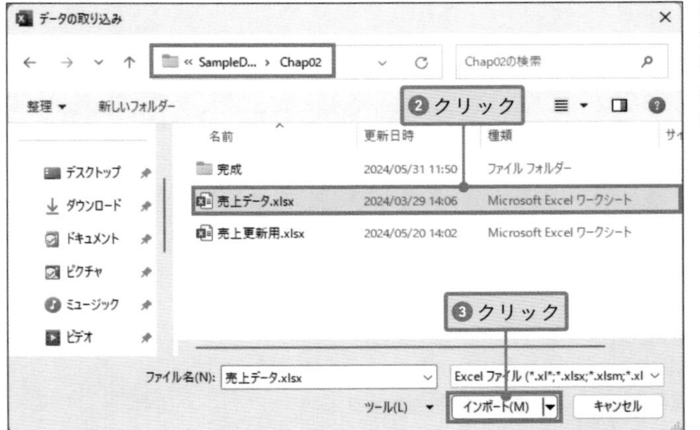

［データの取り込み］ダイアログボックスが開いたら、［Chap02］フォルダーから［売上データ.xlsx］をクリックし❷、［インポート］をクリックする❸。

ここでは、外部のExcelブックからデータを読み込みます。同じブックから読み込む場合の操作方法は、95ページで紹介します。

[ナビゲーター] ダイアログボックス

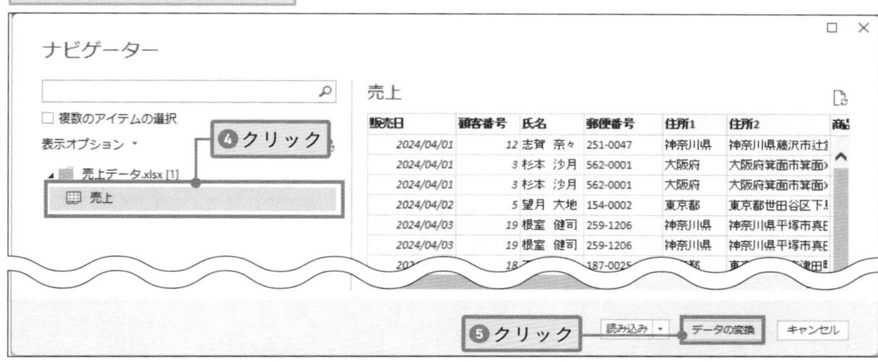

データ取得の設定画面である［ナビゲーター］ダイアログボックスが開く。左にワークシートの一覧が表示されるので、［売上］シートをクリックする❹。すると、右側に［売上］シートのデータが表示される。データを確認して、［データの変換］をクリックする❺。

Power Query エディター

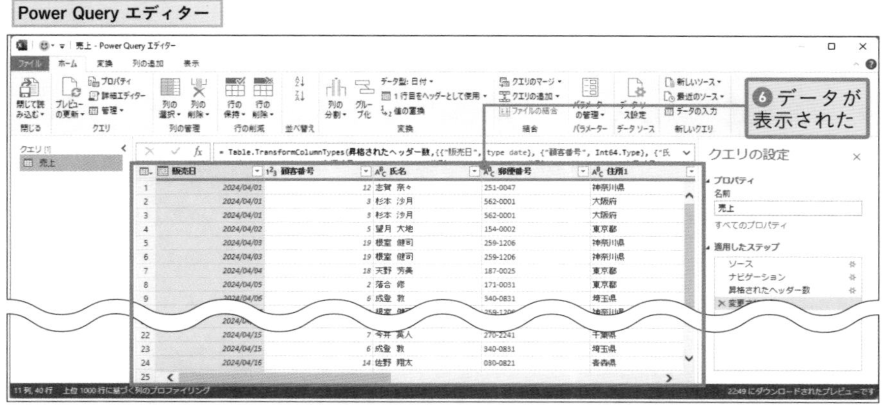

Power Query エディターが起動し、「売上データ.xlsx」のデータが表示される❻。

 データソースとなる「売上データ.xlsx」では［金額］の列に「単価×数量」を計算する数式が入力されていますが、パワークエリでは数式ではなくその結果の数値が取得されます。

POINT

［読み込み］と［データの変換］の使い分け

［ナビゲーター］ダイアログボックスにある［読み込み］をクリックすると、ダイアログボックスに表示されているデータがExcelのワークシートに読み込まれます。一方、［データの変換］をクリックすると、Power Query エディターが起動して、データの整形を行えます。データをそのまま読み込むのか、整形してから読み込むのかによって、2つのボタンを使い分けてください。

知っておくと便利 どんなデータを読み込める？

［ナビゲーター］ダイアログボックスの左には、ブックに含まれる「テーブル」「ワークシート」「セル範囲に付けた名前」が一覧表示されるので、そこから読み込む対象を選びます。それぞれアイコンで区別されます。

▼読み込むデータの指定

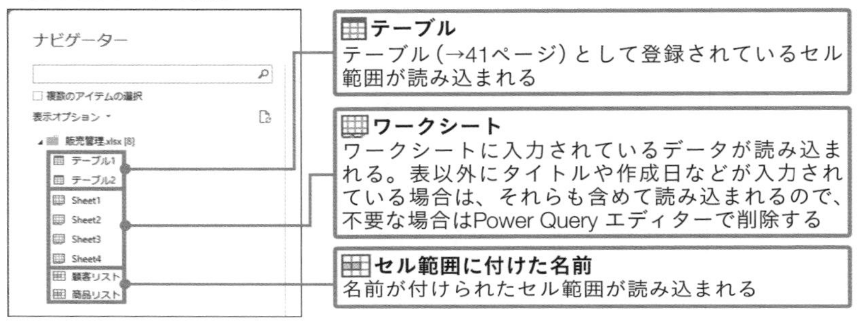

自動実行されたステップを確認する

Power Query エディターの画面右にある［クエリの設定］作業ウィンドウには、クエリ名と［適用したステップ］の一覧が表示されます。「ステップ」とは、パワークエリで実行した1つひとつの処理のことです。現在、［ソース］［ナビゲーション］などの4つのステップが記録されています。これら4つは、データを取得するときに自動的に行われた処理です。それらの処理については52ページで解説します。次節以降で表を整形していきますが、それらの処理もステップとしてこの［クエリの設定］作業ウィンドウに追加されます。

▼クエリ名とステップを確認する

［クエリの設定］作業ウィンドウ

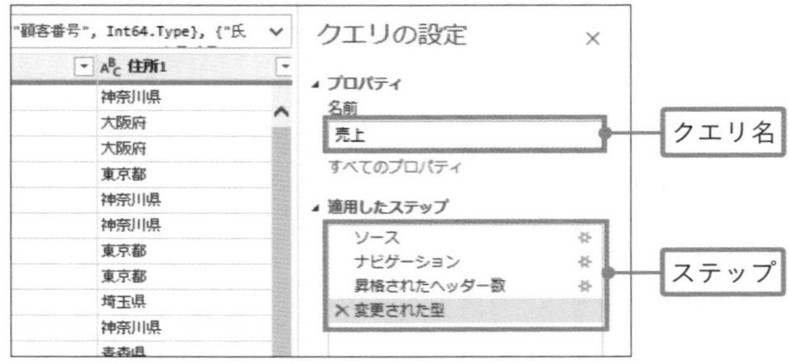

Power Query エディターで行った処理が1つずつ記録される。

［適用したステップ］欄でステップを選択すると、数式バーにExcelの関数のような見た目を持つ数式が表示されます。この数式は、選択したステップを定義する式です。難しく感じるかもしれませんが、数式の意味を理解できなくてもパワークエリを問題なく操作できるので安心してください。

▼数式バーでステップの数式を確認する

数式バー

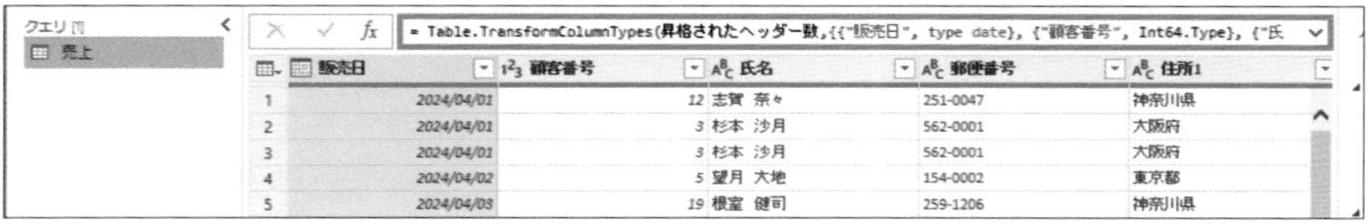

クエリ ［1］
売上

= Table.TransformColumnTypes(昇格されたヘッダー数,{{"販売日", type date}, {"顧客番号", Int64.Type}, {"氏

	販売日	顧客番号	氏名	郵便番号	住所1
1	2024/04/01	12	志賀 奈々	251-0047	神奈川県
2	2024/04/01	3	杉本 沙月	562-0001	大阪府
3	2024/04/01	3	杉本 沙月	562-0001	大阪府
4	2024/04/02	5	望月 大地	154-0002	東京都
5	2024/04/03	19	根室 健司	259-1206	神奈川県

［クエリの設定］作業ウィンドウや数式バーを確認したら、Power Query エディターを閉じずにそのまま次節の操作に進んでください。

クエリ名は、初期設定で取得元の名前が流用されます。例えば、［売上］シートから取得したクエリの名前は「売上」になります。

知っておくと便利　サンプルファイルの互換性

本書はMicrosoft 365とExcel 2021を対象に、Windows 11とMicrosoft 365 Personalを使用してパワークエリの操作を解説しています。パワークエリ自体は、バージョンが2016以降のExcelで使用可能です。本書と動作環境が異なる場合、サンプルファイルを開いてPower Query エディターを起動する際に［互換性の警告］ダイアログボックスが表示され、互換性に問題がある可能性を指摘されることがあります。警告が出たとしても必ずしも問題が出るわけではありません。その場合、［閉じる］をクリックすればパワークエリの操作を進められます。

▼［互換性の警告］ダイアログボックス

互換性の警告

このブック内のクエリは、現在ご使用のバージョンの Excel と互換性がない可能性があります。これらのクエリは、新しいバージョンの Excel または Power Query で作成されたため、現在ご使用のバージョンで動作しない可能性があります。

閉じる

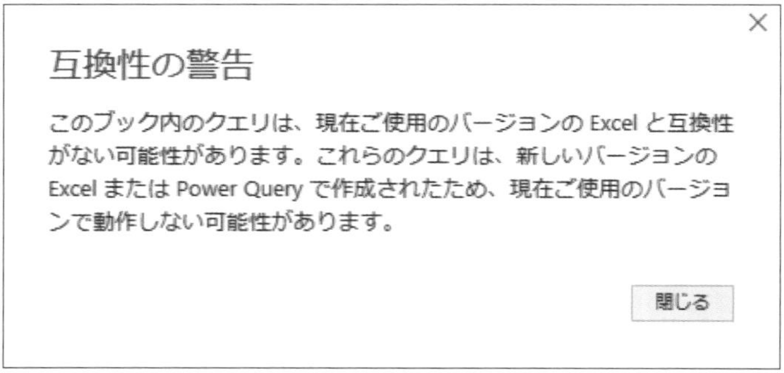

2-3

パワークエリによるデータの整形 ～列の基本操作～

列の削除、列名の変更、列の移動、元に戻す

Sample 前節の操作後のブック

不要な列を削除する

それでは実際に表を整形していきましょう。Power Query エディターで加工を行っても、データソースである「売上データ.xlsx」には影響しないので、安心して作業に臨んでください。まずは、表から［顧客番号］［氏名］［郵便番号］［住所2］の4列を削除します。パワークエリでは大量のデータを扱えますが、データ量が多いと動作が遅くなることがあります。不要な列は早い段階で削除したほうが、処理対象のデータ量が減り、パフォーマンスの改善につながります。

［顧客番号］［氏名］［郵便番号］を削除する

Power Query エディターの右側にある［適用したステップ］欄で1番下のステップをクリックして選択しておく❶。こうすることで、これから行う操作のステップを既存のステップの下に追加していける。まず、［顧客番号］の列名をクリックして列を選択する❷。

❸ Shift ＋クリック

❹隣り合う3列が選択された

［郵便番号］の列名を Shift を押しながらクリックすると❸、［顧客番号］から［郵便番号］までの3列が選択される❹。

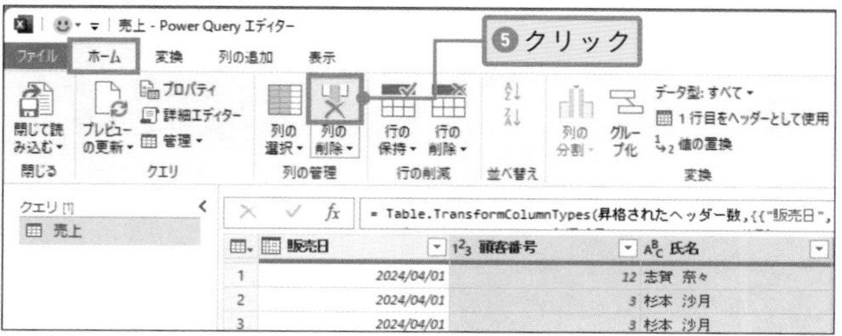
❺クリック

［ホーム］タブにある［列の削除］の上側をクリックする❺。もしくは Delete を押してもよい。

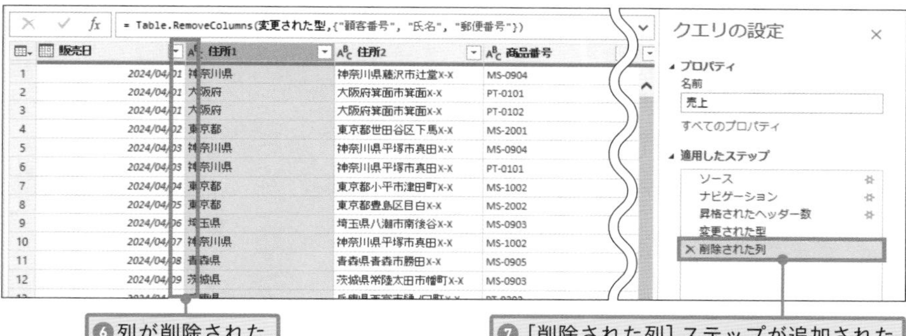
❻列が削除された
❼［削除された列］ステップが追加された

［顧客番号］から［郵便番号］までの3列が削除される❻。また、［適用したステップ］欄に［削除された列］というステップが追加される❼。

POINT

複数列の選択はキー操作で行う

最初の列名をクリックして列を選択したあと、 Shift を押しながら別の列名をクリックすると、連続した列の範囲を選択できます。また、 Ctrl を押しながらクリックすると、離れた複数の列を選択できます。なお、Excelでは列番号をドラッグすると列の範囲を選択できますが、Power Query エディターでは列名のドラッグで列が移動してしまうので注意してください。

知っておくと便利　［列の削除］と［他の列の削除］

手順❺の［列の削除］の下側をクリックすると、［列の削除］と［他の列の削除］という2つのメニューが表示されます。［列の削除］は、上側をクリックしたときと同様に選択した列を削除します。［他の列の削除］は、選択した以外の列を一括削除します。

[住所 2]を削除する

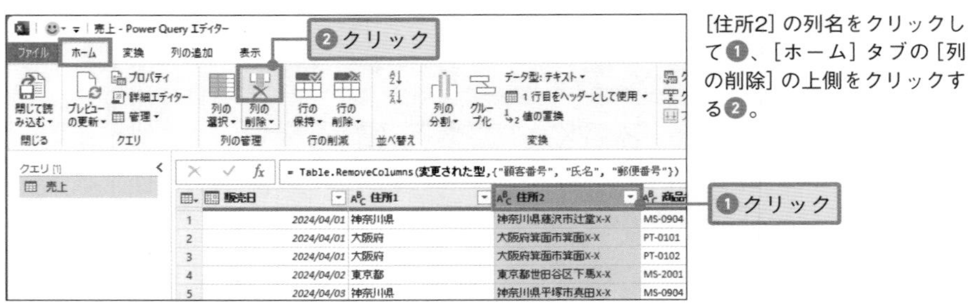

❷クリック
❶クリック
= Table.RemoveColumns(変更された型,{"顧客番号", "氏名", "郵便番号"})

[住所2] の列名をクリックして❶、[ホーム] タブの [列の削除] の上側をクリックする❷。

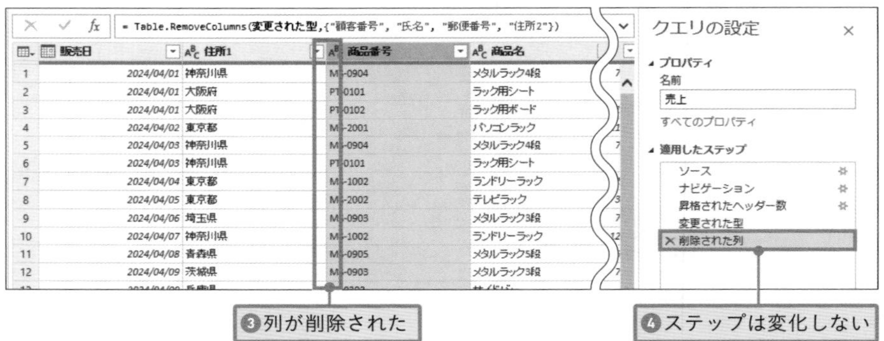

= Table.RemoveColumns(変更された型,{"顧客番号", "氏名", "郵便番号", "住所2"})
クエリの設定
適用したステップ
ソース
ナビゲーション
昇格されたヘッダー数
変更された型
削除された列
❸列が削除された
❹ステップは変化しない

[住所2] 列が削除される❸。[適用したステップ] 欄のステップに変化はない❹。

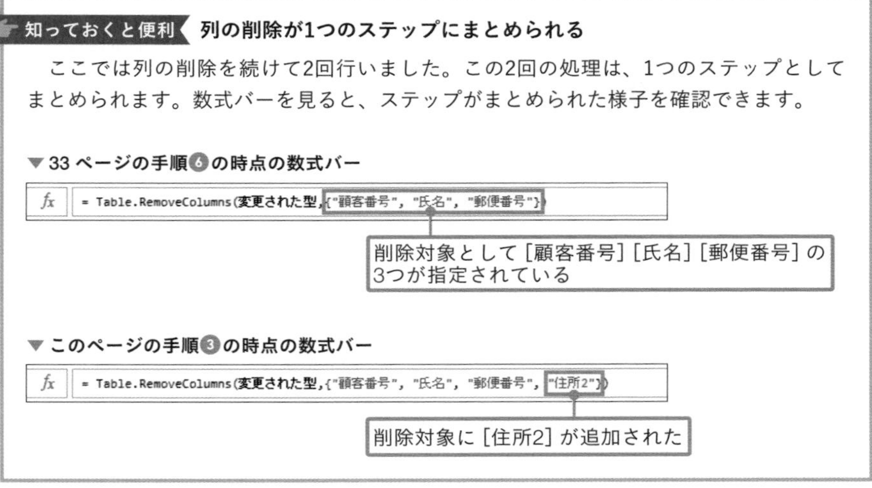

知っておくと便利　列の削除が1つのステップにまとめられる

ここでは列の削除を続けて2回行いました。この2回の処理は、1つのステップとしてまとめられます。数式バーを見ると、ステップがまとめられた様子を確認できます。

▼ 33 ページの手順❻の時点の数式バー

= Table.RemoveColumns(変更された型,{"顧客番号", "氏名", "郵便番号"})
削除対象として [顧客番号] [氏名] [郵便番号] の3つが指定されている

▼ このページの手順❸の時点の数式バー

= Table.RemoveColumns(変更された型,{"顧客番号", "氏名", "郵便番号", "住所2"})
削除対象に [住所2] が追加された

ダブルクリックで列名を変更する

売上データに含まれる顧客情報のうち、現在残っている列は［住所1］だけです。この列名を「都道府県」に変更しましょう。列名の変更は、ダブルクリックで簡単に行えます。

列名を「都道府県」に変更する

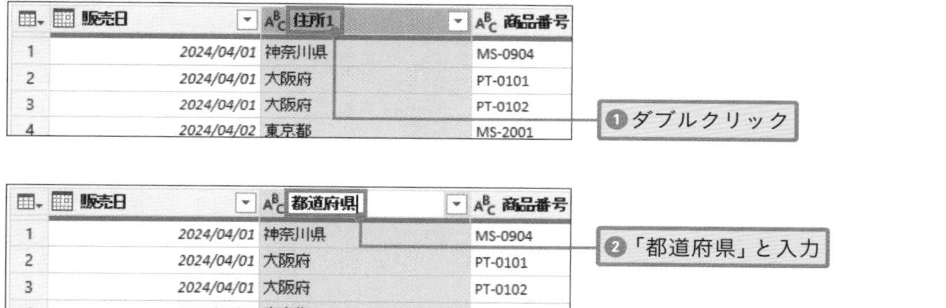

［住所1］の列名をダブルクリックし❶、「都道府県」と入力して Enter を押す❷。

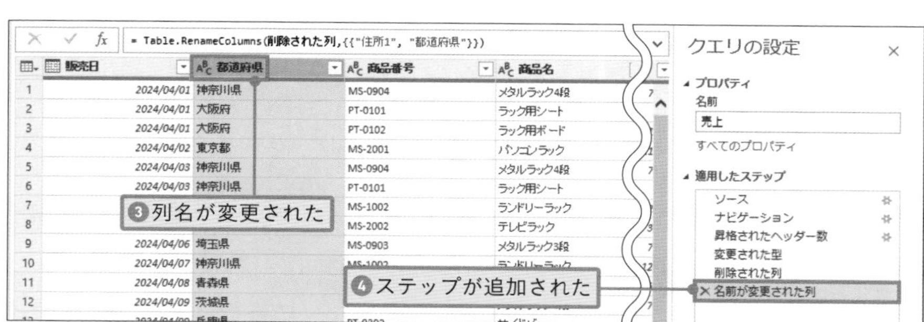

列名が「都道府県」に変更され❸、［適用したステップ］欄に［名前が変更された列］というステップが追加される❹。

POINT

同じ列名を設定できない

パワークエリでは、同じ表の複数の列に同じ名前を設定することはできません。各列を特定できるように、ほかの列とは異なる分かりやすい名前を付けましょう。

ドラッグで列を移動する

列名部分をドラッグすると、任意の場所に列を移動できます。ドラッグの最中に移動先の目安となる緑のラインが表示されるので、そのラインを確認してドロップしましょう。事前に複数の列を選択しておけば、複数まとめて移動することも可能です。

[商品名]を[販売日]の右に移動する

❶ドラッグ

❷緑の目安線が見えたらドロップ

ここでは［商品名］を［販売日］の右に移動する。［商品名］の列名をドラッグし❶、［販売日］と［都道府県］の間に緑のラインが表示されたことを確認してドロップ（マウスから指を離すこと）する❷。

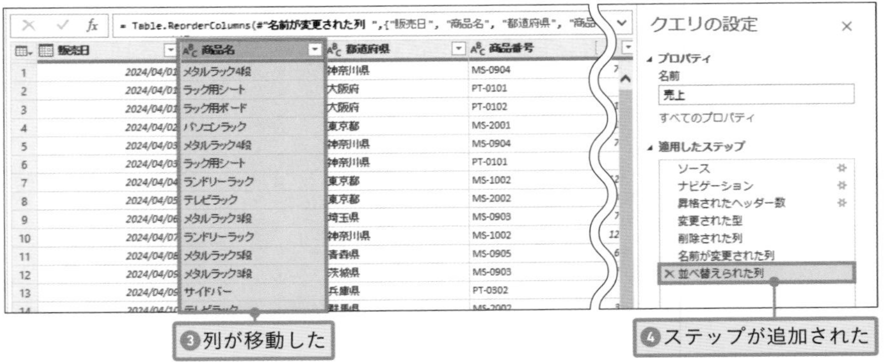

［商品名］列が移動する❸。また、［適用したステップ］欄に［並べ替えられた列］というステップが追加される❹。

移動する列を選択し、［変換］タブの［任意の列］グループにある［移動］のサブメニューから［先頭に移動］や［末尾に移動］をクリックすると、選択した列を先頭や末尾に一気に移動できます。列が多数あって移動元と移動先が1つの画面に収まらない場合に、いったん先頭や末尾に移動してから目的の位置までドラッグしたほうが時短になる場合があります。

間違った操作を元に戻す

Power Query エディターには、[元に戻す] ボタンがありません。操作を取り消したいときは、[適用したステップ] 欄からステップを削除します。ここでは、前ページで行った [商品名] の移動を元に戻します。

[商品名]列の移動を元に戻す

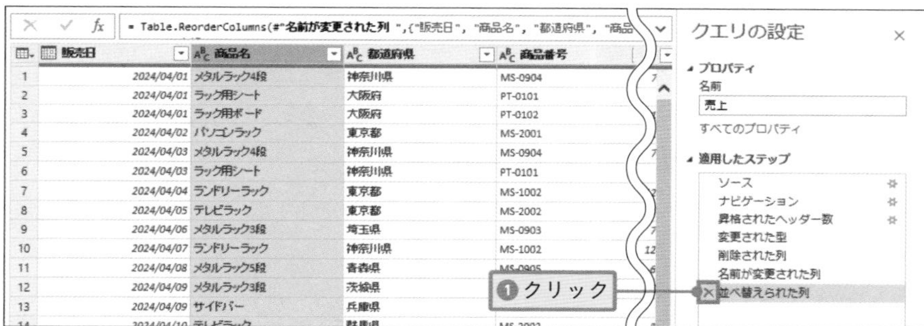

[適用したステップ] 欄の1番下にある [並べ替えられた列] の [×] をクリックする❶。

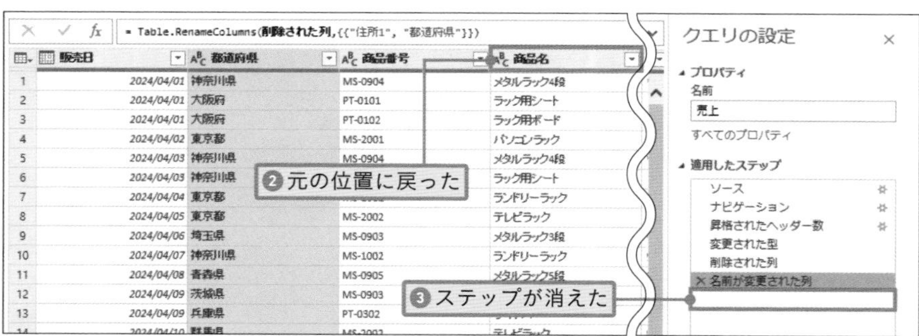

[商品名] が元の位置に戻り❷、[適用したステップ] 欄から [並べ替えられた列] ステップが消える❸。
引き続きPower Query エディターを閉じずに、そのまま次節の操作に進む。

知っておくと便利 **途中のステップの削除に注意！**

ここでは1番下のステップを削除しましたが、途中のステップを削除することも可能です。ただし、削除したステップ以降のステップに不具合が出ることもあるので慎重な操作が必要です。

2-4

整形したデータを Excelのワークシートに読み込む

データの読み込み

Sample 前節の操作後のブック

整形したデータをワークシートに読み込む

Power Query エディターでの作業が済んだら、整形したデータをExcelのワークシートに読み込みましょう。[閉じて読み込む] を実行すると、ブックに新しいワークシートが追加され、整形したデータが読み込まれます。

[閉じて読み込む]を実行する

Power Query エディター

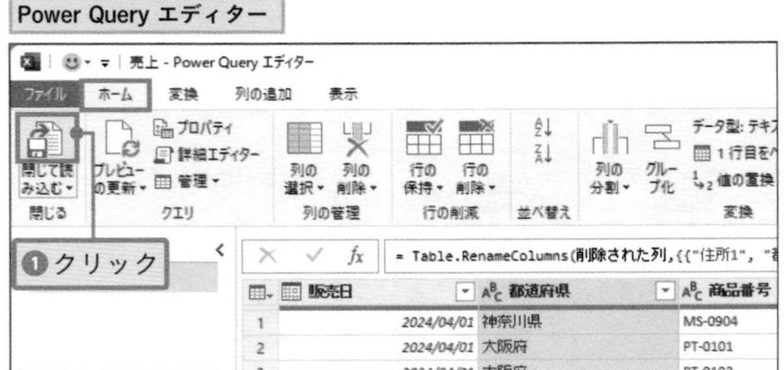

[ホーム] タブの [閉じて読み込む] の上側をクリックすると❶、Power Query エディターが閉じて、Excelの新規シートに整形したデータが読み込まれる❷。

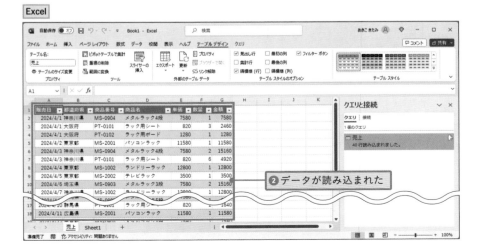

Excel

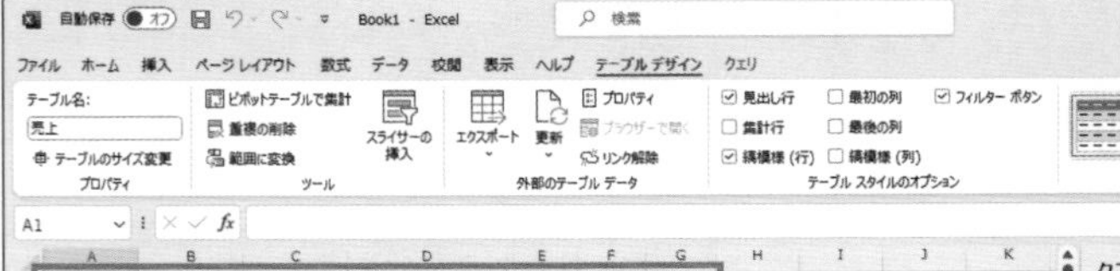

販売日	都道府県	商品番号	商品名	単価	数量	金額
2024/4/1	神奈川県	MS-0904	メタルラック4段	7580	1	7580
2024/4/1	大阪府	PT-0101	ラック用シート	820	3	2460
2024/4/1	大阪府	PT-0102	ラック用ボード	1280	1	1280
2024/4/2	東京都	MS-2001	パソコンラック	11580	1	11580
2024/4/3	神奈川県	MS-0904	メタルラック4段	7580	2	15160
2024/4/3	神奈川県	PT-0101	ラック用シート	820	6	4920
2024/4/4	東京都	MS-1002	ランドリーラック	12800	1	12800
2024/4/5	東京都	MS-2002	テレビラック	3500	1	3500
2024/4/6	埼玉県	MS-0903	メタルラック3段	7580	2	15160
2024/4/7	神奈川県	MS-1002	ランドリーラック	12800	1	12800
2024/4/10	群馬県	PT-0101	ラック用シート	820	2	1640
2024/4/11	広島県	MS-2001	パソコンラック	11580	1	11580

読み込まれたデータは「テーブル」形式で表示される

ワークシートに読み込まれた表は、「テーブル」形式で表示されます。テーブルとは、表を管理しやすくするExcelの機能です。テーブル内のセルを選択すると、リボンに[テーブルデザイン]タブと[クエリ]タブが表示されます。また、画面右には[クエリと接続]作業ウィンドウが表示され、ブックに保存されているクエリの名前とデータ件数を確認できます。確認が済んだら、そのまま次節の操作に進みましょう。

▼[テーブルデザイン]タブでテーブル名を確認

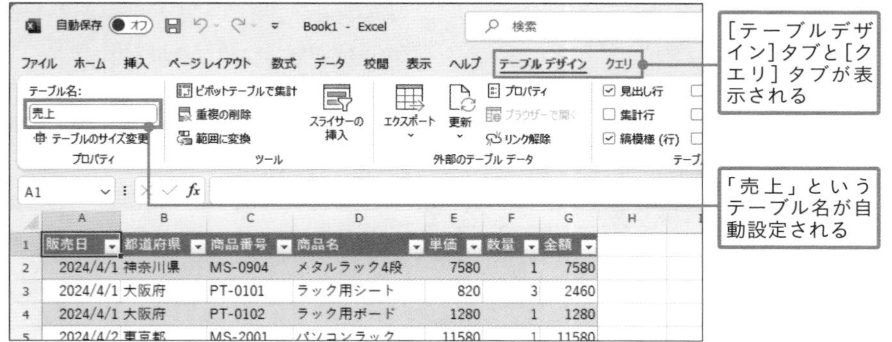

[テーブルデザイン]タブと[クエリ]タブが表示される
「売上」というテーブル名が自動設定される

▼クエリ名とデータ件数を確認

[クエリと接続]作業ウィンドウ

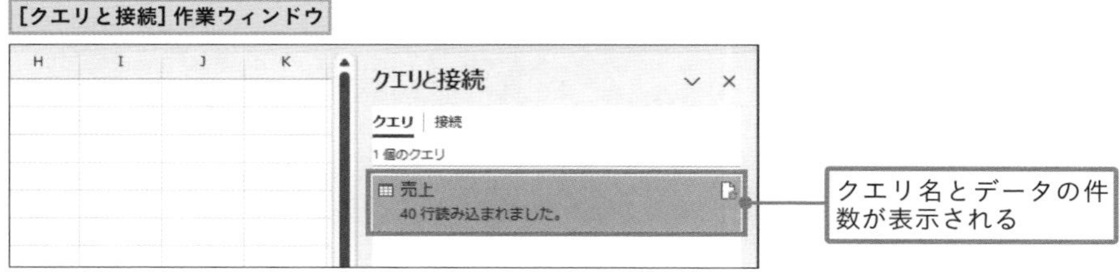

クエリと接続
クエリ
接続
1 個のクエリ
売上
40 行読み込まれました。
クエリ名とデータの件数が表示される

知っておくと便利 [クエリと接続]作業ウィンドウが表示されない場合は

[データ]タブの[クエリと接続]グループにある[クエリと接続]で、[クエリと接続]作業ウィンドウの表示と非表示を切り替えることができます。

データの読み込み先の種類

整形されたデータは、標準では前ページのように新規ワークシートにテーブル形式で読み込まれます。データの表示方法や読み込み先のワークシートを指定したい場合は、[ホーム]タブの[閉じて読み込む]→[閉じて次に読み込む]をクリックします。右下図のような[データのインポート]ダイアログボックスが表示されるので、目的に応じて設定してください。なお、読み込んだあとで読み込み先を変更する方法は306ページで紹介します。

▼データの読み込み先を指定する

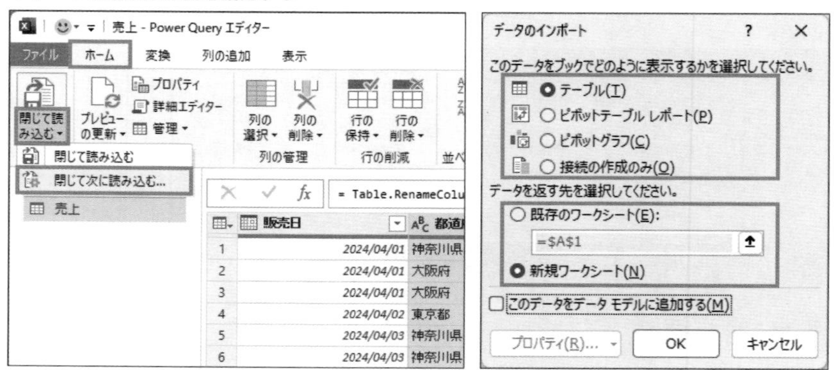

▼データの表示方法

表示方法	説明
テーブル	[閉じて読み込む]と同機能。データがワークシートにテーブル形式で読み込まれる。
ピボットテーブルレポート	ワークシートを経由せずに、読み込んだデータからピボットテーブルを作成して集計できる。→248ページ
ピボットグラフ	ワークシートを経由せずに、読み込んだデータからピボットテーブルとピボットグラフを作成できる。
接続の作成のみ	クエリのみが作成され、ワークシート上にデータは表示されない。作成したクエリは、ほかの表と結合するときなどに利用できる。→98ページ

取得した複数の表を関連付けてパワーピボットで分析したいときは、[データのインポート]ダイアログボックスの1番下にある[このデータをデータモデルに追加する]にチェックを付けます。データモデルとは、Excelの内部にある格納領域にデータを格納して、メモリ上で仮想的に表を操作できるようにした機能です。ワークシートの行数よりも格段に多いデータ量を格納できます。

知っておくと便利 「テーブル」の特徴

テーブルは、ワークシートに入力された一般的な表とは異なる挙動をすることがあります。戸惑うことがないように、ここで簡単にテーブルの特徴を説明しておきます。

テーブルの範囲が自動拡張する

右の列や下の行にデータを入力すると、テーブルの範囲が自動的に拡張します。

▼ 範囲が自動拡張する

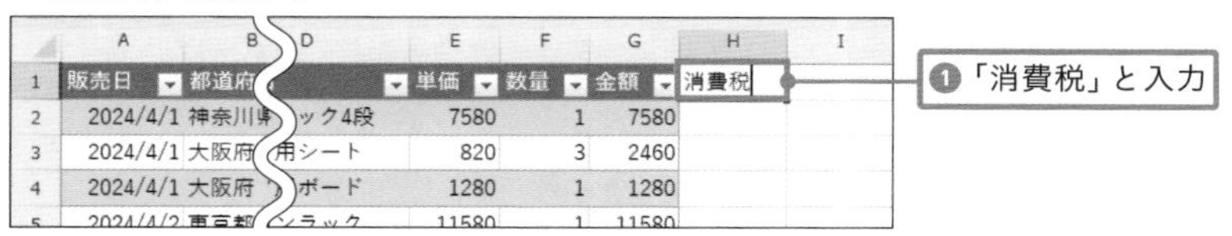

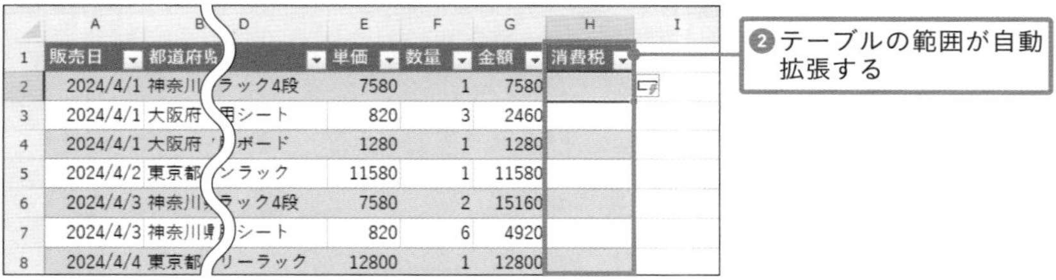

	A	B	D	E	F	G	H	I
1	販売日	都道府県		単価	数量	金額	消費税	
2	2024/4/1	神奈川	ラック4段	7580	1	7580		
3	2024/4/1	大阪府	用シート	820	3	2460		
4	2024/4/1	大阪府	ボード	1280	1	1280		
5	2024/4/2	東京都	ンラック	11580	1	11580		
6	2024/4/3	神奈川	ラック4段	7580	2	15160		
7	2024/4/3	神奈川県	シート	820	6	4920		
8	2024/4/4	東京都	リーラック	12800	1	12800		

❷テーブルの範囲が自動拡張する

テーブルに隣接するセルH1に「消費税」と入力すると❶、テーブルの範囲がH列まで自動拡張する❷。

数式が「構造化参照」で入力される

テーブル内のセルを使用して数式を入力すると、「G2」のようなセル番号ではなく「[@金額]」のような列見出しを使用した式になります。このように数式でテーブル内の要素名を使用することを「構造化参照」と呼びます。入力した数式は、自動で列全体に拡張します。

▼ 構造化参照のイメージ

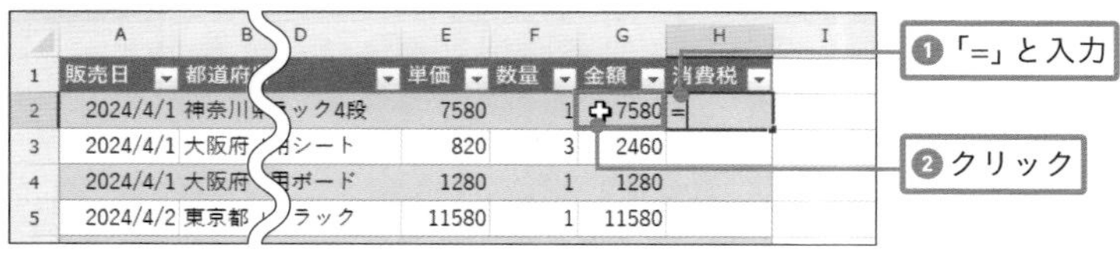

セルH2に「=」と入力して❶、セルG2をクリックする❷。

「=[@金額]」と入力される❸。続いて「*0.1」と入力して Enter を押す❹。

	A	B	D	E	F	G	H	I
1	販売日	都道府		単価	数量	金額	消費税	
2	2024/4/1	神奈川	ラック4段	7580	1	7580	758	
3	2024/4/1	大阪府	用シート	820	3	2460	246	
4	2024/4/1	大阪府	用ボード	1280	1	1280	128	
5	2024/4/2	東京都	ラック	11580	1	11580	1158	

❺列全体に計算結果が表示される

数式が列全体に自動入力され、各セルに計算結果が表示される❺。

≫ スクロール時に列見出しが固定表示される

スクロール時に1行目の列見出しが画面の外に消えると、「A」「B」などの列番号の位置に「販売日」「都道府県」などの列見出しの文字列が表示されます。これにより、常にデータと列見出しの対応を確認できます。

▼スクロールしても列見出しは固定される

H3　=[@金額]*0.1

	販売日	都道府県	商品番号	商品名	単価	数量	金額	消費税	I	J	K
37	2024/4/26	千葉県	MS-1001	ハンガーラック	4650	1	4650	465			
38	2024/4/27	茨城県	PT-0101	ラック用シート	820	3	2460	246			
39	2024/4/28	東京都	MS-1001	ハンガーラック	4650	1	4650	465			
40	2024/4/29	千葉県	MS-2002	テレビラック	3500	1	3500	350			
41	2024/4/30	広島県	MS-1002	ランドリーラック	12800	1	12800	1280			
42											

列番号の代わりに列見出しが表示される

≫ [テーブルスタイル] 機能が用意されている

データを読み込んだテーブルには緑色の縞模様のスタイルが適用されますが、このデザインは[テーブルデザイン]タブの[テーブルスタイル]の一覧から変更できます。約60種類のデザインが用意されており、好みや用途に合わせて選択できます。

▼[テーブルスタイル]からテーブルのデザインを選択できる

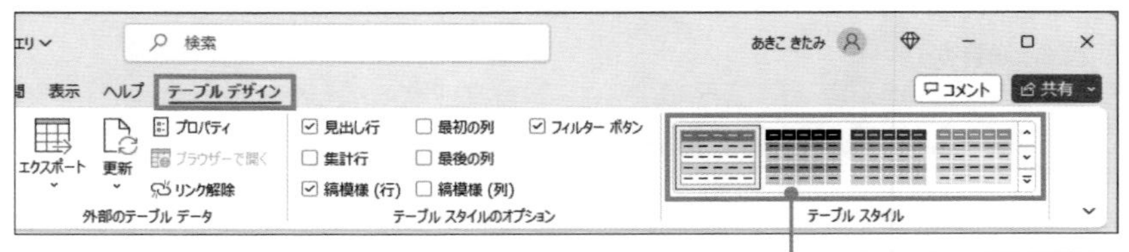

[テーブルスタイル] からデザインを変更できる

なお、自分で入力した表をテーブルに変換することも可能です。変換方法は100ページの「知っておくと便利」を参照してください。

2-5 Power Query エディターを再起動してデータを修正する

Power Query エディターの再起動、データの修正

Sample 前節の操作後のブック

Power Query エディターを再起動する

データを読み込んだあとで、追加の編集が必要になることがあります。以下のように操作すると、Power Query エディターを起動して編集できます。

Excel から Power Query エディターを起動する

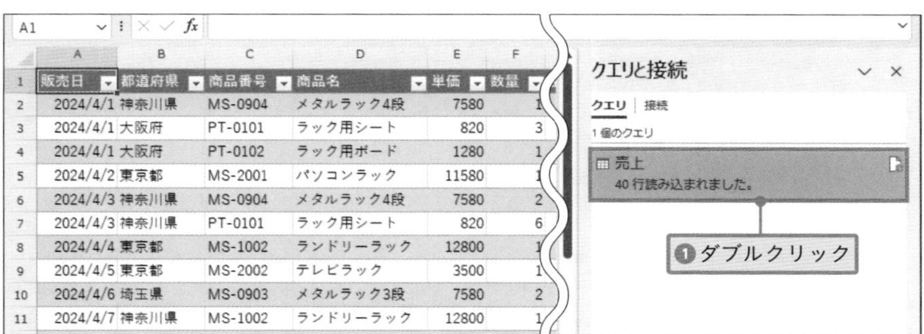

Excelの［クエリと接続］作業ウィンドウでクエリ名をダブルクリックする❶。

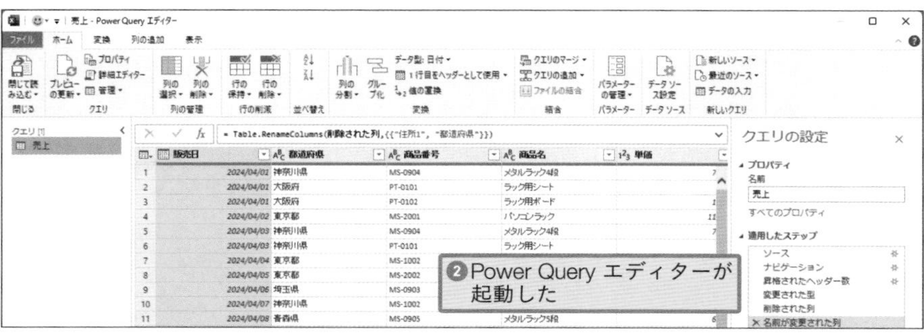

Power Query エディターが起動し、データが表示される❷。

Excelの［クエリ］タブの［編集］グループにある［編集］をクリックしても、Power Query エディターを起動してデータの編集を行えます。

データを編集する

Power Query エディターが起動したら、データを編集します。ここでは、[商品番号] が「MS」ではじまる行を抽出します。[適用したステップ] 欄で1番下のステップが選択されていることを確認してから操作を開始しましょう。

[商品番号]が「MS」ではじまるデータを抽出する

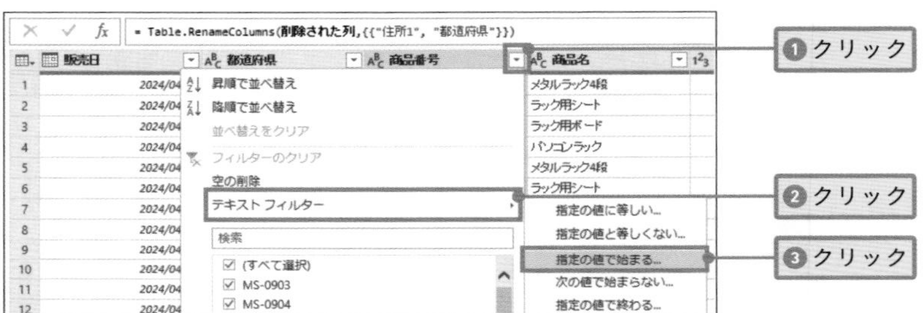

[適用したステップ] 欄で1番下のステップをクリックして選択しておく。「MS」ではじまるデータを抽出するには、まず [商品番号] の列名の右にある [▼] をクリックして❶、[テキストフィルター] をクリックし❷、[指定の値で始まる] をクリックする❸。

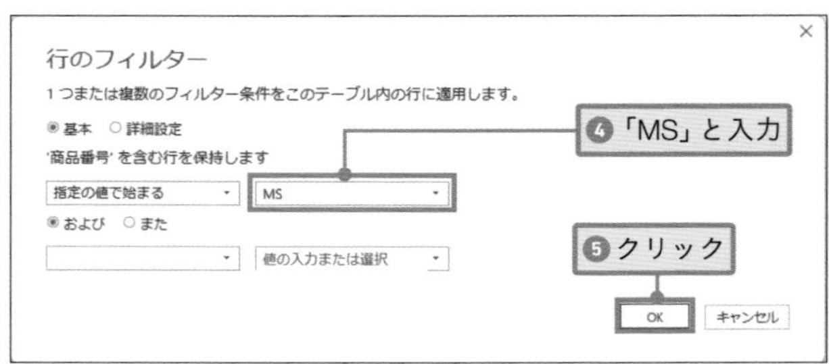

[行のフィルター] ダイアログボックスが表示される。[指定の値で始まる] の右の入力欄に「MS」と入力し❹、[OK] をクリックする❺。

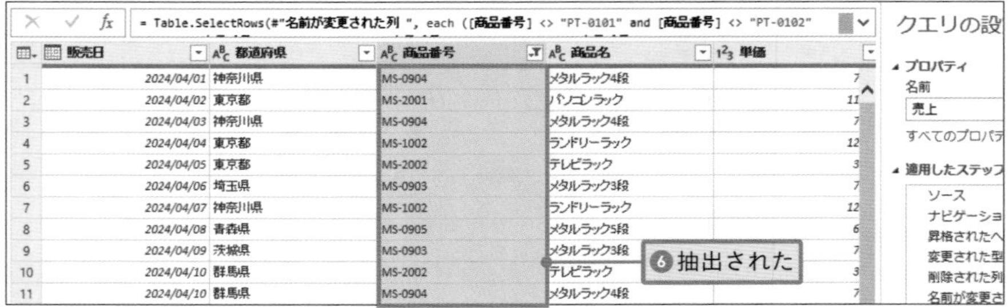

「MS」ではじまるデータだけが抽出される❻。[適用したステップ] 欄には [フィルターされた行] ステップが追加される。なお、抽出機能については228ページで詳しく解説する。

ワークシートにデータを読み込む

編集が済んだら、データを読み込みましょう。[ホーム] タブの [閉じて読み込む] をクリックすると、前回と同じ読み込み先(ここではワークシート)に「MS」ではじまる商品のデータだけが読み込まれます。

データを読み込む

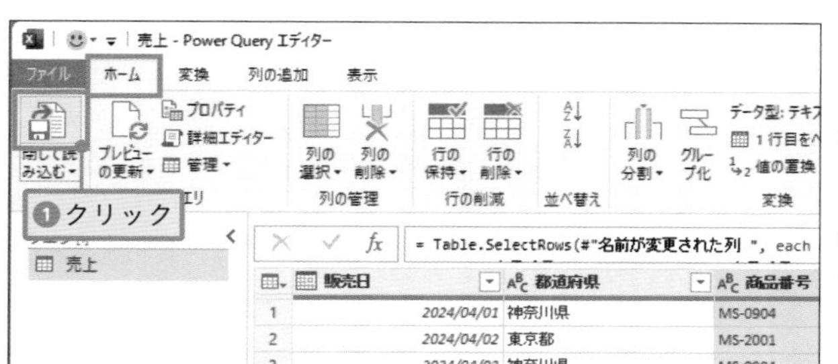

[ホーム] タブの [閉じて読み込む] をクリックすると❶、前回と同じ読み込み先にデータが読み込まれる。「MS」ではじまるデータだけが読み込まれたことを確認する❷。確認が済んだら、そのまま次節の操作に進む。

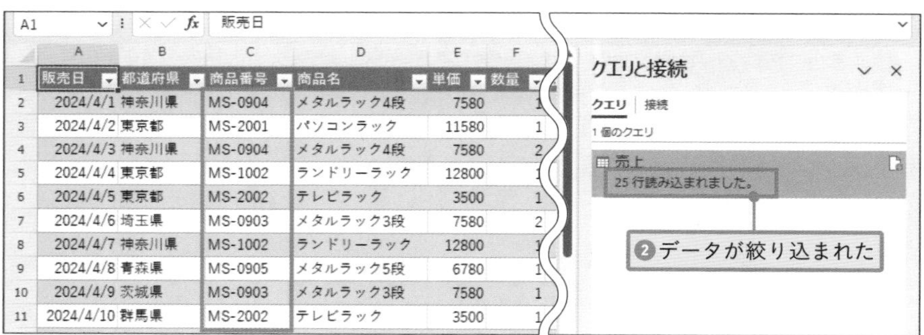

> **知っておくと便利** 編集を破棄するには？
>
> Power Query エディターの画面右上にある [×] をクリックすると、画面が閉じる前に下図の確認画面が表示されます。[破棄] をクリックすると、Power Query エディターを起動後に行ったすべての操作が破棄されて画面が閉じます。[ファイル] タブの [破棄して閉じる] をクリックした場合も、同様に操作が破棄されます。
>
> ▼ [×] をクリックした際に表示される確認画面
>
> 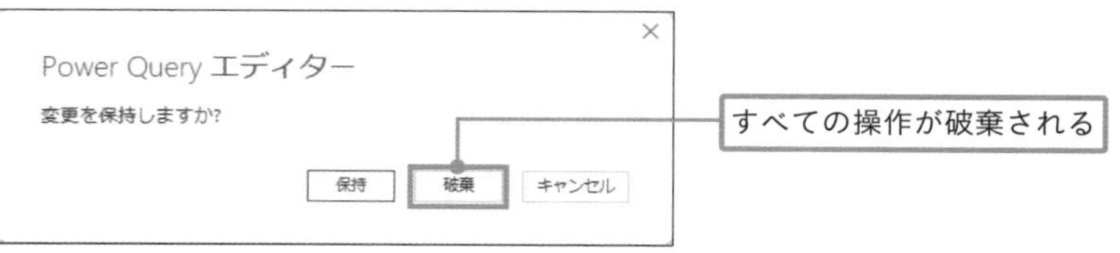
>

2-6

クエリを含むブックの保存と開くときの注意

ブックの保存、ブックを開く

Sample 前節の操作後のブック

クエリを含むブックを保存する

28〜45ページで、新規ブックにクエリを作成し、データをワークシートに読み込みました。作成したクエリや読み込んだデータを今後利用するためには、ブックを分かりやすい名前で保存しておきましょう。保存操作は、通常のブックの保存と同じです。保存できたら、ブックをいったん閉じてください。

▼ブックに名前を付けて保存する

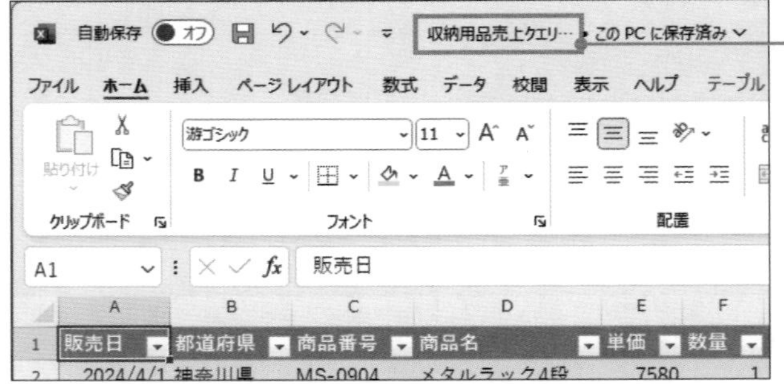

分かりやすい名前（ここでは「収納用品売上クエリ.xlsx」）を付けてブックを保存しておく

POINT

データソースは移動不可、クエリを含むブックは移動可能

クエリを作成すると、データソースの場所が「C:¥SampleData¥Chap02¥売上データ.xlsx」のような絶対パス（ドライブ名、フォルダー名、ファイル名をつないだ文字列のこと）でブックに記録されます。そのため、データソースとなるファイルを別のフォルダーに移動したり、ファイル名を変更したりしてしまうと、ブックからデータソースに接続できずにエラーが発生してしまいます。一方、読み込み先の「収納用品売上クエリ.xlsx」は、保存後に移動したりファイル名を変更したりしても、クエリの動作に影響しません。なお、データソースの場所や名前が変わったときに接続の設定を修正する方法は、303ページで紹介します。

クエリを含むブックを開く

前ページで保存した「収納用品売上クエリ.xlsx」を開いてみましょう。クエリを含むブックを開くと［セキュリティの警告］が表示され、外部ファイルへの接続が無効になることがあります。無効になることにより、外部ファイルにセキュリティ上の問題がある場合に、不用意に接続してトラブルが発生するのを防げます。接続先のファイルが信頼できる場合は、［コンテンツの有効化］をクリックすると接続が可能な状態になります。一度有効化を行うと、次から［セキュリティの警告］は表示されません。

▼［コンテンツの有効化］をクリックする

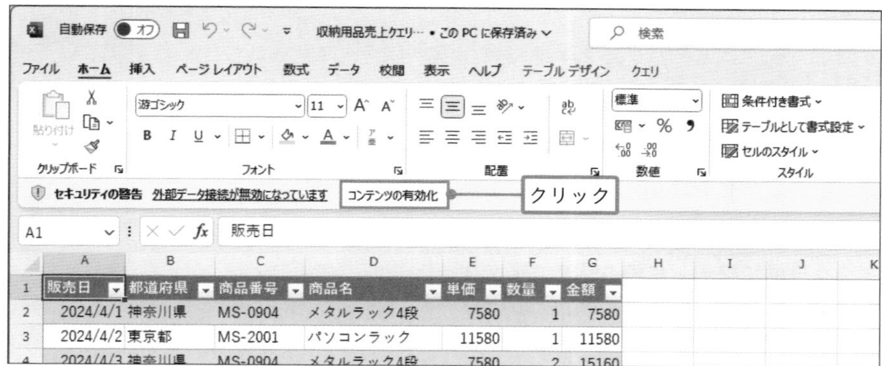

確認が済んだら、次節に進む前にブックを閉じておいてください。

知っておくと便利　**［保護ビュー］が表示されたときは**

インターネット上からダウンロードしたブックの場合、［セキュリティの警告］の前に［保護ビュー］が表示されます。保護ビューではデータの編集が行えません。編集できるようにするには、［編集を有効にする］をクリックします。

▼［編集を有効にする］をクリックする

保護ビュー　注意—インターネットから入手したファイルは、ウイルスに感染している可能性があります。編集する必要がなければ、保護ビューのままにしておくことをお勧めします。　編集を有効にする(E)

2-7

パワークエリの本領発揮！元データの変更を反映させる

データの更新

Sample 売上データ .xlsx、売上更新用 .xlsx、前節の操作後のブック

パワークエリの「更新」って何？

パワークエリは、ワークシートにデータを読み込んで終わりではありません。むしろ、ここまでは準備段階。パワークエリの威力が発揮されるのは、実はこのあとです。

売上データなど、パワークエリで扱う多くのデータソースでは、日々新しいデータが追加されていきます。クエリにはデータソースの場所や整形作業のステップが記録されているので、「更新」という操作を行うだけで、データソースに接続して最新のデータを取得し、ステップに沿って整形して素早くワークシートに読み込めます。つまり、一度クエリを作成しておけば、来月も再来月もクリック1つでデータを全自動で整形して読み込めるのです。

▼新しく追加されたデータを読み込める

データソース（売上データ.xlsx）

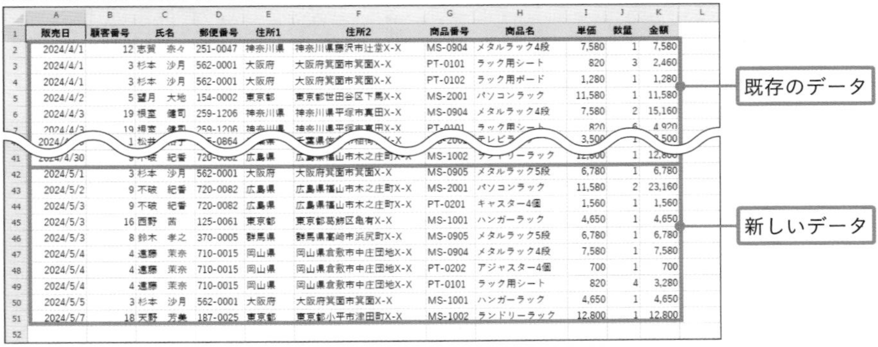

	A	B	C	D	E	F	G	H	I	J	K	L
1	販売日	顧客番号	氏名	郵便番号	住所1	住所2	商品番号	商品名	単価	数量	金額	
2	2024/4/1	12	志賀　赤々	251-0047	神奈川県	神奈川県藤沢市辻堂X-X	MS-0904	メタルラック4段	7,580	1	7,580	
3	2024/4/1	3	杉本　沙月	562-0001	大阪府	大阪府箕面市箕面X-X	PT-0101	ラック用シート	820	3	2,460	
4	2024/4/1	3	杉本　沙月	562-0001	大阪府	大阪府箕面市箕面X-X	PT-0102	ラック用ボード	1,280	1	1,280	
5	2024/4/2	5	望月　大地	154-0002	東京都	東京都世田谷区下馬X-X	MS-2001	パソコンラック	11,580	1	11,580	
6	2024/4/3	19	根室　健司	259-1206	神奈川県	神奈川県平塚市真田X-X	MS-0904	メタルラック4段	7,580	2	15,160	
7	2024/4/3	19	根室　健司	259-1206	神奈川県	神奈川県平塚市真田X-X	PT-0101	ラック用シート	820	6	4,920	
[illegible]	2024/[illegible]	1	松井　[illegible]	[illegible]-0864	[illegible]	千葉県[illegible]	[illegible]	テレビ[illegible]	3,500	1	[illegible]500	
41	2024/4/30	[illegible]	不破　紀香	720-[illegible]	広島県	広島県福山市木之庄町X-X	MS-1002	[illegible]ーラック	[illegible]	1	12,8[illegible]	
42	2024/5/1	3	杉本　沙月	562-0001	大阪府	大阪府箕面市箕面X-X	MS-0905	メタルラック5段	6,780	1	6,780	
43	2024/5/2	9	不破　紀香	720-0082	広島県	広島県福山市木之庄町X-X	MS-2001	パソコンラック	11,580	2	23,160	
44	2024/5/3	9	不破　紀香	720-0082	広島県	広島県福山市木之庄町X-X	PT-0201	キャスター4個	1,560	1	1,560	
45	2024/5/3	16	西野　茜	125-0061	東京都	東京都葛飾区亀有X-X	MS-1001	ハンガーラック	4,650	1	4,650	
46	2024/5/3	8	鈴木　孝之	370-0005	群馬県	群馬県高崎市浜尻町X-X	MS-0905	メタルラック5段	6,780	1	6,780	
47	2024/5/4	4	遠藤　茉奈	710-0015	岡山県	岡山県倉敷市中庄団地X-X	MS-0904	メタルラック4段	7,580	1	7,580	
48	2024/5/4	4	遠藤　茉奈	710-0015	岡山県	岡山県倉敷市中庄団地X-X	PT-0202	アジャスター4個	700	1	700	
49	2024/5/4	4	遠藤　茉奈	710-0015	岡山県	岡山県倉敷市中庄団地X-X	PT-0101	ラック用シート	820	4	3,280	
50	2024/5/5	3	杉本　沙月	562-0001	大阪府	大阪府箕面市箕面X-X	MS-1001	ハンガーラック	4,650	1	4,650	
51	2024/5/7	18	天野　芳美	187-0025	東京都	東京都小平市津田町X-X	MS-1002	ランドリーラック	12,800	1	12,800	
52												

既存のデータ

新しいデータ

「更新」を行うと、現在データソースに保存されているすべてのデータを素早く整形して読み込める。さらに既存のデータの修正・削除、新しいデータの追加などがすべて読み込みに反映される。

更新実習用の売上データを用意する

本書のサンプルでは、「売上データ.xlsx」に4月分、「売上更新用.xlsx」に4～5月分のデータが入力されています。更新作業を実習する準備として、前回の読み込みで使用した「売上データ.xlsx」のファイル名を「旧データ.xlsx」に、今回更新に使用する「売上更新用.xlsx」のファイル名を「売上データ.xlsx」に変えてください。そうすれば更新を実行したときに、5月分のデータが追加された「売上データ.xlsx」からデータを読み込めます。

▼「売上データ .xlsx」を最新のファイルに差し替える

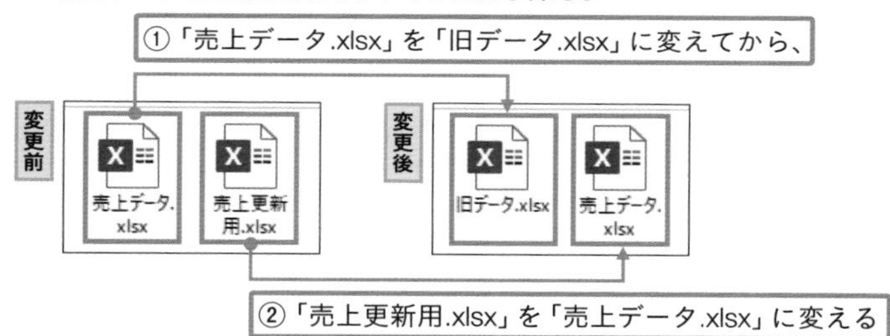

知っておくと便利 拡張子を表示する

パワークエリではさまざまな種類のファイルを扱うので、ファイル名に拡張子（ファイルの種類を表す「.xlsx」のような記号）が表示されるように設定しておくと分かりやすく操作できます。表示するには、エクスプローラーの［表示］をクリックして、［表示］→［ファイル名拡張子］をクリックします。

▼拡張子の表示方法

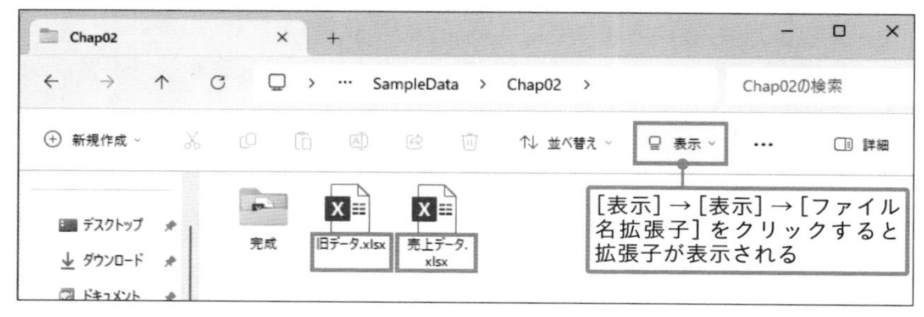

[更新]をクリックして新しいデータの読み込みを確認する

それでは実際に更新を実行してみましょう。更新はExcel上で行えます。Power Query エディターを起動する必要はありません。[クエリと接続] 作業ウィンドウにある [最新の情報に更新] をクリックするだけで、最新のデータを整形した状態で素早く読み込めます。なお、[クエリと接続] 作業ウィンドウが表示されていない場合は、[データ] タブの [クエリと接続] をクリックしてください。データソースの「売上データ.xlsx」は閉じたままでOKです。

更新を実行する

収納用品売上クエリ.xlsx

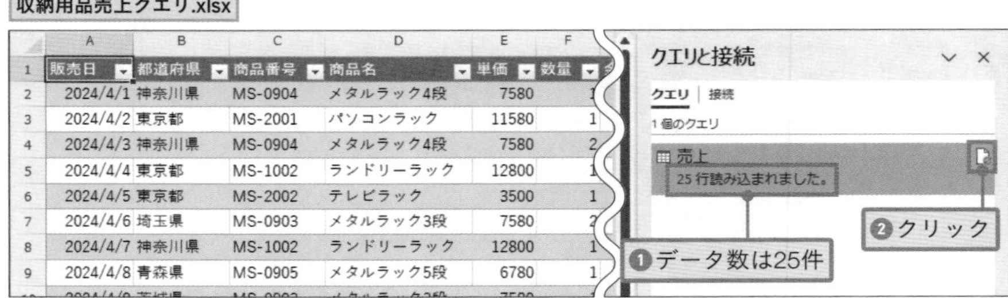

前節で保存した「収納用品売上クエリ.xlsx」を開き、[クエリと接続] 作業ウィンドウで現在のデータ数を確認しておく❶。続いてクエリ [売上] の右にある [最新の情報に更新] をクリックする❷。

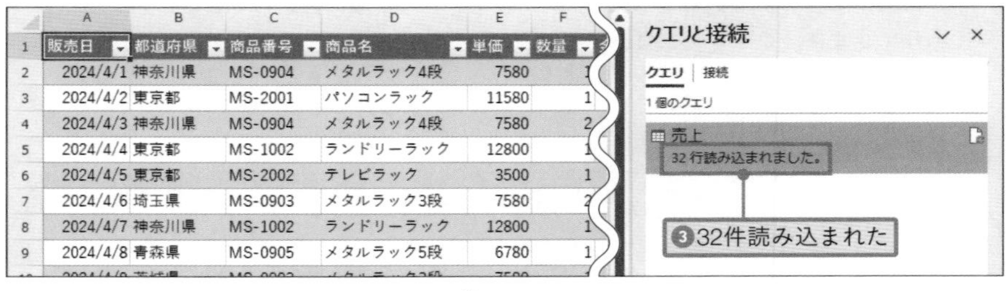

更新が実行され、読み込まれた行数が変化する❸。

[データ] タブの [クエリと接続] グループにある [すべて更新] をクリックするか、Ctrl+Alt+F5を押すと、ブック内のすべてのクエリが更新されます。また、[クエリ] タブの [読み込み] グループにある [更新] をクリックするか、Alt+F5を押すと、現在セルが選択されているクエリのみが更新されます。

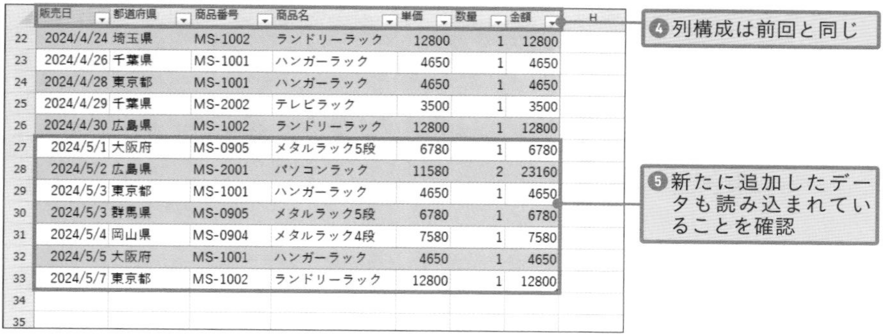

	販売日	都道府県	商品番号	商品名	単価	数量	金額	H
22	2024/4/24	埼玉県	MS-1002	ランドリーラック	12800	1	12800	
23	2024/4/26	千葉県	MS-1001	ハンガーラック	4650	1	4650	
24	2024/4/28	東京都	MS-1001	ハンガーラック	4650	1	4650	
25	2024/4/29	千葉県	MS-2002	テレビラック	3500	1	3500	
26	2024/4/30	広島県	MS-1002	ランドリーラック	12800	1	12800	
27	2024/5/1	大阪府	MS-0905	メタルラック5段	6780	1	6780	
28	2024/5/2	広島県	MS-2001	パソコンラック	11580	2	23160	
29	2024/5/3	東京都	MS-1001	ハンガーラック	4650	1	4650	
30	2024/5/3	群馬県	MS-0905	メタルラック5段	6780	1	6780	
31	2024/5/4	岡山県	MS-0904	メタルラック4段	7580	1	7580	
32	2024/5/5	大阪府	MS-1001	ハンガーラック	4650	1	4650	
33	2024/5/7	東京都	MS-1002	ランドリーラック	12800	1	12800	
34								
35								

❹列構成は前回と同じ

❺新たに追加したデータも読み込まれていることを確認

前回、Power Query エディターで設定した通りの列構成であることを確認する❹。また、画面をスクロールして、新しいデータのうち商品番号が「MS」ではじまるデータだけが読み込まれていることを確認する❺。確認できたら、上書き保存しておく。

更新前にテーブルに手動で計算列を追加していた場合、更新時に計算列はそのまま残り、更新後のデータで計算し直されます。また、更新前にテーブルのスタイルを変更していた場合、更新後も変更したスタイルが維持されます。なお、更新前に列幅を変更していた場合、初期設定ではその列幅は維持されません。維持したい場合は、307ページの「知っておくと便利」を参考に設定を変更してください。

Power Query エディターを経由せずに、[ナビゲーター] ダイアログボックスからそのままワークシートにデータを読み込んだ場合も、同様の操作でデータソースに接続してデータを更新できます。

知っておくと便利 **データソースのデータを毎月総入れ替えして更新するには**

「売上データ.xlsx」に4月分の売上データを入力し、これをデータソースとしてワークシートに読み込みます。翌月になったら「売上データ.xlsx」から4月分のデータを削除し、5月分のデータを入力します。更新を実行すると、読み込み先のテーブルでは4月分のデータが消え、5月分のデータが読み込まれます。毎月更新を実行すると、その都度1カ月分のデータだけを読み込むことができます。

なお、読み込み先に前月のデータを残しておきたい場合は、更新する前にクエリを複製し、複製したクエリをデータソースから切り離します。クエリの複製については321ページで、データソースから切り離す操作については308ページで解説します。

2-8 パワークエリの「ステップ」の実体を覗いてみよう

ステップ、M言語、自動実行されるステップ、データ型

Sample 前節の操作後のブック

ステップは「M言語」で記録されている

Power Query エディターでは、行った処理が「ステップ」として記録されます。このステップは、実際には「M言語」と呼ばれるプログラミング言語で記録されます。列の移動や行の抽出など、Power Query エディターで行った操作からM言語の式が自動生成されて記録されるのです。［適用したステップ］欄でステップを選択すると、そのステップに対応するM言語の式を確認できます。また、プレビュー画面では、選択したステップを実行した直後のデータを確認できます。

M言語の式を確認する

収納用品売上クエリ.xlsx

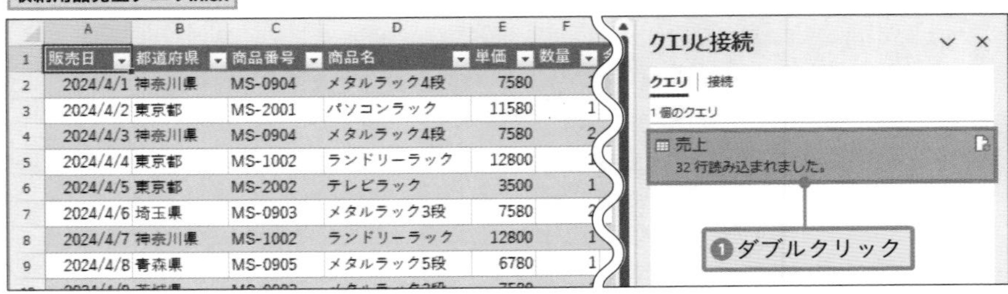

［クエリと接続］作業ウィンドウでクエリ名をダブルクリックする❶。もしくは［クエリ］タブの［編集］をクリックしてもよい。

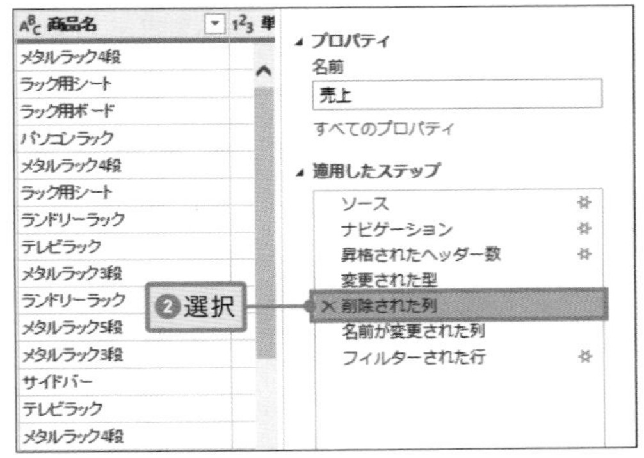

Power Query エディターが起動するので、［適用したステップ］欄でステップを選択する❷。ここでは［削除された列］ステップを選択した。

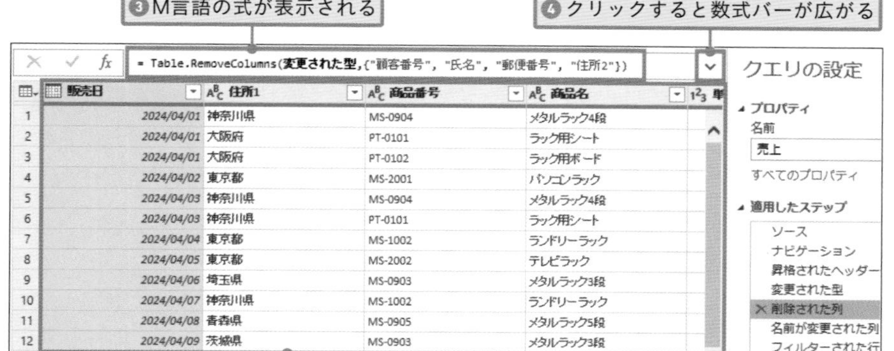

選択したステップを定義するM言語の式が数式バーに表示される❸。式が1行に収まらない場合は、[∨]をクリックすると、数式バーを縦に広げることができる❹。プレビュー画面には、選択したステップを実行した直後のデータ（列を削除した直後のデータ）が表示される❺。

自動実行されたステップとは

Power Query エディターでは、最初にデータを取得するときに自動的にいくつかの処理が行われます。自動実行されるステップの内容は、データソースによって変わります。今回は［ソース］［ナビゲーション］［昇格されたヘッダー数］［変更された型］の4つのステップが実行されました。

▼ 自動実行されたステップ

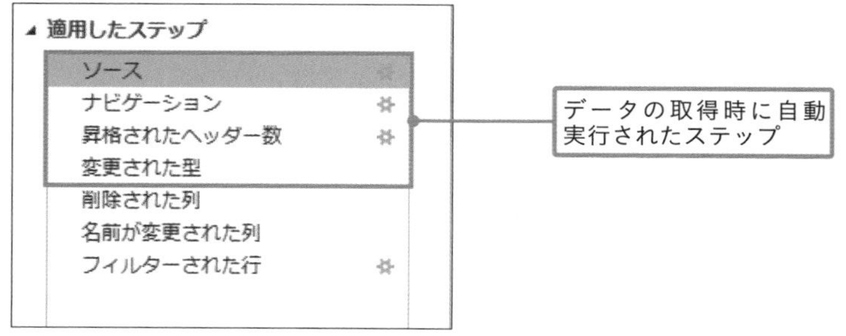

自動実行されるステップは文字通り自動的に実行されるので、詳細を理解する必要はありません。しかし、興味のある方のために実行された内容を簡単に説明しておきます。

》[ソース]ステップ

1つ目の［ソース］ステップは、データソースとなるExcelブックの内容を取得するステップです。数式バーの式にデータソースの場所が記述されていることが見て取れます。プレビュー画面には、ブックに含まれるデータの種類が一覧表示されます。今回のデータソースに含まれるのは［売上］シート1つなので、表示は1行です。ブックに複数のワークシートやテーブル、セル範囲に付けた名前などが含まれる場合は、複数行表示されます。

▼［ソース］ステップが実行された状態

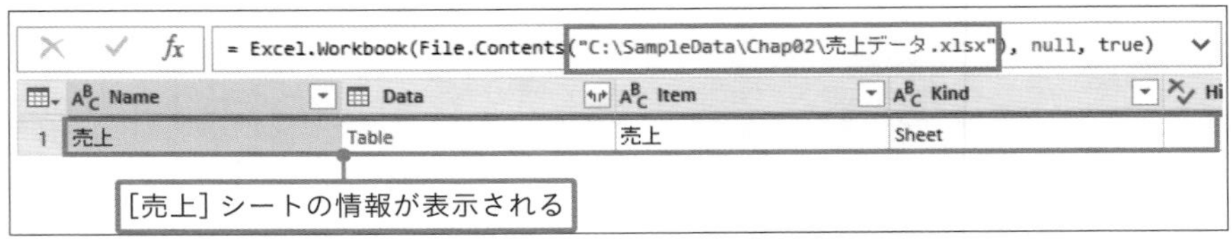

》[ナビゲーション]ステップ

2つ目の［ナビゲーション］ステップでは、「［ソース］ステップの一覧のうち［売上］シートのデータを表示する」という処理が行われます。プレビュー画面には［売上］シートの入力内容が表示されます。この時点では列名が「Column1」「Column2」となっており、「販売日」「顧客番号」などの列見出しの文字列はデータとしてセルに表示された状態になります。

▼［ナビゲーション］ステップが実行された状態

```
= ソース{[Item="売上",Kind="Sheet"]}[Data]
```

	Column1	Column2	Column3	Column4
1	販売日	顧客番号	氏名	郵便番号
2	2024/04/01	12	志賀 奈々	251-0047
3	2024/04/01	3	杉本 沙月	562-0001
4	2024/04/01	3	杉本 沙月	562-0001
5	2024/04/02	5	望月 大地	154-0002
6	2024/04/03	19	根室 健司	259-1206

［売上］シートの入力内容が表示される

列見出しがデータとして表示される

元データがワークシートではなくテーブルの場合、［ナビゲーション］ステップの段階で「販売日」「顧客番号」などの文字列は最初から列名の位置に表示されます。そのため［昇格されたヘッダー数］ステップは実行されません。

》[昇格されたヘッダー数] ステップ

3つ目の[昇格されたヘッダー数] ステップでは、1行目のセルに表示されていた文字列が列名として昇格します。列名の左横には、データの種類を表すアイコンが表示されますが、この時点まではどの列のアイコンもABC123です。このアイコンは、[任意] というデータの種類を表します。

▼[昇格されたヘッダー数]ステップが実行された状態

= Table.PromoteHeaders(売上_Sheet, [PromoteAllScalars=true])

	販売日	顧客番号	氏名	郵便番号	住
1	2024/04/01	12	志賀 奈々	251-0047	神
2	2024/04/01	3	杉本 沙月	562-0001	大
3	2024/04/01	3	杉本 沙月	562-0001	大
4	2024/04/02	5	望月 大地	154-0002	東

列名が正しく表示される

データの種類はどの列も[任意]

》[変更された型] ステップ

最後に自動実行された[変更された型] ステップでは、各列に入力されているデータに応じてデータの種類が設定されます。このデータの種類のことを「データ型」と呼びます。例えば[販売日] 列には[日付] (▦)、[顧客番号] 列には[整数] (1²3)、[氏名] 列には[テキスト] (ABC)というデータ型が設定されます。

▼[変更された型]ステップが実行された状態

= Table.TransformColumnTypes(昇格されたヘッダー数,{{"販売日", type date}, {"顧客番号",

	販売日	顧客番号	氏名	郵便番号	住
1	2024/04/01	12	志賀 奈々	251-0047	神
2	2024/04/01	3	杉本 沙月	562-0001	大
3	2024/04/01	3	杉本 沙月	562-0001	大
4	2024/04/02	5	望月 大地	154-0002	東
5	2024/04/03	19	根室 健司	259-1206	神
6	2024/04/03	19	根室 健司	259-1206	神

[日付]

[整数]

[テキスト]

✎ 29ページで紹介した[ナビゲーター] ダイアログボックスで[読み込み] をクリックすると、Power Query エディターを経由せずにデータが直接ワークシートに読み込まれます。その場合も、[クエリと接続] 作業ウィンドウでクエリ名をダブルクリックするとPower Query エディターが起動し、同様のステップが自動実行されたことを確認できます。

データ型の種類

データ型について、もう少し詳しく見ていきましょう。「データ型」とは、列に含まれるデータの種類を指定するものです。下表のようなデータ型が用意されています。

▼ 主なデータ型

データ型	説明
1.2 10進数	浮動小数点数を扱うデータ型。小数値を含む数値や整数を扱える。固定小数点数に比べて扱える数値の範囲が広いのがメリットだが、小数の計算に小さな誤差が出る可能性がある。
$ 通貨	固定小数点数を扱うデータ型。小数点以下4桁、有効桁数19桁の精度で計算を行える。「通貨」という名称だが、数値に「¥」が付くわけではない。
123 整数	小数点以下の値を持たない整数を扱うデータ型。最大19桁まで扱える。
% パーセンテージ	基本的に［10進数］と同じだが、数値に「%」が付いて表示される。
日付／時刻	「2024/07/26 12:34:56」のように日付と時刻を一緒に扱うデータ型。
日付	日付を扱うデータ型。
時刻	時刻を扱うデータ型。
期間	「1.02:03:04」（1日2時間3分4秒）のように期間を扱うデータ型。日付や時刻と加減算するときに使用する。
ABC テキスト	文字列を扱うデータ型。郵便番号など、計算の対象にならない数字の並びのデータにもこのデータ型を使う。
True／False	論理値のTrue（「真」の意味）またはFalse（「偽」の意味）を扱うデータ型。
ABC 123 すべて	データの取得直後、特定のデータ型が自動設定される前に一時的に設定されるデータ型。「任意」というデータ型名で呼ばれることもある。

今回はデータの取得直後に全列のデータ型が［すべて］になりました。テキストファイルからデータを取得する場合などは、取得直後に全列が［テキスト］型になることもあります。いずれの場合も、パワークエリでは列の値に応じてデータ型が自動判定され、［変更された型］ステップでデータ型が変更されます。

ただし、自動判定の対象になるのは、先頭から1000行程度のデータです。そのため、適切でないデータ型に変更されることがあります。また、何らかのきっかけで意図しないデータ型に変更されることもあります。その場合、適切なデータ型を設定し直しましょう。データ型のアイコンをクリックして、表示される一覧からデータ型を設定できます。

データ型を変更する

❶クリック　❷データ型を選択

1.2 10 進数
$ 通貨
1²₃ 整数
% パーセンテージ
日付/時刻
日付
時刻
日付/時刻/タイムゾーン
期間
テキスト
True/False
バイナリ
ロケールを使用...

データ型を変更したい列のアイコンをクリックし❶、表示される一覧から目的のデータ型を選ぶ❷。

列を選択し、[変換] タブの [任意の列] グループにある [データ型の変更] の一覧からもデータ型を変更できます。事前に複数の列を選択すれば、まとめて同じデータ型に変更することも可能です。

知っておくと便利　M言語によるクエリの全容を確認する

Power Query エディターの [表示] タブの [詳細設定] グループにある [詳細エディター] をクリックすると [詳細エディター] が起動して、クエリ全体のM言語の内容を確認できます。各ステップのM言語の式が順に並んでいるのが見て取れます。

▼ [詳細エディター]の表示

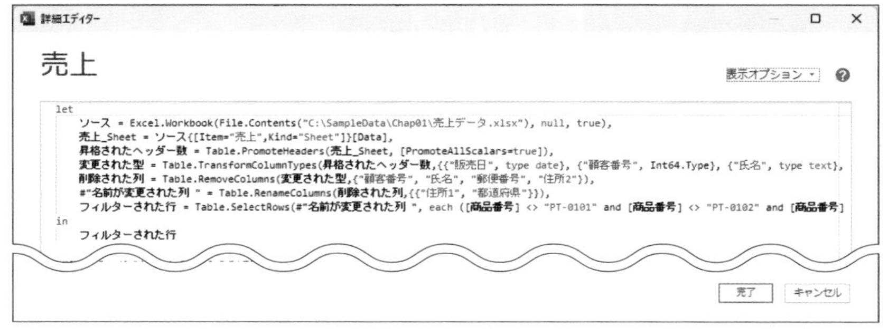

詳細エディター
売上
表示オプション
let
ソース = Excel.Workbook(File.Contents("C:\SampleData\Chap01\売上データ.xlsx"), null, true),
売上_Sheet = ソース{[Item="売上",Kind="Sheet"]}[Data],
昇格されたヘッダー数 = Table.PromoteHeaders(売上_Sheet, [PromoteAllScalars=true]),
変更された型 = Table.TransformColumnTypes(昇格されたヘッダー数,{{"販売日", type date}, {"顧客番号", Int64.Type}, {"氏名", type text},
削除された列 = Table.RemoveColumns(変更された型,{"顧客番号", "氏名", "郵便番号", "住所2"}),
#"名前が変更された列 " = Table.RenameColumns(削除された列,{{"住所1", "都道府県"}}),
フィルターされた行 = Table.SelectRows(#"名前が変更された列 ", each ([商品番号] <> "PT-0101" and [商品番号] <> "PT-0102" and [商品番号]
in
フィルターされた行
完了
キャンセル

知っておくと便利 数式バーで式を手直ししてステップを修正する

M言語の式はPower Query エディターによって自動生成されるので、その習得は必須ではありません。しかし、予備知識として知っていると便利なこともあります。例えば、[顧客番号][氏名][郵便番号][住所2]の4列を削除したあとで[住所2]の削除だけを取り消したい、というようなケースです。[削除された列]ステップそのものを削除すると、4列とも削除が取り消されてしまいます。そんなときは、[削除された列]ステップを選択して、数式バーで「, "住所2"」の文字を削除します。

▼ 数式バーで式を修正する

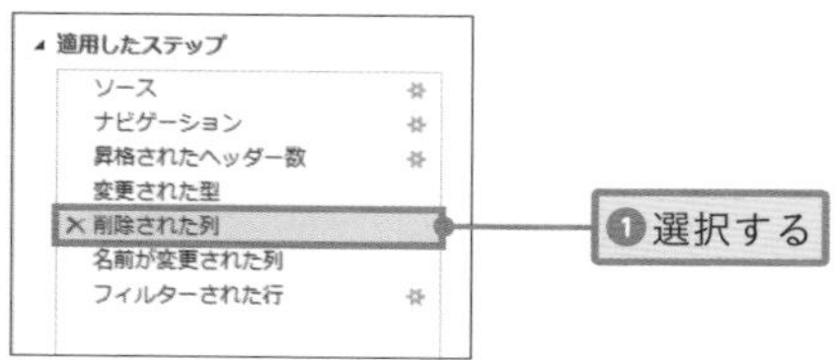

[適用したステップ]欄で[削除された列]ステップを選択する❶。

数式バーで「, "住所2"」を選択して Delete で削除し、 Enter を押して式を確定する❷。

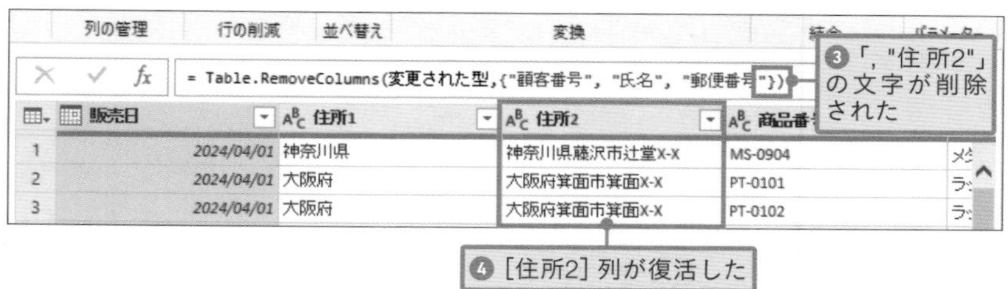

数式バーの「, "住所2"」の文字が削除され❸、プレビュー画面の「住所2」列が復活する❹。

M言語の文法に沿わない編集を行った場合、エラーになるので注意してください。また途中のステップを修正した場合、文法的に正しい修正をしたとしても、それ以降のステップとの兼ね合いでエラーが発生することがあります。エラーの対処に困ったときは、45ページの「知っておくと便利」を参考に編集を破棄するとよいでしょう。

Chapter

03

CSV・Access・PDF・Web
いろいろなデータを読み込もう

さまざまな情報源からデータを取得できるところがパワークエリのメリットの1つです。CSV ファイルや Access データベースはもちろん、Web や PDF などあちこちに散らばっているデータをパワークエリで集めて Excel で有効活用しましょう。

3-1 データソースの概要

データソースの読み込み、データ形式

さまざまなデータソースからデータを読み込める

本章では、さまざまなデータソースを読み込む手順を紹介します。第2章ではExcelのデータをデータソースとして読み込みましたが、パワークエリではExcelのほかにもCSVファイル、テキストファイル、Accessデータベース、PDF、Web上の表など、さまざまな形式のデータを扱えます。

区切り文字で区切られたデータの読み込み

CSVファイルやテキストファイルなどでデータがコンマ「,」やタブなど特定の記号で区切られて入力されたファイルは、その記号を列の区切りとしてワークシートに読み込みます(62ページ)。

▼CSVファイル

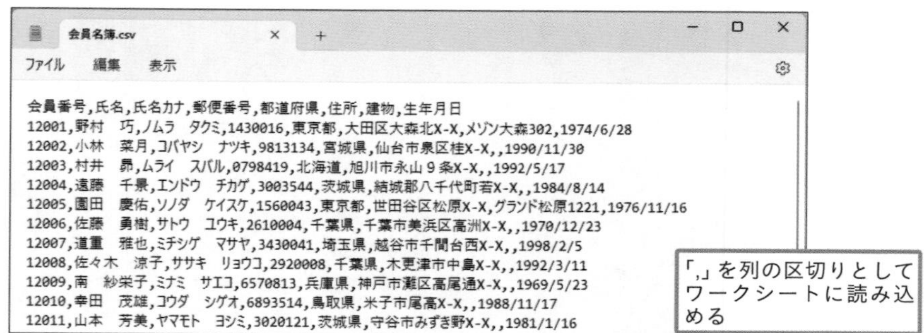

固定長のテキストファイルの読み込み

固定長ファイルは、「1文字目から6文字目までが商品番号、7文字目から15文字目までが商品名、……」というように、列のはじまりと終わりを位置で決める形式のテキストファイルです。読み込みの際は、各列の開始位置を指定します(→69ページ)。

▼固定長のテキストファイル

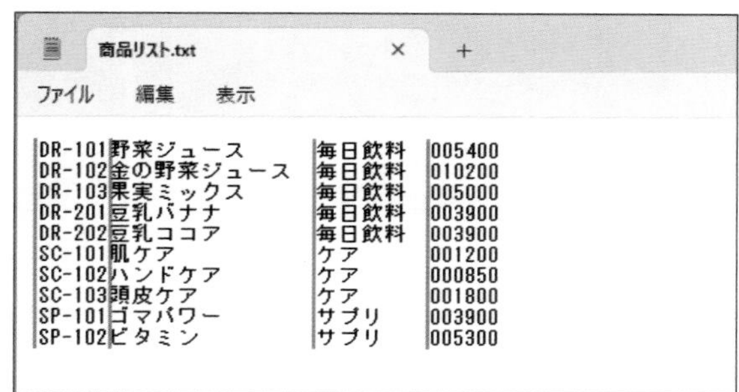


```
DR-101野菜ジュース      毎日飲料  005400
DR-102金の野菜ジュース  毎日飲料  010200
DR-103果実ミックス      毎日飲料  005000
DR-201豆乳バナナ        毎日飲料  003900
DR-202豆乳ココア        毎日飲料  003900
SC-101肌ケア            ケア      001200
SC-102ハンドケア        ケア      000850
SC-103頭皮ケア          ケア      001800
SP-101ゴマパワー        サプリ    003900
SP-102ビタミン          サプリ    005300
```

文字数を列の区切りとして
ワークシートに読み込める

≫Accessデータベースファイルの読み込み

Accessのデータベースファイルには、「テーブル」「クエリ」「フォーム」「レポート」などが含まれますが、パワークエリでは「テーブル」「クエリ」を読み込めます(→74ページ)。

▼Access データベースファイル

すべての Acce...
検索...
テーブル
T_会員
T_商品
T_販売
クエリ
Q_販売明細
フォーム
F_会員入力
レポート
R_商品リスト

Q_販売明細

販売番号	販売日	会員番号	氏名	商品番号	商品名	価格
1	2024/09/01	12009	南　紗栄子	SC-101	肌ケア	¥
2	2024/09/02	12003	村井　昴	DR-202	豆乳ココア	¥
3	2024/09/02	12013	夏目　美香	SP-101	ゴマパワー	¥
4	2024/09/02	12028	北川　愛美	DR-101	野菜ジュース	¥
5	2024/09/03	12005	園田　慶佑	DR-101	野菜ジュース	¥
6	2024/09/04	12007	道重　雅也	SC-102	ハンドケア	
7	2024/09/04	12008	佐々木　涼子	DR-101	野菜ジュース	¥
8	2024/09/05	12005	園田　慶佑	DR-201	豆乳バナナ	¥
9	2024/09/05	12009	南　紗栄子	DR-101	野菜ジュース	¥
10	2024/09/06	12025	川田　義也	SC-102	ハンドケア	
11	2024/09/07	12018	武藤　真紀	SC-101	肌ケア	¥
12	2024/09/08	12001	野村　巧	DR-102	金の野菜ジュース	¥1
13	2024/09/09	12025	川田　義也	DR-202	豆乳ココア	¥
14	2024/09/09	12006	佐藤　勇樹	DR-201	豆乳バナナ	¥
15	2024/09/10	12021	坂上　保	DR-201	豆乳バナナ	¥

Accessの「テーブル」「クエリ」を読み込める

≫その他のデータ形式の読み込み

この章では上記のほか、Webページに掲載されている表(→78ページ)や、PDF形式で保存された表(→82ページ)を読み込む方法を紹介します。

この章では単一の表の読み込みを行いますが、パワークエリでは複数の表をまとめて読み込むことも可能です。フォルダー内の複数のCSVファイルを1つの表として読み込む方法を124ページで、またExcelブックの複数のシートを1つの表として読み込む方法132ページで紹介します。

3-2 郵便番号の先頭の「0」を消さずにCSVファイルを読み込む

CSVファイルの読み込み、区切り文字の指定、データ型の変更

Sample 会員名簿.csv

CSVファイルとは

CSV (Comma Separated Values) ファイルは、その名のとおり値(Values)を「,」(コンマ)で区切って入力した、拡張子「.csv」のテキストファイルです。文字だけからなるシンプルなファイルなので互換性が高く、会社の基幹システムやPOSレジなどからデータをCSVファイルで出力し、パワークエリで整形してデータ分析に回す、というようなシーンで活躍します。メモ帳でCSVファイルを開くと、各値がコンマで区切られている様子を確認できます。

▼CSVファイル(会員名簿.csv)

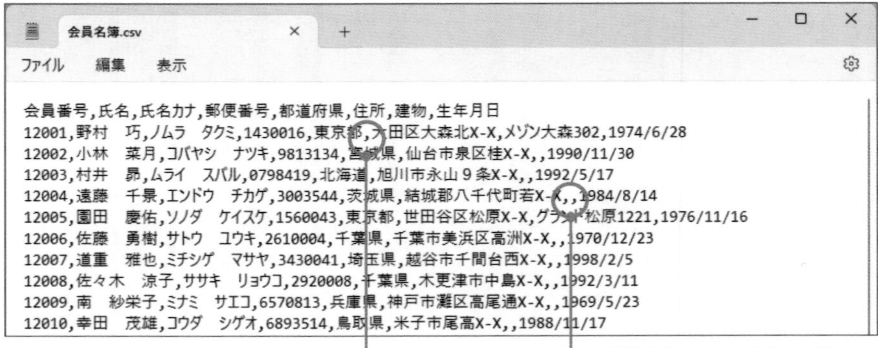
会員名簿.csv
ファイル　編集　表示

```
会員番号,氏名,氏名カナ,郵便番号,都道府県,住所,建物,生年月日
12001,野村　巧,ノムラ　タクミ,1430016,東京都,大田区大森北X-X,メゾン大森302,1974/6/28
12002,小林　菜月,コバヤシ　ナツキ,9813134,宮城県,仙台市泉区桂X-X,,1990/11/30
12003,村井　昴,ムライ　スバル,0798419,北海道,旭川市永山９条X-X,,1992/5/17
12004,遠藤　千景,エンドウ　チカゲ,3003544,茨城県,結城郡八千代町若X-X,,1984/8/14
12005,園田　慶佑,ソノダ　ケイスケ,1560043,東京都,世田谷区松原X-X,グランド松原1221,1976/11/16
12006,佐藤　勇樹,サトウ　ユウキ,2610004,千葉県,千葉市美浜区高洲X-X,,1970/12/23
12007,道重　雅也,ミチシゲ　マサヤ,3430041,埼玉県,越谷市千間台西X-X,,1998/2/5
12008,佐々木　涼子,ササキ　リョウコ,2920008,千葉県,木更津市中島X-X,,1992/3/11
12009,南　紗栄子,ミナミ　サエコ,6570813,兵庫県,神戸市灘区高尾通X-X,,1969/5/23
12010,幸田　茂雄,コウダ　シゲオ,6893514,鳥取県,米子市尾高X-X,,1988/11/17
```

値が「,」で区切られている
「,,」(「,」が2つ)は、該当の列が空欄であることを示す

CSVファイルをメモ帳で開くには、保存先のフォルダーからCSVファイルのファイルアイコンを右クリックし、[プログラムから開く]をクリックして、一覧から[メモ帳]をクリックします。一覧に[メモ帳]がない場合は、[別のプログラムを選択]をクリックして[メモ帳]を探してください。

「Nomura, Takumi」のように「,」を含む文字列データが存在する場合、「,」がデータの一部なのか区切り記号なのかを区別するために、「"Nomura, Takumi"」のように各データを「"」(ダブルクォーテーション)で囲んでください。データの取得時に「"」は自動で外れます。

この節でやること

この節では、前ページで紹介した「会員名簿.csv」をExcelの新規ブックに読み込みます。この名簿の「郵便番号」欄には「0798419」のような「0」ではじまる番号が入力されていますが、そのまま読み込むと先頭の「0」が勝手に削除されてしまいます。先頭の「0」の欠落は、データを読み込むときによくあるトラブルです。ここでは、CSVファイルを読み込む方法と併せて、欠落した「0」を復活させる方法も紹介します。

Before

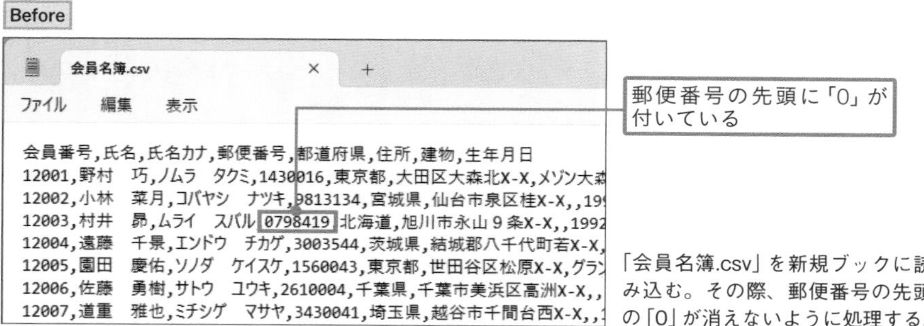

会員番号,氏名,氏名カナ,郵便番号,都道府県,住所,建物,生年月日
12001,野村　巧,ノムラ　タクミ,1430016,東京都,大田区大森北X-X,メゾン大森
12002,小林　菜月,コバヤシ　ナツキ,9813134,宮城県,仙台市泉区桂X-X,,19
12003,村井　昴,ムライ　スバル,0798419,北海道,旭川市永山９条X-X,,1992
12004,遠藤　千景,エンドウ　チカゲ,3003544,茨城県,結城郡八千代町若X-X,
12005,園田　慶佑,ソノダ　ケイスケ,1560043,東京都,世田谷区松原X-X,グラン
12006,佐藤　勇樹,サトウ　ユウキ,2610004,千葉県,千葉市美浜区高洲X-X,,
12007,道重　雅也,ミチシゲ　マサヤ,3430041,埼玉県,越谷市千間台西X-X,,

「会員名簿.csv」を新規ブックに読み込む。その際、郵便番号の先頭の「0」が消えないように処理する。

After

先頭に「0」を付けたままデータを読み込む

	A	B	C	D	E	F	
1	会員番号	氏名	氏名カナ	郵便番号	都道府県	住所	建物
2	12001	野村　巧	ノムラ　タクミ	1430016	東京都	大田区大森北X-X	メゾン大
3	12002	小林　菜月	コバヤシ　ナツキ	9813134	宮城県	仙台市泉区桂X-X	
4	12003	村井　昴	ムライ　スバル	0798419	北海道	旭川市永山９条X-X	
5	12004	遠藤　千景	エンドウ　チカゲ	3003544	茨城県	結城郡八千代町若X-X	
6	12005	園田　慶佑	ソノダ　ケイスケ	1560043	東京都	世田谷区松原X-X	グランド
7	12006	佐藤　勇樹	サトウ　ユウキ	2610004	千葉県	千葉市美浜区高洲X-X	
8	12007	道重　雅也	ミチシゲ　マサヤ	3430041	埼玉県	越谷市千間台西X-X	

CSVファイルのデータを取得する

それでは操作に入りましょう。[テキストまたはCSVから]を使用すると、CSVファイルをはじめとするテキストファイルの読み込みを行えます。CSVファイルの場合、読み込む際に列の区切り記号として[コンマ]を指定することがポイントです。

読み込むCSVファイルと区切り文字を指定する

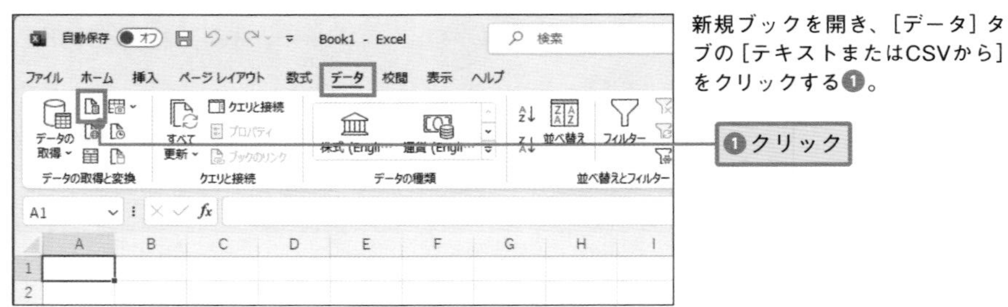

新規ブックを開き、[データ] タブの [テキストまたはCSVから] をクリックする❶。

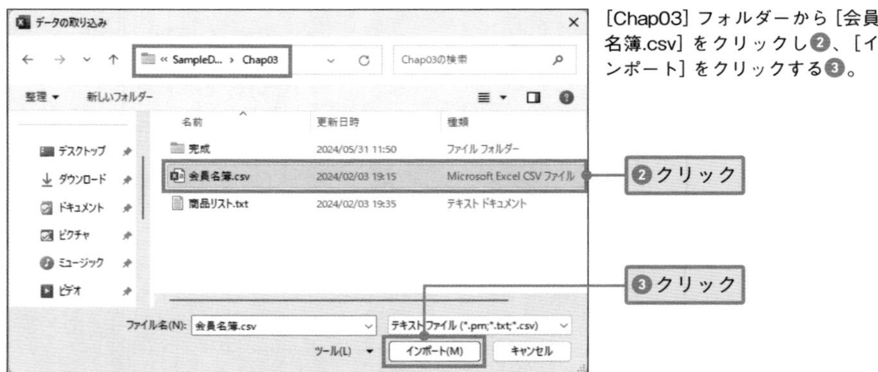

[Chap03] フォルダーから [会員名簿.csv] をクリックし❷、[インポート] をクリックする❸。

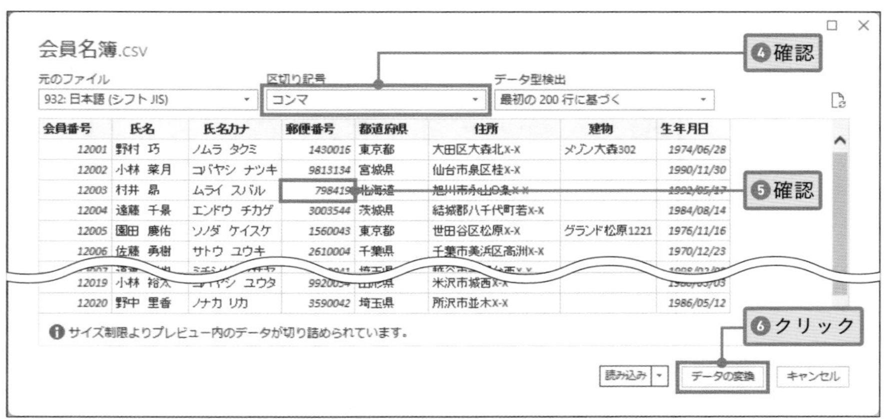

取得の設定画面が表示されるので、[区切り記号] 欄で [コンマ] が指定されていること❹、および3件目の郵便番号の先頭の「0」が欠落していることを確認する❺。この欠落を修正するために [データの変換] をクリックして❻、Power Query エディターを起動する。

手順❹の画面でデータが文字化けしてしまった場合は、[元のファイル] 欄で適切な文字コードを選択し直しましょう。例えばCSVファイルの文字コードが「Shift-JIS」の場合は [932:日本語 (シフトJIS)]、「UTF-8」の場合は「65001:Unicode(UTF-8)」を選択します。

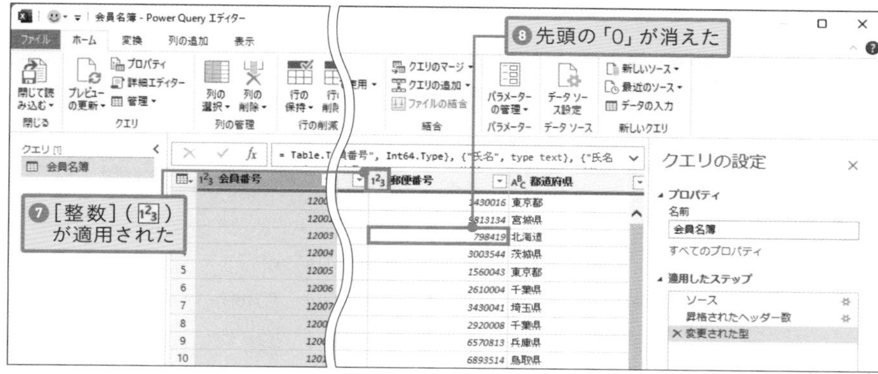

Power Query エディターが起動し、CSVデータが表示される。[適用したステップ] 欄には、データをインポートする際に自動実行された3つのステップが記録されている。[変更された型] ステップにより [郵便番号] 列に [整数] 型が適用されたことが原因で❼、先頭の「0」が消えた❽。

CSV データを編集してワークシートに読み込む

[郵便番号] 列のデータ型を [整数] (1²3) から [テキスト] (ABC) に変更し、さらに [変更された型] ステップの「置換」という操作を行うと、先頭から消えた「0」が復活します。

データ型を変更してワークシートに読み込む

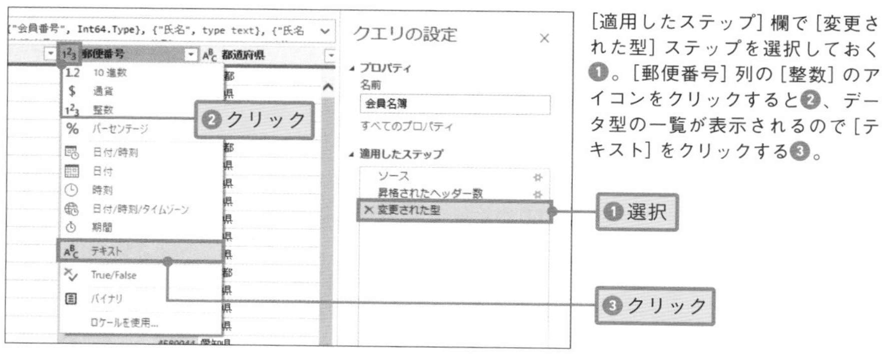

[適用したステップ] 欄で [変更された型] ステップを選択しておく❶。[郵便番号] 列の [整数] のアイコンをクリックすると❷、データ型の一覧が表示されるので [テキスト] をクリックする❸。

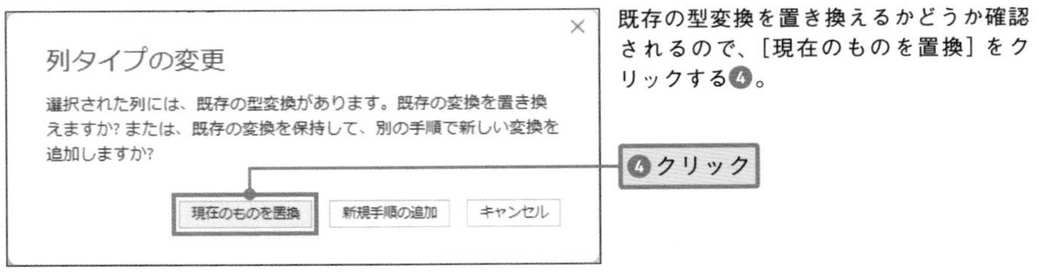

既存の型変換を置き換えるかどうか確認されるので、[現在のものを置換] をクリックする❹。

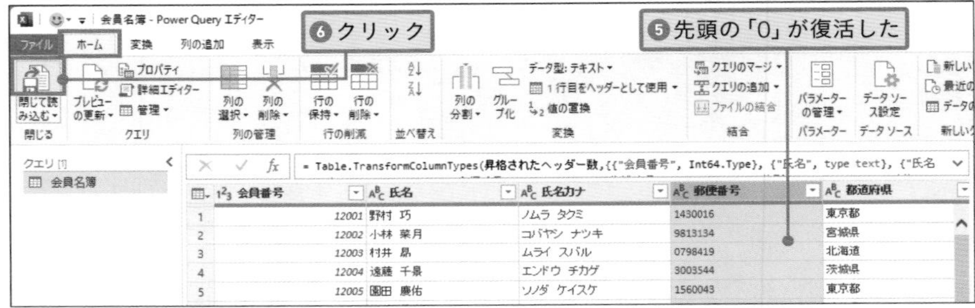

郵便番号の「0」が復活したことを確認して❺、[ホーム] タブの [閉じて読み込む] の上側をクリックする❻。

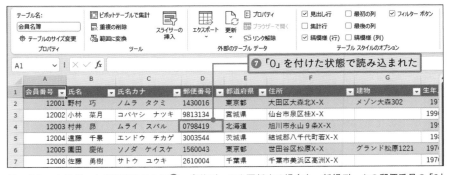

❼「0」を付けた状態で読み込まれた

	A	B	C	D	E	F	G
1	会員番号	氏名	氏名カナ	郵便番号	都道府県	住所	建物
2	12001	野村 巧	ノムラ タクミ	1430016	東京都	大田区大森北X-X	メゾン大森302
3	12002	小林 菜月	コバヤシ ナツキ	9813134	宮城県	仙台市泉区桂X-X	
4	12003	村井 昴	ムライ スバル	0798419	北海道	旭川市永山9条X-X	
5	12004	遠藤 千景	エンドウ チカゲ	3003544	茨城県	結城郡八千代町若X-X	
6	12005	園田 慶佑	ソノダ ケイスケ	1560043	東京都	世田谷区松原X-X	グランド松原1221
7	12006	佐藤 勇樹	サトウ ユウキ	2610004	千葉県	千葉市美浜区高洲X-X	

ワークシートにデータが読み込まれる❼。今後データを更新する場合も、新規データの郵便番号の「0」が消えることなく読み込まれる。

POINT

データ型を [テキスト] に戻すと「0」が復活する

CSVファイルの取得直後のデータ型はすべて [テキスト] ですが、[変更された型] ステップにより各列に [整数] [日付] などのデータ型が自動適用されます。今回、[郵便番号] 列に [整数] が適用されたので、先頭に付いていた「0」が削除されてしまいました。[郵便番号] 列のデータ型を [テキスト] に変更し、手順❹のように [現在のものを置換] を選択すると、[変更された型] ステップにおける [整数] の適用が取り消されてデータが [テキスト] に戻るので、先頭の「0」が復活します。

知っておくと便利 ［現在のものを置換］と［新規手順の追加］の違い

手順❹で［現在のものを置換］をクリックすると、直前の［変更された型］ステップの［郵便番号］列のデータ型が［整数］から［テキスト］に変更されます。つまり、［整数］の適用が取り消され、「0」の削除も取り消されます。数式バーを見ると、その様子が見て取れます。

▼［現在のものを置換］をクリックした場合

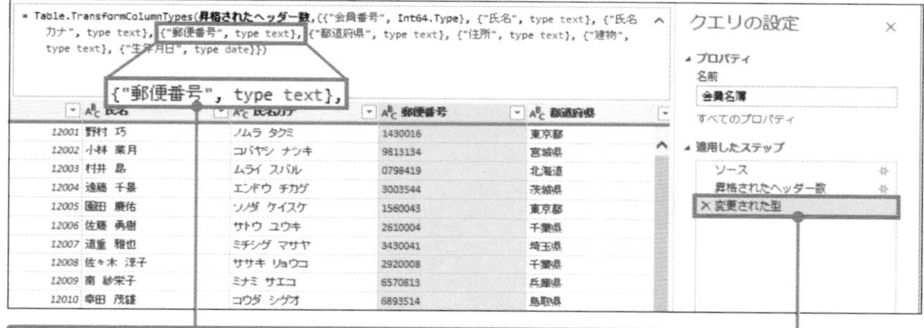

［現在のものを置換］では、［変更された型］ステップの［郵便番号］のデータ型が［整数］を意味する「Int64.Type」から［テキスト］を意味する「type text」に変わる

一方、［新規手順の追加］をクリックした場合、［変更された型］ステップは変更されず、新規に［変更された型1］ステップが追加されます。最初の［変更された型］ステップで「0」が削除された状態のまま、次の［変更された型1］ステップで［テキスト］に変更されるので、先頭の「0」は復活しません。

▼［新規手順の追加］をクリックした場合

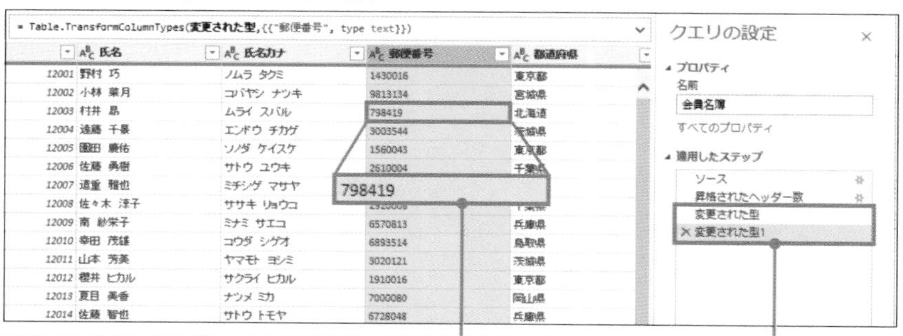

［新規手順の追加］では、［変更された型］ステップはそのまま、その次に［変更された型1］ステップが追加され、郵便番号の先頭の「0」は復活しない

知っておくと便利 区切り文字で区切られたテキストファイルの読み込み

拡張子が「.txt」のテキストファイルも、この節で紹介した手順で読み込みを行えます。取得の際に表示される設定画面の［区切り記号］欄で、読み込むファイルの区切り記号を正しく選択することがポイントです。例えばタブ区切りのテキストファイルの場合、［区切り記号］欄で［タブ］を選択します。

▼ タブ区切りのテキストファイル

データがタブで区切られている（図はタブ区切りのテキストファイルをWordで開いたもの）

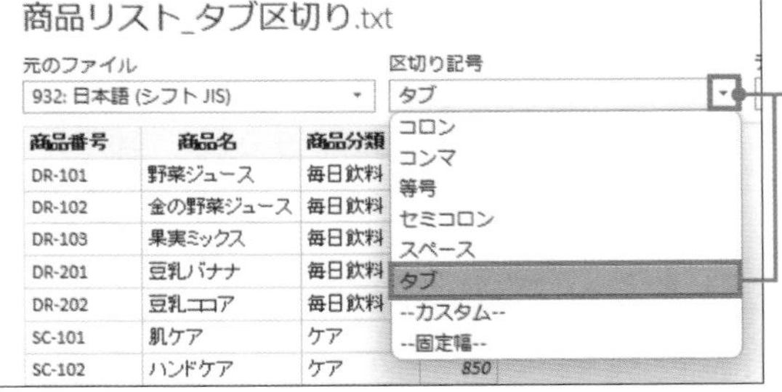

［区切り記号］欄で［タブ］を選択して読み込む

3-3

固定長のテキストファイルを読み込んで余分なスペースを削除する

固定長ファイルの読み込み、列の分割、列名の設定、スペースの削除

Sample 商品リスト.txt

固定長のテキストファイルとは

固定長のテキストファイルは、列の区切りが位置で決まります。位置は、先頭を「0」として、1列目は「0」から6文字分、2列目は「6」から9文字分、……のように数えます。ここでは、下図のように列名が入力されていない固定長ファイルを読み込みます。商品番号は半角、商品名は全角、というように列ごとに全角／半角が統一されているものとします。また、文字数を合わせるために、文字列データの末尾をスペース（空白文字）で、数値データの先頭を「0」で埋めるものとします。取得時に数値の先頭の「0」は自動で消えますが、文字列の末尾のスペースは残るので、余分なスペースを削除する方法も併せて紹介します。

Before

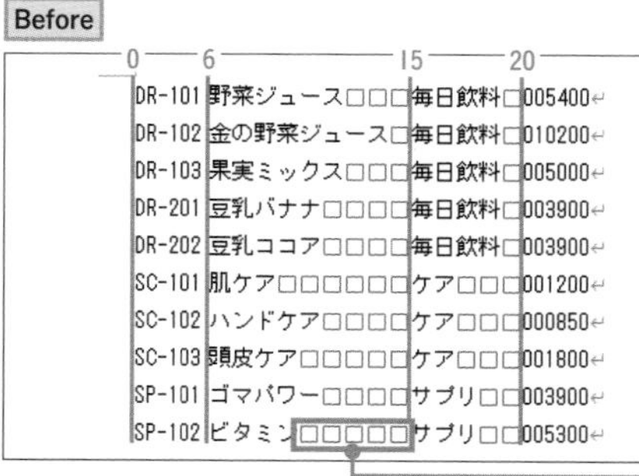


```
DR-101野菜ジュース□□□毎日飲料□005400
DR-102金の野菜ジュース□毎日飲料□010200
DR-103果実ミックス□□□毎日飲料□005000
DR-201豆乳バナナ□□□□毎日飲料□003900
DR-202豆乳ココア□□□□毎日飲料□003900
SC-101肌ケア□□□□□□ケア□□□001200
SC-102ハンドケア□□□□ケア□□□000850
SC-103頭皮ケア□□□□□ケア□□□001800
SP-101ゴマパワー□□□□サプリ□□003900
SP-102ビタミン□□□□□サプリ□□005300
```

商品リスト.txt

各列の位置
- 商品番号 （半角）0 ～ <6文字分>
- 商品名 （全角）6 ～ <9文字分>
- 商品分類 （全角）15 ～ <5文字分>
- 価格 （半角）20 ～ <6文字分>

文字列の末尾のスペースを削除する

After

	A	B	C	D	E
1	商品番号	商品名	商品分類	価格	
2	DR-101	野菜ジュース	毎日飲料	5400	
3	DR-102	金の野菜ジュース	毎日飲料	10200	
4	DR-103	果実ミックス	毎日飲料	5000	
5	DR-201	豆乳バナナ	毎日飲料	3900	
6	DR-202	豆乳ココア	毎日飲料	3900	
7	SC-101	肌ケア	ケア	1200	
8	SC-102	ハンドケア	ケア	850	
9	SC-103	頭皮ケア	ケア	1800	
10	SP-101	ゴマパワー	サプリ	3900	
11	SP-102	ビタミン	サプリ	5300	

列名を手動で設定する

固定長の「商品リスト.txt」を新規ブックに読み込む。その際に、［商品名］列と［商品分類］列のデータの末尾のスペースを削除する。また、列名を手動で設定する。なお、「Before」の図は「商品リスト.txt」をWordで開いたもの。

固定長ファイルのデータを取得する

半角の列と全角の列が混在するデータを取得すると、行全体が1列のデータとして取得されることがあります。あとから列を分割できるので問題ありません。

固定長ファイルを取得する

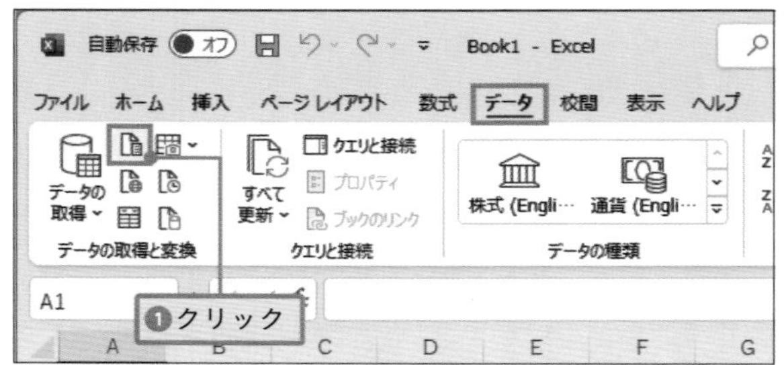

新規ブックを開き、[データ] タブの [テキストまたはCSVから] をクリックする❶。64ページの手順❷と同じ [データの取り込み] ダイアログボックスが表示されるので、[Chap03] フォルダーから [商品リスト.txt] を選択し、[インポート] をクリックする。

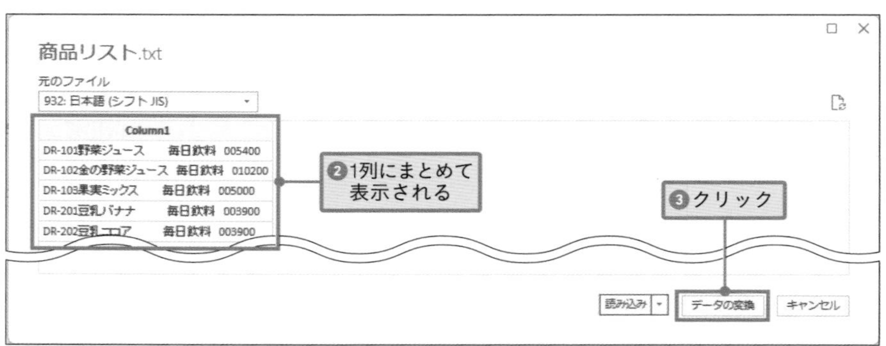

取得の設定画面が表示される。すべての列のデータが連結されて、1列にまとめられる❷。列の分割を行うために [データの変換] をクリックして❸、Power Query エディターを起動する。

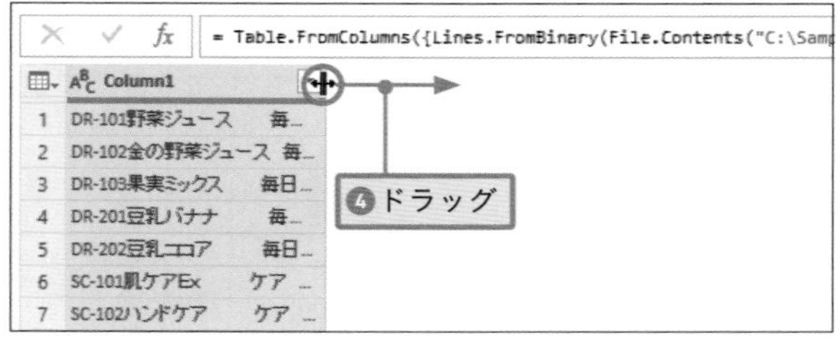

データ全体が列幅に収まっていないので、列名の右境界線をドラッグして列幅を広げておく❹。なお、列幅の変更はステップとして記録されない。

ファイルによっては手順❷の画面に [区切り記号] 欄が表示されることがあります。その場合、[区切り記号] 欄から [--固定幅--] を選択し、列を区切る位置を「0,6,15,20」のようにコンマで区切って入力すれば、最初から列を正しく区切った状態でデータを取得できます。

列を分割して列名を設定する

1列にまとめられたデータを複数の列に分割するには、[変換] タブにある [列の分割] を使用します。固定長ファイルは列名が入力されていないことがよくありますが、Power Query エディターで設定できます。

列を分割する

[変換] タブの [列の分割] をクリックし❶、サブメニューから [位置] をクリックする❷。

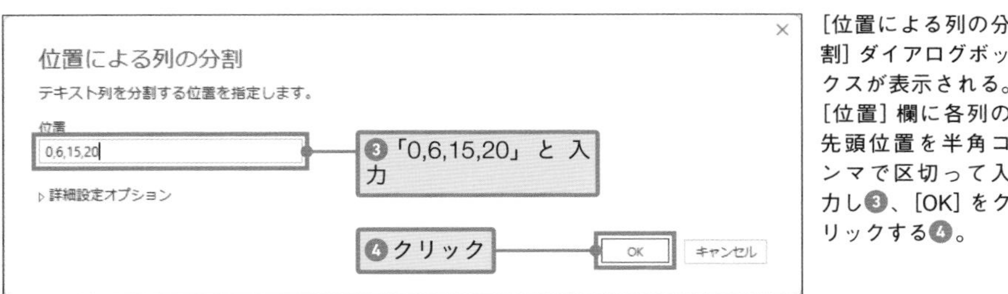

[位置による列の分割] ダイアログボックスが表示される。[位置] 欄に各列の先頭位置を半角コンマで区切って入力し❸、[OK] をクリックする❹。

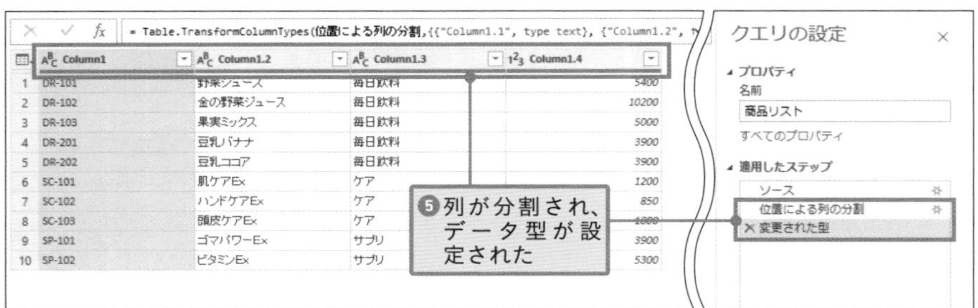

列が分割され、1～3列目は [テキスト] 型、4列目は [整数] 型が自動設定される❺。[適用したステップ] 欄には [位置による列の分割] ステップと [変更された型] ステップが追加される。

列名を設定する

```
= Table.TransformColumnTypes(位置による列の分割,{{"Column1.1
```

	Column1.1	Column1.2	Column1.3
1	DR-101	野菜ジュース	毎日飲料
2	DR-102	金の野菜ジュース	毎日飲料
3	DR-103	果実ミックス	毎日飲料
4	DR-201	豆乳バナナ	毎日飲料
5	DR-202	豆乳ココア	毎日飲料
6	SC-101	肌ケアEx	ケア

❶ダブルクリックして列名を入力

列名には「Column1.1」「Column1.2」のような仮の名前が設定される。ダブルクリックして、列名をそれぞれ「商品番号」「商品名」「商品分類」「価格」に変更しておく❶。

文字列の末尾の余分なスペースを削除する

文字数を合わせるために文字列データの末尾に入っているスペースは、[トリミング] という機能で削除します。スペースが入っていることがぱっと見では分からないので見落としがちですが、固定長ファイルの取得では必須の処理です。

スペースをトリミングする

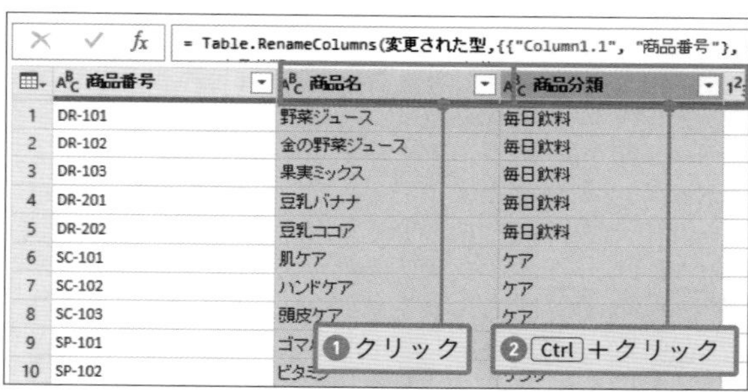

[商品名] の列名をクリックし❶、[商品分類] の列名をCtrlを押しながらクリックすると❷、2列が同時に選択される。

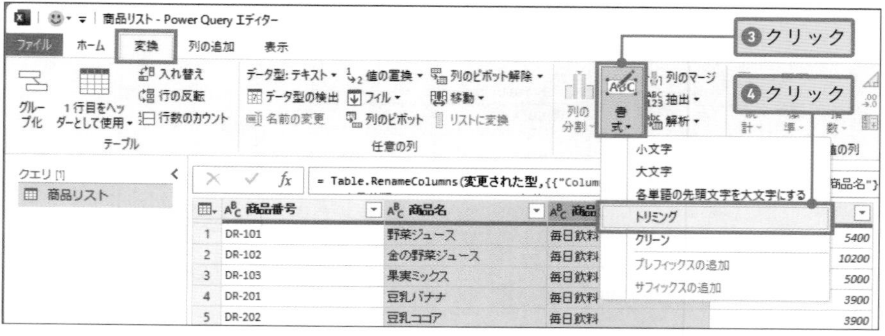

[変換] タブの [書式] をクリックし❸、サブメニューから [トリミング] をクリックする❹。

POINT

スペースの確認

プレビュー画面でセルを選択すると、画面下部にセルの文字が表示されます。表示された文字をドラッグして選択すると、末尾にスペースが入っていることを確認できます。

▼スペースの確認方法

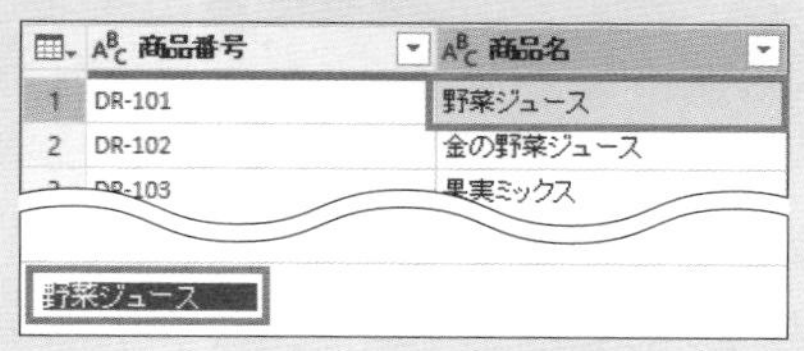

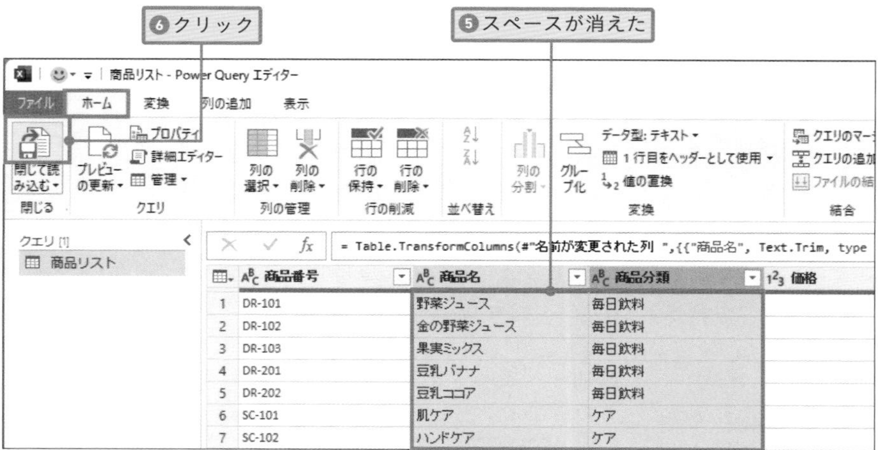

プレビューの見た目は変わらないが末尾の余分なスペースが消え❺、[適用したステップ] 欄に [トリムテキスト] ステップが追加される。最後に [ホーム] タブの [閉じて読み込む] の上側をクリックする❻。

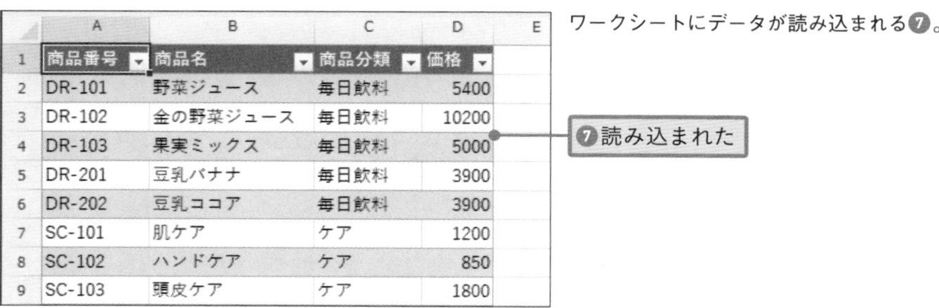

	A	B	C	D	E
1	商品番号	商品名	商品分類	価格	
2	DR-101	野菜ジュース	毎日飲料	5400	
3	DR-102	金の野菜ジュース	毎日飲料	10200	
4	DR-103	果実ミックス	毎日飲料	5000	
5	DR-201	豆乳バナナ	毎日飲料	3900	
6	DR-202	豆乳ココア	毎日飲料	3900	
7	SC-101	肌ケア	ケア	1200	
8	SC-102	ハンドケア	ケア	850	
9	SC-103	頭皮ケア	ケア	1800	

ワークシートにデータが読み込まれる❼。

全角の列と半角の列が混在する固定長ファイルは、パワークエリでうまく認識されないケースがあります。全列が1列分のデータとして認識された場合は、この節でやった操作で対処できます。一部のデータしか取得されないような場合は、元データをコンマやタブなどの区切り文字で区切る形式で出力して読み込み直したほうが簡単です。

3-4 Accessデータベースファイルからデータを読み込む

Accessデータの読み込み、データ型の変更

Sample 販売管理.accdb

Accessデータベースから取得できるデータ

部署の共有データをAccessで管理しているケースも多いでしょう。パワークエリを使えば、簡単にAccessのデータの読み込みや更新が行えます。Accessがインストールされていないパソコンでも Excelさえあれば、Accessのデータを読み込んで使い慣れた環境でデータ分析できるので便利です。Accessは「テーブル」「クエリ」「フォーム」「レポート」という要素から構成されますが、取得可能なのは「テーブル」と「クエリ」のデータです。AccessのテーブルクエリとExcelのテーブル・クエリは、名称が同じだけで機能は異なるので注意してください。

ここでは「販売管理.accdb」というAccessデータベースファイルに含まれる「Q_販売明細」という名前のクエリからデータを取得します。

▼Accessの画面

販売管理.accdb

[Q_販売明細] クエリからデータを取得する

上図は、Accessで「販売管理.accdb」を開き、さらに[Q_販売明細]クエリを開いた画面。このようにAccessの画面でクエリのデータを確認するには、Accessがインストールされている必要がある。次ページからの操作はAccessがインストールされていないパソコンでも可能。

知っておくと便利 Excelで扱える以上の行数を取得できる

Excelのワークシートの行数は1,048,576行ですが、Accessでは扱うデータの行数に制限がありません。パワークエリも行数に制限がなく、Accessから1,048,576行以上のデータを取得できます。ただし取得したデータのうちExcelのワークシートに読み込めるのは1,048,576行までです。

取得したデータが大量にあるときは、データをワークシートに読み込まず、データモデルに追加してパワーピボットで操作することをおすすめします。仮にデータがワークシートに収まる行数だとしても、1,048,576行近くある場合はファイルサイズが膨大になり、動作も遅くなります。データモデルのデータは圧縮してブックに保存されるので、ワークシートにデータを読み込むよりファイルサイズはずっと小さく、動作も軽いです。データをワークシートに読み込まずにデータモデルに追加するには、40ページを参考に[接続の作成のみ]と[このデータをデータモデルに追加する]を選択します。データモデルのデータを操作するにはパワーピボットを利用します。本書ではパワーピボットの操作方法は解説しません。

Accessのクエリからデータを取得する

Accessデータの取得では、[ナビゲーター]ダイアログボックスにデータベースファイル内のテーブルとクエリの一覧が表示されます。その中から取得する対象を選びます。Accessのクエリには複数の種類がありますが、取得できるのは「選択クエリ」という種類のクエリです。

[Q_販売明細]クエリからデータを取得する

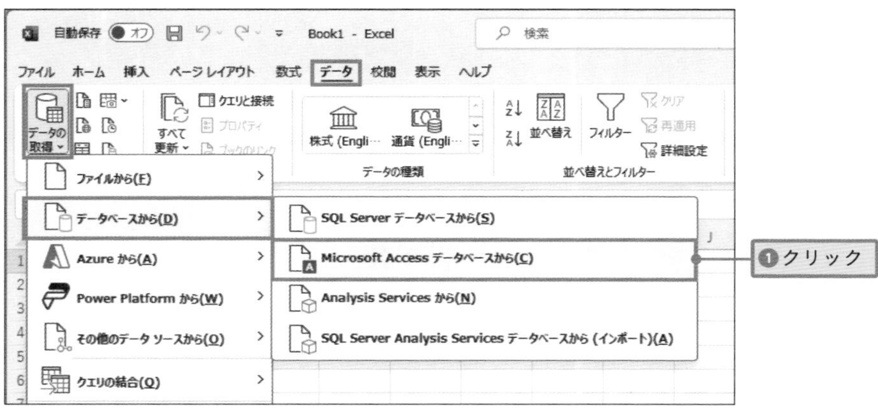

Excelで新規ブックを開き、[データ]タブの[データの取得]→[データベースから]→[Microsoft Accessデータベースから]をクリックする❶。

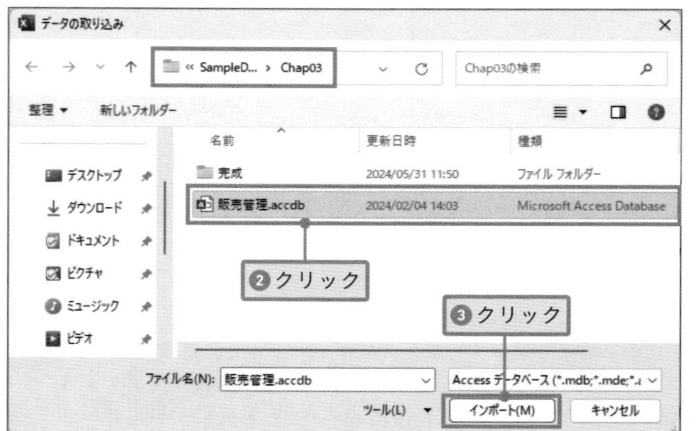

[Chap03] フォルダーから [販売管理.accdb] をクリックし❷、[インポート] をクリックする❸。

共有フォルダーに保存されているデータベースも、手順❷の画面で共有フォルダーを指定すれば取得できます。

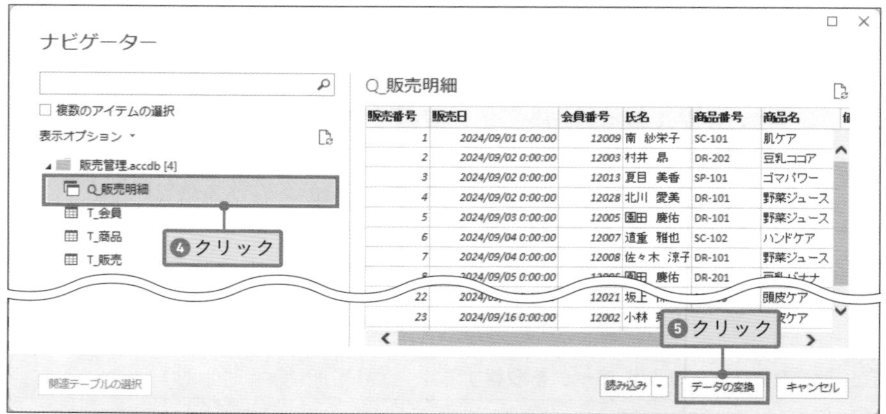

[ナビゲーター] ダイアログボックスが開き、データベースファイル内のテーブルとクエリの一覧が表示される。その中から [Q_販売明細] をクリックし❹、[データの変換] をクリックする❺。

❻データが取得された

❼[販売日] 列に「0:00:00」が付加された

Power Query エディターが表示され、[Q_販売明細] クエリのデータがプレビューされる❻。[販売日] 列に「2024/09/01 0:00:00」と不要な時刻が付加されていることを確認しておく❼。

データ型を変更してワークシートに読み込む

Accessでは、パワークエリと同様にデータにデータ型が設定されています。パワークエリではAccessでの設定に応じたデータ型が適用されるので、データ型のトラブルは比較的少ないです。ただし、日付データには「0:00:00」が付加されて表示されるので、気になるようならデータ型を［日付／時刻］から［日付］に変更しましょう。

[販売日]列に[日付]を設定する

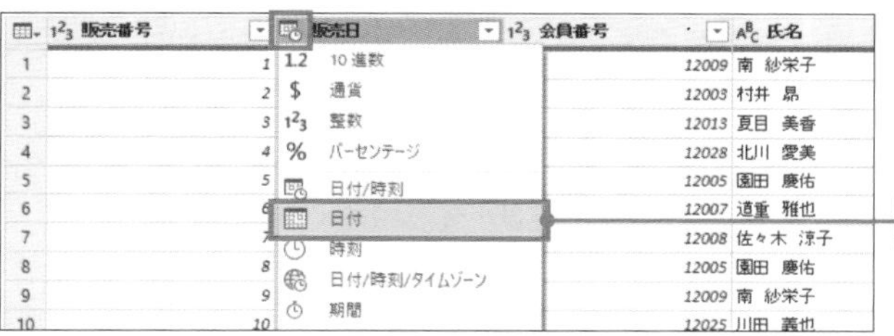

❶クリック

［販売日］列の［日付／時刻］のアイコンをクリックして、一覧から［日付］をクリックする❶。

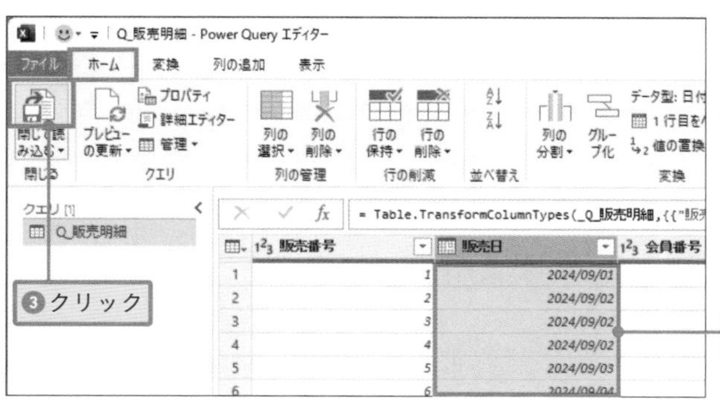

❷時刻が消えた

［販売日］列から時刻が消えたことを確認して❷、［ホーム］タブの［閉じて読み込む］の上側をクリックする❸。

販売番号	販売日	会員番号	氏名	商品番号	商品名	価格	数量	金額
1	2024/9/1	12009	南　紗栄子	SC-101	肌ケア	1200	3	3600
2	2024/9/2	12003	村井　昴	DR-202	豆乳ココア	3900	1	3900
3	2024/9/2	12013	夏目　美香	SP-101	ゴマパワー	3900	2	7800
4	2024/9/2	12028	北川　愛美	DR-101	野菜ジュース	5400	1	5400
5	2024/9/3	12005	園田　慶佑	DR-101	野菜ジュース	5400	1	5400
6	2024/9/4	12007	道重　雅也	SC-102	ハンドケア	850	4	3400
7	2024/9/4	12008	佐々木　涼子	DR-101	野菜ジュース	5400	1	5400
8	2024/9/5	12005	園田　慶佑	DR-201	豆乳バナナ	3900	1	3900
9	2024/9/5	12009	南　紗栄子	DR-101	野菜ジュース	5400	1	5400
10	2024/9/6	12025	川田　義也	SC-102	ハンドケア	850	5	4250

ワークシートにデータが読み込まれる❹。

❹読み込まれた

3-5

Webページ内の表からデータを読み込む

Webページ内データの読み込み

Webページ内の表のデータを取得できる

Webでは、為替レートや株価、金利など、ビジネスにとって有益な指標がいろいろと公開されています。それらの指標を読み込むクエリを作成しておけば、いつでもワンクリックで最新データに更新できます。この節では、以下のURLのWebページ内にある表を読み込みます。あらかじめWebページを開いて内容を確認し、アドレスバーからURLをコピーしておいてください。

Before

サンプルページのURL：
https://www.sbcr.jp/support/4815617848/

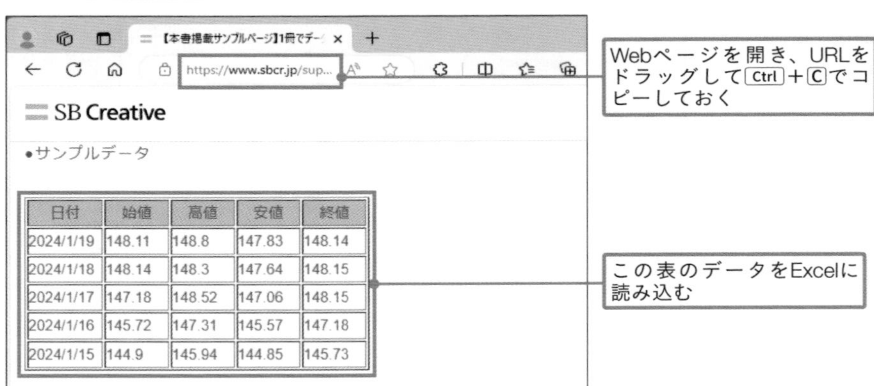

After

ブラウザーで上記のURLを入力し、Webページが実際に表示されることを確認してからURLをコピーしておくと、データ取得時にURLの入力ミスによるトラブルを防げます。なお、このWebページはサンプルとして用意したもので、更新されません。

Web ページからデータを取得してワークシートに読み込む

Webからのデータの取得では、Webページ上の表が自動的に抽出され、「Table 0」のような名前が付けられて［ナビゲーター］ダイアログボックスに一覧表示されます。表の名前を選択し、プレビューを確認して読み込みましょう。

Web ページからデータを読み込む

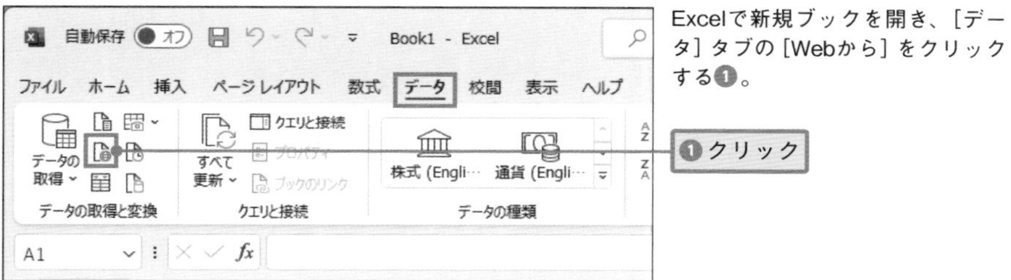

Excelで新規ブックを開き、［データ］タブの［Webから］をクリックする❶。

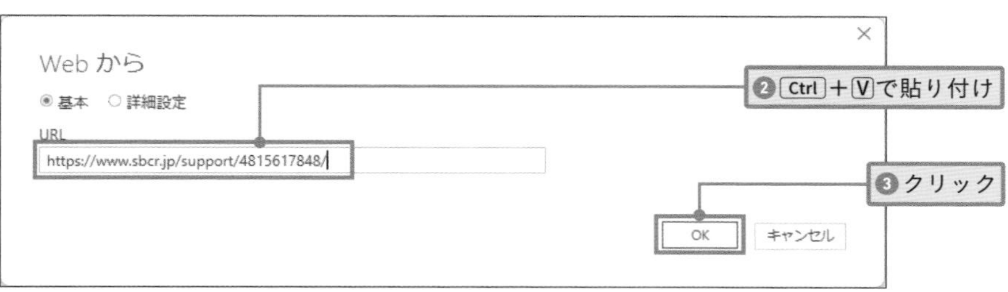

［Webから］ダイアログボックスが開くので、［URL］欄をクリックしてCtrl＋Vを押す❷。前ページでコピーしたURLが貼り付けられたことを確認して［OK］をクリックする❸。

認証方法を指定するための［Webコンテンツへのアクセス］ダイアログボックスが表示される。資格情報が不要な一般的なWebページの場合、［匿名］を選択すればよい❹。Windowsの資格情報が必要な場合は［Windows］、ユーザー名とパスワードが必要な場合は［基本］を選択する。［これらの設定の適用対象レベルの選択］欄で最上位のURLが選択されていることを確認して❺、［接続］をクリックする❻。今後、❺で選択したURLやその下位のページを取得する場合、このダイアログボックスは表示されない。

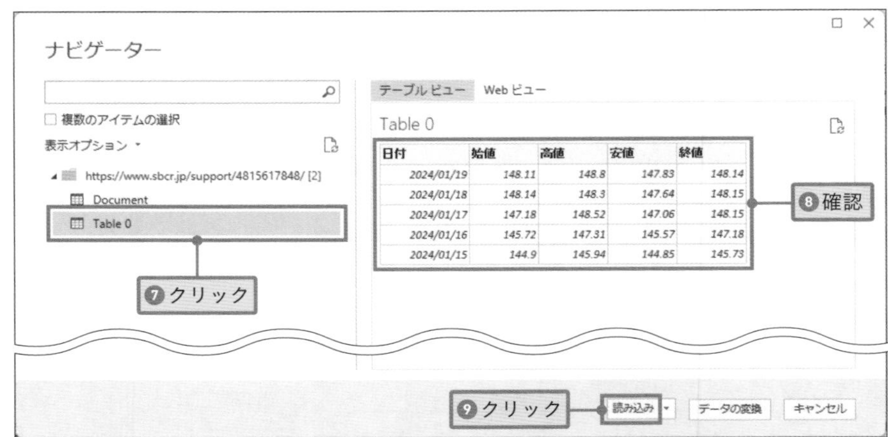

[ナビゲーター] ダイアログボックスが開く。一覧から [Table 0] をクリックし❼、プレビューを確認する❽。ここではデータに問題がないので [読み込み] をクリックする❾。

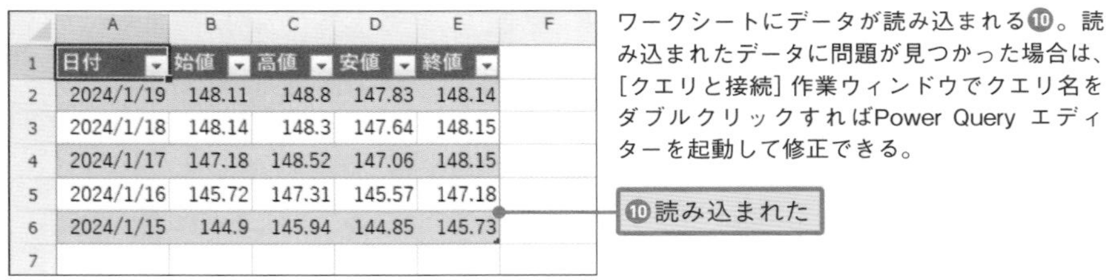

ワークシートにデータが読み込まれる❿。読み込まれたデータに問題が見つかった場合は、[クエリと接続] 作業ウィンドウでクエリ名をダブルクリックすればPower Query エディターを起動して修正できる。

更新方法は、ExcelブックやCSVなどのファイルに接続するクエリと同じです。[クエリと接続] 作業ウィンドウで [最新の情報に更新] をクリックすれば、Webページに接続して最新のデータを読み込めます。ただし頻繁に更新を行うと、配置先のサーバーに負荷がかかり迷惑になることがあります。節度を守って利用しましょう。

知っておくと便利 **データを取得できないこともある**

[ナビゲーター] ダイアログボックスに表示されるのは、表と認識されたデータだけです。表のように見えても実際は画像である場合、データを取得できません。なお、[ナビゲーター] ダイアログボックスに表示されたとしても、Webサイトの利用規約などによりデータの取得が禁止されている場合は取得すべきではありません。事前に確認しておきましょう。

知っておくと便利 Webサイトで提供されるブックやCSV、PDFファイルの取得

省庁や自治体のWebサイトなどでは、さまざまな統計情報がだれでも自由にダウンロードして使用できる「オープンデータ」としてExcelブック、CSVファイル、PDFファイルなどの形式で提供されています。パワークエリでは、そのようなファイルのデータも取得できます。取得したいファイルのURLを調べ、Excelの［データ］タブにある［Webから］をクリックしてURLを指定します。下図では、東京都のオープンデータのサイトから、CSV形式で提供される人口の統計データを取得しています。

▼ Web サイトから CSV データを取得する

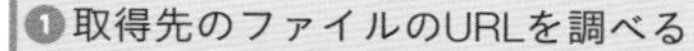

❶取得先のファイルのURLを調べる

オープンデータのサイトで取得したいファイルのURLを調べておく❶。

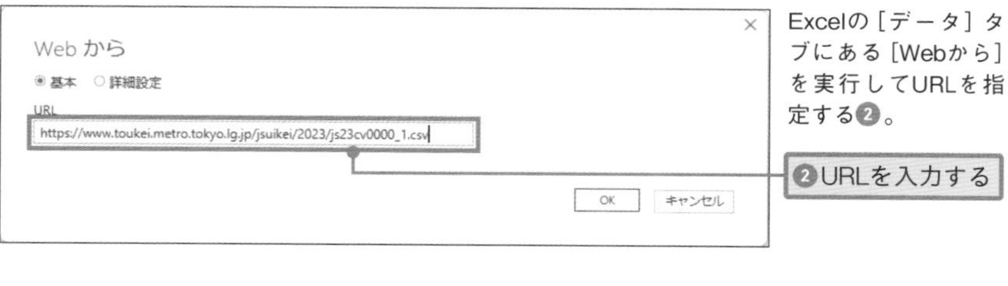

Excelの［データ］タブにある［Webから］を実行してURLを指定する❷。

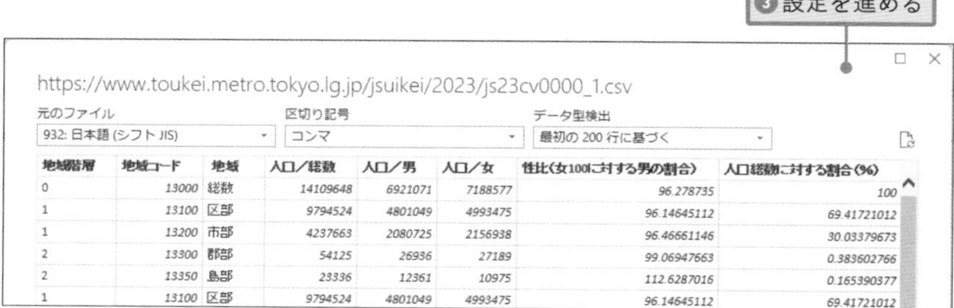

地域階層	地域コード	地域	人口／総数	人口／男	人口／女	性比(女100に対する男の割合)	人口総数に対する割合(%)
0	13000	総数	14109648	6921071	7188577	96.278735	100
1	13100	区部	9794524	4801049	4993475	96.14645112	69.41721012
1	13200	市部	4237663	2080725	2156938	96.46661146	30.03379673
2	13300	郡部	54125	26936	27189	99.06947663	0.383602766
2	13350	島部	23336	12361	10975	112.6287016	0.165390377
1	13100	区部	9794524	4801049	4993475	96.14645112	69.41721012

ファイルの種類に応じた設定画面が表示されるので設定を進める❸。

3-6

PDF ファイルの表からデータを読み込む

PDF ファイル内のデータの読み込み

Sample 価格改定 .pdf

PDF ファイルのデータも取得可能

PDFの表をコピーしてワークシートに貼り付けると、表の体裁が崩れてしまうことがよくあります。そんなときはパワークエリを使うと、簡単に表形式でデータを読み込めます。経理関係の帳票類、取引先から受け取った文書など、PDFで文書化された情報をデータとしてExcelで活用できるので便利です。

ここでは「価格改定.pdf」というファイルから、価格表のデータを直接Excelのワークシートに読み込みます。

▼ PDF ファイル内の表

価格改定.pdf

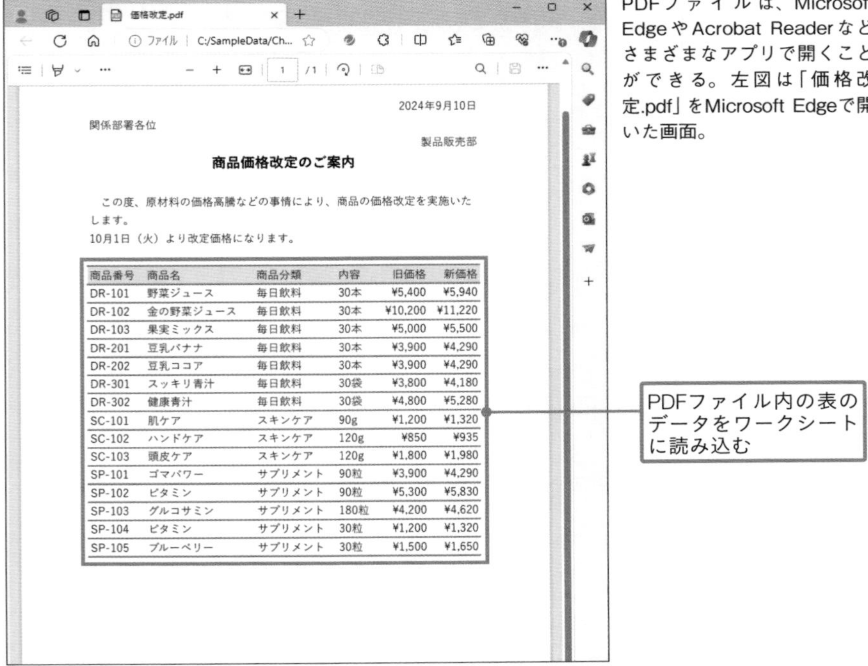

2024年9月10日

関係部署各位

製品販売部

商品価格改定のご案内

この度、原材料の価格高騰などの事情により、商品の価格改定を実施いたします。

10月1日（火）より改定価格になります。

商品番号	商品名	商品分類	内容	旧価格	新価格
DR-101	野菜ジュース	毎日飲料	30本	¥5,400	¥5,940
DR-102	金の野菜ジュース	毎日飲料	30本	¥10,200	¥11,220
DR-103	果実ミックス	毎日飲料	30本	¥5,000	¥5,500
DR-201	豆乳バナナ	毎日飲料	30本	¥3,900	¥4,290
DR-202	豆乳ココア	毎日飲料	30本	¥3,900	¥4,290
DR-301	スッキリ青汁	毎日飲料	30袋	¥3,800	¥4,180
DR-302	健康青汁	毎日飲料	30袋	¥4,800	¥5,280
SC-101	肌ケア	スキンケア	90g	¥1,200	¥1,320
SC-102	ハンドケア	スキンケア	120g	¥850	¥935
SC-103	頭皮ケア	スキンケア	120g	¥1,800	¥1,980
SP-101	ゴマパワー	サプリメント	90粒	¥3,900	¥4,290
SP-102	ビタミン	サプリメント	90粒	¥5,300	¥5,830
SP-103	グルコサミン	サプリメント	180粒	¥4,200	¥4,620
SP-104	ビタミン	サプリメント	30粒	¥1,200	¥1,320
SP-105	ブルーベリー	サプリメント	30粒	¥1,500	¥1,650

PDFファイルは、Microsoft EdgeやAcrobat Readerなどさまざまなアプリで開くことができる。左図は「価格改定.pdf」をMicrosoft Edgeで開いた画面。

知っておくと便利　更新の必要がない場合はクエリを削除しよう

データの読み込み後、PDFファイルに接続して更新する必要がない場合は、308ページを参考にクエリを削除してPDFファイルとの関連付けを解除しましょう。クエリを削除しても、ワークシートに読み込まれたデータはそのまま使用できます。

PDF ファイルからデータを取得してワークシートに読み込む

PDFファイルの取得では、文書内の表が自動的に抽出され、「Table001(Page 1)」のような名前が付けられます。[ナビゲーター] ダイアログボックスで表の名前を選択してプレビューを確認し、読み込む表を選びましょう。

PDF ファイルから表のデータを取得する

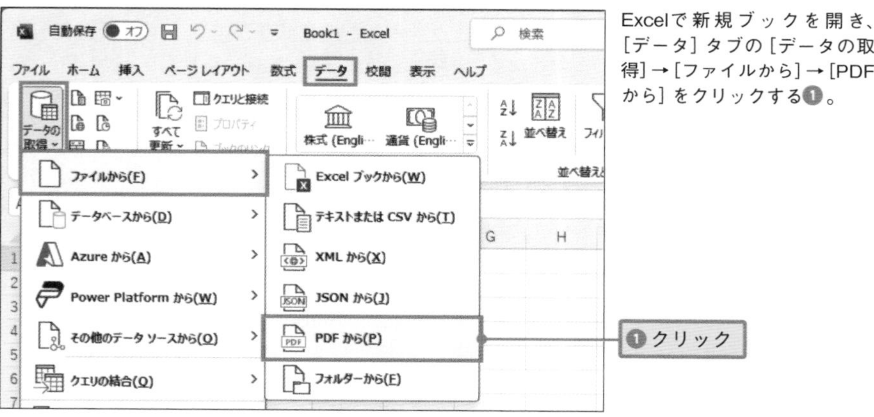

Excelで新規ブックを開き、[データ] タブの [データの取得] →[ファイルから] →[PDFから] をクリックする❶。

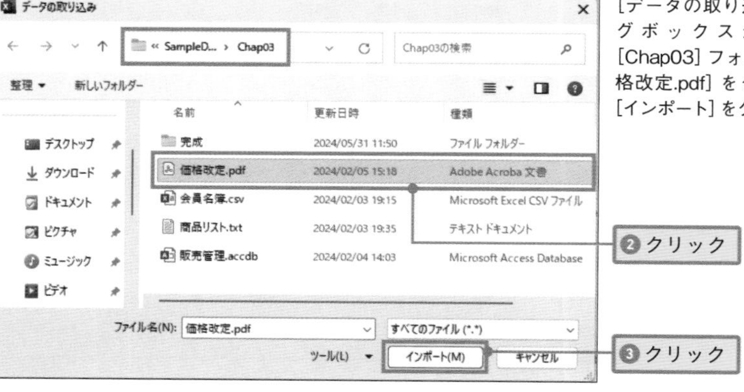

[データの取り込み] ダイアログボックスが開いたら、[Chap03] フォルダーから [価格改定.pdf] をクリックし❷、[インポート] をクリックする❸。

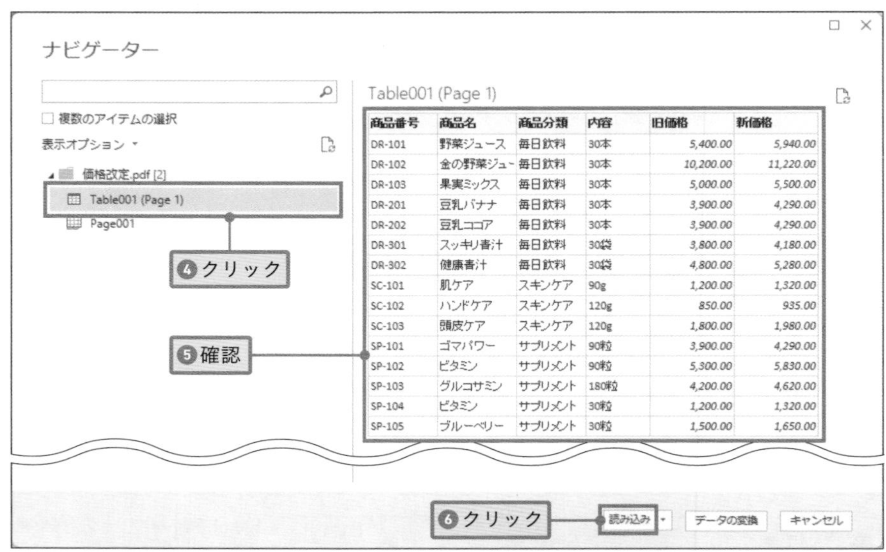

商品番号	商品名	商品分類	内容	旧価格	新価格
DR-101	野菜ジュース	毎日飲料	30本	5,400.00	5,940.00
DR-102	金の野菜ジュ-	毎日飲料	30本	10,200.00	11,220.00
DR-103	果実ミックス	毎日飲料	30本	5,000.00	5,500.00
DR-201	豆乳バナナ	毎日飲料	30本	3,900.00	4,290.00
DR-202	豆乳ココア	毎日飲料	30本	3,900.00	4,290.00
DR-301	スッキリ青汁	毎日飲料	30袋	3,800.00	4,180.00
DR-302	健康青汁	毎日飲料	30袋	4,800.00	5,280.00
SC-101	肌ケア	スキンケア	90g	1,200.00	1,320.00
SC-102	ハンドケア	スキンケア	120g	850.00	935.00
SC-103	頭皮ケア	スキンケア	120g	1,800.00	1,980.00
SP-101	ゴマパワー	サプリメント	90粒	3,900.00	4,290.00
SP-102	ビタミン	サプリメント	90粒	5,300.00	5,830.00
SP-103	グルコサミン	サプリメント	180粒	4,200.00	4,620.00
SP-104	ビタミン	サプリメント	30粒	1,200.00	1,320.00
SP-105	ブルーベリー	サプリメント	30粒	1,500.00	1,650.00

［ナビゲーター］ダイアログボックスが開く。一覧から［Table001(Page 1)］をクリックし❹、プレビューを確認する❺。ここではデータに問題がないので［読み込み］をクリックする❻。

	A	B	C	D	E	F
1	商品番号	商品名	商品分類	内容	旧価格	新価格
2	DR-101	野菜ジュース	毎日飲料	30本	5400	5940
3	DR-102	金の野菜ジュース	毎日飲料	30本	10200	11220
4	DR-103	果実ミックス	毎日飲料	30本	5000	5500
5	DR-201	豆乳バナナ	毎日飲料	30本	3900	4290
6	DR-202	豆乳ココア	毎日飲料	30本	3900	4290
7	DR-301	スッキリ青汁	毎日飲料	30袋	3800	4180
8	DR-302	健康青汁	毎日飲料	30袋	4800	5280
9	SC-101	肌ケア	スキンケア	90g	1200	1320
10	SC-102	ハンドケア	スキンケア	120g	850	935
11	SC-103	頭皮ケア	スキンケア	120g	1800	1980
12	SP-101	ゴマパワー	サプリメント	90粒	3900	4290
13	SP-102	ビタミン	サプリメント	90粒	5300	5830
14	SP-103	グルコサミン	サプリメント	180粒	4200	4620
15	SP-104	ビタミン	サプリメント	30粒	1200	1320
16	SP-105	ブルーベリー	サプリメント	30粒	1500	1650

ワークシートにデータが読み込まれる❼。読み込まれたデータに問題が見つかった場合は、［クエリと接続］作業ウィンドウでクエリ名をダブルクリックすればPower Query エディターを起動して修正できる。

知っておくと便利　PDFのページを丸ごと読み込むには

PDFから表の形式になっていないデータを取得したいときは、［ナビゲーター］ダイアログボックスで［Page001］を選択すると、1ページ目全体を取得できます。パワークエリの特性上、PDF上の文字が表のセルに埋め込まれた形で取得されますが、その中から取捨選択して読み込めば、必要な情報を手早く取り出せます。

Chapter

04

複数の表の結合
データを縦に横にとつなげよう

「売上表と商品リスト」「1月売上表と2月売上表」というように、種類別や月別に表を分けて管理しているケースは少なくないでしょう。パワークエリを使えば、複数に分かれているデータを縦に横にと結合して、簡単に1つの表にまとめられます。

4-1 クエリのマージ／追加の概要

クエリのマージ、クエリの追加

バラバラになっているデータを1つの表に集約する

パワークエリでは、複数の表に分散されているデータを何らかのルールで結合することができます。本章では、以下の4種類の結合方法を紹介します。

》特定の列を照合して2つの表を横に結合する「クエリのマージ」

［クエリのマージ］を使用すると、2つの表に共通する列を照合して、値の同じ行同士を横に結合できます。「売上表」から［顧客ID］を照合して「顧客リスト」の［顧客名］をマージする、といった使い方ができます。結合前に、2つの表からそれぞれクエリを作成しておく必要があります(→92ページ)。

▼[クエリのマージ]のイメージ

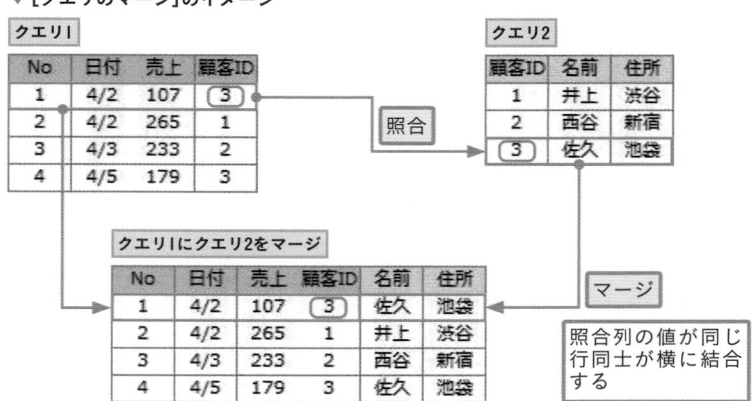

クエリ1

No	日付	売上	顧客ID
1	4/2	107	3
2	4/2	265	1
3	4/3	233	2
4	4/5	179	3

クエリ2

顧客ID	名前	住所
1	井上	渋谷
2	西谷	新宿
3	佐久	池袋

クエリ1にクエリ2をマージ

No	日付	売上	顧客ID	名前	住所
1	4/2	107	3	佐久	池袋
2	4/2	265	1	井上	渋谷
3	4/3	233	2	西谷	新宿
4	4/5	179	3	佐久	池袋

》列名を基準に複数の表を縦に結合する「クエリの追加」

［クエリの追加］を使用すると、複数の表を縦に結合できます。先頭の表の列名を基準に、列名が同じ列同士が結合します。結合前に、複数の表からそれぞれクエリを作成しておく必要があります(→116ページ)。

▼[クエリの追加]のイメージ

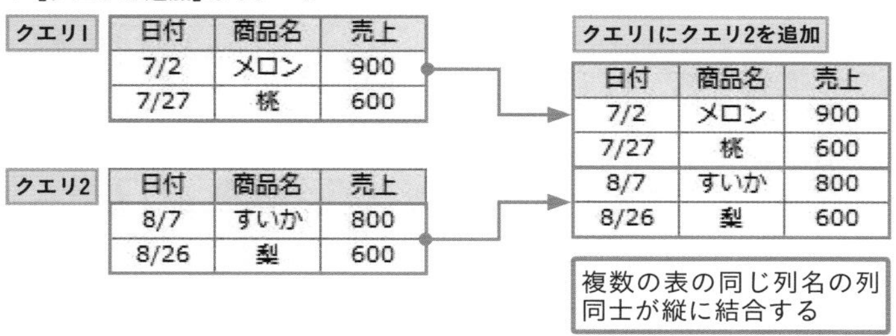
クエリ1

日付	商品名	売上
7/2	メロン	900
7/27	桃	600

クエリ2

日付	商品名	売上
8/7	すいか	800
8/26	梨	600

クエリ1にクエリ2を追加

日付	商品名	売上
7/2	メロン	900
7/27	桃	600
8/7	すいか	800
8/26	梨	600

複数の表の同じ列名の列
同士が縦に結合する

》フォルダー内の全ブックを縦に結合

「フォルダー内の全Excelブック」「フォルダー内の全CSVファイル」のように、同じフォルダーに保存された同じ種類のファイルを、列名が同じ列同士、自動で縦に結合できます。あとからフォルダーに追加されたファイルも、更新するだけで自動的に結合できるので大変便利です。あらかじめブックからクエリを作成しておく必要はありません(→124ページ)。

▼同フォルダー内のブックを結合するイメージ

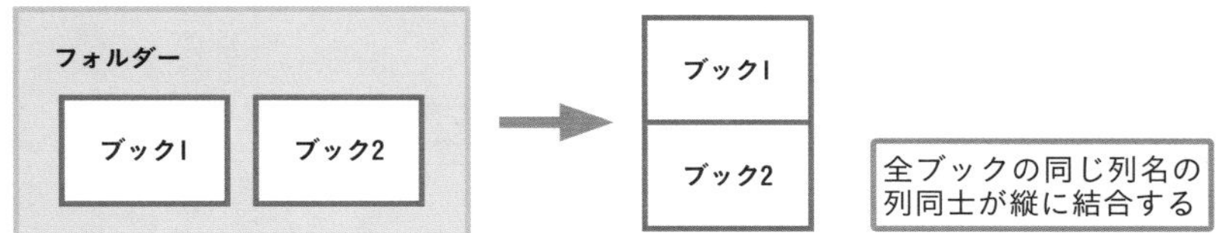

》ブック内の全シートを縦に結合

ブック内のすべてのワークシートを、列の位置が同じ列同士、自動で縦に結合できます。あとからブックに追加されたワークシートも、更新するだけで自動的に結合できます。あらかじめワークシートからクエリを作成しておく必要はありません(→132ページ)。

▼同ブック内のワークシートを結合するイメージ

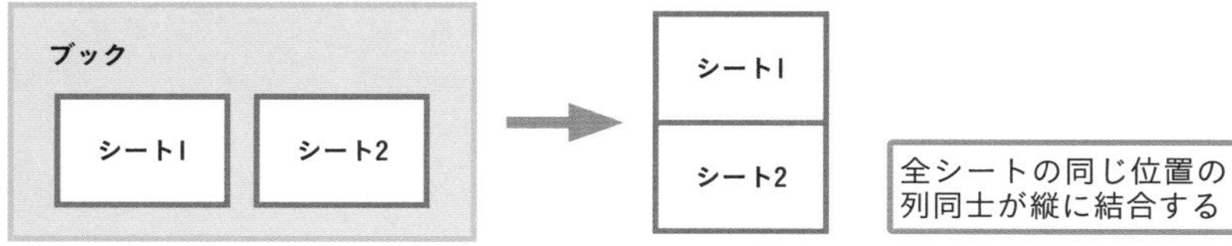

4-2 [クエリのマージ]の基礎知識「結合の種類」を理解しよう

クエリのマージ、結合の種類

「クエリのマージ」って何？

［クエリのマージ］は、表と表を横につなげる機能です。2つの表に共通する列を「照合列」として、同じ値の行同士をつなげます。

下の「3年A組名簿」と「部活リスト」を見てください。名簿には「部ID」欄があります。部活に参加していない生徒の「部ID」には「なし」が入力されています。一方、部活リストには、「部ID」に対応する部活名が入力されています。この2つの表を使用して各生徒の部活の入部状況を表す表を作成するには、［部ID］列を照合列として、名簿に部活リストをマージします。

▼名簿と部活リストのマージ

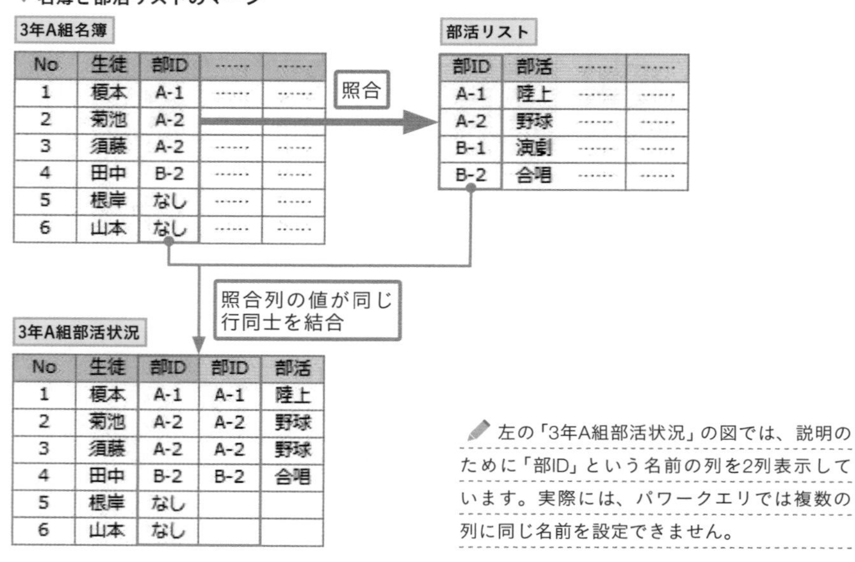

3年A組名簿

No	生徒	部ID	……	……
1	榎本	A-1	……	……
2	菊池	A-2		
3	須藤	A-2	……	……
4	田中	B-2	……	……
5	根岸	なし	……	……
6	山本	なし	……	……

部活リスト

部ID	部活	……	……
A-1	陸上	……	……
A-2	野球	……	……
B-1	演劇	……	……
B-2	合唱	……	……

3年A組部活状況

No	生徒	部ID	部ID	部活
1	榎本	A-1	A-1	陸上
2	菊池	A-2	A-2	野球
3	須藤	A-2	A-2	野球
4	田中	B-2	B-2	合唱
5	根岸	なし		
6	山本	なし		

左の「3年A組部活状況」の図では、説明のために「部ID」という名前の列を2列表示しています。実際には、パワークエリでは複数の列に同じ名前を設定できません。

結合の種類は6種類

［クエリのマージ］では、「左外部」「右外部」「完全外部」「内部」「左反」「右反」という6種類の選択肢から結合の種類を選びます。結合の種類によって、結合相手のいるデータといないデータの表示方法が変わります。どのようなデータを表示したいかによって使い分けます。

「左」「右」は分かりづらい表現ですが、パワークエリではベースにする表を「左の表」、ベースの表に結合する表を「右の表」と呼ぶので覚えておいてください。ここでは「3年A組名簿」を左の表、「部活リスト」を右の表として結合の種類を紹介します。

▼例で使用する表と結合相手

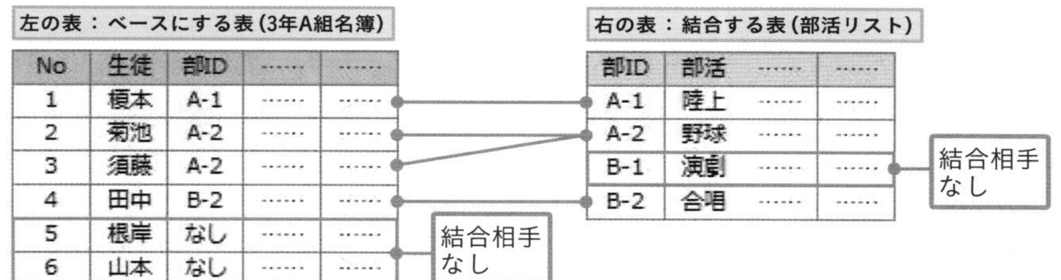

No	生徒	部ID	……	……
1	榎本	A-1	……	……
2	菊池	A-2	……	……
3	須藤	A-2	……	……
4	田中	B-2	……	……
5	根岸	なし	……	……
6	山本	なし	……	……

部ID	部活	……	……
A-1	陸上	……	……
A-2	野球	……	……
B-1	演劇	……	……
B-2	合唱	……	……

》左外部

左外部はもっともよく使われる結合で、左の表のすべての行が表示されます。マージ結果の表には3年A組の全生徒が表示され、部活に入っていない生徒の部活リスト側の列は空欄になります。また、演劇部のように、3年A組に部員がいない部活は表示されません。

▼左外部結合のイメージ

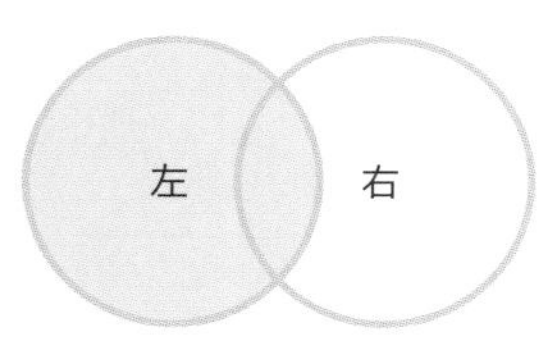

No	生徒	部ID	部ID	部活
1	榎本	A-1	A-1	陸上
2	菊池	A-2	A-2	野球
3	須藤	A-2	A-2	野球
4	田中	B-2	B-2	合唱
5	根岸	なし		
6	山本	なし		

部活に入っていない生徒は部活側が空欄になる

部員のいない演劇部は表示されない

右外部

右外部結合では、右の表のすべての行が表示されます。マージ結果の表にはすべての部活が表示され、部員のいない部活の名簿側の列は空欄になります。また、根岸さんと山本さんのように、部活に入っていない生徒は表示されません。

▼右外部結合のイメージ

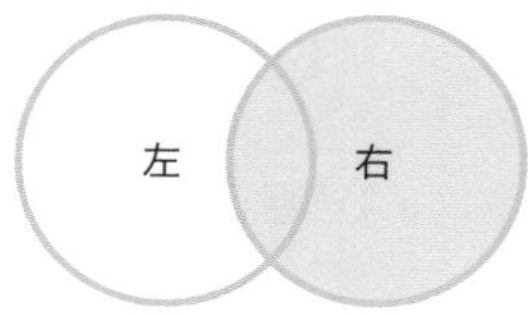

No	生徒	部ID	部ID	部活
1	榎本	A-1	A-1	陸上
2	菊池	A-2	A-2	野球
3	須藤	A-2	A-2	野球
4	田中	B-2	B-2	合唱
			B-1	演劇

部員のいない部活は名簿側が空欄になる

部活に入っていない生徒は表示されない

完全外部

完全外部結合では、左の表からも右の表からもすべての行が表示されます。部活に入っていない生徒の部活リスト側の列は空欄になります。また、部員のいない部活の名簿側の列も空欄になります。

▼完全外部結合のイメージ

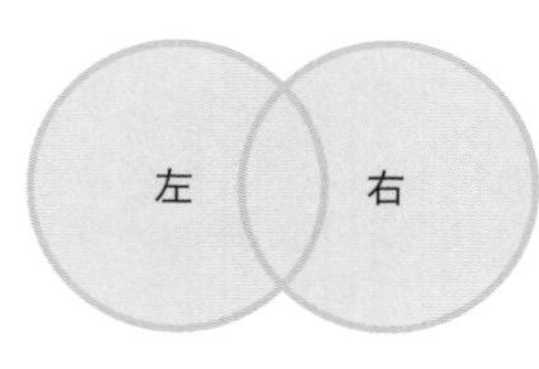

No	生徒	部ID	部ID	部活
1	榎本	A-1	A-1	陸上
2	菊池	A-2	A-2	野球
3	須藤	A-2	A-2	野球
4	田中	B-2	B-2	合唱
5	根岸	なし		
6	山本	なし		
			B-1	演劇

部活に入っていない生徒の部活側と、部員のいない部活の名簿側が空欄になる

内部

内部結合では、左右の表で「照合列」が一致する行だけが表示されます。部活に入っている生徒だけの表ができます。

▼内部結合のイメージ

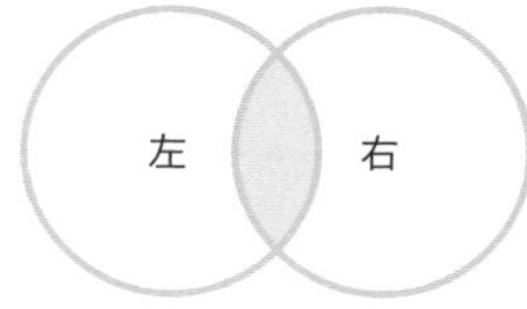

No	生徒	部ID	部ID	部活
1	榎本	A-1	A-1	陸上
2	菊池	A-2	A-2	野球
3	須藤	A-2	A-2	野球
4	田中	B-2	B-2	合唱

部活に入っている生徒だけが表示される

左反

左反結合では、左の表にあって右の表にない行が表示されます。左外部結合の表から、右の表の列が空欄のデータが取り出された形になります。今回のケースでは、部活に入っていない生徒だけが表示されます。

▼左反結合のイメージ

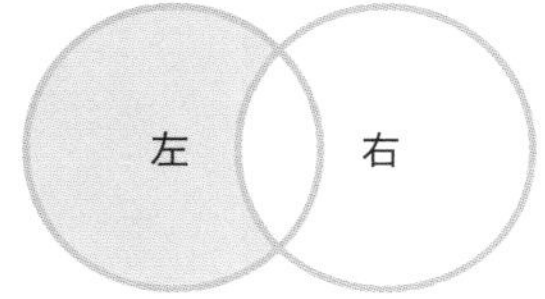

No	生徒	部ID	部ID	部活
5	根岸	なし		
6	山本	なし		

部活に入っていない生徒だけが表示される

右反

右反結合では、右の表にあって左の表にない行が取り出されます。右外部結合の表から、左の表の列が空欄のデータが取り出された形になります。今回のケースでは、部員のいない部活だけが表示されます。

▼右反結合のイメージ

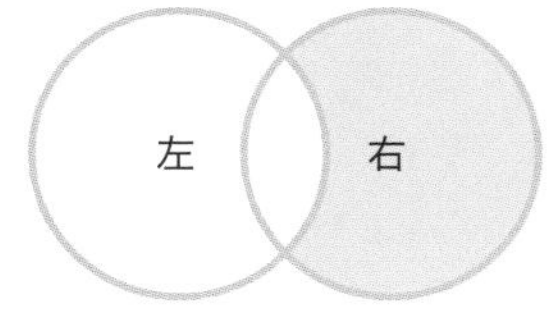

No	生徒	部ID	部ID	部活
			B-1	演劇

部員のいない部活だけが表示される

知っておくと便利　ベースにしたい表を左にする

ここでは「3年A組名簿」を左、「部活リスト」を右の表としましたが、部活をベースにした表を作成したい場合は「部活リスト」を左にします。例えば、部活別の部員一覧表を作成したいとき、「部活リスト」を右にした右外部結合と、左にした左外部結合は表示されるデータは同じですが、後者の方が自然で見やすい表になります。

▼左右を入れ替えた結合

部活別部員一覧表
部活リストを右の表として右外部で結合

No	生徒	部ID	部ID	部活
1	榎本	A-1	A-1	陸上
2	菊池	A-2	A-2	野球
3	須藤	A-2	A-2	野球
4	田中	B-2	B-2	合唱
			B-1	演劇

部活別部員一覧表
部活リストを左の表として左外部で結合

部ID	部活	No	生徒	部ID
A-1	陸上	1	榎本	A-1
A-2	野球	2	菊池	A-2
A-2	野球	3	須藤	A-2
B-2	合唱	4	田中	B-2
B-1	演劇			

4-3

[クエリのマージ]の演習の前に操作をイメージしておこう

データの確認、操作手順の確認

マージするデータを確認する

4-4 ～ 4-6節では、左外部結合のマージを実習します。まずは、どのような表からどのようなマージを行うか、確認しておきましょう。

ここでは下図の［売上明細］テーブルを左の表、次ページの［顧客リスト］テーブルを右の表としてマージを行います。［売上明細］テーブルには［伝票番号］［日付］［顧客ID］［売上金額］という項目がありますが、どの顧客からの売り上げなのか具体的な情報が含まれていません。

▼［売上明細］テーブル（左・ベースの表）

	A	B	C	D	E	F	G	H	I	J
1	伝票番号	日付	顧客ID	売上金額						
2	1001	2024/4/2	K-006	1,017,300						
3	1002	2024/4/2	K-001	2,675,900						
4	1003	2024/4/3	K-014	2,233,500						
5	1004	2024/4/5	K-007	1,793,800						
6	1005	2024/4/5	K-012	1,183,100						
7	1006	2024/4/8	K-001	1,057,800						
8	1007	2024/4/9	K-012	2,379,500						
9	1008	2024/4/9	K-015	351,500						
10	1009	2024/4/9	K-003	829,000						

POINT

情報を種類別に分割して効率よく管理する

売上情報を管理するときは、「売上表」「顧客表」「商品表」のように情報を分割して管理するのが一般的です。分割することで顧客情報は「顧客表」、商品情報は「商品表」という具合にデータを効率よく一元管理できるからです。「売上表」「顧客表」「商品表」を社内のシステムで一括管理している場合はシステム内で結合して出力できますが、Excelブックで管理している場合や、「売上表」と「顧客表」を別々にシステムから出力する場合は、パワークエリを使用すると結合できます。

［顧客リスト］テーブルには、［顧客ID］に対応する［顧客名］や［自社担当者］などの情報が格納されています。［顧客ID］列には一意の値が入力されています。「一意の値」とは、ほかの行とはダブりのない固有の値のことです。

▼［顧客リスト］テーブル（右・結合する表）

	A	B	C	D	E	F	G
1	顧客ID	顧客名	自社担当者	郵便番号	住所	電話番号	
2	K-001	株式会社グレープ	今西　健吾	270-1166	千葉県我孫子市我孫子X-X	04-7188-XXXX	
3	K-002	桜商事株式会社	佐々木　翔	370-0849	群馬県高崎市八島町X-X	027-332-XXXX	
4	K-003	株式会社あんず	南　真理恵	136-0073	東京都江東区北砂X-X	03-3625-XXXX	
5	K-004	オレンジ株式会社	佐々木　翔	344-0067	埼玉県春日部市中央X-X	048-754-XXXX	
6	K-005	株式会社パイン	渡辺　亮太	250-0872	神奈川県小田原市中里X-X	0465-53-XXXX	
7	K-006	ベリー株式会社	小竹　忍	193-0941	東京都八王子市狭間町X-X	042-569-XXXX	

一意の値

マージの実行結果をイメージする

今回のマージでは、［顧客ID］列を照合列として［売上明細］に［顧客リスト］を結合し、［顧客名］と［自社担当者］が表示された分かりやすい売上表を作成します。［売上明細］テーブルの全データを一覧表示する表を作成したいので、左外部結合を使います。

▼クエリのマージの実行結果

［売上明細］テーブルと［顧客リスト］テーブルをマージする

	A	B	C	D	E	F	G	H	I
1	伝票番号	日付	顧客ID	顧客名	自社担当者	売上金額			
2	1001	2024/4/2	K-006	ベリー株式会社	小竹　忍	1017300			
3	1002	2024/4/2	K-001	株式会社グレープ	今西　健吾	2675900			
4	1003	2024/4/3	K-014	りんご株式会社	南　真理恵	2233500			
5	1004	2024/4/5	K-007	パパイヤ株式会社	佐々木　翔	1793800			
6	1005	2024/4/5	K-012	西瓜物流株式会社	渡辺　亮太	1183100			
7	1006	2024/4/8	K-001	株式会社グレープ	今西　健吾	1057800			

照合列

［顧客リスト］テーブルから結合した列

今回の［売上明細］テーブルの［顧客ID］列には［顧客リスト］テーブルに必ず存在する値が入力されているので、内部結合を使用しても左外部結合と同じ表が作成されます。

操作手順をイメージする

［クエリのマージ］は文字通りクエリをマージする機能なので、あらかじめマージするそれぞれの表からクエリを作成しておく必要があります。ここでは［売上明細］テーブルと［顧客リスト］テーブルが入力されている同じブックに、マージ結果の表を読み込むことにします。大まかに以下の手順で操作します。

①ベースとなる［売上明細］テーブルからクエリを作成して、新規のワークシートに読み込む

②［顧客リスト］テーブルからクエリを作成して、ワークシートには読み込まず「接続専用」とする

③［売上明細］テーブルから作成したクエリに［顧客リスト］テーブルから作成した接続専用のクエリをマージする

▼ 操作手順のイメージ

知っておくと便利　顧客リストの［顧客ID］がダブっていたらどうなる？

右の表の照合列に重複がある場合、左外部結合の結果の行数はその分増えます。例えば［顧客リスト］テーブルに［顧客ID］が「K-001」である行が2行ある場合、マージの実行結果に「K-001」の行が2行ずつ表示され、意図した結果になりません。今回のケースでは［顧客リスト］の［顧客ID］は、一意であることが必要です。

▼ 右の表の照合列に重複がある場合

顧客リスト

顧客ID	顧客名
K-001	グレープ
K-001	ぶどう
K-002	桜
:	:

マージの実行結果

伝票番号	日付	顧客ID	顧客名
1001	4/2	K-006	ベリー
1002	4/2	K-001	グレープ
1002	4/2	K-001	ぶどう
1003	4/3	K-014	りんご
:	:	:	:

4-4

[クエリのマージ]の演習①
ブック内のテーブルを読み込む

クエリの作成

Sample 売上管理.xlsx

ブック内のテーブルからクエリを作成して読み込む

テーブルからクエリを作成すると、即座にPower Query エディターが起動します。クエリには元のテーブルと同じ名前が付きます。今回作成するのは顧客データと結合する元になるクエリなので、「売上明細_顧客結合」という分かりやすい名前に変更します。

[売上明細]テーブルからクエリを作成する

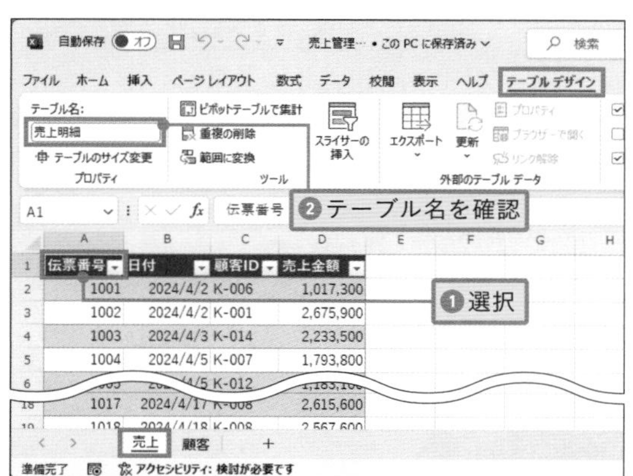

[Chap04] フォルダー内の [クエリのマージ] フォルダーから「売上管理.xlsx」を開く。[売上] シートのテーブル内の任意のセルを1つ選択して❶、[テーブルデザイン] タブでテーブル名が「売上明細」であることを確認する❷。

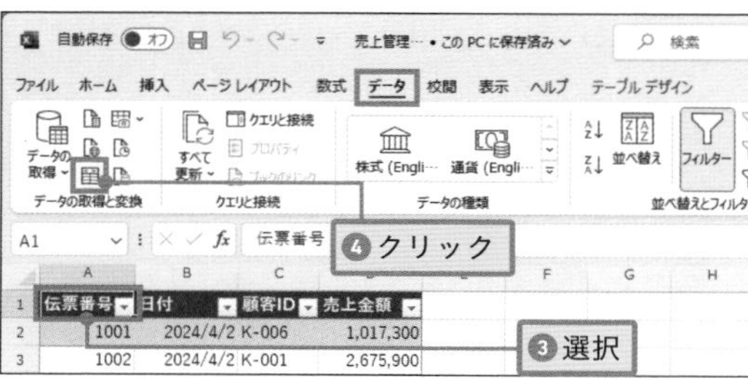

引き続きテーブル内のセルを選択しておき❸、[データ] タブの [テーブルまたは範囲から] をクリックする❹。

Power Query エディターが起動する。［日付］列に［日付／時刻］型が設定されたことを確認しておく❺。また、クエリ名として、テーブル名である「売上明細」が設定されたことを確認する❻。

クエリ名と日付のデータ型を変更する

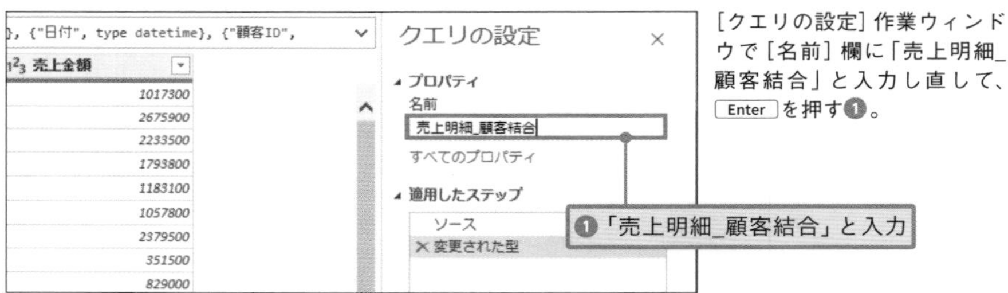

［クエリの設定］作業ウィンドウで［名前］欄に「売上明細_顧客結合」と入力し直して、Enter を押す❶。

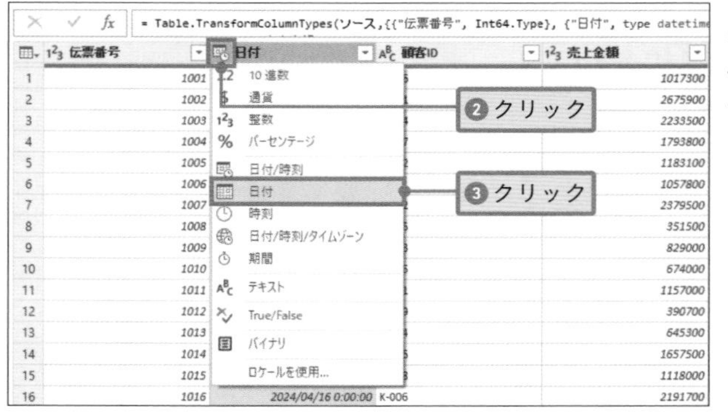

［日付］列の［日付／時刻］型のアイコンをクリックして❷、一覧から［日付］をクリックする❸。

列タイプの変更

選択された列には、既存の型変換があります。既存の変換を置き換えますか? または、既存の変換を保持して、別の手順で新しい変換を追加しますか?

❹クリック

現在のものを置換　新規手順の追加　キャンセル

［現在のものを置換］をクリックする❹。

[現在のものを置換]をクリックすると、直前の[変更された型]ステップの[日付]列のデータ型が[日付／時刻]型から[日付]型に変更され、新たなステップは追加されません。[新規手順の追加]をクリックした場合は、直前の[変更された型]ステップでいったん[日付／時刻]型が適用されたあと、新たに[変更された型1]ステップが追加され、[日付]型が設定されます。結果的にどちらも[日付]型が設定されるわけですが、いったん[日付／時刻]型を適用する意味もないので、ここでは[現在のものを置換]をクリックしました。

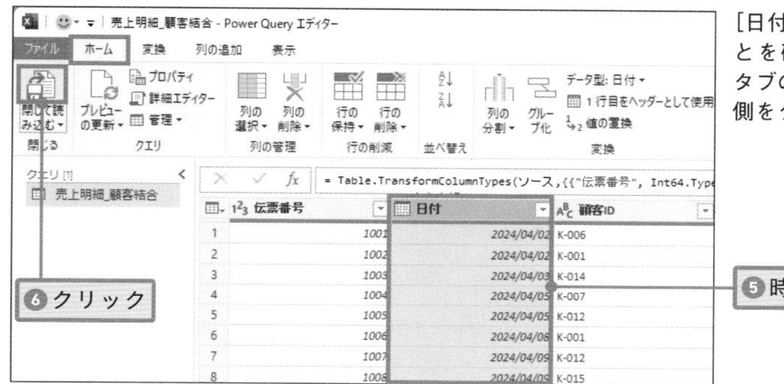

[日付]列から時刻が消えたことを確認して❺、[ホーム]タブの[閉じて読み込む]の上側をクリックする❻。

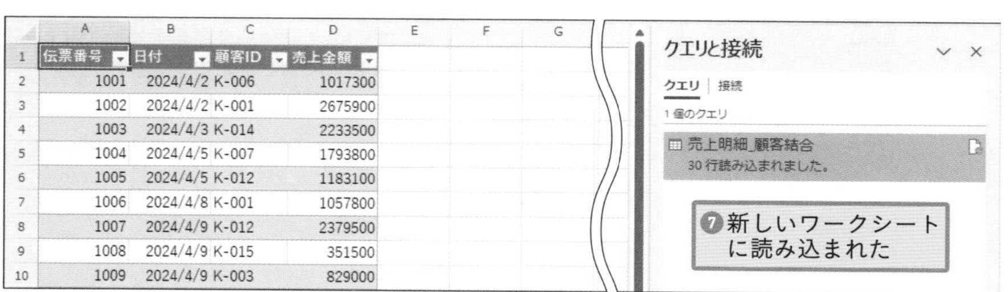

新しいワークシートにデータが読み込まれた❼。この時点では[売上明細]テーブルとデータは同じだが、このあとこの表をマージのベースとして利用していく。このまま次節に進む。

知っておくと便利　表から作成する場合はテーブルに自動変換される

ここではブック内のテーブルからクエリを作成しましたが、ブック内のテーブルに変換していない表からクエリを作成する場合は、クエリが作成される前に表が自動的にテーブルに変換されます。

4-5

[クエリのマージ]の演習②接続専用のクエリを作成する

接続専用クエリの作成

Sample 前節の操作後のブック

[顧客リスト]テーブルから接続専用のクエリを作成する

[顧客リスト]テーブルからクエリを作成します。ベースとなる[売上明細]テーブルから参照してデータを結合するためのクエリなので、ワークシートに読み込まずに「接続専用」のクエリとして作成します。

[顧客リスト]テーブルからクエリを作成する

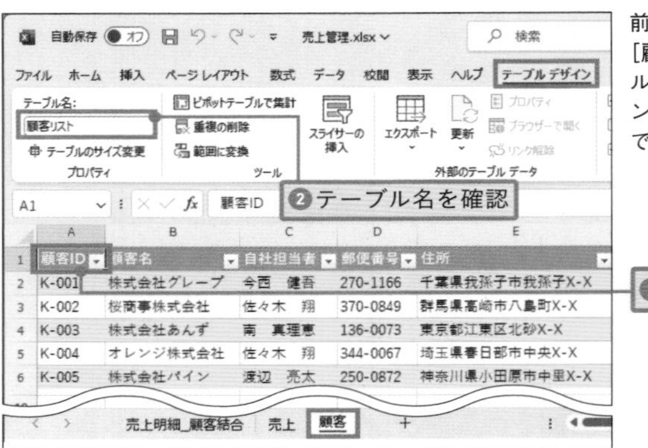

前節で操作したブックを開いておく。[顧客]シートのテーブル内の任意のセルを1つ選択して❶、[テーブルデザイン]タブでテーブル名が「顧客リスト」であることを確認する❷。

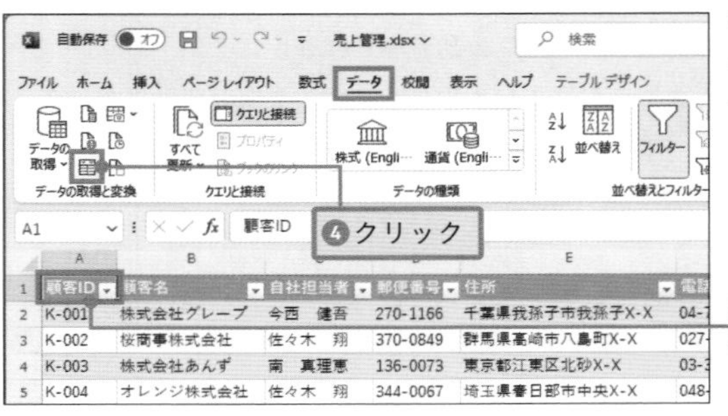

引き続きテーブル内のセルを選択しておき❸、[データ]タブの[テーブルまたは範囲から]をクリックする❹。

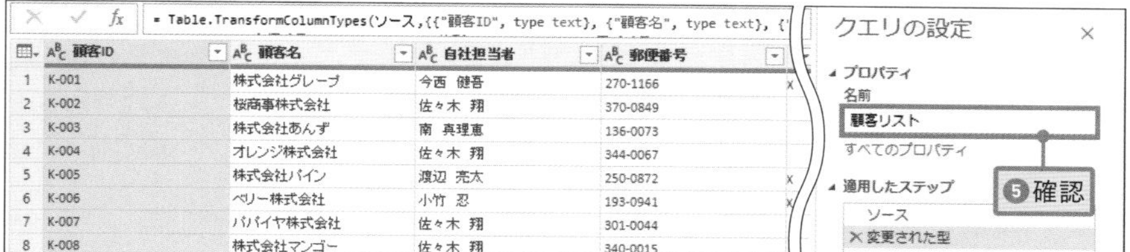

Power Query エディターが起動するので、テーブル名である「顧客リスト」がクエリ名として設定されたことを確認する⑤。ここではクエリ名もデータも編集しない。

データを読み込まずに「接続専用」のクエリにする

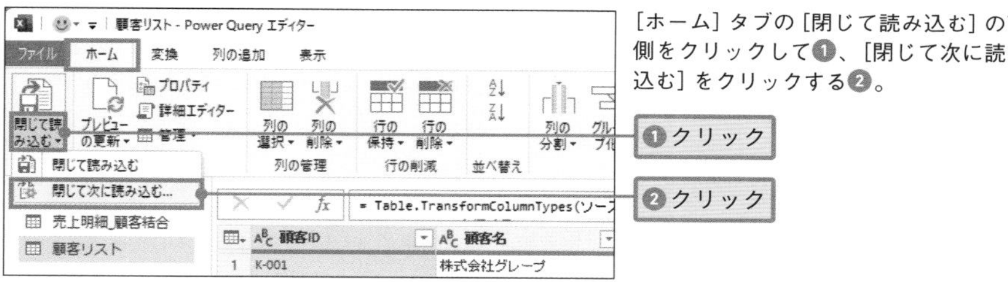

［ホーム］タブの［閉じて読み込む］の下側をクリックして①、［閉じて次に読み込む］をクリックする②。

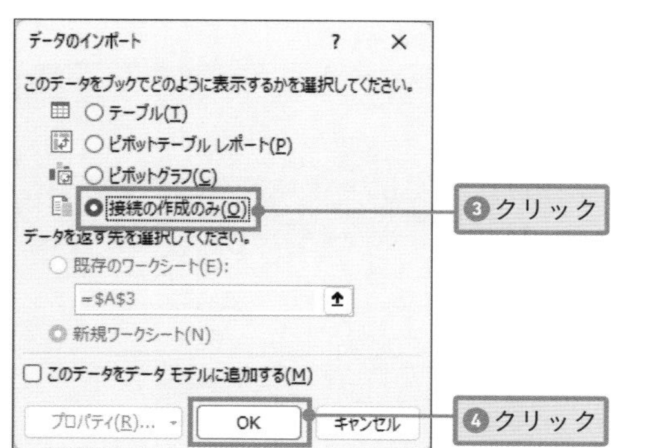

［データのインポート］ダイアログボックスが表示されるので、［接続の作成のみ］をクリックして③、［OK］をクリックする④。

間違えてワークシートに読み込んだ場合は、そのワークシートを削除すると、クエリは自動的に接続専用になります。

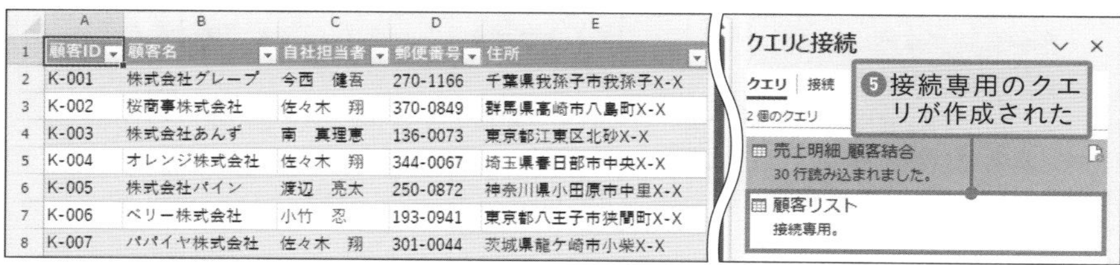

Excelの画面に戻るので、［クエリと接続］作業ウィンドウに［顧客リスト］クエリが追加され、「接続専用」と表示されることを確認する⑤。なお、作成したクエリをワークシートに読み込まなかったので、画面は［顧客］シートのままになる。

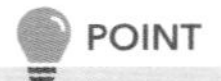

POINT

「接続専用」のクエリって何？

パワークエリには、「取得」「整形」「読み込み」の3つの機能がありますが、接続専用のクエリは「取得」と「整形」の手順だけが保存されたクエリで、ワークシートへの読み込みは行いません。接続専用のクエリは、[クエリのマージ]や[クエリの追加]などを行うときに、ベースの表に結合するためのクエリとしてよく利用されます。

知っておくと便利 接続専用のクエリのデータを確認するには

この節ではブック内のテーブルを接続専用にしましたが、外部ファイルを接続専用として利用することもできます。接続専用のクエリのデータはワークシートに表示されませんが、[クエリと接続]作業ウィンドウでクエリ名にマウスポインターを合わせると下図のようなポップアップ画面が現れ、データを確認できます。もちろんPower Query エディターを起動しても確認できます。

▼接続専用のクエリのデータを表示する

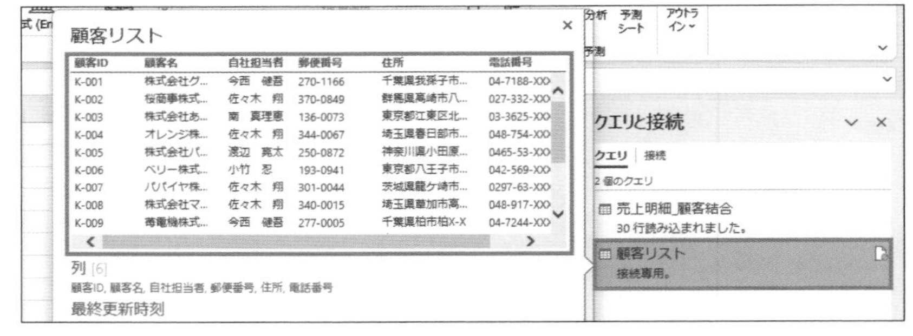

知っておくと便利 表をテーブルに変換するには

Sample コラム _ テーブル変換 .xlsx

表をテーブルに変換するには、[ホーム]タブの[テーブルとして書式設定]を使用します。テーブルに変換する際、表のセル範囲が自動認識されます。表に隣接するセルにタイトルや作成日などが入力されていたりすると正しく認識されませんが、その場合は表の範囲を指定し直してください。

▼表をテーブルに変換する

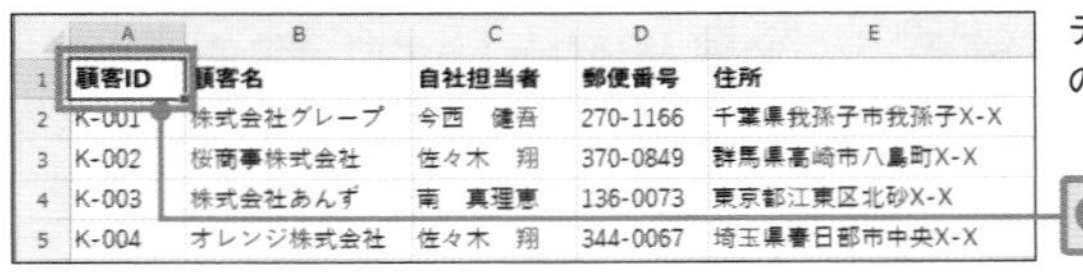

	A	B	C	D	E
1	顧客ID	顧客名	自社担当者	郵便番号	住所
2	K-001	株式会社グレープ	今西　健吾	270-1166	千葉県我孫子市我孫子X-X
3	K-002	桜商事株式会社	佐々木　翔	370-0849	群馬県高崎市八島町X-X
4	K-003	株式会社あんず	南　真理恵	136-0073	東京都江東区北砂X-X
5	K-004	オレンジ株式会社	佐々木　翔	344-0067	埼玉県春日部市中央X-X

テーブルに変換したい表内の任意のセルを1つ選択する❶。

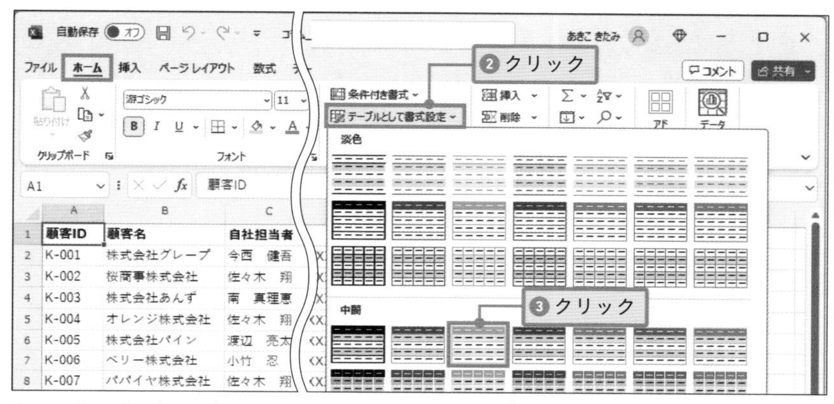

［ホーム］タブの［テーブルとして書式設定］をクリックし❷、一覧からテーブルのデザインを選ぶ❸。

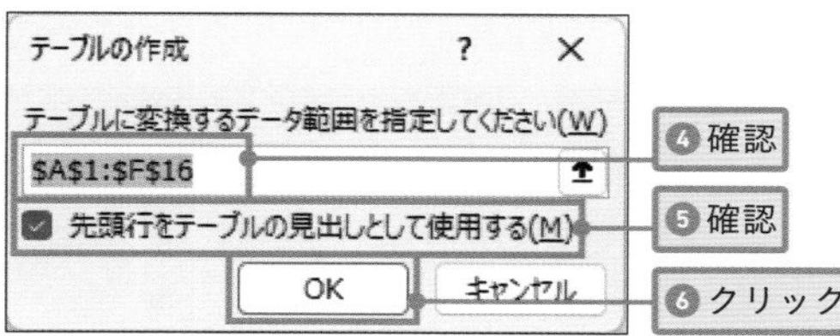

［テーブルの作成］ダイアログボックスが表示される。表の範囲が正しく認識されていることを確認し❹、［先頭行をテーブルの見出しとして使用する］にチェックが付いていることを確認して❺、［OK］をクリックする❻。

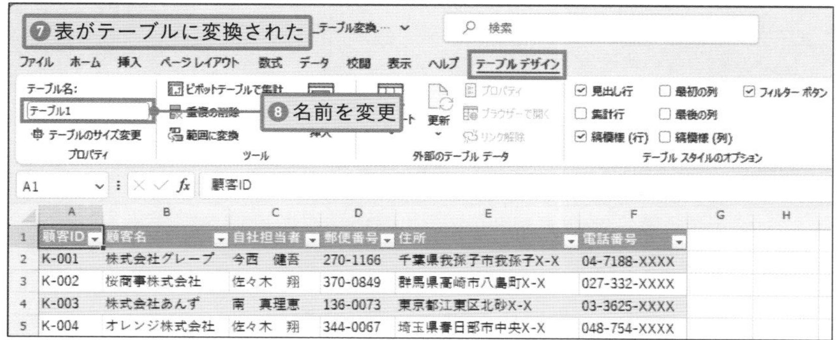

表がテーブルに変換される❼。「テーブル1」のようなテーブル名が付くので、［テーブルデザイン］タブの［テーブル名］欄で分かりやすい名前に変更しておく❽。

4-6

[クエリのマージ]の演習③ 2 つのクエリをマージする

クエリのマージ、左外部結合、列の並べ替え、行の並べ替え

Sample 前節の操作後のブック

[顧客ID]列を基準に 2 つのクエリをマージする

ここまでの操作で、[売上明細_顧客結合] と [顧客リスト] の2つのクエリを作成しました。前者は [売上明細] テーブルから作成したクエリで、結合のベースとなる「左の表」です。後者は [顧客リスト] テーブルから作成したクエリで、参照用に使用する「右の表」です。ここではこの2つのクエリをマージします。マージの実行は、ベースとなる [売上明細_顧客結合] クエリをPower Query エディターで表示するところから開始します。

[クエリのマージ]を実行する

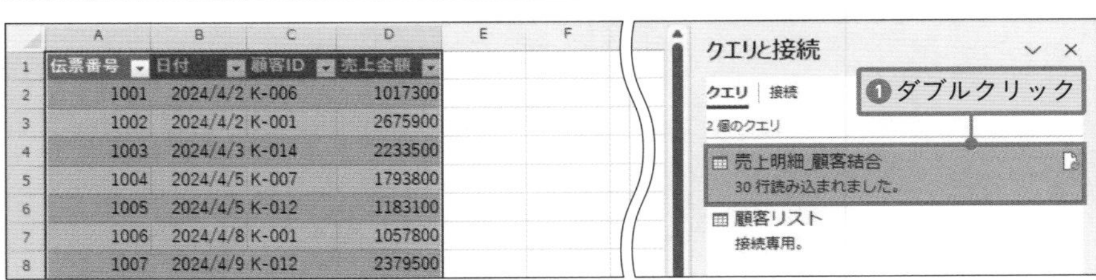

前節で操作したブックを開いておく。[クエリと接続] 作業ウィンドウで、結合のベースとなる [売上明細_顧客結合] クエリをダブルクリックする❶。

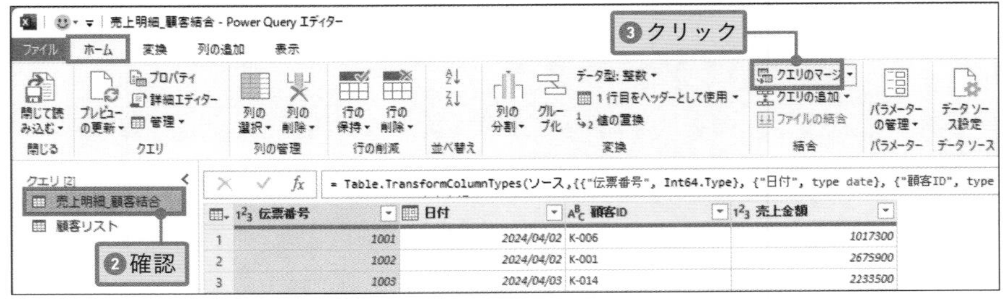

Power Query エディターが起動したら、[売上明細_顧客結合] クエリが選択されていることを確認し❷、[ホーム] タブの [クエリのマージ] をクリックする❸。なお手順❶で誤って [顧客リスト] をダブルクリックしてしまった場合は、手順❷で [売上明細_顧客結合] を選択し直せばよい。

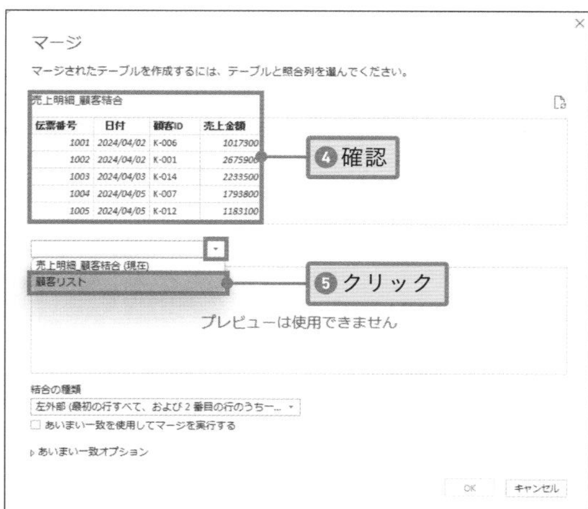

［マージ］ダイアログボックスが表示される。上側のプレビュー欄に［売上明細_顧客結合］のデータが表示されたことを確認する❹。その下のボックスの［▼］をクリックして、一覧から［顧客リスト］をクリックする❺。

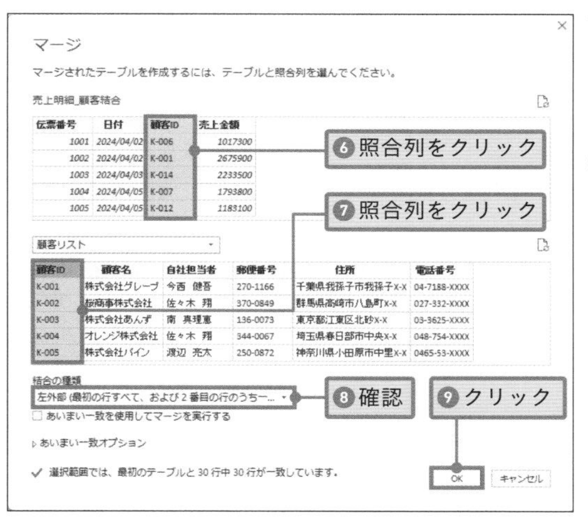

下側のプレビュー欄に［顧客リスト］のデータが表示される。照合列として、［売上明細_顧客結合］の［顧客ID］をクリックし❻、さらに［顧客リスト］の［顧客ID］をクリックする❼。［結合の種類］欄が［左外部］になっていることを確認し❽、［OK］をクリックする❾。

POINT

照合列のデータ型を一致させる

2つのテーブルの照合列は、データ型が一致している必要があります。異なるデータ型の列は、照合列として使用できません。なお、照合列の列名は2つのテーブルで異なっていてもかまいません。

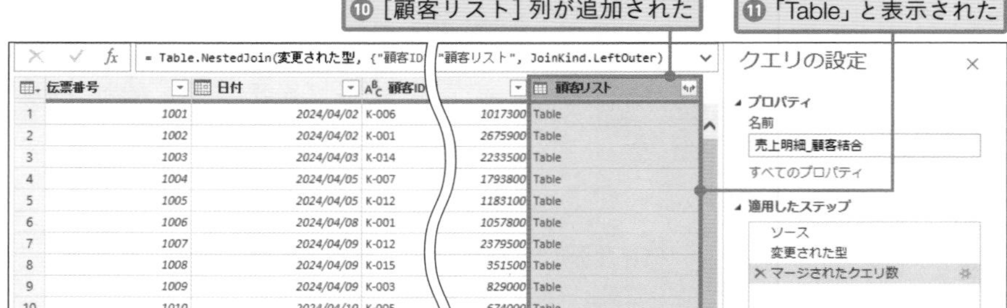

表の右端に［顧客リスト］列が追加され⑩、列内のセルに「Table」と表示される⑪。

知っておくと便利 **［Table］欄に結合する行のデータが折りたたまれている**

手順⑪の［Table］欄には、各行の［顧客ID］に結合する［顧客リスト］のデータが折りたたまれています。例えば［顧客ID］が「K-006」の行の［Table］欄のセルの無地の部分をクリックすると、画面下部に［顧客ID］が「K-006」の顧客データが表示され、内容を確認できます。

▼折りたたまれたデータの内容を確認する

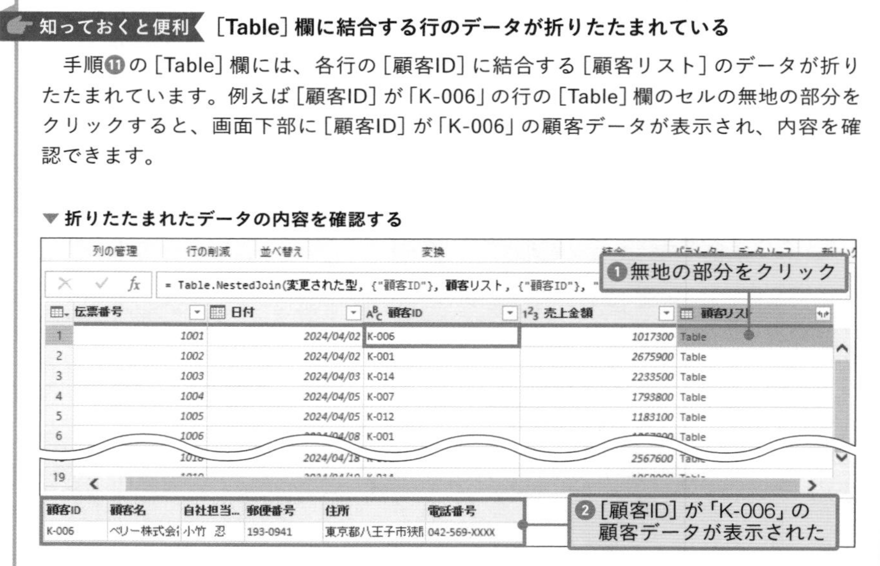

［顧客リスト］列を展開して顧客名と担当者を表示させる

［顧客リスト］クエリをマージすると、表の右端に［顧客リスト］列が追加され、列内のセルに「Table」と表示されます。列名の左側にはテーブルの形のアイコン（▦）、右には［展開］ボタン（⇆）が表示されます。［展開］ボタンをクリックすると、［顧客リスト］から追加する列を選択できます。

表に[顧客名]と[自社担当者]を追加する

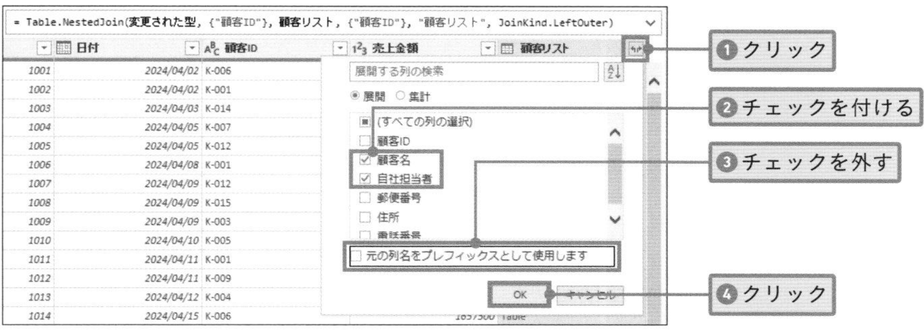

[顧客リスト] 列の [展開] ボタンをクリックすると❶、[顧客リスト] クエリの列名が一覧表示される。[顧客名] と [自社担当者] だけにチェックを付け❷、[元の列名をプレフィックスとして使用します] のチェックを外して❸、[OK] をクリックする❹。

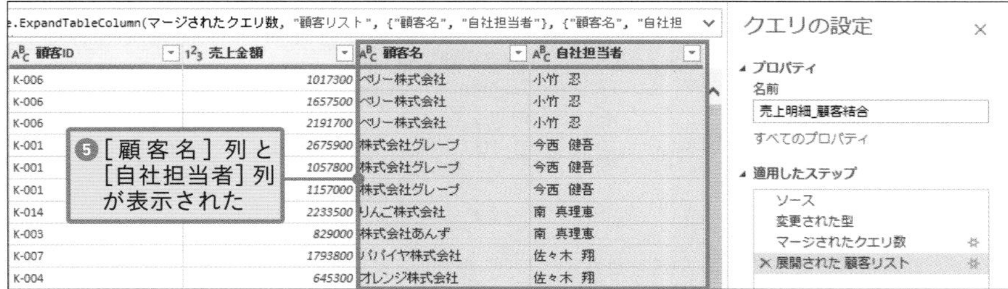

[顧客リスト] 列が消え、[顧客名] 列と [自社担当者] 列が表示される❺。なお、表示する列を指定し直したい場合は、[展開された顧客リスト] ステップの右にある歯車のアイコンをクリックする。

知っておくと便利 「元の列名をプレフィックスとして使用」って何？

手順❸で[元の列名をプレフィックスとして使用します]にチェックを付けると、[顧客リスト.顧客名]のように列名の前にクエリ名が付きます。「プレフィックス」とは、文字列の前に付ける単語のことで「接頭辞」とも呼ばれます。例えばベースの表と同名の列を追加する場合に、どちらのクエリの列なのか区別しやすくなります。ちなみに、チェックを外した状態で同じ列名の列を表示した場合、[顧客ID.1]のように列名の末尾に番号が付きます。

▼[元の列名をプレフィックスとして使用します]にチェックを付けた場合

売上金額	顧客リスト.顧客名	顧客リスト.自社担当...
1017300	ベリー株式会社	小竹 忍
1657500	ベリー株式会社	小竹 忍
2191700	ベリー株式会社	小竹 忍
2675900	株式会社グレープ	今西 健吾

列や行を並べ替えてワークシートに読み込む

［クエリのマージ］を実行すると、行の並び順が変わってしまうことがあります。今回、マージ前は［伝票番号］列の小さい順だった並び順がバラバラになってしまいました。並び順を設定するには、列名の右の［▼］をクリックして［昇順で並べ替え］（小さい順）、または［降順で並べ替え］（大きい順）をクリックします。また、［顧客名］と［自社担当者］は［顧客ID］の横にあった方が自然なので、列も移動しましょう。

列を移動する

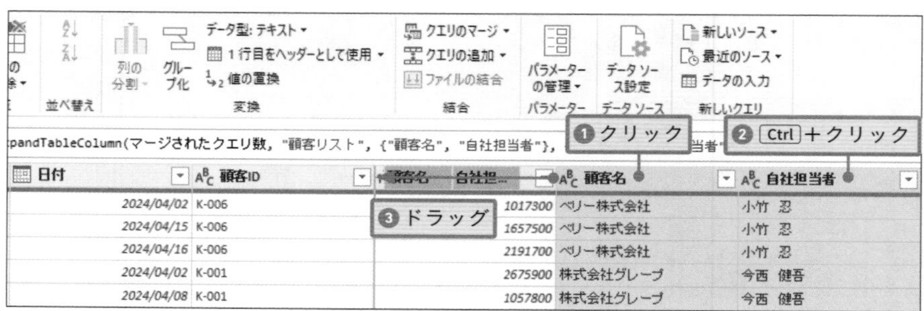

［顧客名］の列名をクリックし❶、［自社担当者］の列名をCtrlを押しながらクリックして❷、2列を選択し、［顧客ID］列の右までドラッグする❸。

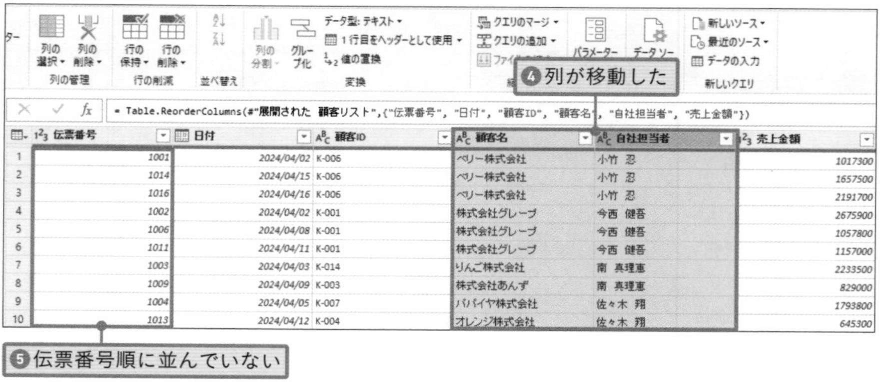

	伝票番号	日付	顧客ID	顧客名	自社担当者	売上金額
1	1001	2024/04/02	K-006	ベリー株式会社	小竹 忍	1017300
2	1014	2024/04/15	K-006	ベリー株式会社	小竹 忍	1657500
3	1016	2024/04/16	K-006	ベリー株式会社	小竹 忍	2191700
4	1002	2024/04/02	K-001	株式会社グレープ	今西 健吾	2675900
5	1006	2024/04/08	K-001	株式会社グレープ	今西 健吾	1057800
6	1011	2024/04/11	K-001	株式会社グレープ	今西 健吾	1157000
7	1003	2024/04/03	K-014	りんご株式会社	南 真理恵	2233500
8	1009	2024/04/09	K-003	株式会社あんず	南 真理恵	829000
9	1004	2024/04/05	K-007	パパイヤ株式会社	佐々木 翔	1793800
10	1013	2024/04/12	K-004	オレンジ株式会社	佐々木 翔	645300

［顧客名］列と［自社担当者］列が移動する❹。次に、［伝票番号］列のデータが番号順に並んでいないことを確認する❺。

✎ 画面が狭くて操作しづらいときは、23ページを参考にナビゲーションウィンドウを折りたたむか、［クエリの設定］作業ウィンドウを閉じるといいでしょう。

行を並べ替えてワークシートに読み込む

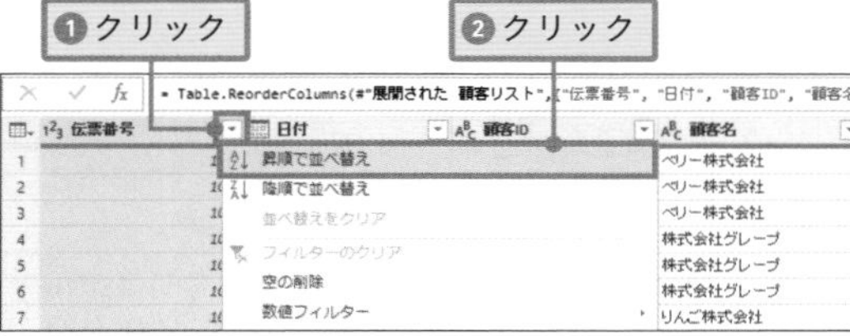

[伝票番号] 列の [▼] をクリックして❶、一覧から [昇順で並べ替え] をクリックする❷。

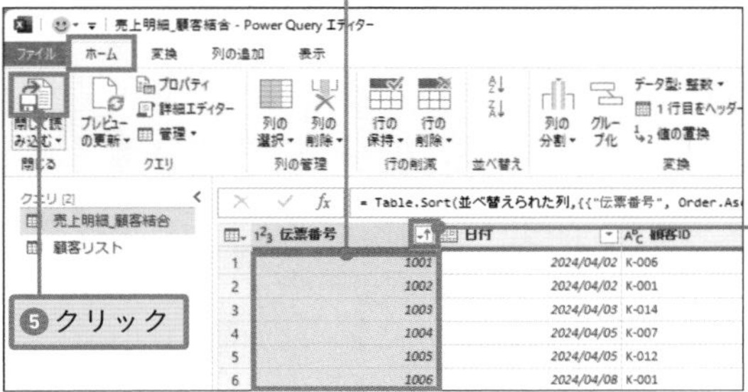

[伝票番号] 列の数値が小さい順に並べ替えられ❸、アイコンの絵柄が[↑]に変わる❹。最後に [ホーム] タブの [閉じて読み込む] の上側をクリックする❺。

伝票番号	日付	顧客ID	顧客名	自社担当者	売上金額
1001	2024/4/2	K-006	ベリー株式会社	小竹　忍	1017300
1002	2024/4/2	K-001	株式会社グレープ	今西　健吾	2675900
1003	2024/4/3	K-014	りんご株式会社	南　真理恵	2233500
1004	2024/4/5	K-007	パパイヤ株式会社	佐々木　翔	1793800
1005	2024/4/5	K-012	西瓜物流株式会社	渡辺　亮太	1183100
1006	2024/4/8	K-001	株式会社グレープ	今西　健吾	1057800
1007	2024/4/9	K-012	西瓜物流株式会社	渡辺　亮太	2379500
1008	2024/4/9	K-015	株式会社柿ストア	今西　健吾	351500
1009	2024/4/9	K-003	株式会社あんず	南　真理恵	829000
1010	2024/4/10	K-005	株式会社パイン	渡辺　亮太	674000
1011	2024/4/11	K-001	株式会社グレープ	今西　健吾	1157000
1012	2024/4/11	K-009	苺電機株式会社	今西　健吾	390700
1013	2024/4/12	K-004	オレンジ株式会社	佐々木　翔	645300
1014	2024/4/15	K-006	ベリー株式会社	小竹　忍	1657500
1015	2024/4/15	K-008	株式会社マンゴー	佐々木　翔	1118000
1016	2024/4/16	K-006	ベリー株式会社	小竹　忍	2191700
1017	2024/4/17	K-008	株式会社マンゴー	佐々木　翔	2615600

4-4節で [売上明細_顧客結合] を読み込んだワークシートに、顧客情報をマージした表が読み込まれる❻。

POINT

ファイルを移動しても更新可能

[売上明細] テーブルや [顧客リスト] テーブルにデータが追加されたときは、更新を実行するとマージ結果の表に反映されます。今回作成したクエリはブック内のテーブルから作成したものなので、このファイルを別の場所に移動したり、ファイル名を変えたりした場合でも、正しく更新されます。

知っておくと便利　複数の列を基準にして結合することも可能

Sample コラム _ 複数列照合 .xlsx

［クエリのマージ］では、照合列として複数の列を指定することもできます。例えば、［販売］テーブルの［品番］［サイズ］列と、［商品］テーブルの［品番］［サイズ］列を照合してマージするようなケースです。［マージ］ダイアログボックスで照合列を選択するときに、1組目の照合列を指定したあと、2組目以降はCtrlを押しながらクリックして指定してください。列名の右に「1」組目、「2」組目、と番号が表示されるので正しく組み合わされていることを確認してください。

▼［品番］［サイズ］を照合列として結合したい

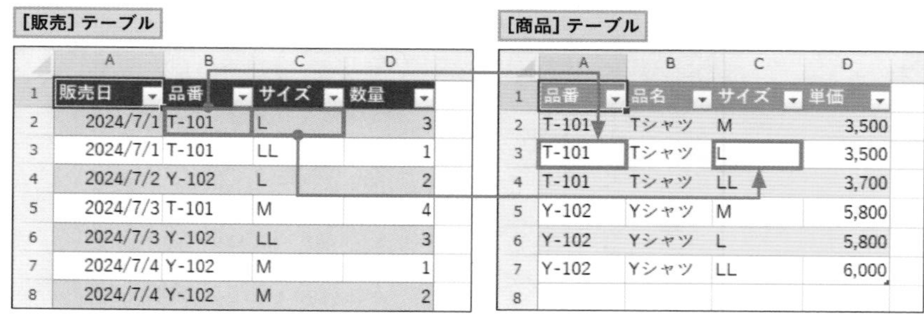

［販売］テーブル

販売日	品番	サイズ	数量
2024/7/1	T-101	L	3
2024/7/1	T-101	LL	1
2024/7/2	Y-102	L	2
2024/7/3	T-101	M	4
2024/7/3	Y-102	LL	3
2024/7/4	Y-102	M	1
2024/7/4	Y-102	M	2

［商品］テーブル

品番	品名	サイズ	単価
T-101	Tシャツ	M	3,500
T-101	Tシャツ	L	3,500
T-101	Tシャツ	LL	3,700
Y-102	Yシャツ	M	5,800
Y-102	Yシャツ	L	5,800
Y-102	Yシャツ	LL	6,000

▼照合列を複数指定する

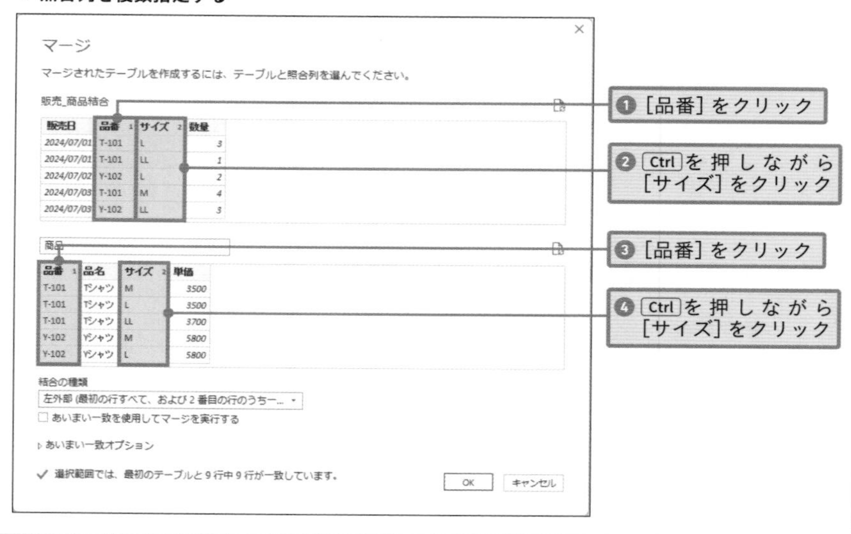

知っておくと便利 マージしたデータの展開時に集計することもできる

Sample コラム _ 顧客別売上集計 .xlsx

マージしたデータを展開するときに、[集計] をクリックすると合計やカウント数などの集計値を表に追加できます。下図は、この節の操作とは逆に [顧客リスト] テーブルを左の表、[売上明細] テーブルを右の表として左外部結合したクエリの画面です。集計の種類として [売上金額の合計] を選択すると、顧客ごとの売上合計が求められます。

▼顧客ごとの売上合計を求める

[顧客ID] が「K-001」の「Table」のセルの無地の部分をクリックする❶。「K-001」の顧客の売上データが3件あり、金額を合計すると「4,890,700」になっている❷。

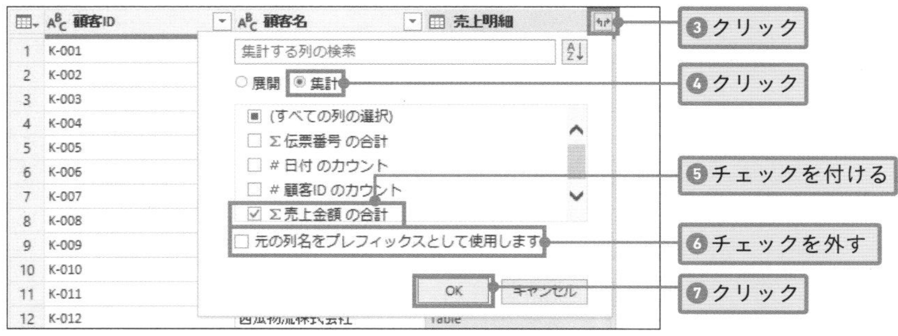

[展開] ボタンをクリックすると❸、[売上明細] クエリの列名が一覧表示される。[集計] をクリックし❹、[売上金額の合計] にチェックを付け❺、[元の列名をプレフィックスとして使用します] のチェックを外して❻、[OK] をクリックする❼。

	顧客ID	顧客名	売上金額の合計
1	K-001	株式会社グレープ	4890700
2	K-002	桜商事株式会社	null
3	K-003	株式会社あんず	829000
4	K-004	オレンジ株式会社	3630700

❽「K-001」の顧客の3件の売上合計が表示された

[売上金額の合計] 列が表示され、「K-001」の顧客の売上合計が手順❷の数値と一致した❽。なお、売り上げのない顧客には「null」が表示される。

4-7 [クエリのマージ]を利用して売れなかった商品をあぶり出す

左反結合、接続専用クエリ同士のマージ

Sample 差分分析 .xlsx

売れなかった商品を発見する

マージの左反結合や右反結合は、2つのテーブルのどちらかにしかないデータの発見に利用できます。ここでは、[商品] テーブルと8月の販売データが入力されている [販売] テーブルの左反結合を使用して、[販売] テーブルにない商品、つまり8月に1個も売れていない商品を探します。前節では左の表に直接右の表をマージしましたが、今回は左も右も接続のみのクエリにして、2つの接続専用クエリを結合して新しいクエリを作成する方法を併せて紹介します。

Before

[商品] テーブル (左の表)

	A	B	C	D
1	商品ID	商品名	単価	
2	AC-101	空気清浄機24畳	64,200	
3	AC-102	空気清浄機8畳	33,700	
4	AC-103	加湿器	12,600	
5	CL-101	スティッククリーナー	54,300	
6	CL-102	ハンディクリーナー	32,700	
7	KC-101	グリルプレート	43,800	
8	KC-102	スチームトースター	36,500	

[販売] テーブル (右の表)

	A	B	C	D	E
1	販売ID	販売日	商品ID	数量	
2	1	2024/8/1	AC-102	10	
3	2	2024/8/1	KC-101	8	
4	3	2024/8/2	CL-101	3	
5	4	2024/8/3	CL-102	10	
6	5	2024/8/3	KC-103	2	
7	6	2024/8/3	KC-105	10	
8	7	2024/8/5	CL-101	4	

After

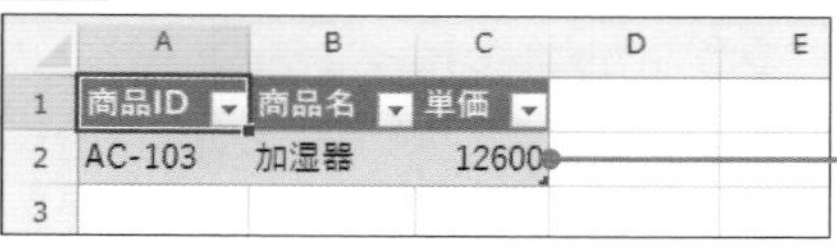

	A	B	C	D	E
1	商品ID	商品名	単価		
2	AC-103	加湿器	12600		
3					

[商品] テーブルにあって [販売] テーブルにない、つまり8月に1個も売れていない商品が見つかる

▼接続専用クエリ同士のマージのイメージ

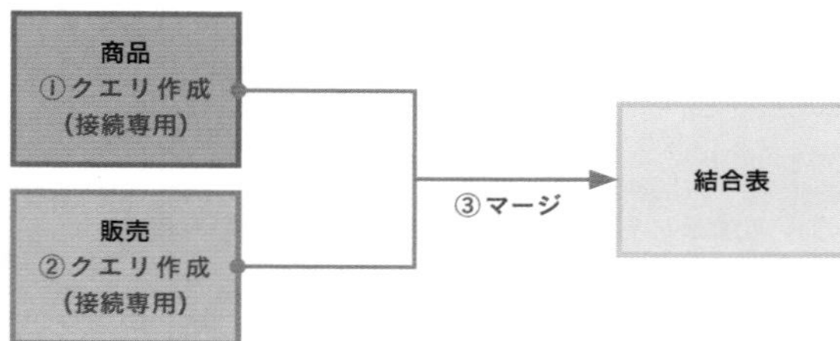

2つの接続専用クエリを作成する

それでは実際に操作していきましょう。まずは[商品]テーブルから接続専用の[商品]クエリを、[販売]テーブルから接続専用の[販売]クエリを作成します。

マージ用に2つの接続専用のクエリを作成する

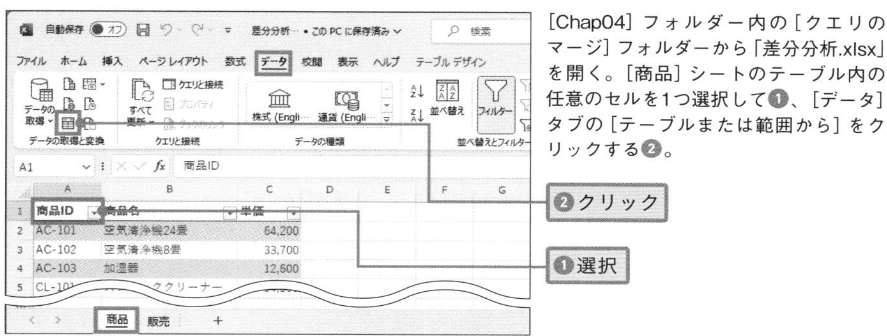

[Chap04]フォルダー内の[クエリのマージ]フォルダーから「差分分析.xlsx」を開く。[商品]シートのテーブル内の任意のセルを1つ選択して❶、[データ]タブの[テーブルまたは範囲から]をクリックする❷。

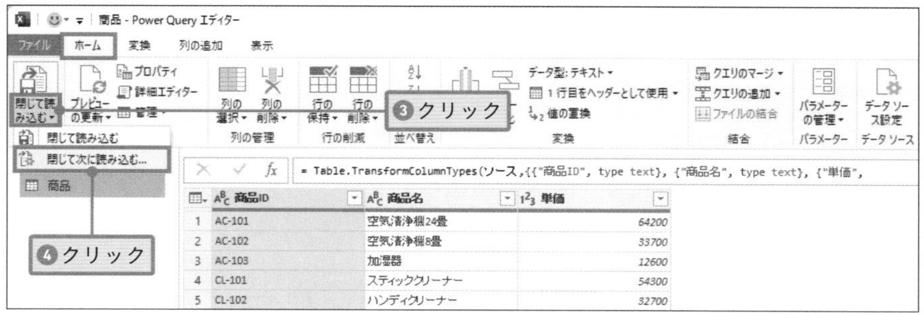

Power Queryエディターが起動する。[ホーム]タブの[閉じて読み込む]の下側をクリックし❸、[閉じて次に読み込む]をクリックする❹。

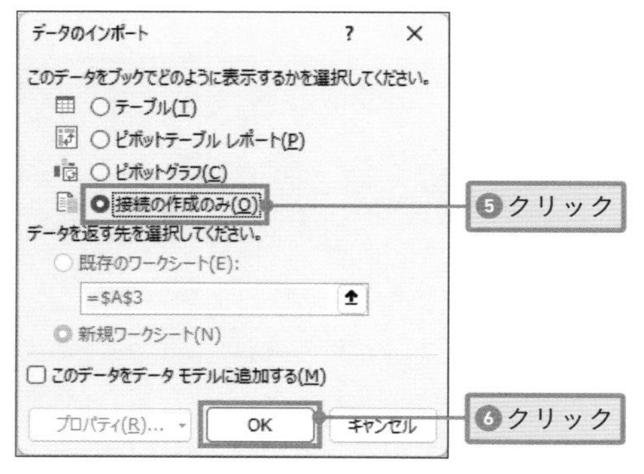

すると[データのインポート]ダイアログボックスが表示されるので、[接続の作成のみ]をクリックして❺、[OK]をクリックする❻。

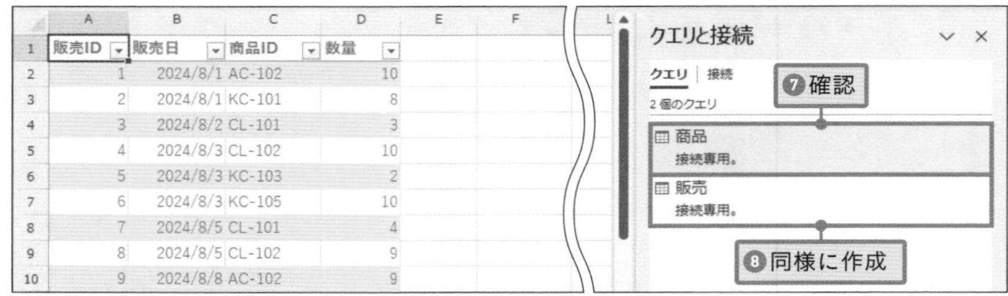

Excelの画面に戻るので、[クエリと接続] 作業ウィンドウに [商品] クエリが追加され、「接続専用」と表示されることを確認する❼。同様に [販売] シートにある [販売] テーブルから接続専用の [販売] クエリを作成しておく❽。

クエリをマージして左反結合のクエリを作成する

[商品] クエリを左の表、[販売] クエリを右の表、[商品ID] 列を照合列として、左反結合でマージします。左反結合では、左の表にあり右の表にないデータが抽出されます。[商品] テーブルにあって [販売] テーブルにない [商品ID]、つまり8月にまったく売れていない商品を発見できます。

左反結合のクエリを作成する

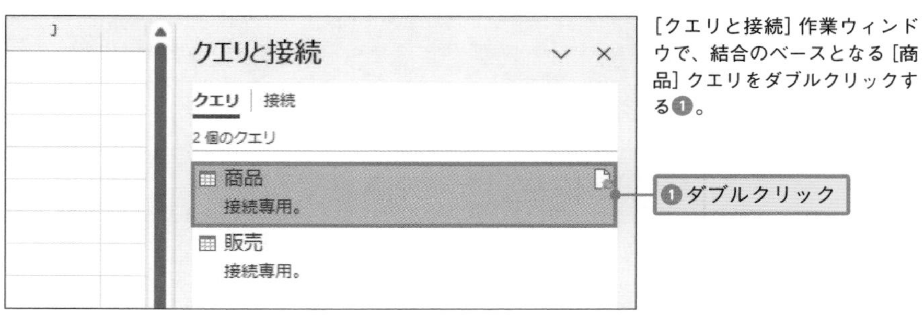

[クエリと接続] 作業ウィンドウで、結合のベースとなる [商品] クエリをダブルクリックする❶。

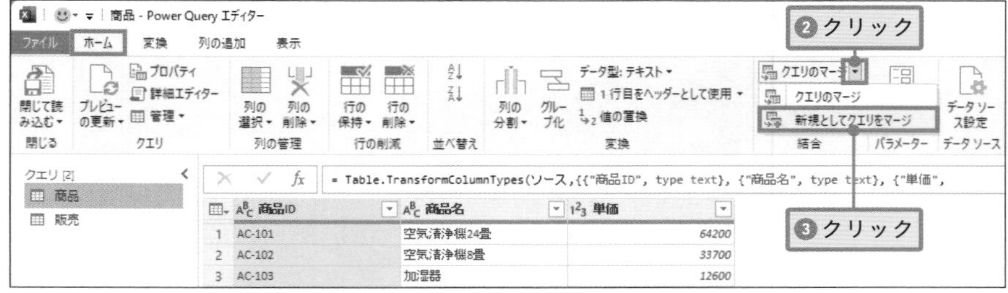

Power Query エディターが起動する。[ホーム] タブの [クエリのマージ] の右にある [▼] をクリックして❷、[新規としてクエリをマージ] をクリックする❸。

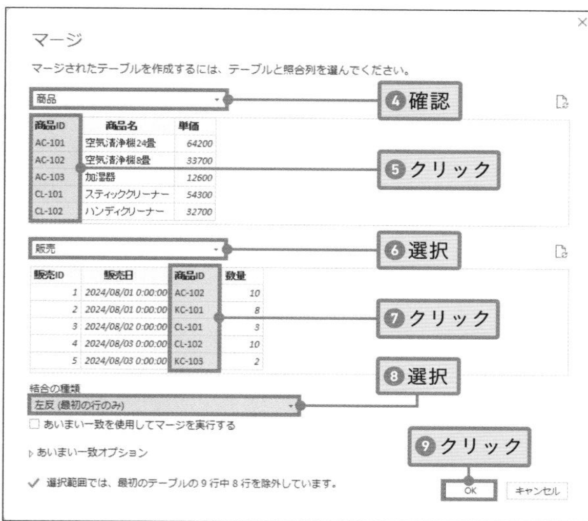

［マージ］ダイアログボックスが表示される。上側のボックスで［商品］が選択されていることを確認し❹、照合列として［商品ID］をクリックする❺。下側のボックスから［販売］を選択し❻、照合列として［商品ID］をクリックする❼。［結合の種類］欄から［左反（最初の行のみ）］を選択して❽、［OK］をクリックする❾。

知っておくと便利　「最初の行」「2番目の行」って何？

［結合の種類］の選択肢に［左外部（最初の行すべて、および2番目の行のうち一致するもの）］や［左反（最初の行のみ）］があります。「最初」とは［マージ］ダイアログボックスの上側にプレビュー表示されている表のことで、「最初の行」とは上側の表の行を指します。また、「2番目の行」は、下側にプレビュー表示されている表の行を指します。［左反（最初の行のみ）］は、上側にプレビューされている表のみにある行を抽出するという意味です。

▼［結合の種類］の各表記

結合の種類
左外部 (最初の行すべて、および 2 番目の行のうち一...
左外部 (最初の行すべて、および 2 番目の行のうち一致するもの)
右外部 (2 番目の行すべて、および最初の行のうち一致するもの)
完全外部 (両方の行すべて)
内部 (一致する行のみ)
左反 (最初の行のみ)
右反 (2 番目の行のみ)

クエリを整形して読み込む

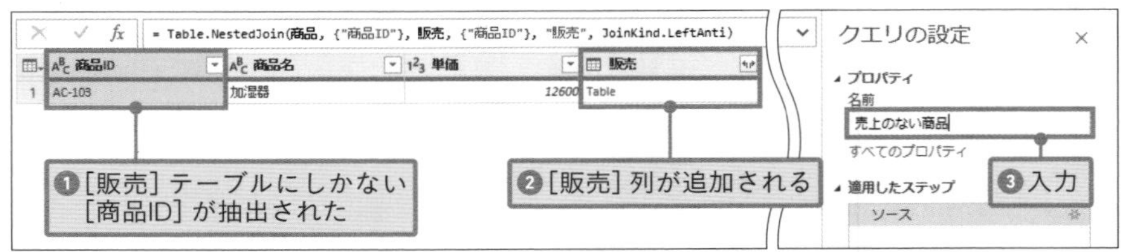

[販売] テーブルにしかない [商品ID] が抽出され❶、[販売] 列が追加される❷。クエリの名前として「売上のない商品」と入力して Enter を押す❸。

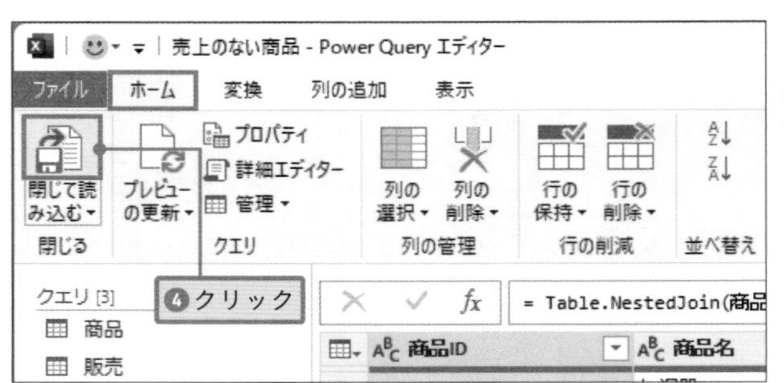

[販売] 列は展開せずに、そのまま [ホーム] タブの [閉じて読み込む] の上側をクリックする❹。

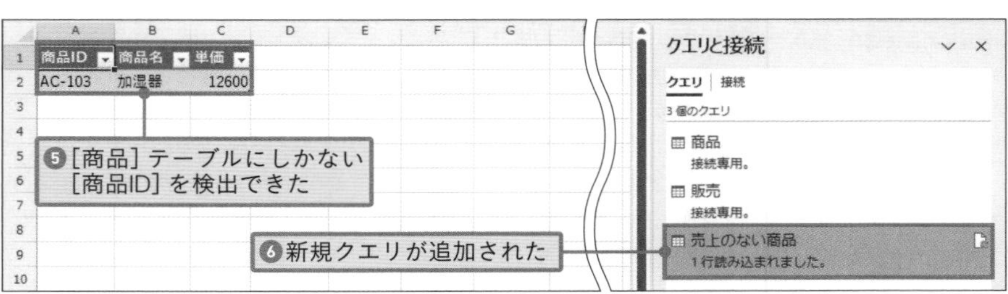

新しいワークシートが追加され、[商品] テーブルにしかないデータが表示される❺。展開しなかった [販売] 列は表示されない。[新規としてクエリをマージ] を実行したので、[売上のない商品] クエリは [販売] クエリ・[商品] クエリとは別のクエリとなる❻。

POINT

[クエリのマージ] と [新規としてクエリをマージ] の違い

[クエリのマージ] を実行すると、前節で行ったようにベースとなるクエリ自体に別のクエリが結合します。一方、[新規としてクエリをマージ] では、2つのクエリを結合するための新しいクエリが作成されます。ベースとなるクエリはそのままの状態で残ります。ベースとなるクエリをほかの結合に使い回したいときなどに便利です。ベースとなるクエリを変更して更新すると、そのクエリを元に作成したすべてのクエリに一挙に変更が反映されるというメリットがあります。

知っておくと便利 ［販売］列を展開するとどうなる？

前ページの手順❹で［販売］列を展開せずに読み込んだため、手順❺のワークシートに［販売］列は表示されませんでした。［販売］列を展開した場合、展開した列が空欄になります。

▼［販売列］を展開する

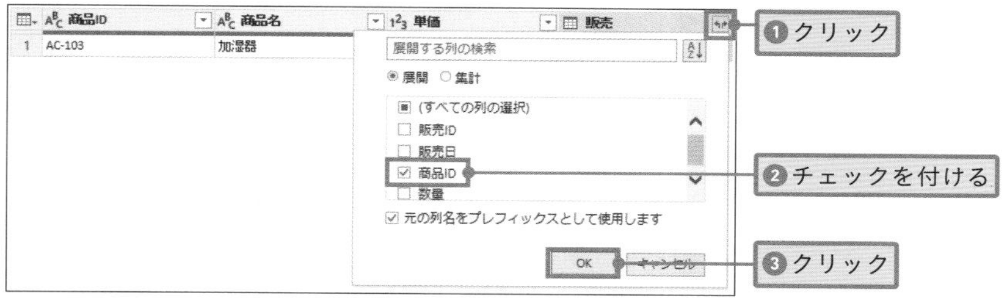

［販売］列の［展開］ボタンをクリックすると❶、［販売］クエリの列名が一覧表示される。［商品ID］にチェックを付け❷、［OK］をクリックする❸。

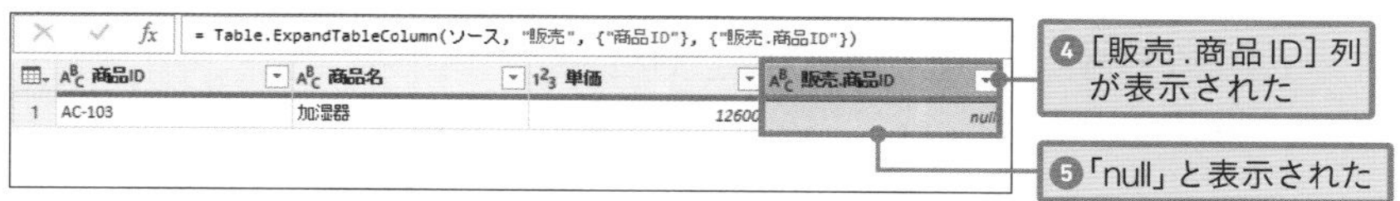

［販売.商品ID］列が展開され❹、列内のセルに「null」と表示される❺。

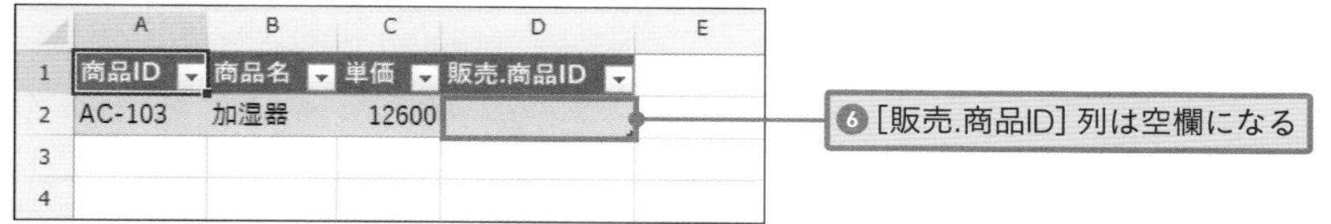

ワークシートに読み込むと、［販売.商品ID］列は空欄になる❻。

知っておくと便利 「null」って何？

上記の手順❺のセルに表示された「null」（ヌル）は、「値がない」という意味です。Power Query エディターでは、データが入力されていないセルに「null」が表示されます。ワークシートに読み込むと、「null」のセルは空欄になります。

4-8

[クエリの追加]を利用して列の数や順序が異なる表を縦につなぐ

クエリの追加、列の追加

Sample 第 1 倉庫在庫表 .xlsx、第 2 倉庫在庫表 .xlsx、第 3 倉庫在庫表 .xlsx

列の数や並び順が異なっても縦につなげられる

［クエリの追加］を使用すると、複数の表を縦につなげられます。列名が同じもの同士をつなぐので、列の数や並び順が異なっていても問題ありません。ここでは下図のような3つの倉庫の在庫表を縦につなぎます。

Before

第1倉庫在庫表.xlsx

	A	B	C	D	E	F
1	商品ID	商品名	在庫数	引当済在庫数	在庫更新日時	
2	AC-101	空気清浄機24畳	36	8	2024/8/10 11:32	
3	AC-102	空気清浄機8畳	64	12	2024/8/10 11:32	
4	AC-103	加湿器	59	0	2024/7/16 15:13	
5	KC-101	グリルプレート	115	23	2024/8/18 12:16	
6	KC-102	スチームトースター	168	35	2024/8/12 13:48	
7	KC-103	オーブンレンジ	51	2	2024/8/18 12:19	
8	KC-104	電気ケトル	129	27	2024/8/12 13:48	
9						

3つの表に共通する列は列名が同じ

第2倉庫在庫表.xlsx

	A	B	C	D	E	F
1	商品ID	商品名	在庫更新日時	在庫数	引当済在庫数	
2	CL-101	スティッククリーナー	2024/8/10 16:05	58	11	
3	CL-102	ハンディクリーナー	2024/8/14 10:27	26	0	
4	KC-101	グリルプレート	2024/8/10 16:07	105	24	
5	KC-102	スチームトースター	2024/8/18 13:10	67	5	
6	KC-103	オーブンレンジ	2024/8/18 13:10	50	1	
7	KC-104	電気ケトル	2024/8/18 13:15	127	23	
8						

第2倉庫在庫表だけ［在庫更新日時］列の位置が異なる

第3倉庫在庫表.xlsx

	A	B	C	D	E	F	G
1	商品ID	分類	商品名	在庫数	引当済在庫数	在庫更新日時	
2	AC-101	空調	空気清浄機24畳	18	1	2024/8/20 14:21	
3	AC-102	空調	空気清浄機8畳	27	9	2024/8/20 14:25	
4	AC-103	空調	加湿器	20	1	2024/8/10 13:36	
5	CL-101	クリーナー	スティッククリーナー	128	26	2024/8/12 10:24	
6	CL-102	クリーナー	ハンディクリーナー	63	15	2024/8/12 10:25	
7							

第3倉庫在庫表だけに［分類］列が存在する

［クエリの追加］では、1番上の表の列の並び順を基準に表が結合されます。今回は第1倉庫が基準になります。第1倉庫にない列は表の右端に表示されます。単に結合するだけではどの倉庫の在庫か分からないので、ここでは倉庫名の列を追加することにします。

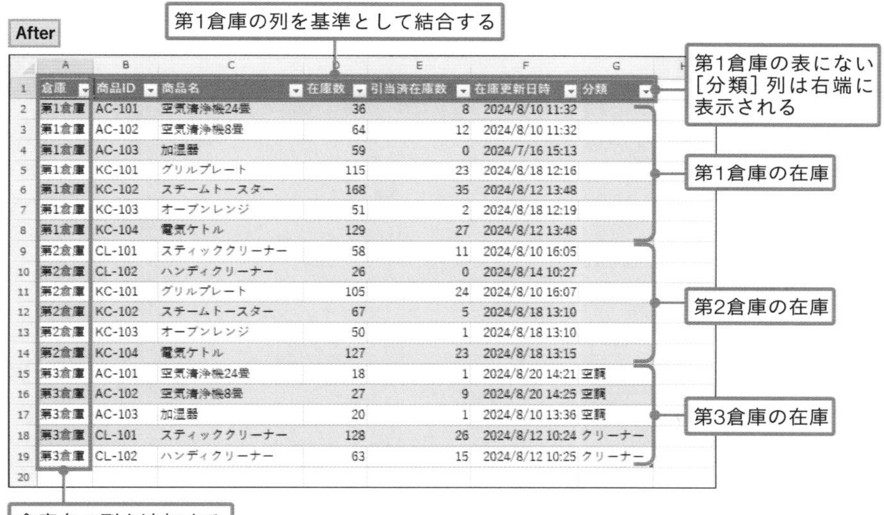
After
第1倉庫の列を基準として結合する
第1倉庫の表にない［分類］列は右端に表示される
第1倉庫の在庫
第2倉庫の在庫
第3倉庫の在庫
倉庫名の列を追加する

倉庫	商品ID	商品名	在庫数	引当済在庫数	在庫更新日時	分類
第1倉庫	AC-101	空気清浄機24畳	36	8	2024/8/10 11:32	
第1倉庫	AC-102	空気清浄機8畳	64	12	2024/8/10 11:32	
第1倉庫	AC-103	加湿器	59	0	2024/7/16 15:13	
第1倉庫	KC-101	グリルプレート	115	23	2024/8/18 12:16	
第1倉庫	KC-102	スチームトースター	168	35	2024/8/12 13:48	
第1倉庫	KC-103	オーブンレンジ	51	2	2024/8/18 12:19	
第1倉庫	KC-104	電気ケトル	129	27	2024/8/12 13:48	
第2倉庫	CL-101	スティッククリーナー	58	11	2024/8/10 16:05	
第2倉庫	CL-102	ハンディクリーナー	26	0	2024/8/14 10:27	
第2倉庫	KC-101	グリルプレート	105	24	2024/8/10 16:07	
第2倉庫	KC-102	スチームトースター	67	5	2024/8/18 13:10	
第2倉庫	KC-103	オーブンレンジ	50	1	2024/8/18 13:10	
第2倉庫	KC-104	電気ケトル	127	23	2024/8/18 13:15	
第3倉庫	AC-101	空気清浄機24畳	18	1	2024/8/20 14:21	空調
第3倉庫	AC-102	空気清浄機8畳	27	9	2024/8/20 14:25	空調
第3倉庫	AC-103	加湿器	20	1	2024/8/10 13:36	空調
第3倉庫	CL-101	スティッククリーナー	128	26	2024/8/12 10:24	クリーナー
第3倉庫	CL-102	ハンディクリーナー	63	15	2024/8/12 10:25	クリーナー

3つの接続専用クエリを追加して新しいクエリを作成する

［クエリの追加］では、結合するそれぞれの表からあらかじめクエリを作成しておく必要があります。ここでは新規ブックに各在庫表から接続専用のクエリを作成し、その3つのクエリを［クエリの追加］を使用して結合します。

この節では同じフォルダーにある3つのExcelブックの表を［クエリの追加］で結合しますが、同じ要領で別の場所にある表や、ExcelブックとCSVファイルなど、別の種類のファイル同士を結合することもできます。

1つ目のクエリを作成する

新規ブックを開き、「第1倉庫在庫表.xlsx」から順に接続専用クエリを作成していきましょう。

「第1倉庫在庫表.xlsx」からクエリを作成する

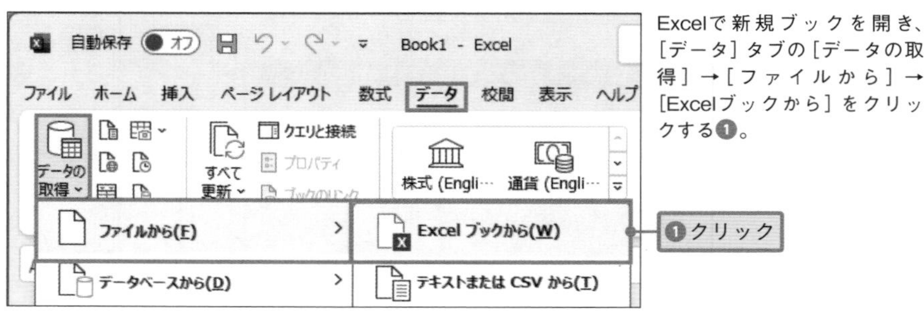

Excelで新規ブックを開き、［データ］タブの［データの取得］→［ファイルから］→［Excelブックから］をクリックする❶。

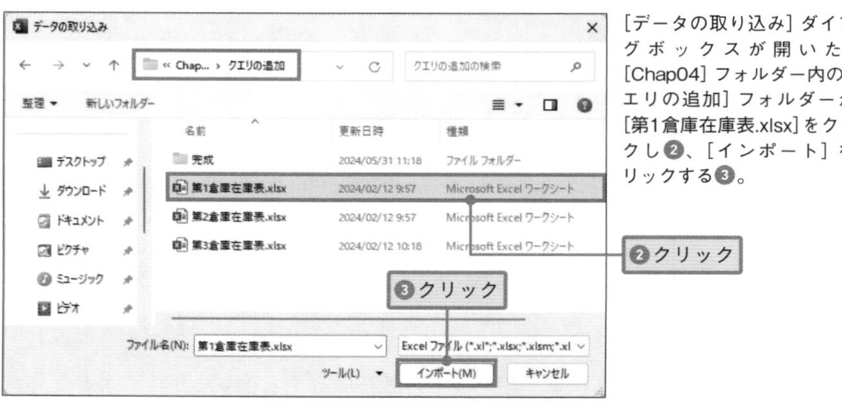

［データの取り込み］ダイアログボックスが開いたら、［Chap04］フォルダー内の［クエリの追加］フォルダーから［第1倉庫在庫表.xlsx］をクリックし❷、［インポート］をクリックする❸。

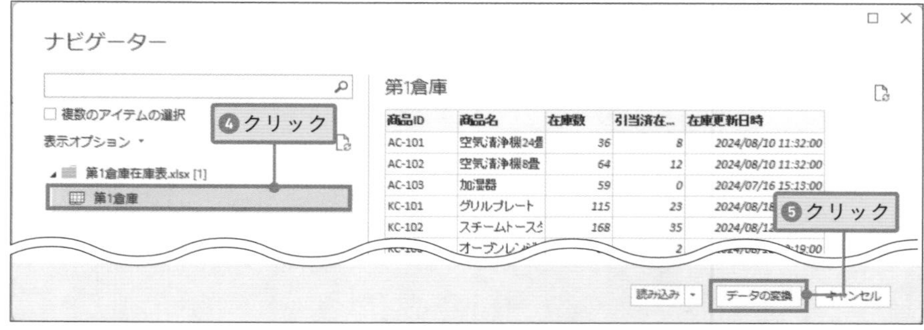

［ナビゲーター］ダイアログボックスが開く。左の一覧から［第1倉庫］シートをクリックし❹、［データの変換］をクリックする❺。

倉庫名を表示する列を追加する

表に［倉庫］列を追加するには［カスタム列］を使用します。［カスタム列］とは、自分で式を設定してその式の結果をセルに表示する機能です。「="第1倉庫"」という式を設定すると、列の全セルに「第1倉庫」と表示できます。

［倉庫］列を作成する

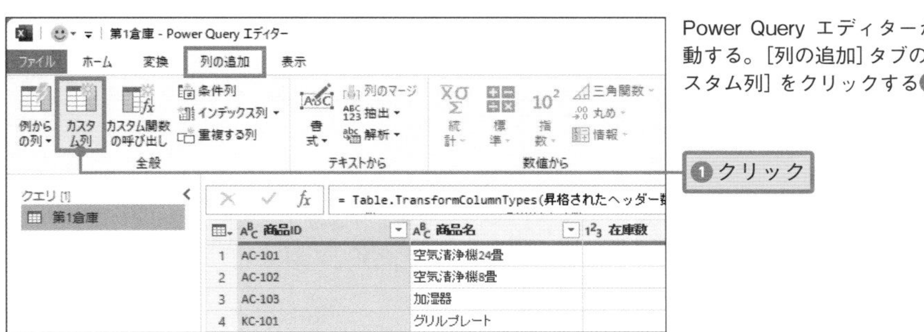

Power Query エディターが起動する。［列の追加］タブの［カスタム列］をクリックする❶。

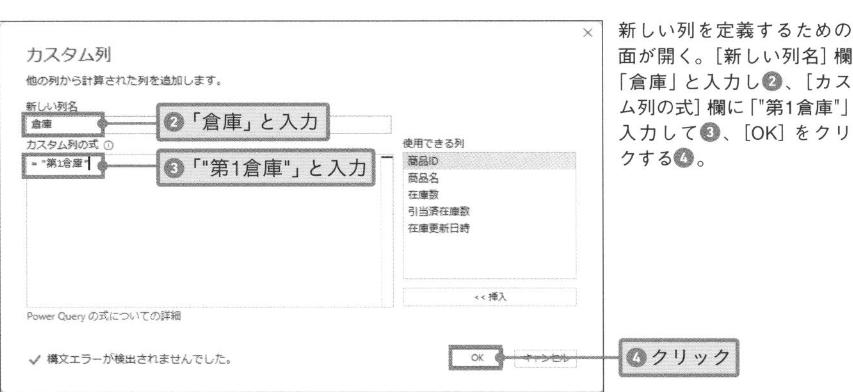

新しい列を定義するための画面が開く。［新しい列名］欄に「倉庫」と入力し❷、［カスタム列の式］欄に「"第1倉庫"」と入力して❸、［OK］をクリックする❹。

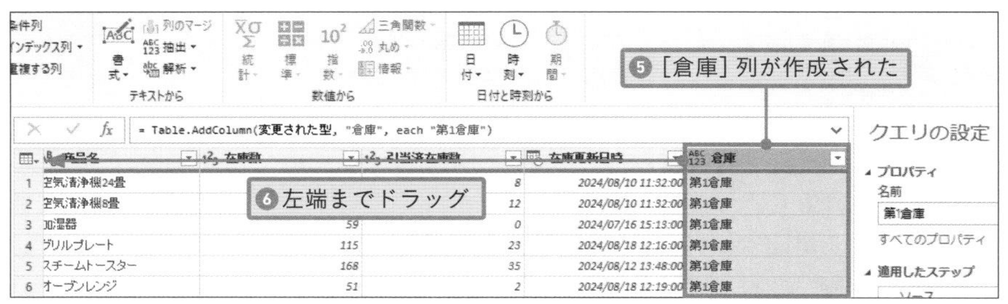

［倉庫］列が追加され、セルに「第1倉庫」と表示された❺。［倉庫］の列名を表の左端までドラッグする❻。

クエリを接続専用にする

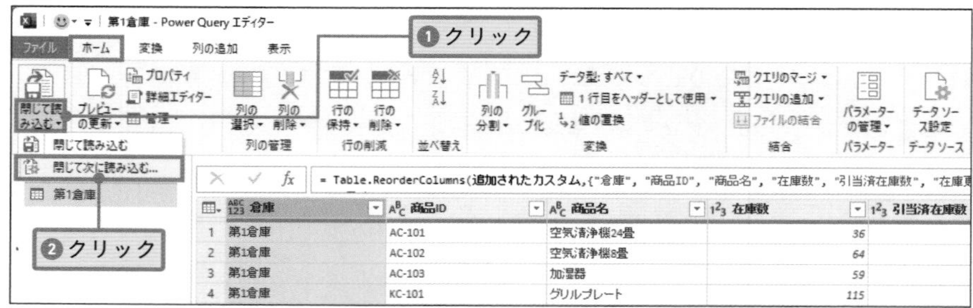

[倉庫] 列が先頭に移動したことを確認し、[ホーム] タブの [閉じて読み込む] の下側をクリックして❶、[閉じて次に読み込む] をクリックする❷。

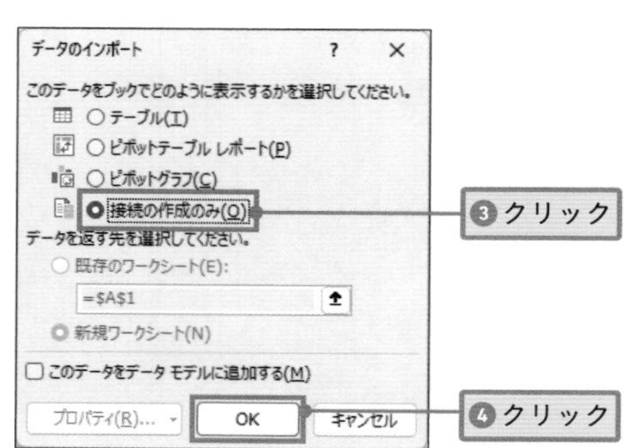

[データのインポート] ダイアログボックスが表示されるので、[接続の作成のみ] をクリックして❸、[OK] をクリックする❹。

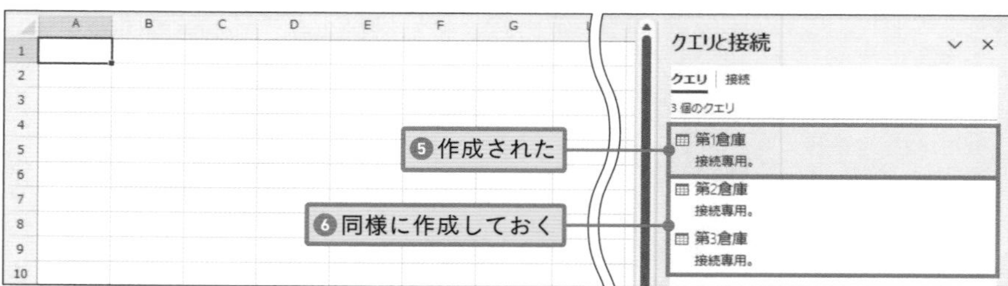

接続専用の [第1倉庫] クエリが作成される❺。同様に [第2倉庫] クエリと [第3倉庫] クエリを作成しておく❻。

列名を統一しておく

[クエリの追加] では、同じ列名の列同士が結合します。列名が異なる列を結合したい場合は、Power Query エディターで列名を変更してください。列名が異なるまま [クエリの追加] を実行すると、結合せずに、それぞれが別の列として表示されます。

3つのクエリを結合する

3つの接続専用クエリを作成できたら、[クエリの追加]を実行しましょう。クエリを追加するときは、結合の順序にも気を付けましょう。ここでは「第1倉庫」「第2倉庫」「第3倉庫」の順番に結合します。列の並び順は、1番上の「第1倉庫」が基準になります。

[クエリの追加]を実行する

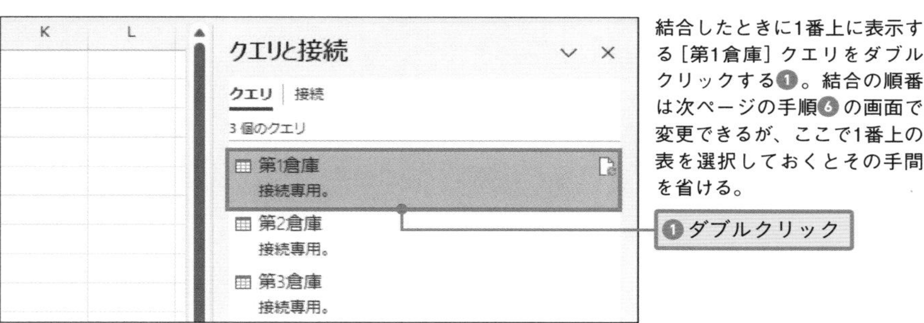

結合したときに1番上に表示する[第1倉庫]クエリをダブルクリックする❶。結合の順番は次ページの手順❻の画面で変更できるが、ここで1番上の表を選択しておくとその手間を省ける。

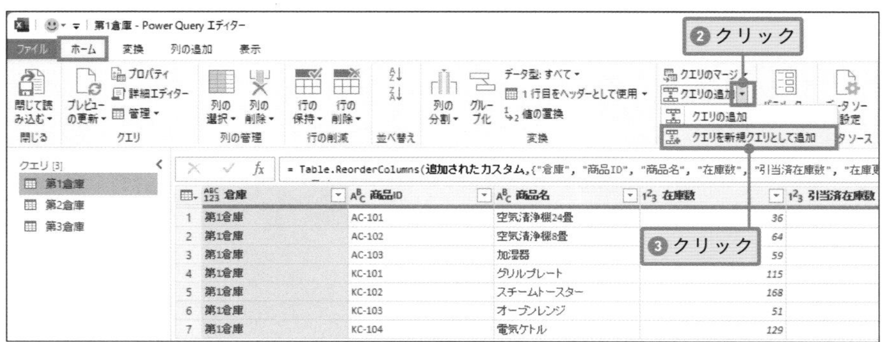

Power Query エディターが起動する。[ホーム]タブの[クエリの追加]の右にある[▼]をクリックして❷、[クエリを新規クエリとして追加]をクリックする❸。

POINT

[クエリの追加]と[クエリを新規クエリとして追加]の違い

[クエリの追加]を実行すると、ベースとなるクエリ自体に別のクエリが結合します。一方、[クエリを新規クエリとして追加]では、複数のクエリを結合するための新しいクエリが作成されます。ベースのクエリはそのままの状態で残ります。

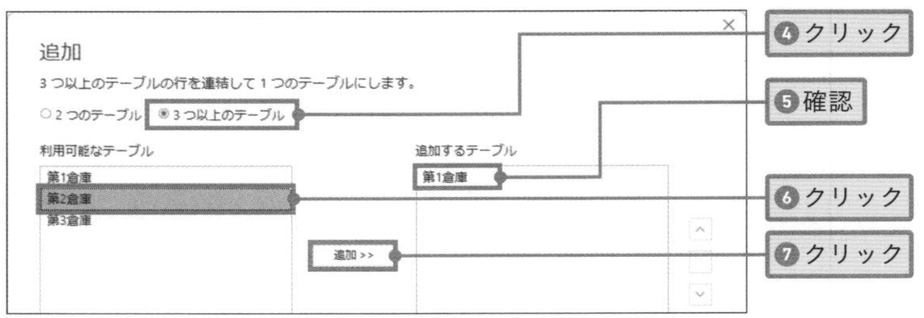

[追加] ダイアログボックスが開くので、[3つ以上のテーブル] をクリックする❹。[追加するテーブル] 欄に [第1倉庫] が追加されていることを確認し❺、[利用可能なテーブル] 欄から2番目に表示したい [第2倉庫] をクリックして❻、[追加] をクリックする❼。

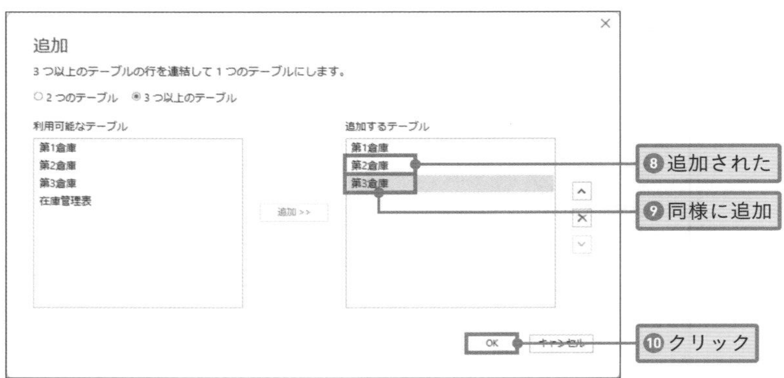

[第2倉庫] が [追加するテーブル] 欄の [第1倉庫] の下に追加される❽。同様に [第3倉庫] を [追加するテーブル] 欄に追加し❾、[第1倉庫] [第2倉庫] [第3倉庫] の順に並んだことを確認して [OK] をクリックする❿。なお、順番を間違えた場合は、右側の [上へ移動] (∧) や [削除] (×)、[下へ移動] (∨) などのボタンで修正すればよい。

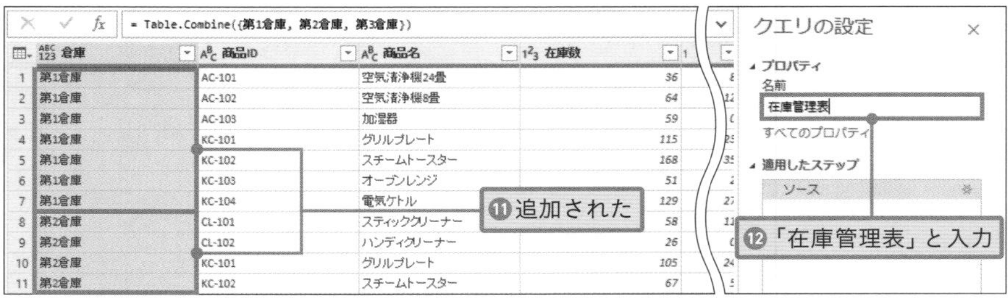

	倉庫	商品ID	商品名	在庫数
1	第1倉庫	AC-101	空気清浄機24畳	36
2	第1倉庫	AC-102	空気清浄機8畳	64
3	第1倉庫	AC-103	加湿器	59
4	第1倉庫	KC-101	グリルプレート	115
5	第1倉庫	KC-102	スチームトースター	168
6	第1倉庫	KC-103	オーブンレンジ	51
7	第1倉庫	KC-104	電気ケトル	129
8	第2倉庫	CL-101	スティッククリーナー	58
9	第2倉庫	CL-102	ハンディクリーナー	26
10	第2倉庫	KC-101	グリルプレート	105
11	第2倉庫	KC-102	スチームトースター	67

[第1倉庫] の下に [第2倉庫] [第3倉庫] のデータが追加される⓫。クエリ名として「在庫管理表」と入力して Enter を押す⓬。

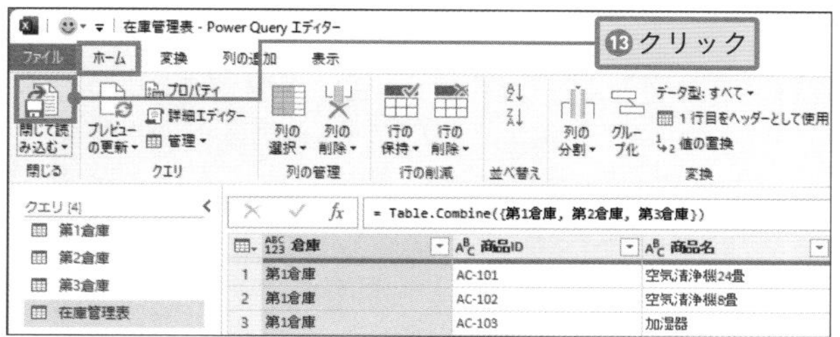

［ホーム］タブの［閉じて読み込む］の上側をクリックする⑬。

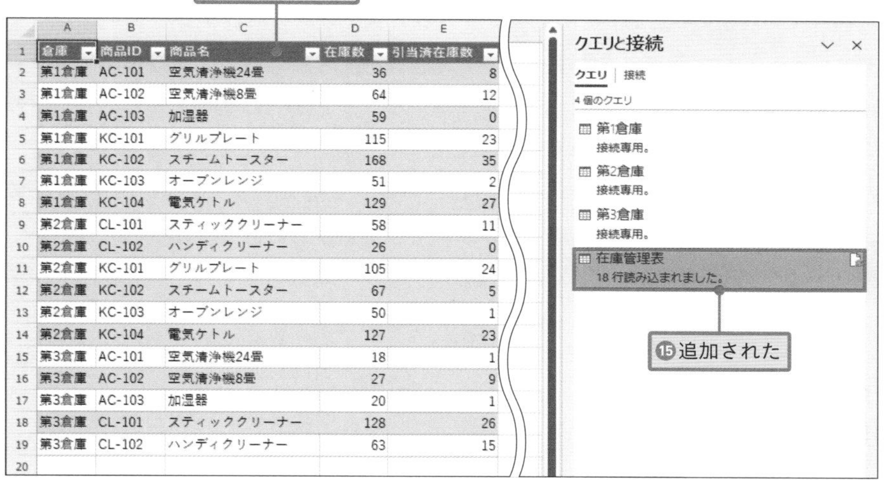

	A	B	C	D	E
1	倉庫	商品ID	商品名	在庫数	引当済在庫数
2	第1倉庫	AC-101	空気清浄機24畳	36	8
3	第1倉庫	AC-102	空気清浄機8畳	64	12
4	第1倉庫	AC-103	加湿器	59	0
5	第1倉庫	KC-101	グリルプレート	115	23
6	第1倉庫	KC-102	スチームトースター	168	35
7	第1倉庫	KC-103	オーブンレンジ	51	2
8	第1倉庫	KC-104	電気ケトル	129	27
9	第2倉庫	CL-101	スティッククリーナー	58	11
10	第2倉庫	CL-102	ハンディクリーナー	26	0
11	第2倉庫	KC-101	グリルプレート	105	24
12	第2倉庫	KC-102	スチームトースター	67	5
13	第2倉庫	KC-103	オーブンレンジ	50	1
14	第2倉庫	KC-104	電気ケトル	127	23
15	第3倉庫	AC-101	空気清浄機24畳	18	1
16	第3倉庫	AC-102	空気清浄機8畳	27	9
17	第3倉庫	AC-103	加湿器	20	1
18	第3倉庫	CL-101	スティッククリーナー	128	26
19	第3倉庫	CL-102	ハンディクリーナー	63	15
20					

新しいワークシートに3つのクエリを結合したデータが読み込まれる⑭。［クエリと接続］作業ウィンドウに［在庫管理表］クエリが追加される⑮。

知っておくと便利　列数を統一して追加するには

2番目以降の表にある余分な列を追加したくないときは、あらかじめ接続専用のクエリを作成するときに余分な列を削除しておきましょう。追加してから削除しても見た目は同じ結果になりますが、データ数が大量にある場合に負荷がかかるので、あらかじめ削除したほうが効率的です。

知っておくと便利　クエリの追加のあとにマージもできる

［クエリの追加］を実行した表に、さらに［クエリのマージ］を実行することも可能です。例えばこの節の［在庫管理表］クエリに商品リストをマージして単価を読み込めば、在庫金額を求めることができます。

4-9 フォルダー内の全ファイルのデータを縦につなぐ

フォルダー内のファイルの結合、フォルダーから、値の置換

Sample [倉庫別在庫]フォルダー

フォルダー内の全ブックを結合する

前節で［クエリの追加］を使用して複数のブックを縦に結合する方法を紹介しました。もし結合するブックがすべて同じフォルダーに含まれ、下図の条件を満たすのであれば、データソースとして［フォルダーから］を指定して、フォルダー内の全ブックを結合する方法もあります。ここでは、前節と同じ倉庫別在庫表を例に、操作方法を紹介します。表の中身は116ページで確認してください。この方法では、あとからフォルダーに追加したブックを、更新するだけで自動結合できるので便利です。ここでは同じフォルダー内の全ブックを結合しますが、同じ要領でフォルダー内の全CSVファイルや全PDFファイルも結合できます。

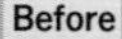

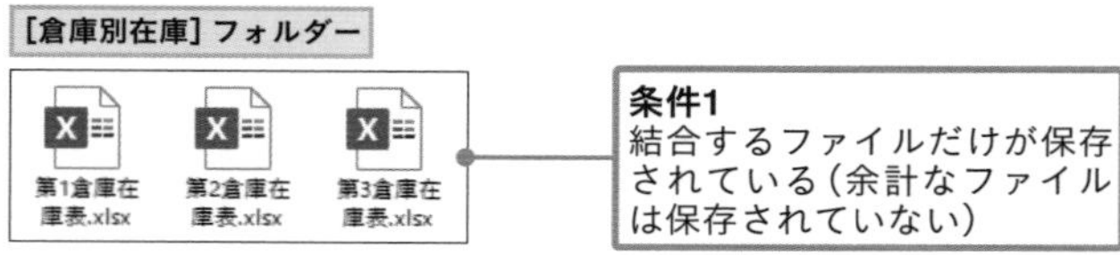

第1倉庫在庫表.xlsx
結合するファイルだけが保存されている（余計なファイルは保存されていない）

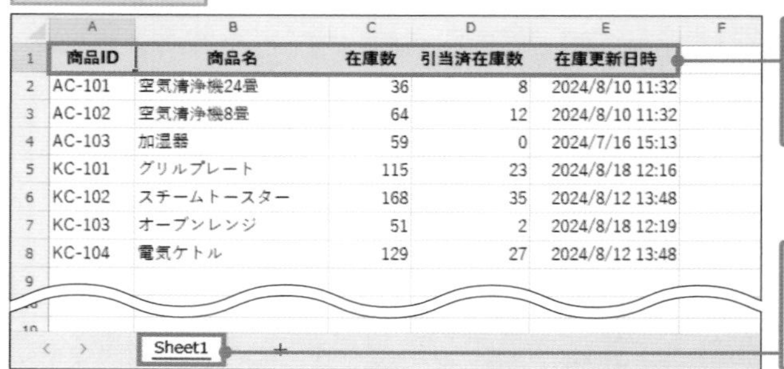

	A	B	C	D	E	F
1	商品ID	商品名	在庫数	引当済在庫数	在庫更新日時	
2	AC-101	空気清浄機24畳	36	8	2024/8/10 11:32	
3	AC-102	空気清浄機8畳	64	12	2024/8/10 11:32	
4	AC-103	加湿器	59	0	2024/7/16 15:13	
5	KC-101	グリルプレート	115	23	2024/8/18 12:16	
6	KC-102	スチームトースター	168	35	2024/8/12 13:48	
7	KC-103	オーブンレンジ	51	2	2024/8/18 12:19	
8	KC-104	電気ケトル	129	27	2024/8/12 13:48	
9						

Sheet1
条件2
結合する表の列名が同じ（列の並び順は異なっていてもよい）
条件3
結合するファイルがExcelブックの場合、シート名が同じ

［フォルダーから］によるデータの取得では、指定したファイルの列構成を基準に表が結合されます。今回、「第1倉庫在庫表.xlsx」を基準に結合します。前節の［クエリの追加］の場合と異なり、第1倉庫にない列は表示されません。単に結合するだけではどの倉庫の在庫か分からなくなるので、今回も倉庫名を表示するための列を追加します。

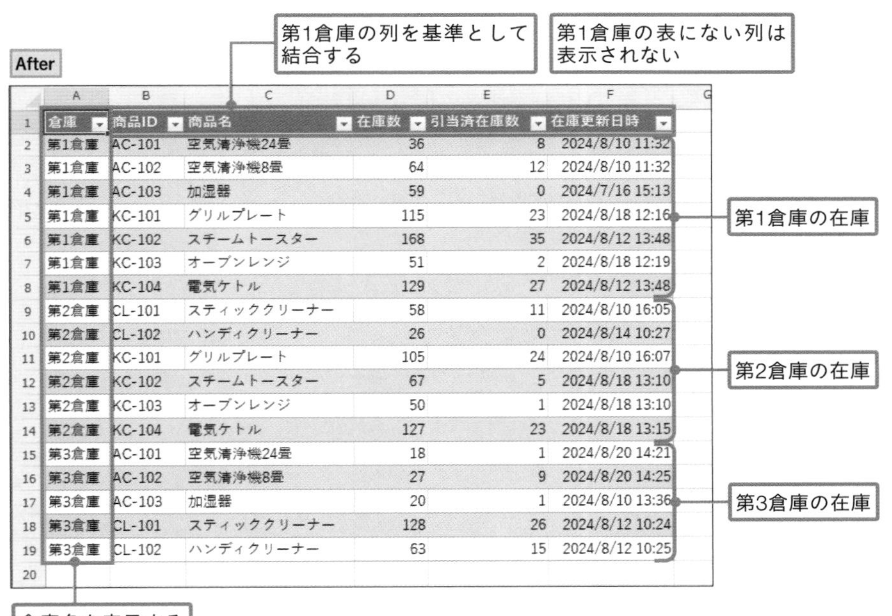
第1倉庫の列を基準として結合する
第1倉庫の表にない列は表示されない
After
第1倉庫の在庫
第2倉庫の在庫
第3倉庫の在庫
倉庫名を表示する

倉庫	商品ID	商品名	在庫数	引当済在庫数	在庫更新日時
第1倉庫	AC-101	空気清浄機24畳	36	8	2024/8/10 11:32
第1倉庫	AC-102	空気清浄機8畳	64	12	2024/8/10 11:32
第1倉庫	AC-103	加湿器	59	0	2024/7/16 15:13
第1倉庫	KC-101	グリルプレート	115	23	2024/8/18 12:16
第1倉庫	KC-102	スチームトースター	168	35	2024/8/12 13:48
第1倉庫	KC-103	オーブンレンジ	51	2	2024/8/18 12:19
第1倉庫	KC-104	電気ケトル	129	27	2024/8/12 13:48
第2倉庫	CL-101	スティッククリーナー	58	11	2024/8/10 16:05
第2倉庫	CL-102	ハンディクリーナー	26	0	2024/8/14 10:27
第2倉庫	KC-101	グリルプレート	105	24	2024/8/10 16:07
第2倉庫	KC-102	スチームトースター	67	5	2024/8/18 13:10
第2倉庫	KC-103	オーブンレンジ	50	1	2024/8/18 13:10
第2倉庫	KC-104	電気ケトル	127	23	2024/8/18 13:15
第3倉庫	AC-101	空気清浄機24畳	18	1	2024/8/20 14:21
第3倉庫	AC-102	空気清浄機8畳	27	9	2024/8/20 14:25
第3倉庫	AC-103	加湿器	20	1	2024/8/10 13:36
第3倉庫	CL-101	スティッククリーナー	128	26	2024/8/12 10:24
第3倉庫	CL-102	ハンディクリーナー	63	15	2024/8/12 10:25

POINT

［フォルダーから］と［クエリの追加］の使い分け

この節で紹介する［フォルダーから］は、フォルダー内の全ファイルのデータを結合する機能です。あとからフォルダーに追加したファイルも、更新することで自動的に結合できます。あとでファイルを追加する場合は、こちらの方法がおすすめです。

一方、前節で紹介した［クエリの追加］は、ファイルの保存場所が異なる場合でも結合できる、ブックとCSVファイルのように異なる形式のファイルを結合できる、すべてのファイルの列を漏れなく読み込める、などのメリットがあります。

フォルダー内の全ブックを取得する

フォルダー内の全ブックを取得するときは、[ファイルの結合] ダイアログボックスで基準のブックとワークシートを正しく選択することがポイントです。

フォルダーを指定してデータを取得する

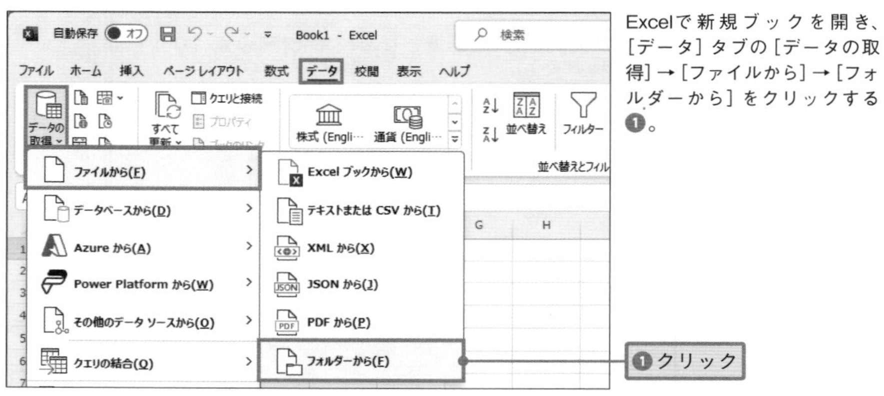

Excelで新規ブックを開き、[データ] タブの [データの取得] → [ファイルから] → [フォルダーから] をクリックする❶。

[参照] ダイアログボックスが開いたら、[Chap04] フォルダー内の [複数ファイルの結合] フォルダーから [倉庫別在庫] をクリックし❷、[開く] をクリックする❸。
するとファイルを一覧表示する画面が表示される❹。[結合] をクリックして❺、[データの結合と変換] をクリックする❻。

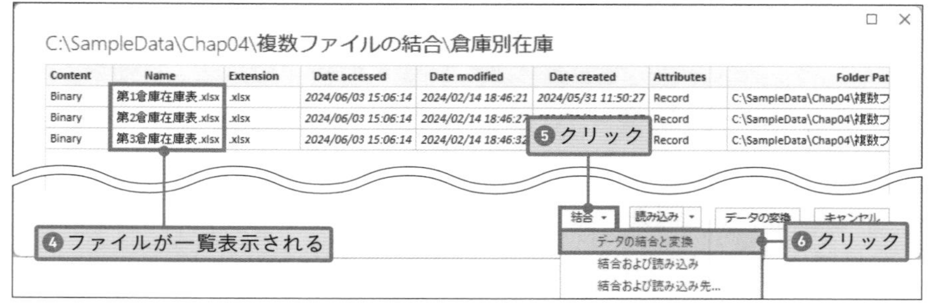

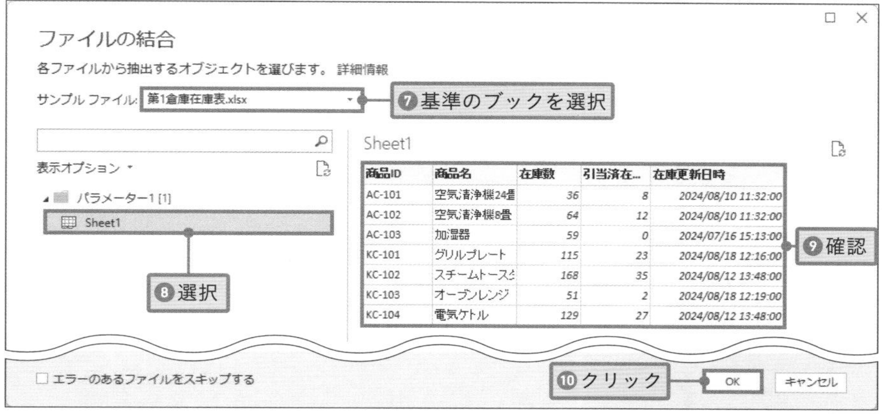

商品ID	商品名	在庫数	引当済在...	在庫更新日時
AC-101	空気清浄機24畳	36	8	2024/08/10 11:32:00
AC-102	空気清浄機8畳	64	12	2024/08/10 11:32:00
AC-103	加湿器	59	0	2024/07/16 15:13:00
KC-101	グリルプレート	115	23	2024/08/18 12:16:00
KC-102	スチームトース…	168	35	2024/08/12 13:48:00
KC-103	オーブンレンジ	51	2	2024/08/18 12:19:00
KC-104	電気ケトル	129	27	2024/08/12 13:48:00

［ファイルの結合］ダイアログボックスが表示される。［サンプルファイル］欄で基準のブックとする［第1倉庫在庫表.xlsx］を選択し❼、［Sheet1］を選択する❽。選択したワークシートのデータを確認して❾、［OK］をクリックする❿。なお、結合するほかのブックのワークシートも名前が「Sheet1」である必要があるので注意すること。

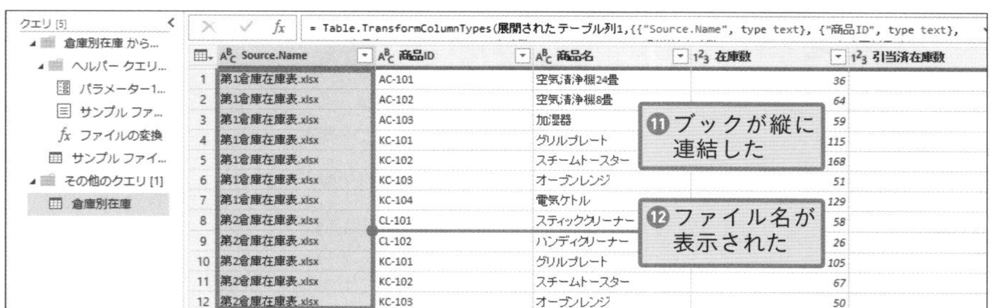

	Source.Name	商品ID	商品名	在庫数	引当済在庫数
1	第1倉庫在庫表.xlsx	AC-101	空気清浄機24畳	36	
2	第1倉庫在庫表.xlsx	AC-102	空気清浄機8畳	64	
3	第1倉庫在庫表.xlsx	AC-103	加湿器	59	
4	第1倉庫在庫表.xlsx	KC-101	グリルプレート	115	
5	第1倉庫在庫表.xlsx	KC-102	スチームトースター	168	
6	第1倉庫在庫表.xlsx	KC-103	オーブンレンジ	51	
7	第1倉庫在庫表.xlsx	KC-104	電気ケトル	129	
8	第2倉庫在庫表.xlsx	CL-101	スティッククリーナー	58	
9	第2倉庫在庫表.xlsx	CL-102	ハンディクリーナー	26	
10	第2倉庫在庫表.xlsx	KC-101	グリルプレート	105	
11	第2倉庫在庫表.xlsx	KC-102	スチームトースター	67	
12	第2倉庫在庫表.xlsx	KC-103	オーブンレンジ	50	

Power Query エディターが起動して、各ブックのデータが縦に連結した結果が表示される⓫。1列目に［Source.Name］列が追加され、取得元のファイル名が表示される⓬。2列目以降の列は、手順❼で指定したブックの列の通りで、指定したブックにない列は表示されない。

知っておくと便利　ヘルパークエリが自動生成される

［フォルダーから］を実行してファイルを縦に結合すると、その結合の過程で複数のクエリが自動作成され、画面左に表示されます。それらのクエリを「ヘルパークエリ」と呼びます。

▼ヘルパークエリ

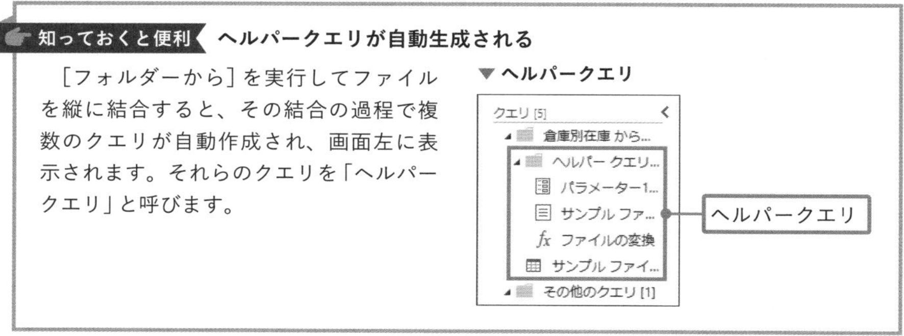

[倉庫]列を作成してワークシートに読み込む

ファイルを結合すると、1列目の[Source.Name]欄にファイル名が表示されます。ファイル名が不要なら列ごと削除してください。今回は、このファイル名から[値の置換]機能を利用して「第○倉庫」のような文字列を作成します。

「第○倉庫在庫表.xlsx」から「在庫表.xlsx」を削除する

	倉庫	商品ID	商品名
1	第1倉庫在庫表.xlsx	AC-101	空気清浄機24畳
2	第1倉庫在庫表.xlsx	AC-102	空気清浄機8畳
3	第1倉庫在庫表.xlsx	AC-103	加湿器
4	第1倉庫在庫表.xlsx	KC-101	グリルプレート
5	第1倉庫在庫表.xlsx	KC-102	スチームトースター
6	第1倉庫在庫表.xlsx	KC-103	オーブンレンジ
7	第1倉庫在庫表.xlsx	KC-104	電気ケトル

❶「倉庫」と入力

[Source.Name]列の列名をダブルクリックして、「倉庫」と入力し、Enterを押す❶。

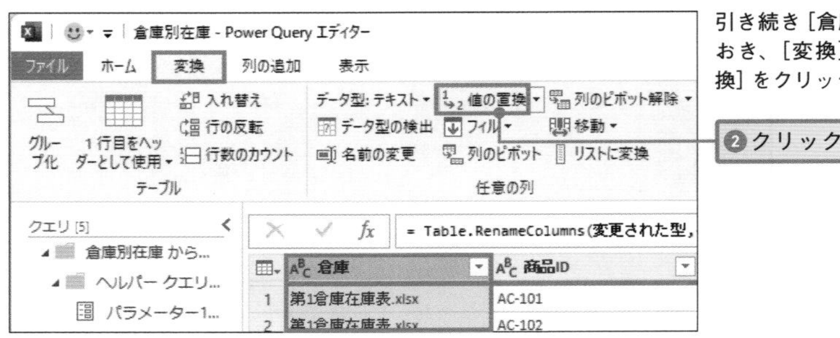

引き続き[倉庫]列を選択しておき、[変換]タブの[値の置換]をクリックする❷。

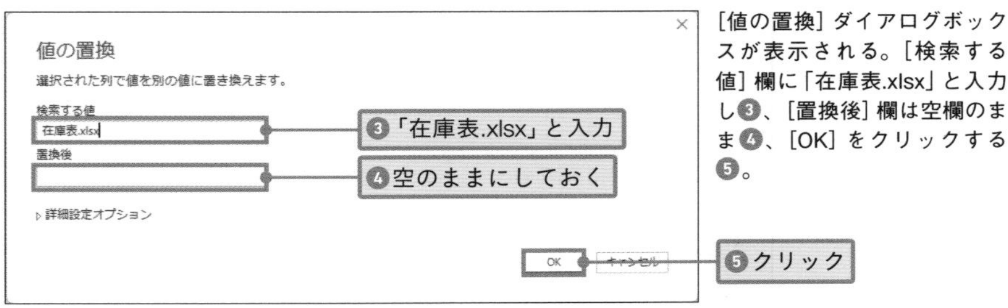

[値の置換]ダイアログボックスが表示される。[検索する値]欄に「在庫表.xlsx」と入力し❸、[置換後]欄は空欄のまま❹、[OK]をクリックする❺。

[値の置換]では、列内の文字データの中から[検索する値]を探し、[置換後]に指定した文字列で置き換えます。[置換後]を指定しなかった場合、[検索する値]が削除されます。今回は、[倉庫]列に表示されている「第1倉庫在庫表.xlsx」や「第2倉庫在庫表.xlsx」から「在庫表.xlsx」の文字が削除されます。

	倉庫	商品ID	商品名
1	第1倉庫	AC-101	空気清浄機24畳
2	第1倉庫	AC-102	空気清浄機8畳
3	第1倉庫	AC-103	加湿器
4	第1倉庫	KC-101	グリルプレート
5	第1倉庫	KC-102	スチームトースター
6	第1倉庫	KC-103	オーブンレンジ
7	第1倉庫	KC-104	電気ケトル
8	第2倉庫	CL-101	スティッククリーナー

ファイル名から「在庫表.xlsx」が削除され、倉庫名が残った❻。

ワークシートに読み込む

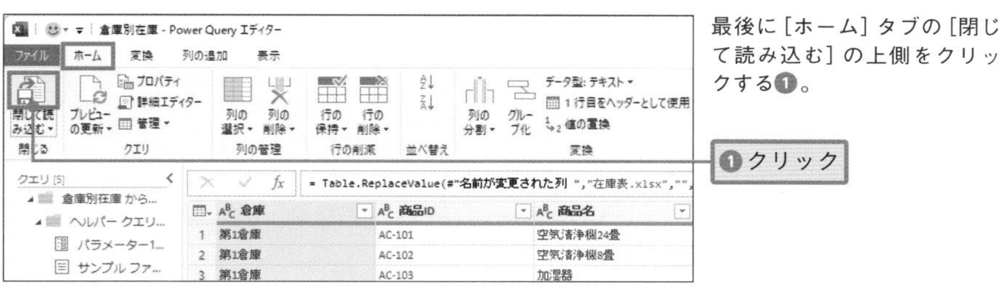

最後に［ホーム］タブの［閉じて読み込む］の上側をクリックする❶。

	A	B	C	D	E	F
1	倉庫	商品ID	商品名	在庫数	引当済在庫数	在庫更新日時
2	第1倉庫	AC-101	空気清浄機24畳	36	8	2024/8/10 11:32
3	第1倉庫	AC-102	空気清浄機8畳	64	12	2024/8/10 11:32
4	第1倉庫	AC-103	加湿器	59	0	2024/7/16 15:13
5	第1倉庫	KC-101	グリルプレート	115	23	2024/8/18 12:16
6	第1倉庫	KC-102	スチームトースター	168	35	2024/8/12 13:48
7	第1倉庫	KC-103	オーブンレンジ	51	2	2024/8/18 12:19
8	第1倉庫	KC-104	電気ケトル	129	27	2024/8/12 13:48
9	第2倉庫	CL-101	スティッククリーナー	58	11	2024/8/10 16:05
10	第2倉庫	CL-102	ハンディクリーナー	26	0	2024/8/14 10:27
11	第2倉庫	KC-101	グリルプレート	105	24	2024/8/10 16:07
12	第2倉庫	KC-102	スチームトースター	67		/18 13:10
13	第2倉庫	KC-103	オーブンレンジ	50		/18 13:10
14	第2倉庫	KC-104	電気ケトル	127	23	2024/8/18 13:15

結合したデータがワークシートに読み込まれる❷。

CSVファイルも同様の方法で結合できます。［コラム_CSVファイル］フォルダーにサンプルを用意しているので、ぜひ試してください。

POINT

フォルダーに新しいブックを保存するだけで簡単に結合

［フォルダーから］で複数のファイルを結合する最大のメリットは、新しいファイルをワンクリックで既存のクエリに結合できることです。例えば1月から3月の売上ファイルを同じフォルダーに保存し、［フォルダーから］を使用して結合します。翌月になったら、1月から3月のファイルはそのまま、フォルダーに4月のファイルを追加します。あとは更新を実行するだけで、1月から4月のデータを即座に結合できます。

知っておくと便利 フォルダーから最新のファイルを自動取得する

Sample [コラム_CSV ファイル]フォルダー

[フォルダーから] を実行すると、フォルダー内のファイルの一覧リストが表示されます。このリストをPower Query エディターに取得し、フィルターをかけることで、読み込むファイルを絞り込めます。リストにはファイル名や拡張子、更新日や作成日などが表示されますが、フィルターをどの列で実行するかによって、さまざまな絞り込みを行えます。ここでは例として、フォルダーにある4月から6月の売上ファイルの中から、更新日が最新のファイルだけを読み込みます。抽出条件として [最も遅い] を選択することで、更新したときにその時点で最新のファイルだけを読み込めます。

なお、ダウンロードしたサンプルファイルの場合、ダウンロード日が更新日となってしまいます。ダウンロード後にファイルを順に開いて上書き保存し、それぞれ異なる更新日時になるように調整してから実習してください。

▼最新のファイルだけを自動で読み込む

Content	Name	Extension	Date accessed	Date modified	Date created	Attributes	Folder Path
Binary	4月売上.csv	.csv	2024/05/22 16:46:52	2024/05/01 9:27:32	2024/04/01 16:42:36	Record	C:\SampleData\Chap04\複数ファイルの
Binary	5月売上.csv	.csv	2024/05/22 16:46:59	2024/06/01 16:54:09	2024/05/01 13:19:27	Record	C:\SampleData\Chap04\複数ファイルの
Binary	6月売上.csv	.csv	2024/05/22 16:47:05	2024/07/01 18:34:40	2024/06/01 9:46:35	Record	C:\SampleData\Chap04\複数ファイルの

126ページの手順❶～❸を参考に [コラム_CSVファイル] フォルダーを開き❶、4月から6月の売上ファイルが存在することを確認する❷。[データの変換] をクリックする❸。

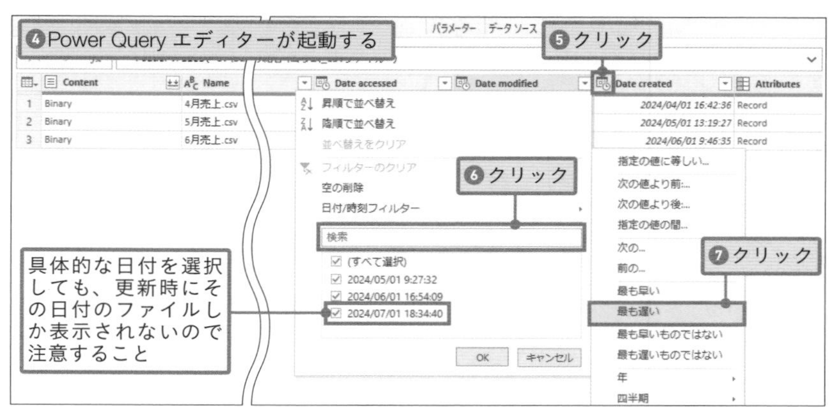

Power Query エディターが起動し、手順❷のリストが表示された❹。[Date modified] (更新日) 列の [▼] をクリックし❺、一覧の [日付／時刻フィルター] をクリックし❻、[最も遅い] をクリックする❼。

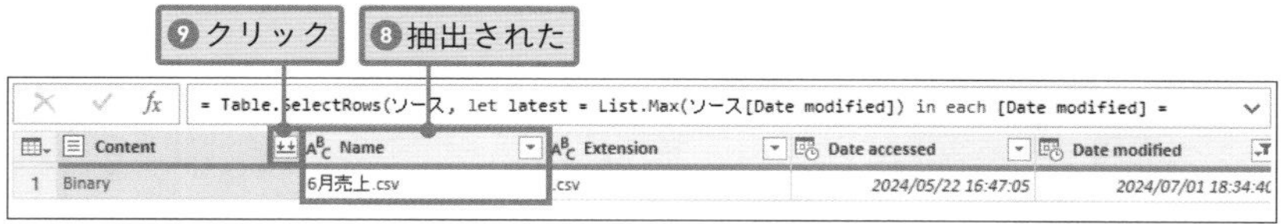

3ファイルのうち更新日がもっとも新しい「6月売上.csv」が抽出される❽。[ファイルの結合] ボタンをクリックする❾。

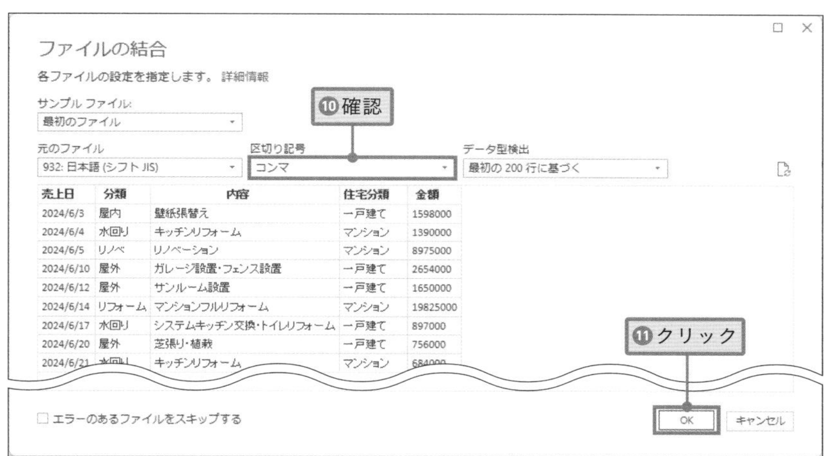

[ファイルの結合] ダイアログボックスが表示される。[区切り記号] 欄で [コンマ] が選択されていることを確認し❿、[OK] をクリックする⓫。

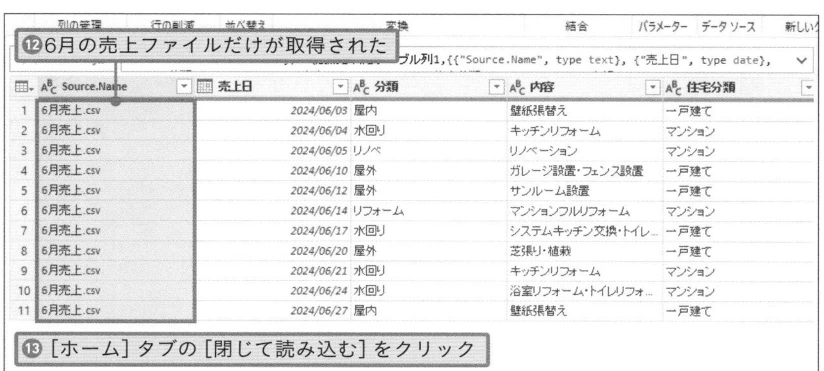

6月の売上ファイルだけが取得されるので⓬、[ホーム] タブの [閉じて読み込む] をクリックして、ワークシートに読み込んでおく⓭。ちなみに [コラム_CSVファイル] フォルダーに「7月売上.csv」ファイルを保存して更新すると、7月の売上が読み込まれる。

4-10 ブック内の全シートのデータを縦につなぐ

ブック内のシートの結合、1 行目をヘッダーとして使用

Sample 月別売上 .xlsx

複数のワークシートの表を結合する

月別や支店別の表をワークシートに分けて作成することがあります。どの表も列の順序や数が同じで、結合したい順序でワークシートが並んでおり、かつブック内のすべてのワークシートを結合するのであれば、4-8節で紹介した［クエリの追加］より簡単に結合する方法があります。ここでは、下図のような「月別売上.xlsx」の全ワークシートを、4月、5月、6月の順序で結合します。

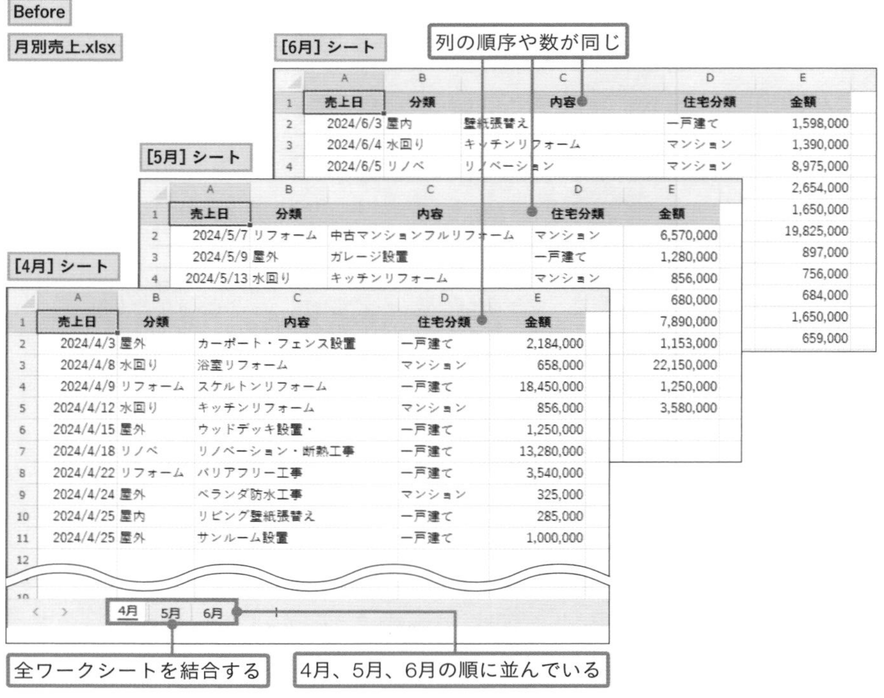

After

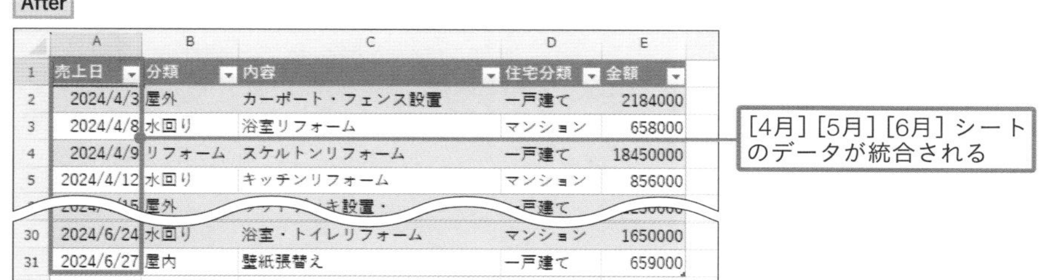

	A	B	C	D	E
1	売上日	分類	内容	住宅分類	金額
2	2024/4/3	屋外	カーポート・フェンス設置	一戸建て	2184000
3	2024/4/8	水回り	浴室リフォーム	マンション	658000
4	2024/4/9	リフォーム	スケルトンリフォーム	一戸建て	18450000
5	2024/4/12	水回り	キッチンリフォーム	マンション	856000
30	2024/6/24	水回り	浴室・トイレリフォーム	マンション	1650000
31	2024/6/27	屋内	壁紙張替え	一戸建て	659000

表の整形が必要

ここで紹介する結合方法では、単純に各シートの表が見出し行付きで上から順に並べられます。そのため、結合後に見出し行の処理が必要になります。次ページからの操作では、その方法も紹介します。

▼ **各シートの見出し行が表示された状態**

4月の表の見出し行を列名として使いたい

	Data.Column1	Data.Column2	Data.Column3	Data.Column4	Data.Column5
1	売上日	分類	内容	住宅分類	金額
2	2024/04/03	屋外	カーポート・フェンス設置	一戸建て	2184000
3	2024/04/08	水回り	浴室リフォーム	マンション	658000
4	2024/04/09	リフォーム	スケルトンリフォーム	一戸建て	18450000
5	2024/04/12	水回り	キッチンリフォーム	マンション	856000
6	2024/04/15	屋外	ウッドデッキ設置・	一戸建て	1250000
7	2024/04/18	リノベ	リノベーション・断熱工事	一戸建て	13280000
8	2024/04/22	リフォーム	バリアフリー工事	一戸建て	3540000
9	2024/04/24	屋外	ベランダ防水工事	マンション	325000
10	2024/04/25	屋内	リビング壁紙張替え	一戸建て	285000
11	2024/04/25	屋外	サンルーム設置	一戸建て	1000000
12	売上日	分類	内容	住宅分類	金額
13	2024/05/07	リフォーム	中古マンションフルリフォーム	マンション	6570000
14	2024/05/09	屋外	ガレージ設置	一戸建て	1280000
15	2024/05/13	水回り	キッチンリフォーム	マンション	856000
16	2024/05/14	屋外	芝張り・植栽	一戸建て	680000
17	2024/05/17	リフォーム	耐震工事・玄関リフォーム	一戸建て	7890000
18	2024/05/20	水回り	システムキッチン交換	一戸建て	1153000
19	2024/05/23	リフォーム	スケルトンリフォーム	一戸建て	22150000
20	2024/05/27	水回り	浴室リフォーム	マンション	1250000
21	2024/05/30	リノベ	リノベーション	マンション	3580000
22	売上日	分類	内容	住宅分類	金額
23	2024/06/03	屋内	壁紙張替え	一戸建て	1598000
24	2024/06/04	水回り	キッチンリフォーム	マンション	1390000
25	2024/06/05	リノベ	リノベーション	マンション	8975000
26	2024/06/10	屋外	ガレージ設置・フェンス設置	一戸建て	2654000
27	2024/06/12	屋外	サンルーム設置	一戸建て	1650000
28	2024/06/14	リフォーム	マンションフルリフォーム	マンション	19825000
29	2024/06/17	水回り	システムキッチン交換・	一戸建て	897000
30	2024/06/20	屋外	芝張り・植栽	一戸建て	756000
31	2024/06/21	水回り	キッチンリフォーム	マンション	684000
32	2024/06/24	水回り	浴室・トイレリフォーム	マンション	1650000
33	2024/06/27	屋内	壁紙張替え	一戸建て	659000

4月の表

5月の表

6月の表

5月・6月の表の見出し行を削除したい

結合する列の位置を揃えよう

4-8節や4-9節で紹介した結合方法では同じ列名の列が結合しましたが、この節の方法では1列目と1列目、2列目と2列目、という具合に同じ位置の列同士が結合します。列の並び順が異なると、データがずれてしまうので気を付けましょう。列名は統一されていなくてもかまいません。

ブック内の全ワークシートを取得する

通常、ワークシートのデータを取得するときは、[ナビゲーター] ダイアログボックスで取得対象のワークシートを選択します。今回はブック内の全シートを取得したいので、[ナビゲーター] ダイアログボックスでワークシートではなくブックを選択してください。

ブック名を指定して全ワークシートを取得する

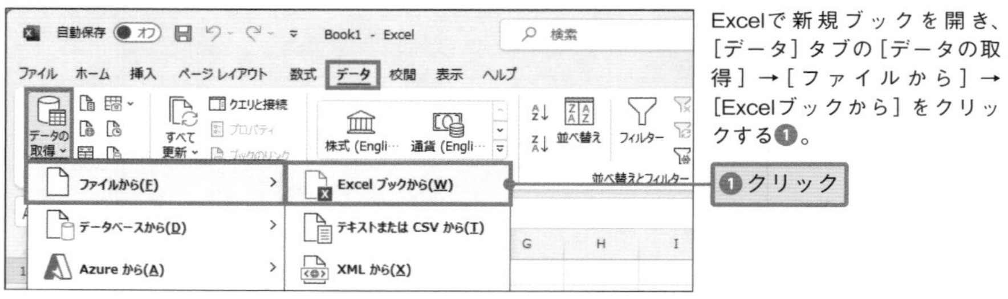

Excelで新規ブックを開き、[データ] タブの [データの取得] → [ファイルから] → [Excelブックから] をクリックする❶。

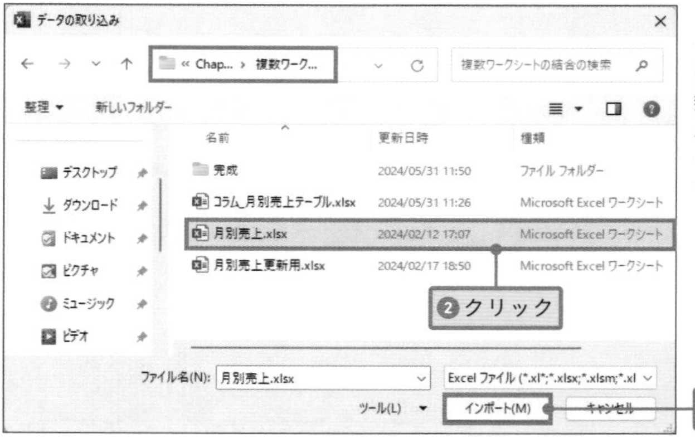

[データの取り込み] ダイアログボックスが開いたら、[Chap04] フォルダー内の [複数ワークシートの結合] フォルダーから [月別売上.xlsx] をクリックし❷、[インポート] をクリックする❸。

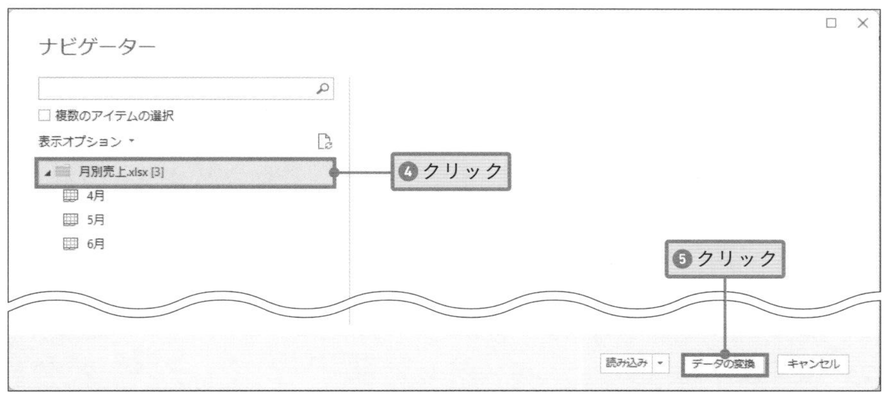

[ナビゲーター] ダイアログボックスが開くので、左の一覧から [月別売上.xlsx] をクリックする❹。プレビューに何も表示されないが、そのまま [データの変換] をクリックする❺。

手順❹の画面で [複数のアイテムの選択] をクリックすると、ワークシートを複数選択できるようになります。その場合、選択したワークシートそれぞれから別々のクエリが一気に作成されます。選択した複数のクエリが結合するわけではありません。

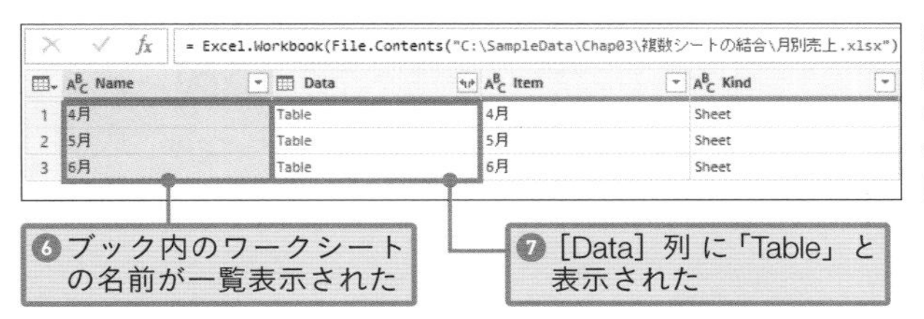

Power Query エディターが起動し、[Name] 列にブック内のワークシートが一覧表示される❻。また、[Data] 列に「Table」と表示される❼。

知っておくと便利

[Data] 列にワークシートの表が折りたたまれている

手順❻の画面の [Data] 列には、ワークシートの表が折りたたまれています。例えば [4月] の行の [Data] 列のセルの無地の部分をクリックすると、画面下部に [4月] シートの表が表示され、内容を確認できます。

▼ [Data]列に折りたたまれている表

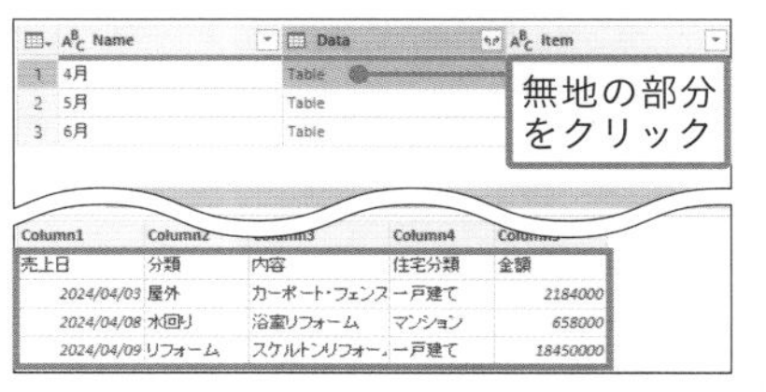

Column1	Column2	Column3	Column4	Column5
売上日	分類	内容	住宅分類	金額
2024/04/03	屋外	カーポート・フェンス	一戸建て	2184000
2024/04/08	水回り	浴室リフォーム	マンション	658000
2024/04/09	リフォーム	スケルトンリフォー…	一戸建て	18450000

[Data]列を展開して各シートのデータを表示する

プレビュー画面の[Data]列には、各ワークシートのデータが折りたたまれた状態になっています。これを展開すると各ワークシートのデータを表示できます。[Data]列以外は不要なので、あらかじめ削除します。

[Data]列を展開する

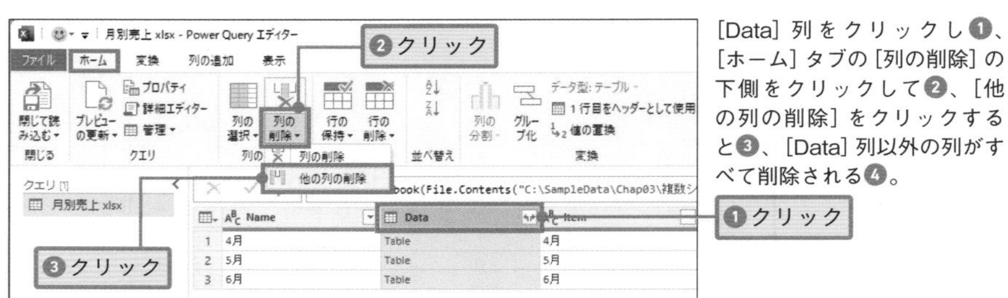

[Data]列をクリックし❶、[ホーム]タブの[列の削除]の下側をクリックして❷、[他の列の削除]をクリックすると❸、[Data]列以外の列がすべて削除される❹。

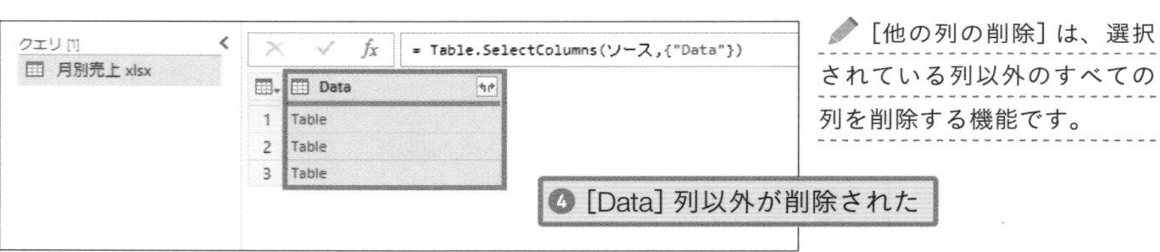

[他の列の削除]は、選択されている列以外のすべての列を削除する機能です。

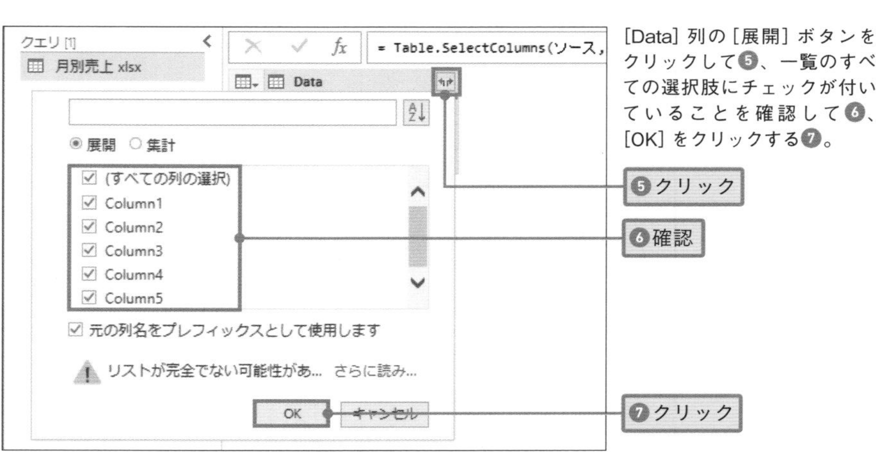

[Data]列の[展開]ボタンをクリックして❺、一覧のすべての選択肢にチェックが付いていることを確認して❻、[OK]をクリックする❼。

手順❻の一覧に表示される[Column1][Column2]は仮の列名です。[Column1]は[売上日]列、[Column2]は[分類]列……、に対応します。元データの表に5列あったので、5列すべてチェックを付けることで元データの全列が展開されます。

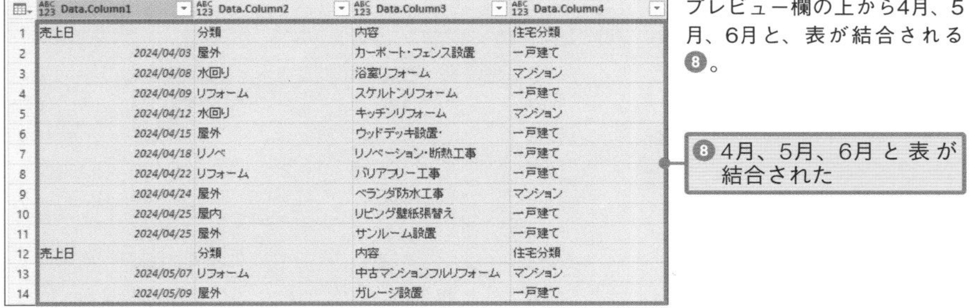

	Data.Column1	Data.Column2	Data.Column3	Data.Column4
1	売上日	分類	内容	住宅分類
2	2024/04/03	屋外	カーポート・フェンス設置	一戸建て
3	2024/04/08	水回り	浴室リフォーム	マンション
4	2024/04/09	リフォーム	スケルトンリフォーム	一戸建て
5	2024/04/12	水回り	キッチンリフォーム	マンション
6	2024/04/15	屋外	ウッドデッキ設置・	一戸建て
7	2024/04/18	リノベ	リノベーション・断熱工事	一戸建て
8	2024/04/22	リフォーム	バリアフリー工事	一戸建て
9	2024/04/24	屋外	ベランダ防水工事	マンション
10	2024/04/25	屋内	リビング壁紙張替え	一戸建て
11	2024/04/25	屋外	サンルーム設置	一戸建て
12	売上日	分類	内容	住宅分類
13	2024/05/07	リフォーム	中古マンションフルリフォーム	マンション
14	2024/05/09	屋外	ガレージ設置	一戸建て

プレビュー欄の上から4月、5月、6月と、表が結合される❽。

4月の見出し行は列名に変換し、5月と6月の見出し行は削除する

現在、表の列名の部分には「Data.Column1」のような仮の名前が表示されています。これを4月の見出し行に置き換えます。また、フィルター機能を利用して、5月と6月の見出し行を削除します。

4月の見出し行を列名に変換する

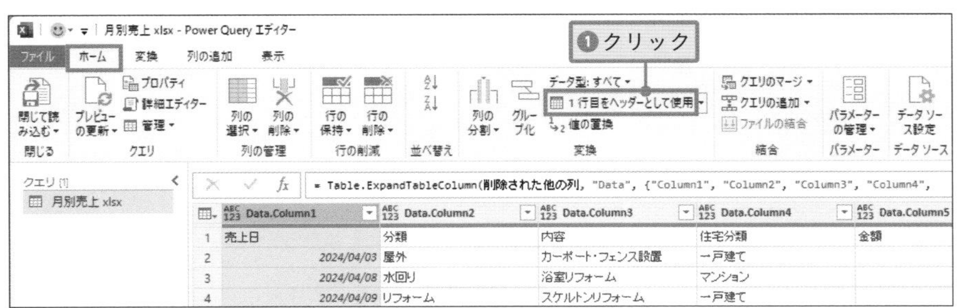

[ホーム] タブの [1行目をヘッダーとして使用] をクリックする❶。

[1行目をヘッダーとして使用] は、データの1行目に表示されている文字列を列名に変換する機能です。例えば「Data.Column1」は「売上日」に、「Data.Column2」は「分類」に変換されます。

❷データの1行目の文字列が列名に変換された

データの1行目の文字列が列名に変換され❷、表から4月の列見出しの行が消去される。

5月と6月の見出し行を削除する

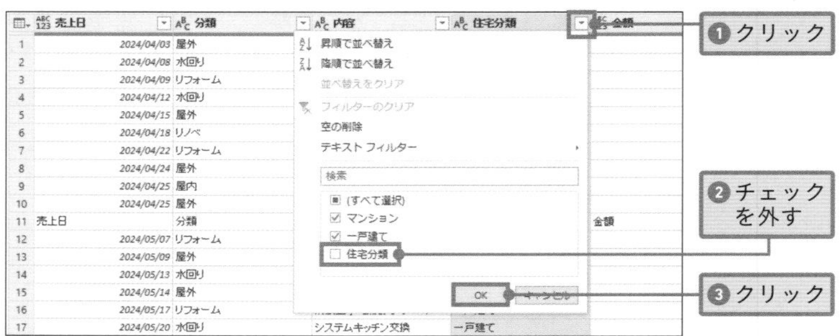

5月と6月の見出し行を削除にするには、任意の列の[▼]をクリックする❶。その列に入力されているデータが一覧表示されるので、見出し項目のチェックを外して❷、[OK]をクリックする❸。

[住宅分類]列にはデータが「マンション」「一戸建て」の2種類しかないので、見出し項目(ここでは「住宅分類」)を見つけやすいです。日付や数値の列も、見出し項目だけが文字列なので見つけやすいでしょう。

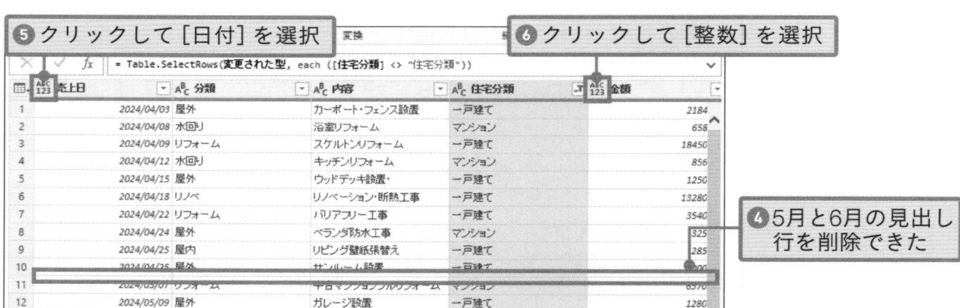

[住宅分類]列に「住宅分類」と入力されていた行(5月と6月の見出し行)が削除される❹。[売上日]列のデータ型を[日付]型に❺、[金額]列のデータ型を[整数]型に変更しておく❻。

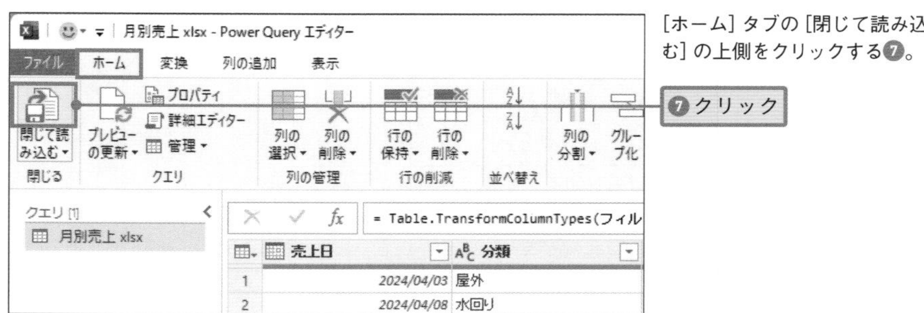

[ホーム]タブの[閉じて読み込む]の上側をクリックする❼。

	A	B	C	D	E	F
1	売上日	分類	内容	住宅分類	金額	
2	2024/4/3	屋外	カーポート・フェンス設置	一戸建て	2184000	
3	2024/4/8	水回り	浴室リフォーム	マンション	658000	
4	2024/4/9	リフォーム	スケルトンリフォーム	一戸建て	18450000	
5	2024/4/12	水回り	キッチンリフォーム	マンション	856000	
6	2024/4/15	屋外	ウッドデッキ設置・	一戸建て	1250000	
7	2024/4/18	リノベ	リノベーション・断熱工事	一戸建て	13280000	
8	2024/4/22	リフォーム	バリアフリー工事	一戸建て	3540000	
9	2024/4/24	屋外	ベランダ防水工事	マンション	325000	
10	2024/4/25	屋内	リビング壁紙張替え	一戸建て	285000	
11	2024/4/25	屋外	サンルーム設置	一戸建て	1000000	
12	2024/5/7	リフォーム	中古マンションフルリフォーム	マンション	6570000	
13	2024/5/9	屋外	ガレージ設置	一戸建て	1280000	
14	2024/5/13	水回り	キッチンリフォーム	マンション	856000	
15	2024/5/14	屋外	芝張り・植栽	一戸建て	680000	

新しいワークシートが追加され、結合した表が読み込まれる❽。

❽結合した表が読み込まれた

知っておくと便利 ［7月］シートを追加して更新する

Sample 月別売上更新用.xlsx

［複数ワークシートの結合］フォルダーの「月別売上更新用.xlsx」に［7月］シートがあります。下図の要領で「月別売上.xlsx」にコピーし、更新を実行すると、4月～6月の下に7月のデータが読み込まれます。左のワークシートから順に読み込まれるので、7月のワークシートは必ず6月の右に追加してください。

▼ワークシートの追加

月別売上.xlsx

月別売上更新用.xlsx

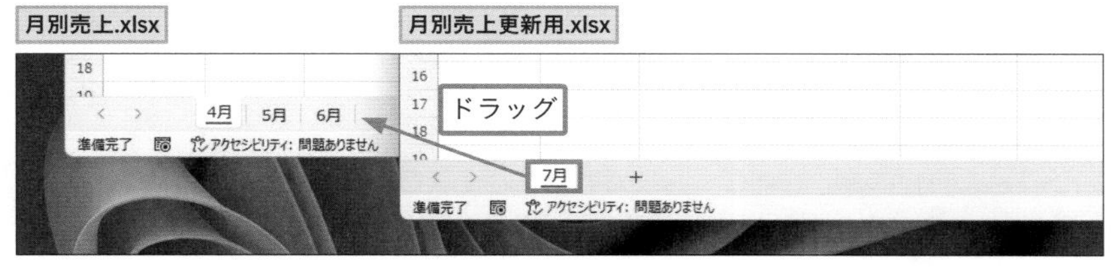

知っておくと便利 [列の削除] と [他の列の削除] の違い

列を削除する方法には [列の削除] と [他の列の削除] の2つがあります。この2つの違いを、[商品] [1月] [2月] [合計] の4列の表から [1月] 列と [2月] 列を削除するケースで考えてみましょう。どちらの機能を使っても削除直後の見た目は同じですが、元データに列が追加・更新された場合の挙動が異なります。

▼ 削除する 2 列

	商品	1月	2月	合計
1	商品A	5	5	10
2	商品B	4	4	8
3	商品C	3	3	6

この2列を削除する

≫ [列の削除] を実行した場合

[1月] [2月] の列を選択して [列の削除] を実行したあとで数式バーを見ると、「"1月", "2月"」という文字を確認できます。この場合、削除されるのは [1月] [2月] の2列に限られます。元データに [3月] 列を追加して更新した場合、[3月] 列が表示されます。

▼ [列の削除]を実行

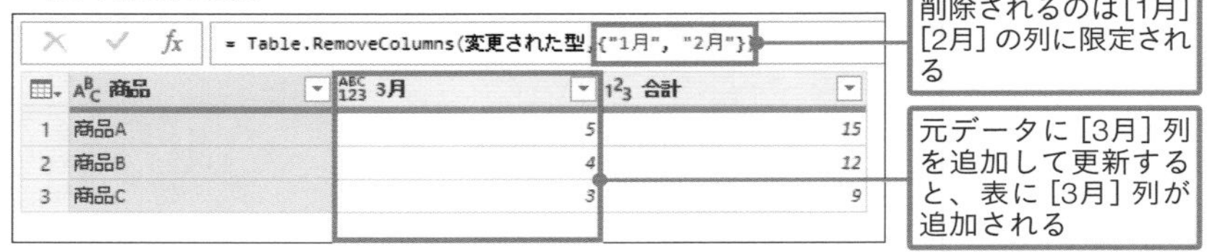
= Table.RemoveColumns(変更された型,{"1月", "2月"})
商品
3月
合計
商品A
商品B
商品C
5
4
3
15
12
9
削除されるのは[1月][2月] の列に限定される
元データに [3月] 列を追加して更新すると、表に [3月] 列が追加される

≫ [他の列の削除] を実行した場合

[商品] [合計] の列を選択して [他の列の削除] を実行したあとで数式バーを見ると、「"商品", "合計"」という文字を確認できます。この場合、[商品] [合計] の2列以外がすべて削除されます。元データに [3月] 列を追加して更新した場合、表に [3月] 列は表示されません。列の追加の可能性がある元データから [商品] 列と [合計] 列だけの表を作成したい場合は、こちらの方法を使うべきでしょう。

▼ [他の列の削除]を実行

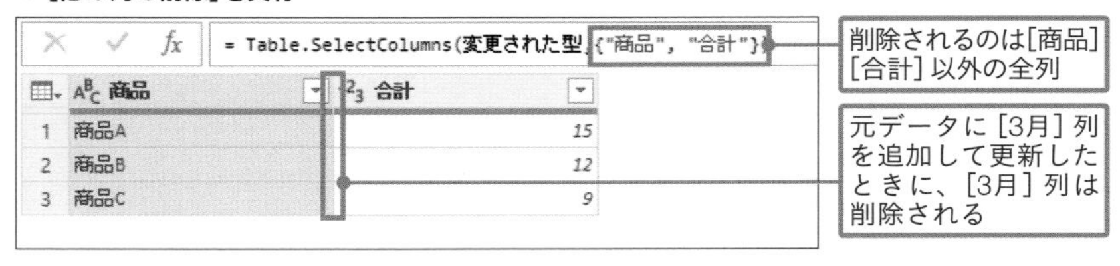
= Table.SelectColumns(変更された型,{"商品", "合計"})
商品
合計
商品A
商品B
商品C
15
12
9
削除されるのは[商品][合計] 以外の全列
元データに [3月] 列を追加して更新したときに、[3月] 列は削除される

STEP UP

ブック内の全テーブルを結合するには

Sample コラム_月別売上テーブル.xlsx

この節ではブック内のすべてのワークシートの表を縦に結合しましたが、表がテーブルに変換されている場合は注意が必要です。同じ表がワークシートとテーブルとして二重に取得されてしまうからです。ブック内にある全テーブルを縦に結合したい場合は、フィルターを利用してテーブルを抽出し、ワークシートを除外してから結合します。

▼データソースの確認

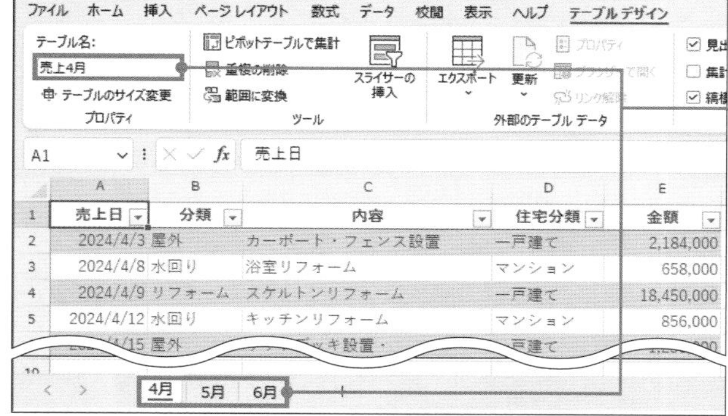

[4月] [5月] [6月] シートにそれぞれ [売上4月] [売上5月] [売上6月] テーブルが入力されている

▼Power Query エディターでの編集

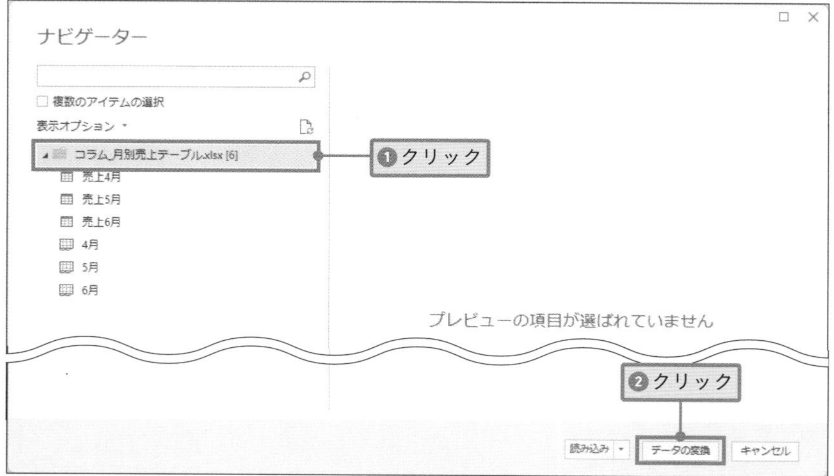

134ページの手順❸までを実行してサンプルファイルを指定しておく。[ナビゲーター] ダイアログボックスでファイル名をクリックし❶、[データの変換] をクリックする❷。

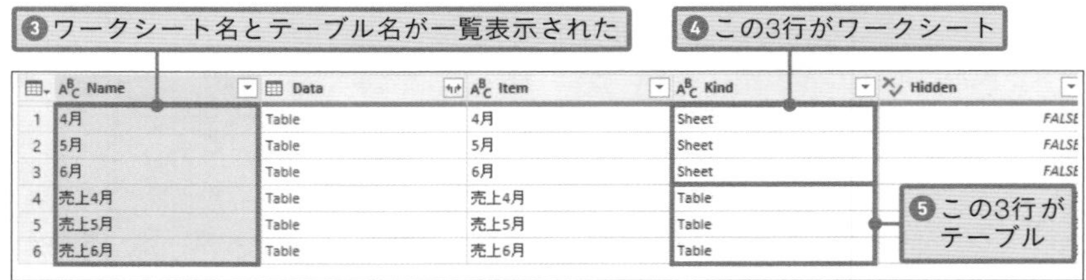
❸ワークシート名とテーブル名が一覧表示された
❹この3行がワークシート
❺この3行がテーブル

Power Query エディターが起動する。[Name] 列にブック内のワークシート名 [4月] [5月] [6月] とテーブル名 [売上4月] [売上5月] [売上6月] が一覧表示される❸。[Kind] 列に「Sheet」と表示されている行がワークシートで❹、「Table」と表示されている行がテーブル❺。この段階では、同じ表がワークシートとテーブルの2カ所に列挙されている。

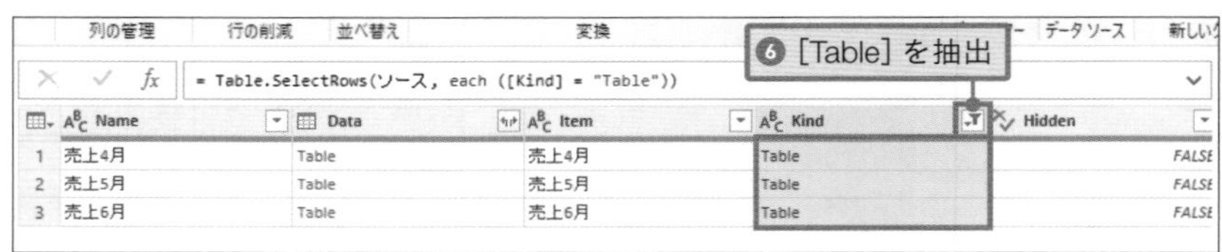
❻ [Table] を抽出
= Table.SelectRows(ソース, each ([Kind] = "Table"))

[Kind] 列の [▼] をクリックして、[Table] を抽出する❻。これによりワークシートを除外できた。

❼クリック
❽チェックを外す
❾クリック
元の列名をプレフィックスとして使用します

136ページの手順❶～❸を参考に [Data] 列以外の列を削除しておく。次に [Data] 列の [展開] ボタンをクリックして❼、[元の列名をプレフィックスとして使用します] のチェックを外し❽、[OK] をクリックする❾。

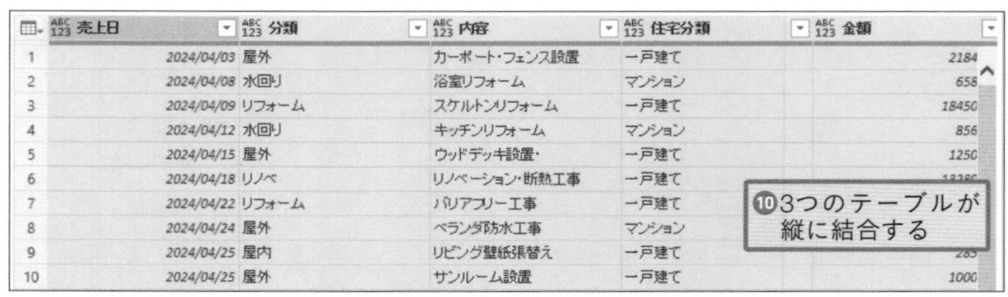
❿3つのテーブルが縦に結合する

3つのテーブルが縦に結合する❿。テーブルの結合の場合、列名が正しく設定されるので、不要な行は発生しない。データ型を適切に設定して、ワークシートに読み込んでおく。

Chapter

05

データ操作その1
文字列を思いのままに加工しよう

ここまではデータの取得と表の結合を中心に学習してきましたが、本章と次章ではデータの整形の知識を広げていきます。まずは文字列の整形です。置換、部分削除、文字種の統一、連結、分割と内容は盛りだくさんです。

5-1

文字列操作の概要

データクレンジング、文字列データの結合、文字列データの分解

文字列データのクレンジング

大量にあるデータの分析を正確かつ効率よく進めるには、事前の「データクレンジング」が不可欠です。データクレンジングとは、データの不備や表記のゆれを正して、データの品質を向上させることです。

例えば「AB-124」と「ab-124」は、同じデータのように見えてもパワークエリでは異なるデータと見なされるため、統一しないとマージや集計に支障をきたします。不要なスペースやセル内改行なども取り除きましょう。

▼本章で行うデータクレンジング

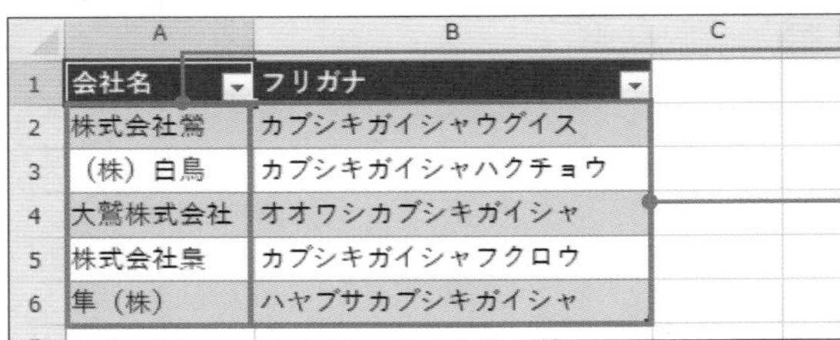

	A	B	C
1	会社名	フリガナ	
2	株式会社鶯	カブシキガイシャウグイス	
3	（株）白鳥	カブシキガイシャハクチョウ	
4	大鷲株式会社	オオワシカブシキガイシャ	
5	株式会社梟	カブシキガイシャフクロウ	
6	隼（株）	ハヤブサカブシキガイシャ	

「(株)」を「株式会社」に置き換えて表記を統一する（→146ページ）

「カブシキガイシャ」を削除して固有名詞だけを残す（→148ページ）

	A	B	C	D
1	氏名	役職	所属	
2	津田　真人	課　長	本社	
3	井上 夏子	主　任	本社	
4	佐藤　智樹	店　長	神楽坂店	
5	小野 舞花	副店長	横浜　馬車道店	
6	石川　翔太	店　長	横浜　みなと店	

氏名間のスペースの全角／半角を統一する（→150ページ）

文字列の前後のスペースを削除する（→151ページ）

余分なスペースを削除する（→153ページ）

	A	B	C	D	E	F
1	日付	商品ID	売上数			
2	2024/7/1	AB-124	3			
3	2024/7/3	ab-124	1			
4	2024/7/3	De-380	2			
5	2024/7/6	De-380	4			
6	2024/7/7	fg-218	3			

大文字／小文字が混在する列で大文字に統一する（→154ページ）

文字列データの結合と分解

パワークエリでは、面倒な数式を使うことなく、データの結合や分解を行えます。スペースを境に氏名を分解したり、逆に姓と名を連結して氏名を作成したりといった処理を、メニューを選ぶだけで簡単に実行できます。

▼ 本章で行う文字列データの結合と分解

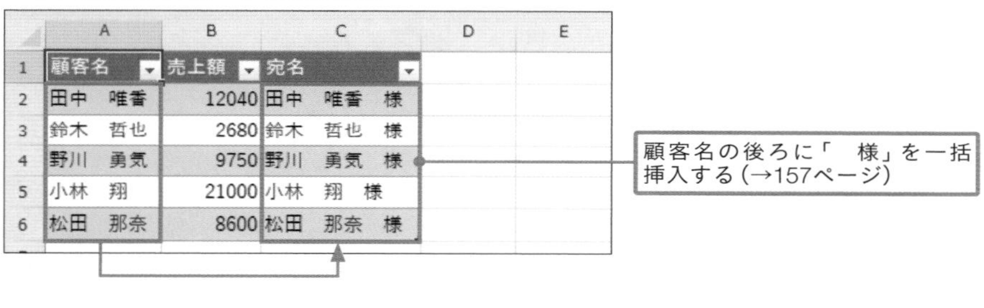

	A	B	C	D	E
1	顧客名	売上額	宛名		
2	田中　唯香	12040	田中　唯香　様		
3	鈴木　哲也	2680	鈴木　哲也　様		
4	野川　勇気	9750	野川　勇気　様		
5	小林　翔	21000	小林　翔　様		
6	松田　那奈	8600	松田　那奈　様		

顧客名の後ろに「　様」を一括挿入する(→157ページ)

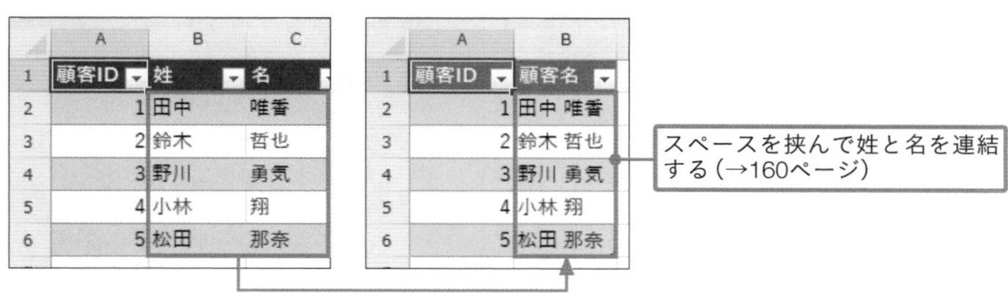

	A	B	C
1	顧客ID	姓	名
2	1	田中	唯香
3	2	鈴木	哲也
4	3	野川	勇気
5	4	小林	翔
6	5	松田	那奈

	A	B
1	顧客ID	顧客名
2	1	田中 唯香
3	2	鈴木 哲也
4	3	野川 勇気
5	4	小林 翔
6	5	松田 那奈

スペースを挟んで姓と名を連結する(→160ページ)

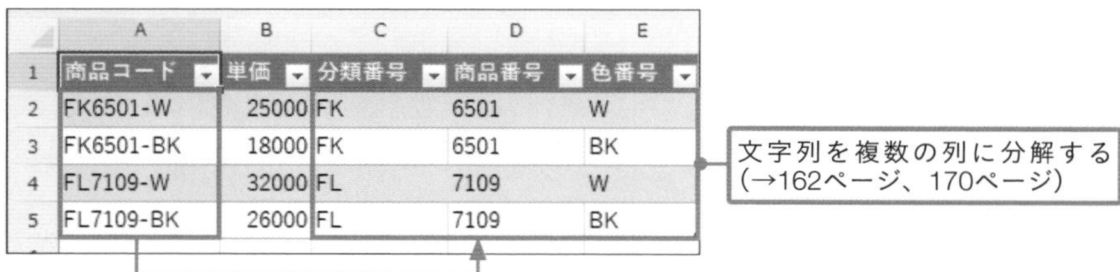

	A	B	C	D	E
1	商品コード	単価	分類番号	商品番号	色番号
2	FK6501-W	25000	FK	6501	W
3	FK6501-BK	18000	FK	6501	BK
4	FL7109-W	32000	FL	7109	W
5	FL7109-BK	26000	FL	7109	BK

文字列を複数の列に分解する(→162ページ、170ページ)

この章のサンプルファイルは、ファイル内のテーブルからクエリを作成するところまでが済んでいます。サンプルファイルを使用する際は、Power Query エディターでクエリを開くところからはじめてください。実務ではただ置換や文字連結をするためだけにパワークエリを使用することはありませんが、サンプルのクエリは置換だけを行うクエリ、文字連結だけを行うクエリというように、各セクションのテーマに合わせて単一の操作を行うクエリになっています。

5-2

文字列中の一部の文字を置換／削除する

文字の置換、文字の削除、値の置換

Sample 0502_ 置換と削除 .xlsx

文字列中の特定の文字列を置換／削除する

［値の置換］を使用すると、特定の値を指定した値に置き換えられます。表記のゆれを統一したいときなどによく使用されます。文字列から特定の文字列を削除したいときにも利用できます。

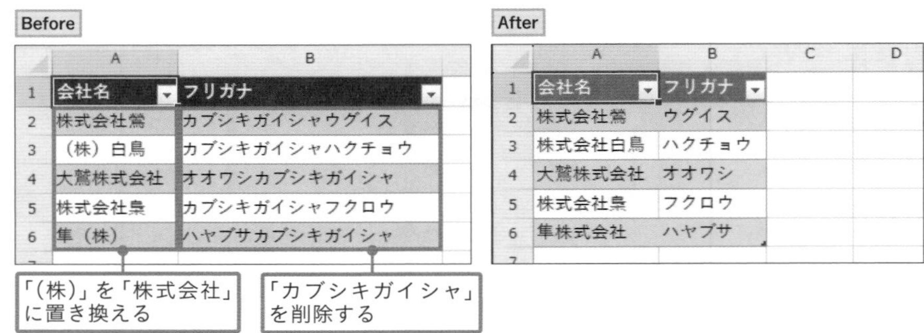

置換を実行する

文字列の置換では、［検索する値］欄に置換前の文字列、［置換後］欄に置換後の文字列を指定します。

「(株)」を「株式会社」に置き換える

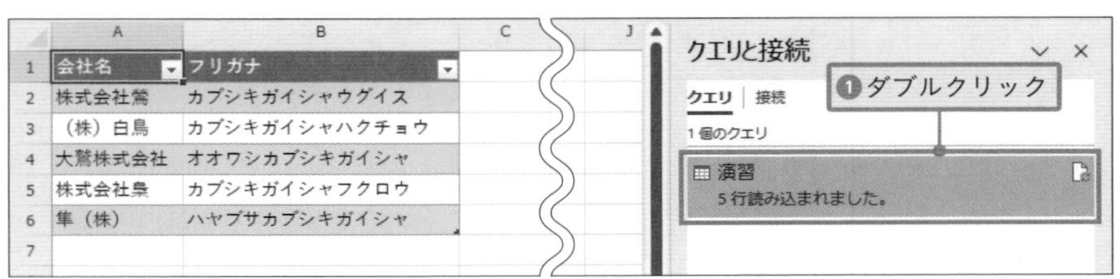

サンプルファイルを開き、［クエリと接続］作業ウィンドウ（表示方法は39ページの「知っておくと便利」参照）で［演習］クエリをダブルクリックする❶。もしくは［演習］シートのテーブル内のセルを選択して、［クエリ］タブの［編集］をクリックしてもよい。

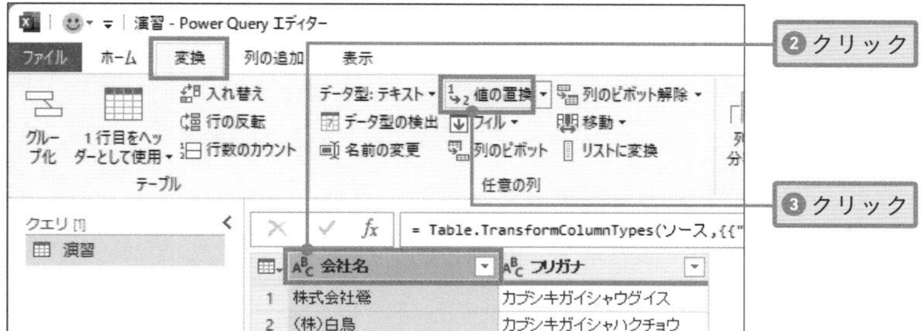

Power Query エディターが開く。[会社名] の列名をクリックして列を選択し❷、[変換] タブの [値の置換] をクリックする❸。

手順❸の代わりに、[ホーム] タブの [変換] グループにある [値の置換] をクリックするか、[会社名] の列名を右クリックして [値の置換] をクリックしてもかまいません。

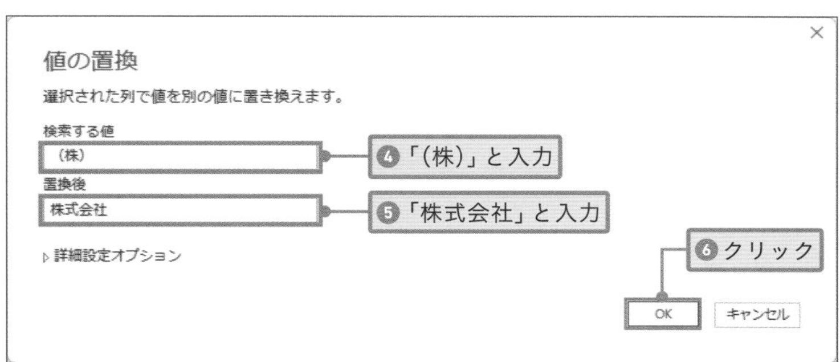

[値の置換] ダイアログボックスが表示される。[検索する値] 欄に「(株)」と入力する❹。[会社名] 列に入力されている「(株)」の丸カッコは全角なので、[検索する値] 欄も全角で入力すること。[置換後] 欄に「株式会社」と入力して❺、[OK] をクリックする❻。

「(株)」が含まれている会社名は置換が実行され、含まれていない会社名はそのまま表示される❼。[適用したステップ] 欄に [置き換えられた値] ステップが追加される。[置き換えられた値] ステップをダブルクリックするか、その右の歯車のアイコン( )をクリックすると、[値の置換] ダイアログボックスが再表示され、[検索する値] や [置換後] などの設定を修正できる❽。

文字列の中の特定の文字列を削除する

［検索する値］欄に削除する文字列を指定し、［置換後］欄に何も指定せずに置換を実行すると、文字列を削除できます。ここでは会社名のふりがなから「カブシキガイシャ」の文字を削除します。固有名詞だけが残るので、並べ替えを行ったときなどに目的の会社を探しやすくなります。

「カブシキガイシャ」を削除する

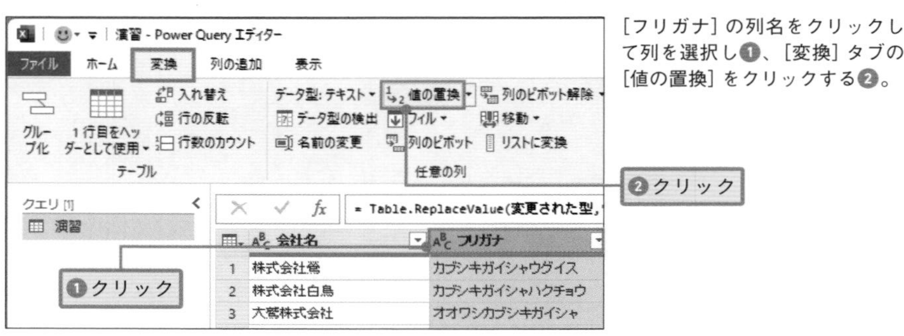

［フリガナ］の列名をクリックして列を選択し❶、［変換］タブの［値の置換］をクリックする❷。

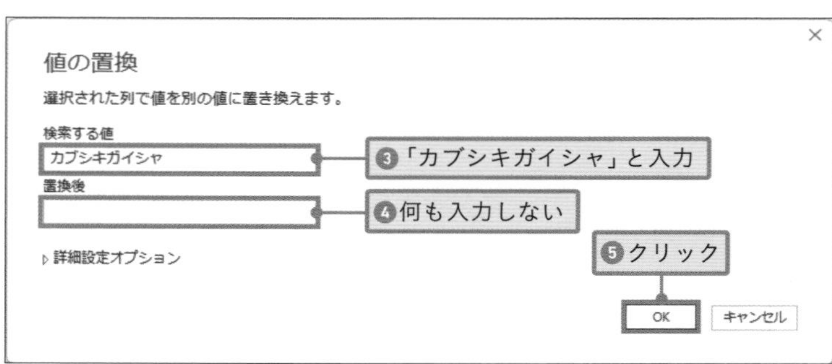

［検索する値］欄に「カブシキガイシャ」と入力する❸。［置換後］欄に何も入力せずに❹、［OK］をクリックする❺。

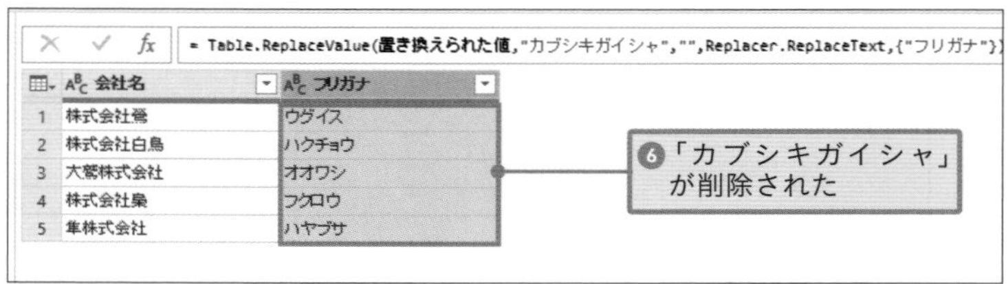

「カブシキガイシャ」が削除される❻。［適用したステップ］欄には［置き換えられた値1］ステップが追加される。［ホーム］タブの［閉じて読み込む］をクリックして、ワークシートに読み込んでおく。

STEP UP

改行などの特殊文字を置換するには

Sample 0502_コラム_改行置換.xlsx

［値の置換］では、［特殊文字を使用した置換］にチェックを付けることで、［検索する値］欄や［置換後］欄にセル内改行のような特殊文字を指定できます。以下の手順では、セル内改行を全角スペースに置き換えます。なお、手順❽の「lf（エル・エフ、ラインフィードの略）」はセル内改行を表す記号です。

▼セル内改行を全角スペースに置換する

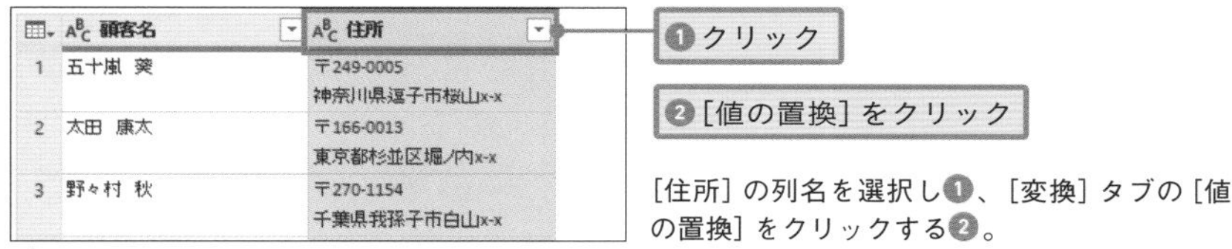

［住所］の列名を選択し❶、［変換］タブの［値の置換］をクリックする❷。

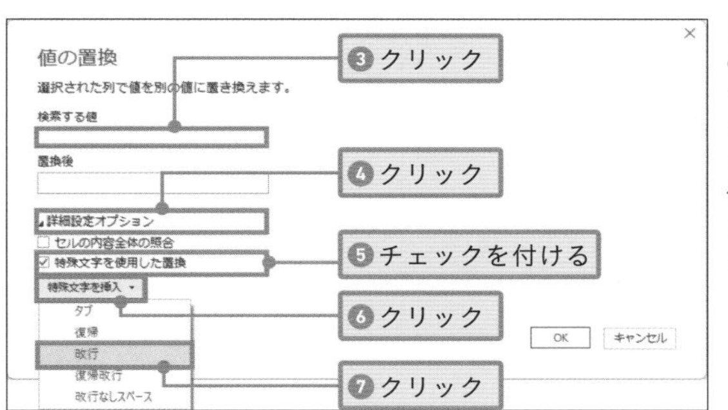

［値の置換］ダイアログボックスの［検索する値］欄をクリックする❸。［詳細設定オプション］をクリックして❹、［特殊文字を使用した置換］にチェックを付け❺、［特殊文字を挿入］をクリックし❻、［改行］をクリックする❼。

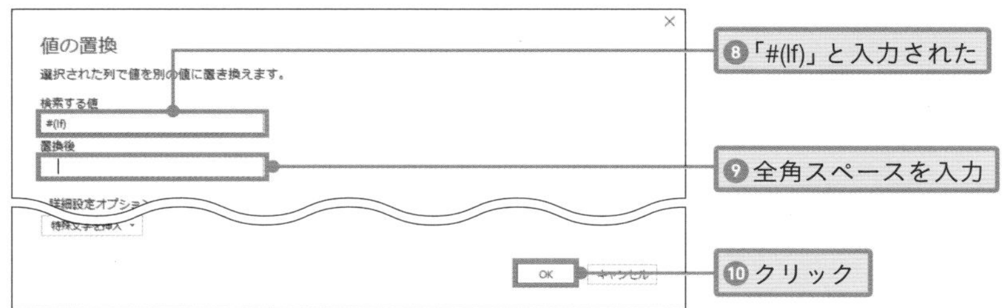

［検索する値］欄に「#(lf)」と入力される❽。［置換後］欄に全角スペースを入力し❾、［OK］をクリックする❿。

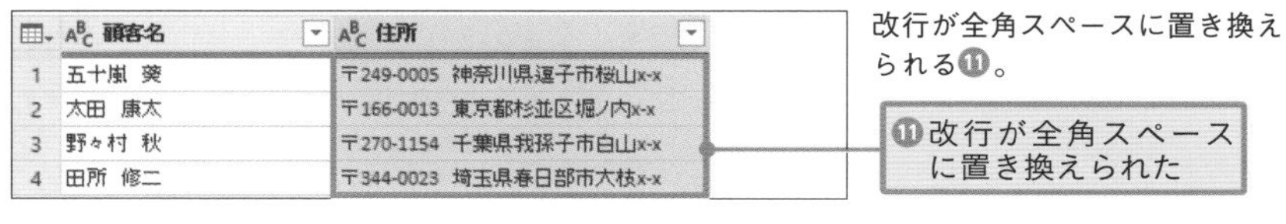

改行が全角スペースに置き換えられる⓫。

5-3 不要なスペース／セル内改行を処理してデータを整える

スペースの統一、スペースの削除、値の置換、トリミング

Sample 0503_スペース処理.xlsx

スペースを適切に処理する

文字列の前後に不要なスペースが入っている場合や、単語間のスペースの全角／半角が統一されていない場合に、異なるデータと見なされてマージやグループ集計などの操作に支障が出ることがあります。スペースを適切に処理しましょう。

Before

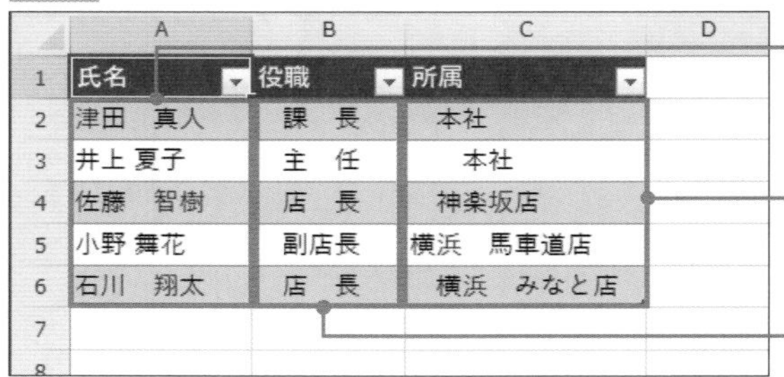

	A	B	C	D
1	氏名	役職	所属	
2	津田　真人	課　長	本社	
3	井上 夏子	主　任	本社	
4	佐藤　智樹	店　長	神楽坂店	
5	小野 舞花	副店長	横浜　馬車道店	
6	石川　翔太	店　長	横浜　みなと店	
7				

文字間に全角と半角のスペースが混在している

文字列の前後に余計なスペースが含まれている

文字列の前後や文字間に余計なスペースが含まれている

After

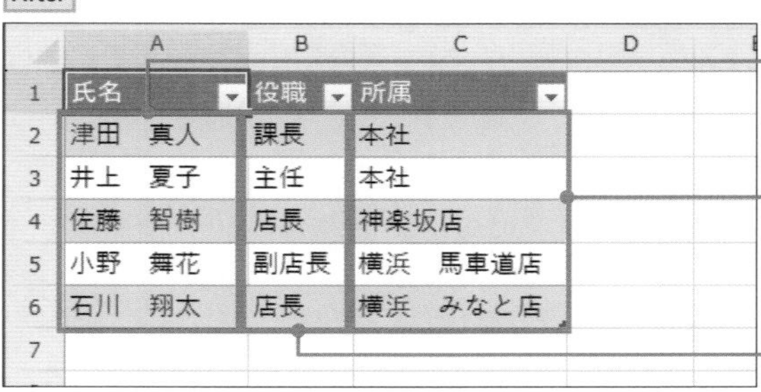

	A	B	C	D
1	氏名	役職	所属	
2	津田　真人	課長	本社	
3	井上　夏子	主任	本社	
4	佐藤　智樹	店長	神楽坂店	
5	小野　舞花	副店長	横浜　馬車道店	
6	石川　翔太	店長	横浜　みなと店	
7				

文字間のスペースが全角に統一された

文字列の前後のスペースが削除され、文字間のスペースは残る

文字列の前後と文字間のすべてのスペースが削除された

姓と名の間のスペースの全角／半角を統一する

スペースを全角または半角に統一するには、［値の置換］を使用します。ここでは［氏名］列に含まれるスペースを全角に統一します。

[値の置換]で文字間のスペースを全角に統一する

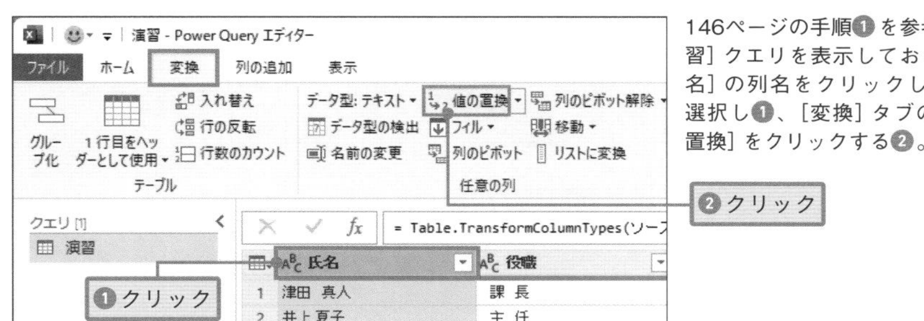

146ページの手順❶を参考に[演習]クエリを表示しておく。[氏名]の列名をクリックして列を選択し❶、[変換]タブの[値の置換]をクリックする❷。

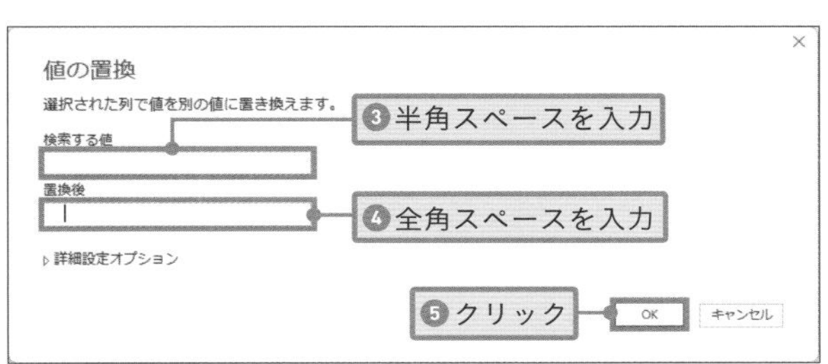

[検索する値]欄に半角スペースを入力し❸、[置換後]欄に全角スペースを入力して❹、[OK]をクリックする❺。

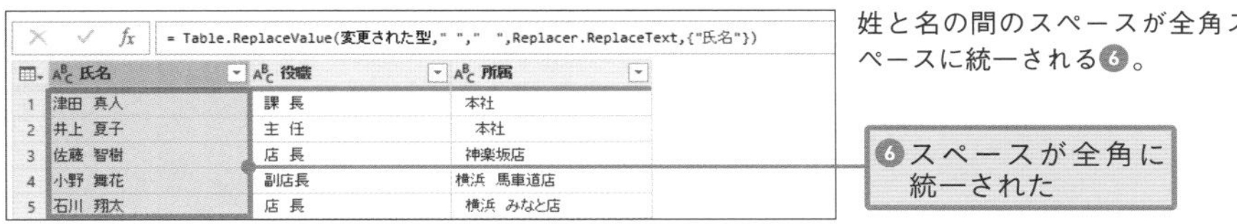

= Table.ReplaceValue(変更された型," ","　",Replacer.ReplaceText,{"氏名"})
氏名
役職
所属
津田　真人
課 長
本社
井上　夏子
主 任
本社
佐藤　智樹
店 長
神楽坂店
小野　舞花
副店長
横浜 馬車道店
石川　翔太
店 長
横浜 みなと店
❻スペースが全角に統一された

姓と名の間のスペースが全角スペースに統一される❻。

すべての全角スペースを一気に削除する

文字列の前後や文字間のスペースを一括削除するには[値の置換]を行います。ここでは[役職]列から全角スペースを一気に削除します。

[値の置換]ですべてのスペースを削除する

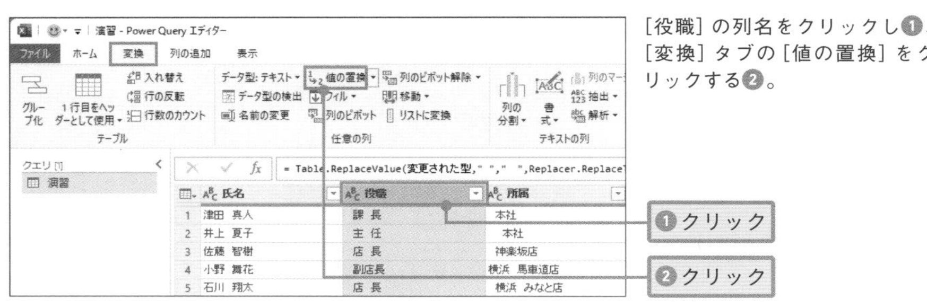

[役職]の列名をクリックし❶、[変換]タブの[値の置換]をクリックする❷。

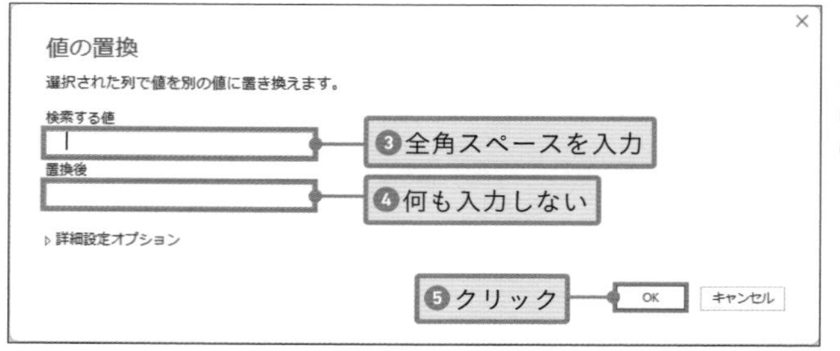

［検索する値］欄に全角スペースを入力する❸。［置換後］欄に何も入力せずに❹、［OK］をクリックする❺。

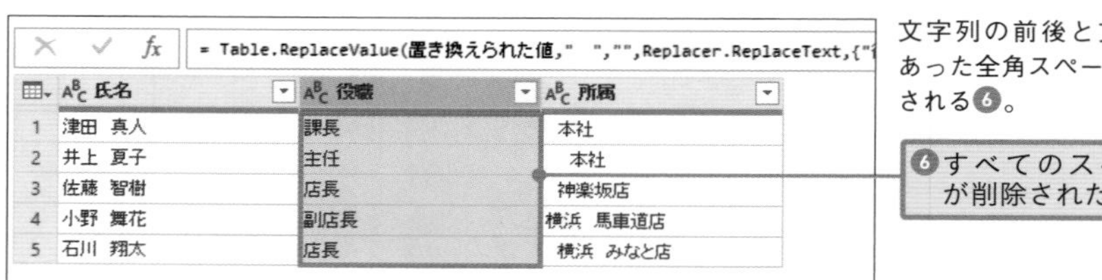

= Table.ReplaceValue(置き換えられた値," ","",Replacer.ReplaceText,{"
氏名
役職
所属
津田 真人
井上 夏子
佐藤 智樹
小野 舞花
石川 翔太
課長
主任
店長
副店長
店長
本社
本社
神楽坂店
横浜 馬車道店
横浜 みなと店
❻すべてのスペースが削除された

文字列の前後と文字間にあった全角スペースが削除される❻。

文字列の前後や文字間に全角と半角のスペースが混在する状況ですべてのスペースを削除するには、［値の置換］を2回実行して全角スペースと半角スペースを削除します。

文字間にある複数の全角スペースのうち1つを残して削除するには、［値の置換］ダイアログボックスの［検索する値］欄に全角スペースを2つ入力し、［置換後］欄に全角スペースを1つ入力して置換を実行します。これを何度か繰り返せば、最後に1つだけ全角スペースが残ります。半角スペースが混在している場合は、あらかじめ全角スペースに統一しておきましょう。

知っておくと便利 **セル内改行を削除するには**

［変換］タブの［書式］のメニューにある［クリーン］を使用すると、列に含まれる改行やタブなどの特殊文字を一気に削除できます。

▼セル内の特殊文字を削除する

文字列の前後からだけスペースを削除する

［トリミング］を実行すると、文字列の前後から全角スペースと半角スペースを一気に削除できます。文字間のスペースは削除されません。

［トリミング］を使用して文字列の前後のスペースを削除する

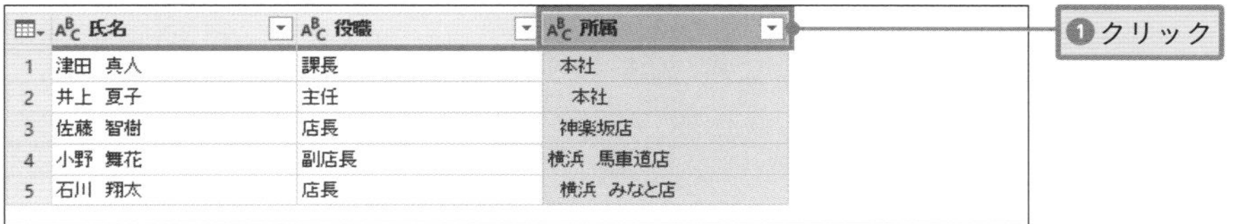

［所属］の列名をクリックして列を選択する❶。

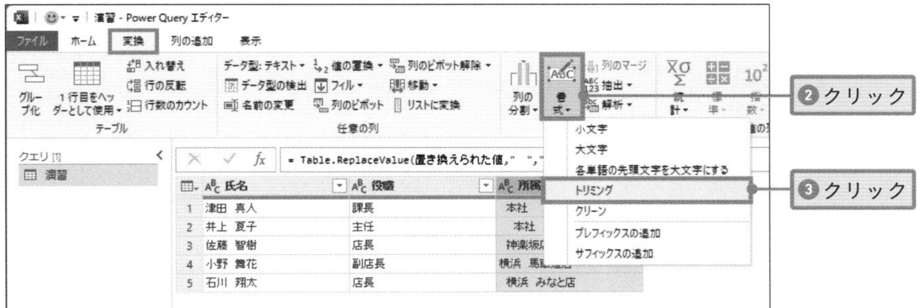

［変換］タブの［書式］をクリックし❷、一覧から［トリミング］をクリックする❸。

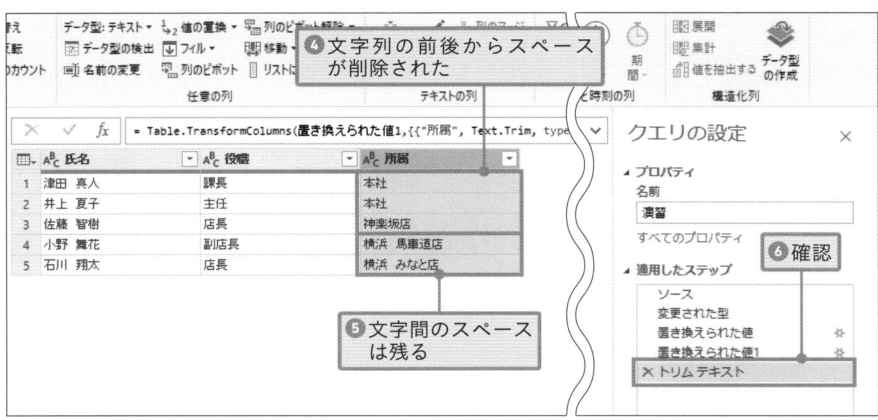

文字列の前後からスペースが削除される❹。文字間のスペースはそのまま残る❺。［適用したステップ］欄に［トリムテキスト］ステップが追加される❻。［ホーム］タブの［閉じて読み込む］をクリックしてワークシートに読み込んでおく。

5-4

アルファベットの大文字／小文字を統一する

大文字／小文字の統一、書式

Sample 0504_ 大文字 .xlsx

アルファベットの文字の種類を統一する

アルファベットの大文字と小文字の不統一も、マージやグループ集計に影響します。ここでは、［商品ID］列の中のアルファベットを大文字に統一します。

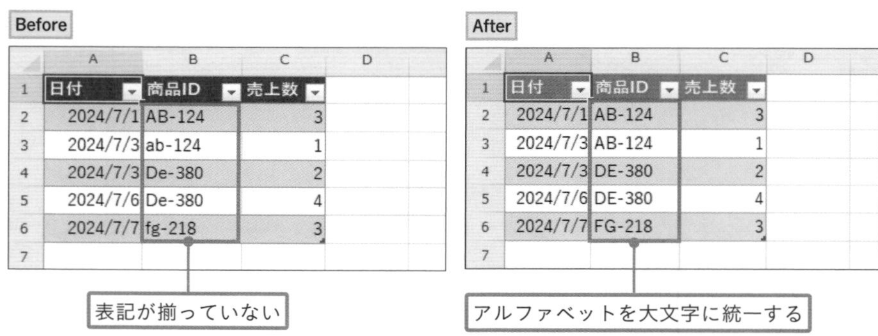

Before
After
表記が揃っていない
アルファベットを大文字に統一する

Before

	A	B	C	D
1	日付	商品ID	売上数	
2	2024/7/1	AB-124	3	
3	2024/7/3	ab-124	1	
4	2024/7/3	De-380	2	
5	2024/7/6	De-380	4	
6	2024/7/7	fg-218	3	
7				

After

	A	B	C	D
1	日付	商品ID	売上数	
2	2024/7/1	AB-124	3	
3	2024/7/3	AB-124	1	
4	2024/7/3	DE-380	2	
5	2024/7/6	DE-380	4	
6	2024/7/7	FG-218	3	
7				

［書式］から文字種を選択して統一する

［変換］タブの［書式］のメニューには、アルファベットの大文字と小文字の表記を整えるための項目が下表の3種類あります。半角文字は半角のまま、全角文字は全角のまま変換されます。文字列中のアルファベット以外の文字はそのまま返されます。

▼［書式］のメニュー

メニュー	説明	変換後の例
小文字	すべてのアルファベットを小文字に変換する	power query
大文字	すべてのアルファベットを大文字に変換する	POWER QUERY
各単語の先頭文字を大文字にする	各単語の先頭文字を大文字に、2文字目以降を小文字に変換する	Power Query

商品IDを大文字に統一する

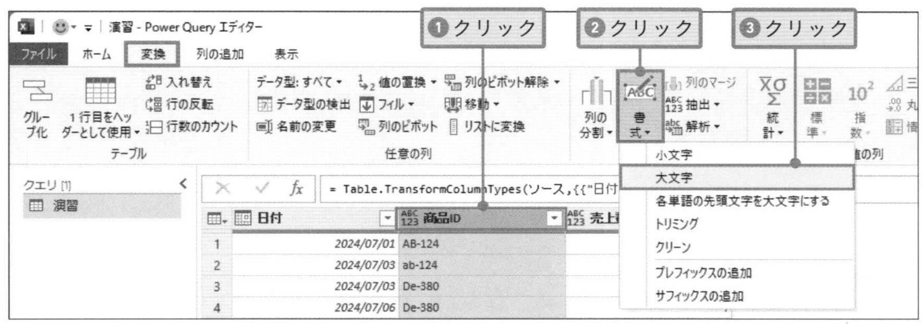

146ページの手順❶を参考に［演習］クエリを表示しておく。［商品ID］の列名をクリックし❶、［変換］タブの［書式］をクリックして❷、一覧から［大文字］をクリックする❸。

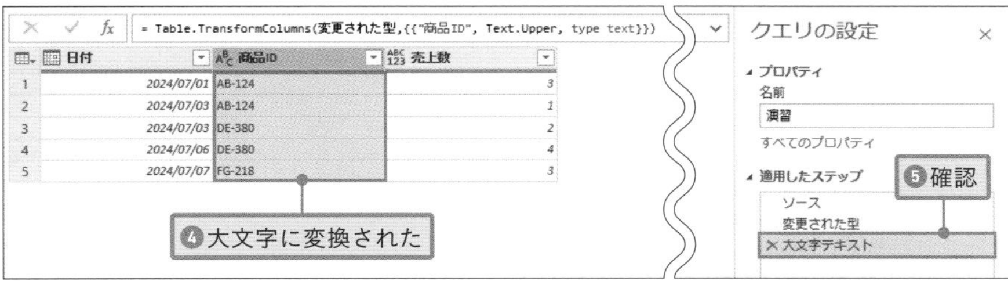

［商品ID］列のアルファベットが大文字に変換される❹。［適用したステップ］欄に［大文字テキスト］ステップが追加される❺。［ホーム］タブの［閉じて読み込む］をクリックしておく。

知っておくと便利　不統一のままグループ集計するとどうなる？

［商品ID］列の大文字／小文字が不統一のままグループ集計（→239ページ）を行うと、「AB-124」と「ab-124」が異なるデータと見なされて、正しく集計できません。

▼大文字／小文字を統一せずにグループ集計した場合

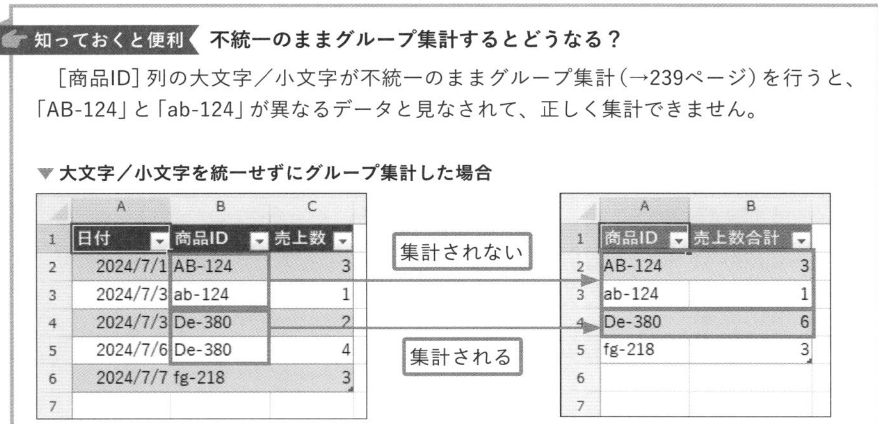

日付	商品ID	売上数
2024/7/1	AB-124	3
2024/7/3	ab-124	1
2024/7/3	De-380	2
2024/7/6	De-380	4
2024/7/7	fg-218	3

商品ID	売上数合計
AB-124	3
ab-124	1
De-380	6
fg-218	3

知っておくと便利 ワークシートで全角と半角を統一するには

パワークエリには残念ながら全角／半角を統一するためのメニューがありません。これを手軽にやるには、ワークシートに読み込んだあとで半角文字に統一するASC関数、または全角文字に統一するJIS関数を使用します。どちらも引数は1つで、変換前のデータが入力されたセルを指定します。

▼ASC 関数を使用した半角文字の統一

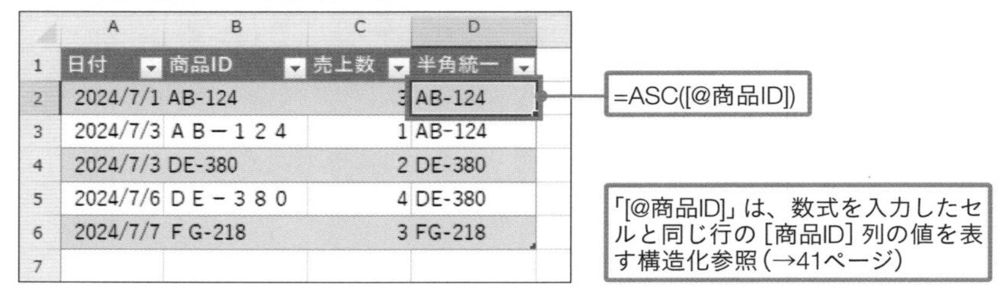

	A	B	C	D
1	日付	商品ID	売上数	半角統一
2	2024/7/1	AB-124	3	AB-124
3	2024/7/3	ＡＢ－１２４	1	AB-124
4	2024/7/3	DE-380	2	DE-380
5	2024/7/6	ＤＥ－３８０	4	DE-380
6	2024/7/7	ＦG-218	3	FG-218
7				

=ASC([@商品ID])
「[@商品ID]」は、数式を入力したセルと同じ行の［商品ID］列の値を表す構造化参照（→41ページ）

STEP UP

［値の置換］を使用して全角と半角を統一する

パワークエリを使用して全角／半角の統一を本書のレベル内で行うには、かなりの力仕事になりますが［値の置換］を繰り返します。例えば全角の数字を半角に変換するには、1回目の置換で全角の「１」を半角の「1」に、2回目の置換で全角の「２」を半角の「2」に、……、10回目の置換で全角の「０」を半角の「0」にという具合に置換を10回行います。M言語の操作に抵抗がなければ、3回程度繰り返したあとで57ページの「知っておくと便利」を参考に［詳細エディター］を開き、「置き換えられた値2 =」ではじまる行を下の行にコピー／貼り付けして、貼り付けた行内の数値を手直ししてもよいでしょう。その際、最終行以外の行末に「,」を入れてください。下図では［社員ID］列の数値を半角にしています。

▼M言語を使用した半角の統一

```
let
    ソース = Excel.CurrentWorkbook(){[Name="テーブル2"]}[Content],
    変更された型 = Table.TransformColumnTypes(ソース,{{"社員ID", type text}, {"氏名", type text}}),
    置き換えられた値 = Table.ReplaceValue(変更された型,"１","1",Replacer.ReplaceText,{"社員ID"}),
    置き換えられた値1 = Table.ReplaceValue(置き換えられた値,"２","2",Replacer.ReplaceText,{"社員ID"}),
    置き換えられた値2 = Table.ReplaceValue(置き換えられた値1,"３","3",Replacer.ReplaceText,{"社員ID"}),
    置き換えられた値3 = Table.ReplaceValue(置き換えられた値2,"４","4",Replacer.ReplaceText,{"社員ID"}),
    置き換えられた値4 = Table.ReplaceValue(置き換えられた値3,"５","5",Replacer.ReplaceText,{"社員ID"}),
    置き換えられた値5 = Table.ReplaceValue(置き換えられた値4,"６","6",Replacer.ReplaceText,{"社員ID"}),
    置き換えられた値6 = Table.ReplaceValue(置き換えられた値5,"７","7",Replacer.ReplaceText,{"社員ID"}),
    置き換えられた値7 = Table.ReplaceValue(置き換えられた値6,"８","8",Replacer.ReplaceText,{"社員ID"}),
    置き換えられた値8 = Table.ReplaceValue(置き換えられた値7,"９","9",Replacer.ReplaceText,{"社員ID"}),
    置き換えられた値9 = Table.ReplaceValue(置き換えられた値8,"０","0",Replacer.ReplaceText,{"社員ID"})
in
    置き換えられた値9
```

5-5

文字列の前後に決まった文字列を追加する

文字列の追加、列の追加、プレフィックス、サフィックス

Sample 0505_ サフィックス .xlsx

顧客名の後ろに「　様」を結合した[宛名]列を作成する

データの前に追加する文字列を「プレフィックス」、後ろに追加する文字列を「サフィックス」と呼びます。ここでは顧客名の後ろに「　様」を追加した［宛名］列を作成します。

Before

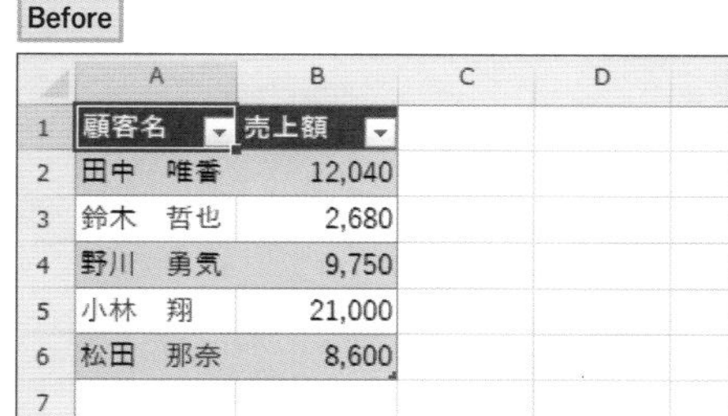

	A	B	C	D
1	顧客名	売上額		
2	田中　唯香	12,040		
3	鈴木　哲也	2,680		
4	野川　勇気	9,750		
5	小林　翔	21,000		
6	松田　那奈	8,600		
7				

After

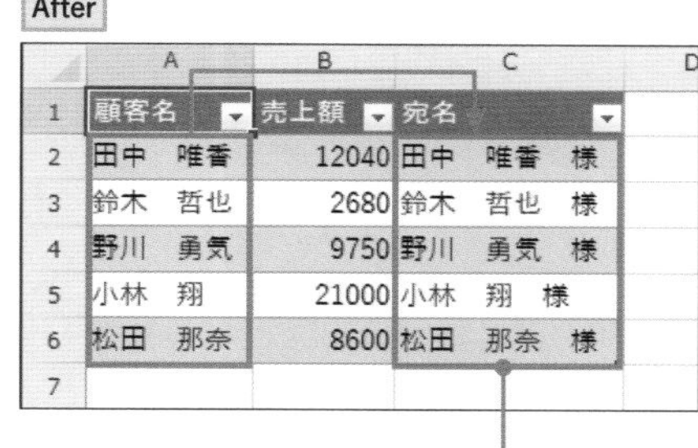

	A	B	C	D
1	顧客名	売上額	宛名	
2	田中　唯香	12040	田中　唯香　様	
3	鈴木　哲也	2680	鈴木　哲也　様	
4	野川　勇気	9750	野川　勇気　様	
5	小林　翔	21000	小林　翔　様	
6	松田　那奈	8600	松田　那奈　様	
7				

［顧客名］の後ろに「　様」を追加する

[列の追加]タブの[書式]メニューを使用する

［列の追加］タブの［書式］のメニューから［プレフィックスの追加］や［サフィックスの追加］をクリックすると、プレフィックスやサフィックスを追加した新しい列を作成できます。元の列はそのまま残ります。

[サフィックスの追加]を実行する

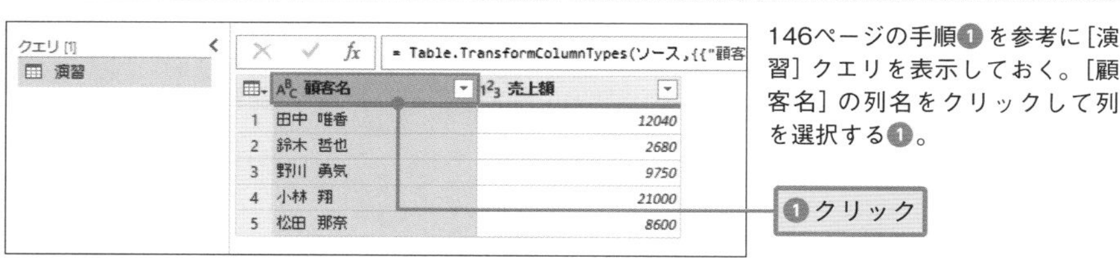

146ページの手順❶を参考に［演習］クエリを表示しておく。［顧客名］の列名をクリックして列を選択する❶。

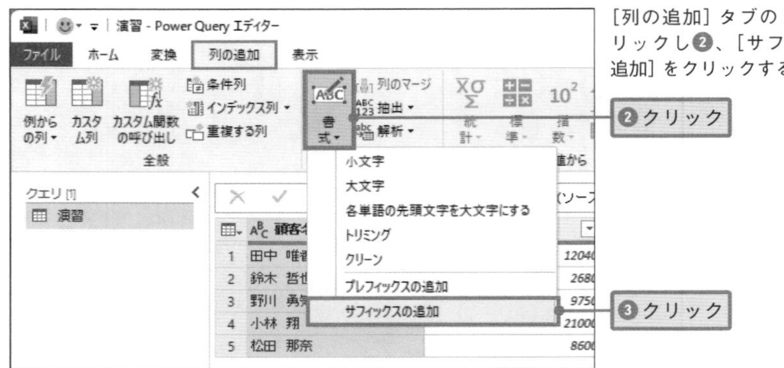

[列の追加] タブの [書式] をクリックし❷、[サフィックスの追加] をクリックする❸。

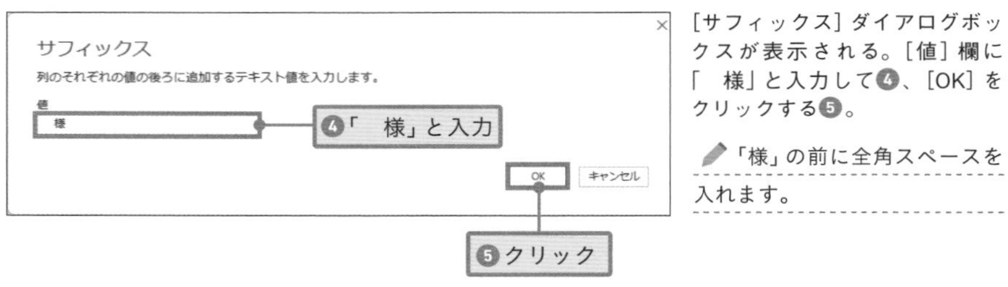

[サフィックス] ダイアログボックスが表示される。[値] 欄に「　様」と入力して❹、[OK] をクリックする❺。

「様」の前に全角スペースを入れます。

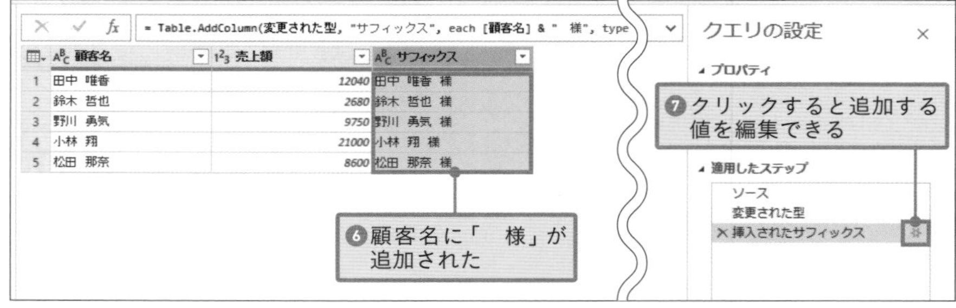

新しい列が追加され、顧客名の後ろに「　様」が付いたデータが表示される❻。[適用したステップ] 欄に [挿入されたサフィックス] ステップが追加される。これをダブルクリックするか、その右の歯車のアイコン（⚙）をクリックすると、[サフィックス] ダイアログボックスが再表示され、追加する値を修正できる❼。

	顧客名	売上額	宛名
1	田中 唯香	12040	田中 唯香 様
2	鈴木 哲也	2680	鈴木 哲也 様
3	野川 勇気	9750	野川 勇気 様
4	小林 翔	21000	小林 翔 様
5	松田 那奈	8600	松田 那奈 様

❽「宛名」と入力

新しい列には自動で「サフィックス」という名前が付く。これをダブルクリックし、「宛名」と入力して Enter を押す❽。[ホーム] タブの [閉じて読み込む] をクリックしておく。

STEP UP

列名は数式バーでも変更できる

［挿入されたサフィックス］ステップを選択し、数式バーに表示される式の「"サフィックス"」の部分を「"宛名"」に変えて Enter を押すと、列名を変更できます。前ページの手順❽を実行すると［名前が変更された列］ステップが追加されますが、この方法ではステップ数を増やさずに済みます。

▼数式バーで列名を変更する

❶［挿入されたサフィックス］ステップをクリック

= Table.AddColumn(変更された型, "サフィックス", each [顧客名] & " 様", type text)

	顧客名	売上額	サフィックス
1	田中 唯香	12040	田中 唯香 様
2	鈴木 哲也	2680	鈴木 哲也 様

❷削除する

［適用したステップ］欄で［挿入されたサフィックス］をクリックしておく❶。数式バーで「サフィックス」の文字を削除する❷。

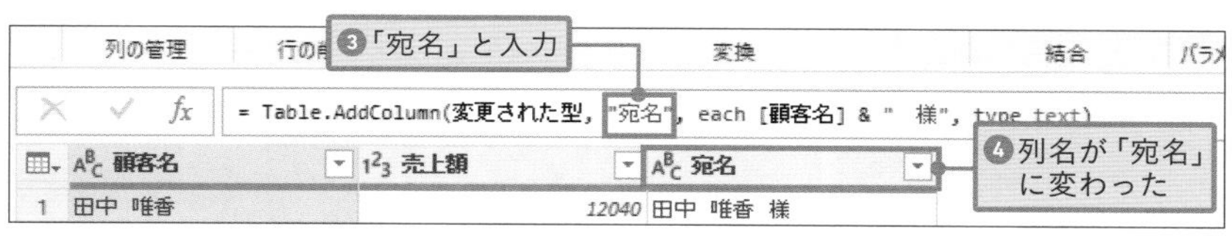

「宛名」と入力して Enter を押すと❸、列名が「宛名」に変わる❹。

知っておくと便利 元の列にプレフィックスやサフィックスを追加するには

［列の追加］タブのほか、［変換］タブにも［書式］のメニューがあります。ただし、機能は異なります。［変換］タブの［書式］では、事前に選択した列のデータに直接プレフィックスやサフィックスが追加されます。なお、数値の列に追加した場合、データ型が［テキスト］型に変わり、計算に使用できなくなるので注意してください。下図は、［売上額］列に「ご請求額：」というプレフィックスを追加したものです。

▼元の列にプレフィックスを追加する

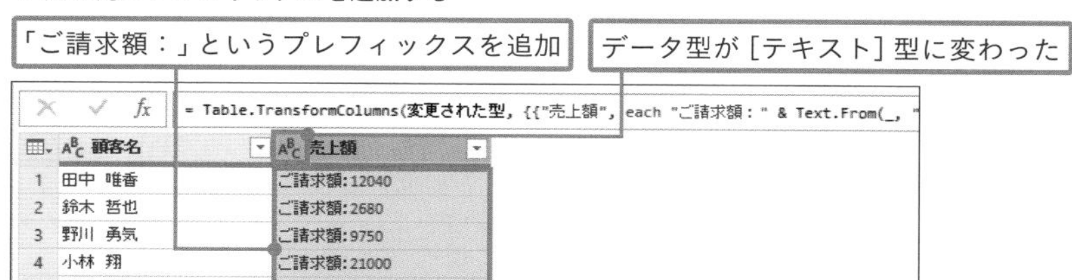

5-6

複数列のデータを 1 つの列にまとめる

列のマージ

Sample 0506_ 列のマージ .xlsx

スペースを挟んで姓と名を結合する

「姓と名」「都道府県と住所と番地」など、複数の列のデータを結合したいことがあります。[列のマージ] という機能を使用すると、複数の列のデータを結合して1つの列にまとめることができます。

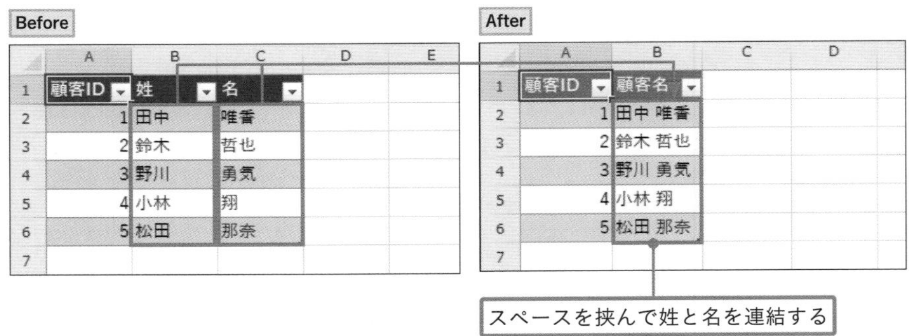

[変換] タブの [列のマージ] を使用する

[変換] タブの [列のマージ] を実行すると、選択した列のデータを結合できます。結合するデータの間に挟む [区切り文字] も指定できます。あらかじめ結合する順序で列を選択しておくことがポイントです。

[列のマージ] を実行する

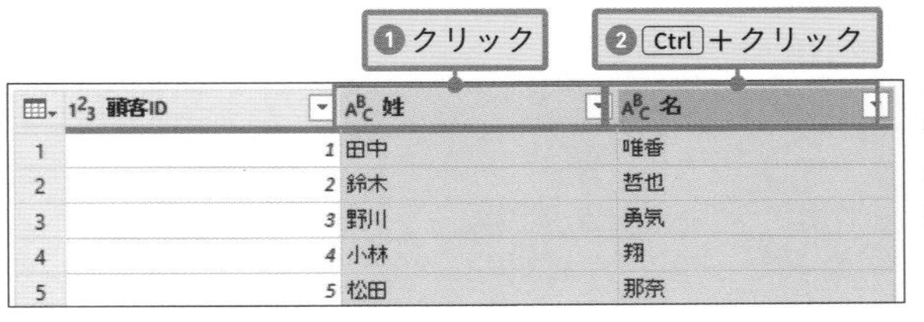

146ページの手順❶を参考に [演習] クエリを表示しておく。[姓] の列名をクリックし❶、Ctrl を押しながら [名] の列名をクリックして❷、[姓] [名] の順に2列を選択する。

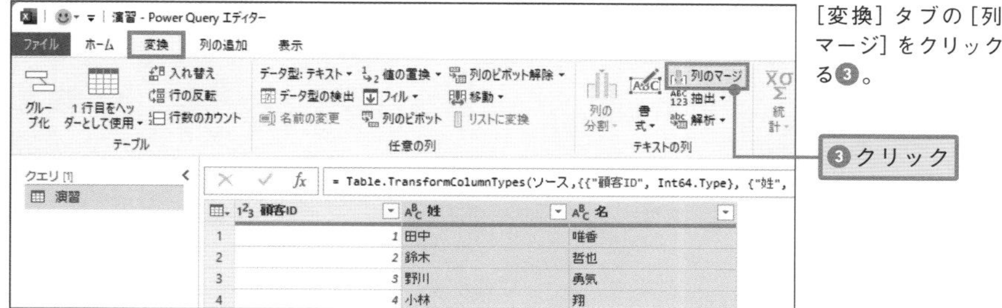

[変換] タブの [列のマージ] をクリックする❸。

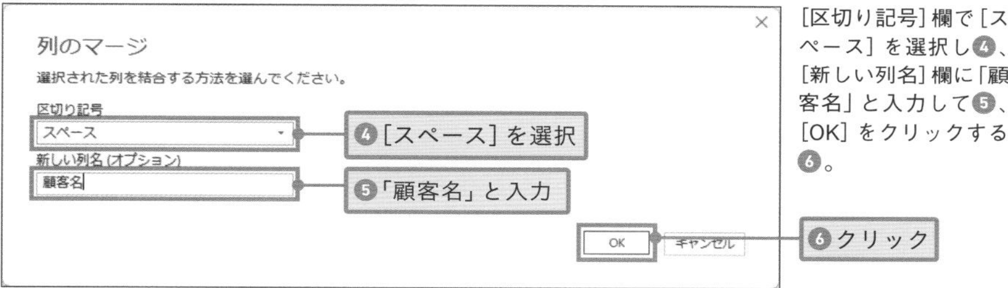

[区切り記号] 欄で [スペース] を選択し❹、[新しい列名] 欄に「顧客名」と入力して❺、[OK] をクリックする❻。

[区切り記号] 欄では [--なし--] [コンマ] [スペース] [タブ] などを選べます。記号はいずれも半角文字です。全角スペースなど、選択肢にない文字を挿入したい場合は、[--カスタム--] を選択すると文字の入力欄が表示されます。

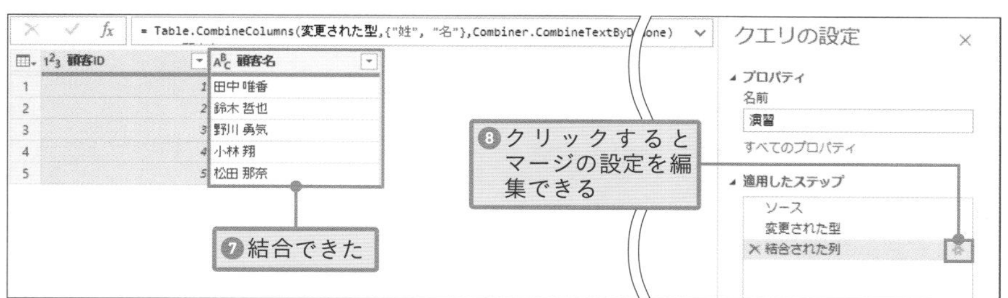

[姓] 列と [名] 列が消え、[顧客名] 列が追加され、姓と名が結合される❼。[適用したステップ] 欄に追加された [結合された列] ステップをダブルクリックするか、その右の歯車のアイコン (⚙) をクリックすると、手順❹の画面が再表示され、設定を修正できる❽。[ホーム] タブの [閉じて読み込む] をクリックしておく。

知っておくと便利 **元データの列を残したまま結合するには**

あらかじめ [姓] [名] の順に列を選択しておきます。[列の追加] タブの [テキストから] グループにある [列のマージ] をクリックして、手順❹以降を実行すると、[姓] 列と [名] 列を残したまま新しい列に結合結果を表示できます。

5-7

データを複数列に分解する

列の分割

Sample 0507_ 列の分割 .xlsx

列の値を複数の列に分割する

「スペースを境に氏名を姓と名に分割したい」「8桁の数値を4桁、2桁、2桁に分割したい」といったときは、［ホーム］タブまたは［変換］タブの［列の分割］を使用します。特定の記号の前後で分割したり、区切る位置を指定して分割したりと、さまざまな方法で分割を行えます。

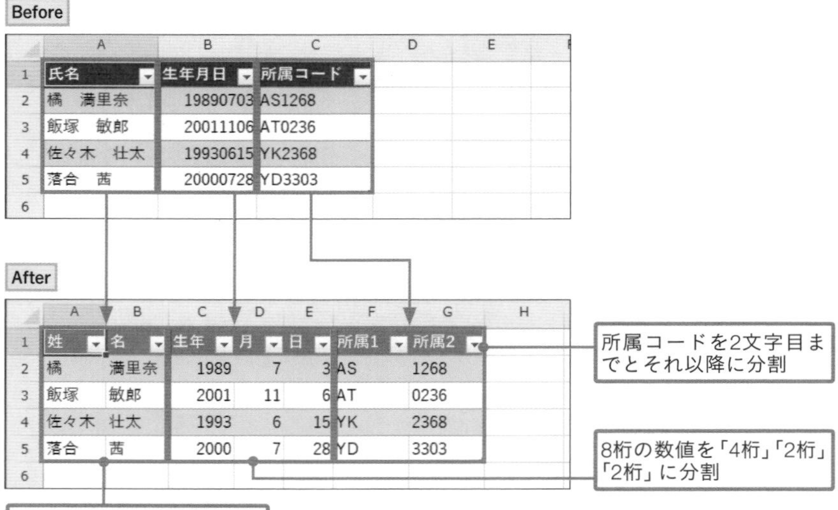

スペースを区切りとした分割では、スペースの全角／半角が統一されていないとうまくいきません。全角／半角が混在している場合は、150ページを参考に事前に統一しておきます。

スペースを区切りとして氏名を分割する

［列の分割］のうち［区切り記号による分割］を使用すると、指定した記号の前後で文字列を分割できます。ここでは全角スペースで区切られた姓と名を分割します。区切り文字のスペースは分割時に消去されます。

[列の分割]から[区切り記号による分割]を実行する

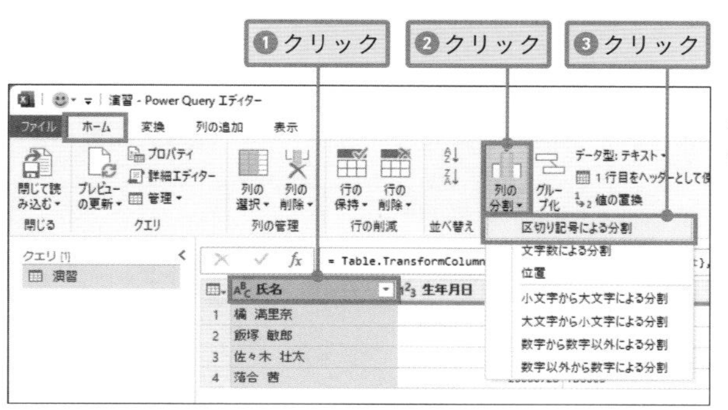

146ページの手順❶を参考に［演習］クエリを表示しておく。［氏名］の列名をクリックする❶。［ホーム］タブの［列の分割］をクリックし❷、［区切り記号による分割］をクリックする❸。

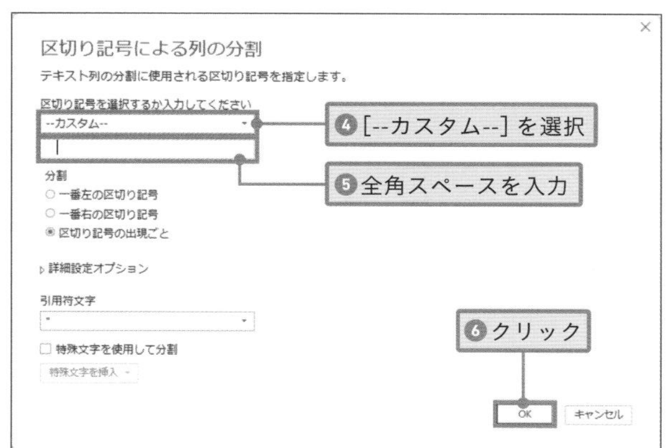

区切り記号として［--カスタム--］を選択し❹、全角スペースを入力する❺。ほかは初期値のまま［OK］をクリックする❻。

手順❹の選択肢に［スペース］がありますが、これは半角スペースで全角ではありません。

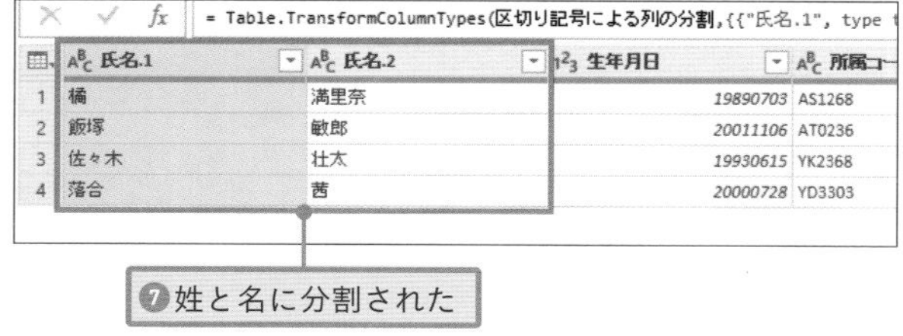

氏名が分割される❼。列名をそれぞれダブルクリックして、「氏名.1」を「姓」、「氏名.2」を「名」に変更しておく。

文字列の中に同じ区切り記号が複数存在する場合、前ページの手順❹の画面の［分割］欄でどの区切り記号で分割するかを指定します。例えばデータが「AB-CD-EF」、区切り記号が「-」の場合、［一番左の区切り記号］を選ぶと「AB」「CD-EF」の2列、［区切り記号の出現ごと］を選ぶと「AB」「CD」「EF」の3列に分割されます。

知っておくと便利　元の列を残しておくには事前に列をコピーしておく

［列の分割］を行うと元の列はなくなります。残しておきたい場合は、事前に［列の追加］タブの［重複する列］を実行して、元の列をコピーしておきましょう。

▼列のコピー

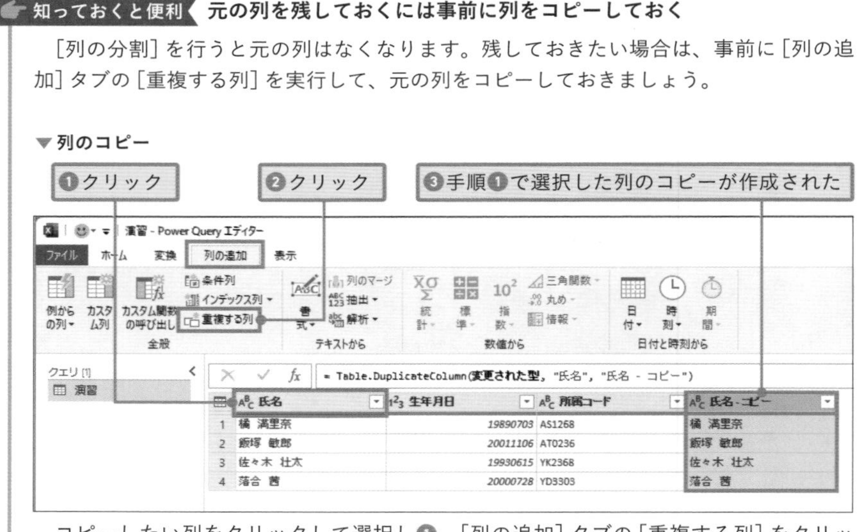

コピーしたい列をクリックして選択し❶、［列の追加］タブの［重複する列］をクリックすると❷、表の右端に新しい列が挿入され、手順❶の列がコピーされる❸。

区切る位置を指定して8桁の数字を年月日に分割する

［列の分割］のうち［位置］を使用すると、区切る位置を指定した分割が行えます。位置は、先頭を「0」とした数値をコンマ「,」で区切って指定します。例えば8桁の数字を「4桁」「2桁」「2桁」に区切るには、「0,4,6」を指定します。

［列の分割］から［位置］を実行する

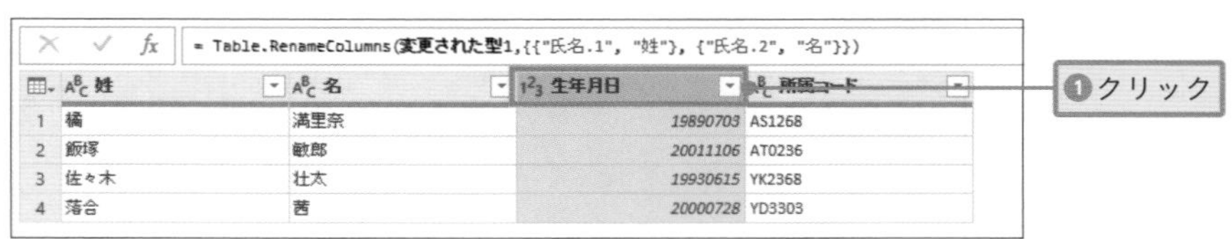

［生年月日］の列名をクリックして列を選択する❶。

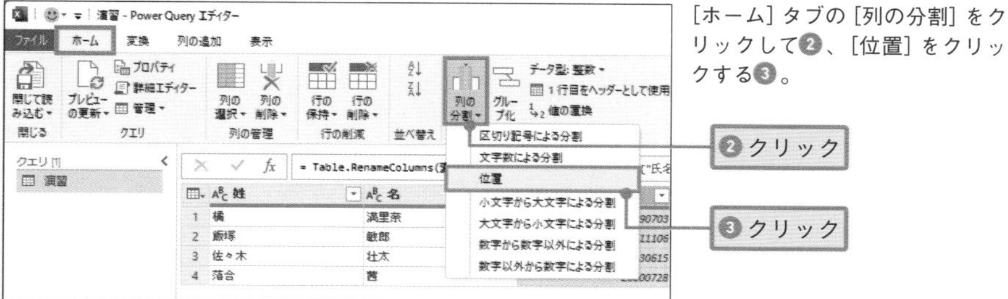

［ホーム］タブの［列の分割］をクリックして❷、［位置］をクリックする❸。

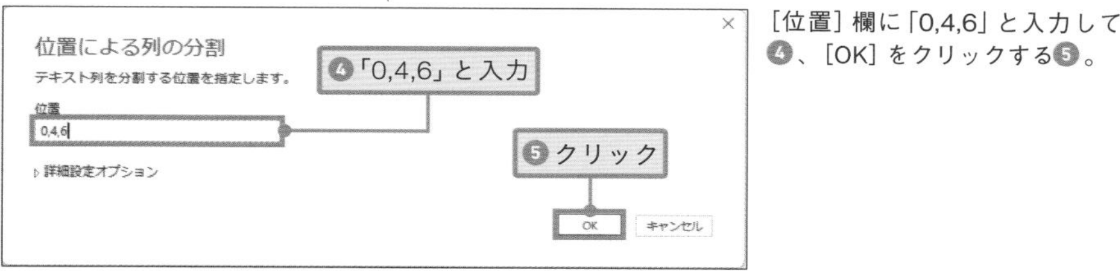

［位置］欄に「0,4,6」と入力して❹、［OK］をクリックする❺。

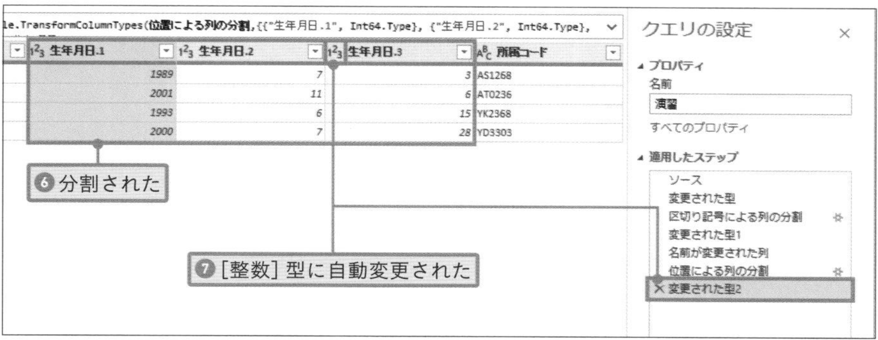

生年月日が分割される❻。分割後、［変更された型2］ステップが自動実行されて、年月日がそれぞれ［整数］型に変更される❼。そのため、例えば分割後が「07」になる場合に先頭の「0」が消えて「7」と表示される。列名をそれぞれダブルクリックして、「生年」「月」「日」に変更しておく。

［列の分割］から［区切り記号による分割］［文字数による分割］［位置］を選択したときに表示されるダイアログボックスに、［詳細設定オプション］欄があります。その使い方は8-4節で紹介します。また、上記の設定を行ったときのステップに歯車のアイコン（⚙）が表示されますが、それをクリックするかステップをダブルクリックすると、ダイアログボックスが再表示され、設定を編集できます。

所属コードを2文字目までとそれ以降に分割する

[文字数による分割] を使用すると、「○文字目で分割」が可能になります。ここではコード番号を2文字目までとそれ以降の2列に分割します。分割後のデータが数字だけの列は、[整数] 型に自動で型変更されます。そのため先頭の「0」が消えますが、型変更のステップを削除すれば「0」を復活できます。

[列の分割]から[文字数による分割]を実行する

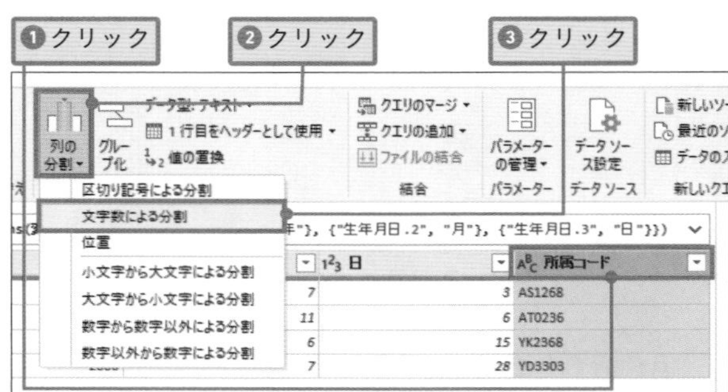

[所属コード] の列名をクリックする❶。[ホーム] タブの [列の分割] をクリックし❷、[文字数による分割] をクリックする❸。

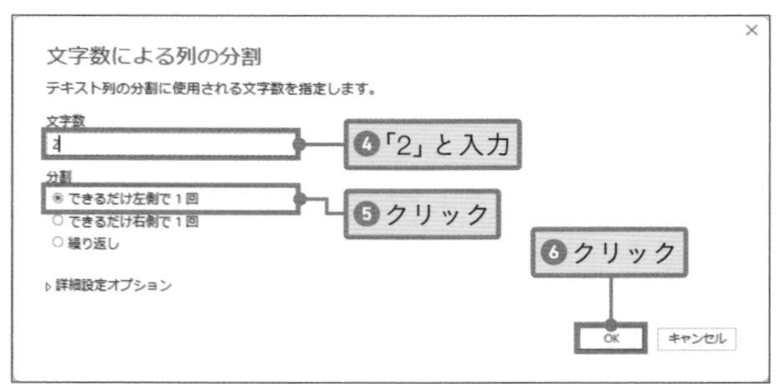

[文字数] 欄に「2」と入力して❹、[できるだけ左側で1回] をクリックし❺、[OK] をクリックする❻。

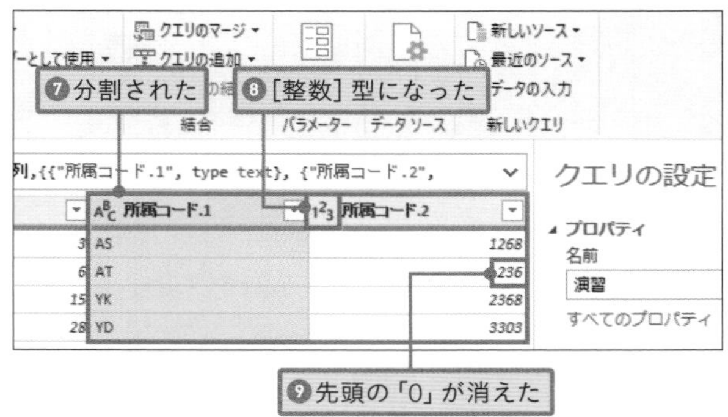

所属コードが2文字目までとそれ以降に分割される❼。2列目に [整数] 型が適用されたため❽、先頭の「0」が消えてしまう❾。

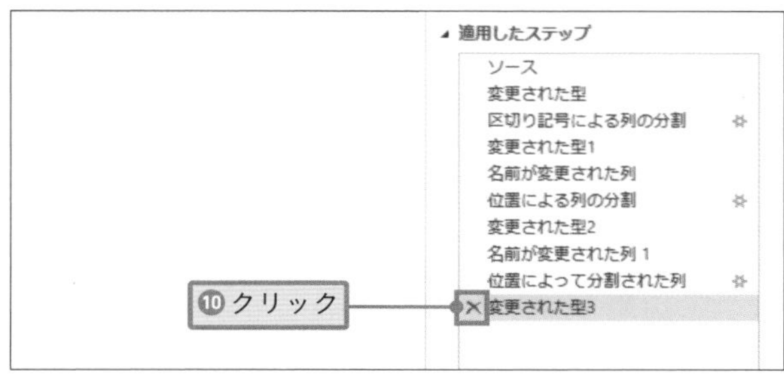

[クエリの設定] 作業ウィンドウの [適用したステップ] 欄で1番下の [変更された型3] ステップの [×] をクリックして、ステップを削除する⑩。ちなみに、氏名の分割後に自動実行された [変更された型1] も削除して差し支えない。変更の前も後も [テキスト] 型で実質的にデータ型が変わっていないため。

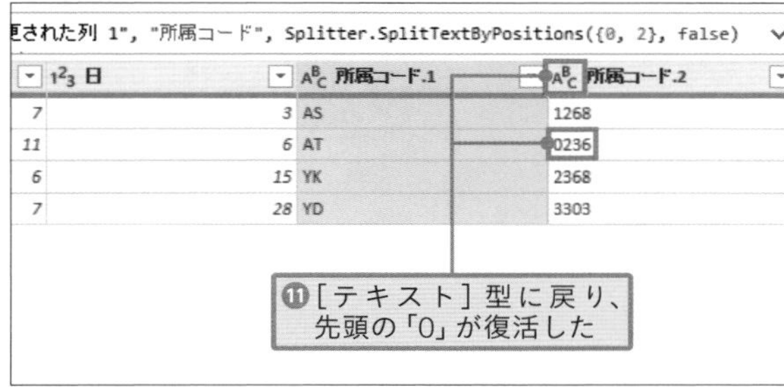

データ型が [テキスト] 型に戻り、先頭の「0」が復活する⑪。列名をそれぞれダブルクリックして、「所属1」「所属2」に変更しておく。最後に、[ホーム] タブの [閉じて読み込む] をクリックしておく。

前ページの手順❺で [できるだけ右側で1回] を選択した場合、「AS1268」は「AS12」と「68」に分割されます。[繰り返し] を選択した場合は「AS」「12」「68」と2文字ずつ分割されます。

知っておくと便利 **文字種が変化する位置でも分割できる**

[列の分割] から下表のコマンドを使用すると、文字種が変化する位置で分割を行えます。いずれもダイアログボックスが表示されず、即座に分割が行われます。

▼ [列の分割] の実行例

コマンド	元の値	分割後
小文字から大文字による分割	abcDEF	「abc」「DEF」
	ABcdEFgh	「ABcd」「EFgh」
大文字から小文字による分割	ABCdef	「ABC」「def」
	ABcdEFgh	「AB」「cdEF」「gh」
数字から数字以外による分割	123X45	「123」「X45」
数字以外から数字による分割	123X45	「123X」「45」

STEP UP

住所から都道府県を分割するには

Sample 0507_コラム_都道府県.xlsx

住所を都道府県と市区町村に分割してみましょう。まず［値の置換］を使用して、「東京都」「北海道」「府」「県」の後ろに何らかの記号（ここでは「－」）を挿入します。次に［区切り記号による列の分割］を実行して、［一番左の区切り記号］で分割すると、都道府県と市区町村の2列に分割されます。「府中市」「県町」のように市区町村名に「府」や「県」が入る地名に「－」が残るので、最後にもう一度［値の置換］を実行して「－」を削除します。

▼［値の置換］を使用して都道府県名の後ろに「ー」を入れる

［住所］列を選択し❶、［ホーム］タブの［値の置換］をクリックする❷。

［検索する値］欄に「東京都」と入力し❸、［置換後］欄に「東京都ー」と入力して［OK］をクリックする❹。「ー」は全角で入力すること。

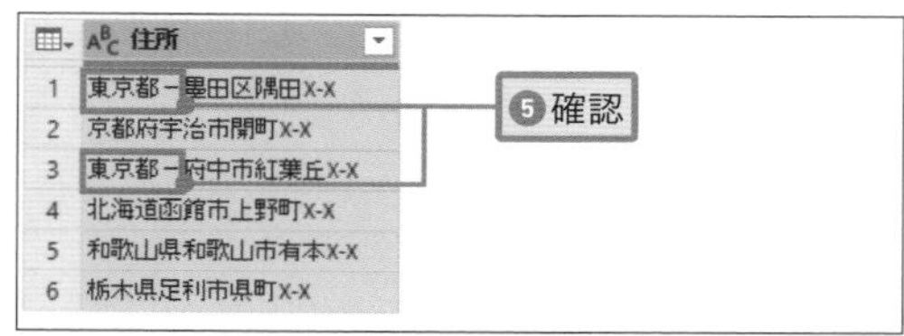

「東京都」の後ろに「ー」が挿入された❺。都道府県名である「京都府」に「都」が含まれているので「都」を単独で「都ー」に置き換えてはいけない。

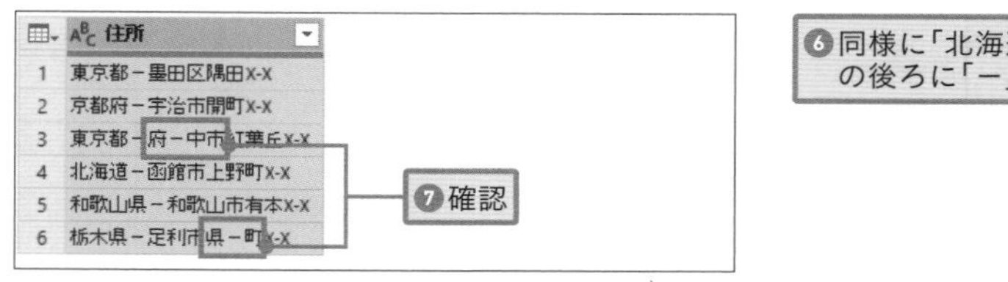

同様に［値の置換］を3回実行して、「北海道」「府」「県」の後ろに全角の「ー」を挿入しておく❻。「府」「県」を含む市区町村にも「ー」が挿入された❼。

▼ 1番左の「ー」を境に列を分割する

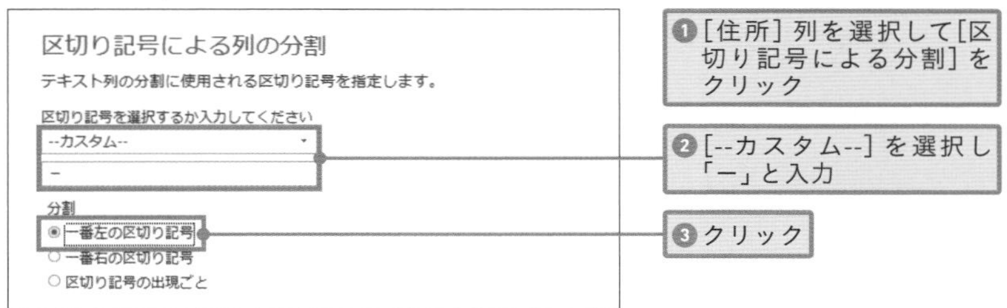

[住所] 列を選択して [ホーム] タブの [列の分割] → [区切り記号による分割] をクリックする❶。区切り記号として [--カスタム--] を選択し全角の「ー」と入力し❷、[一番左の区切り記号] を選択して [OK] をクリックする❸。

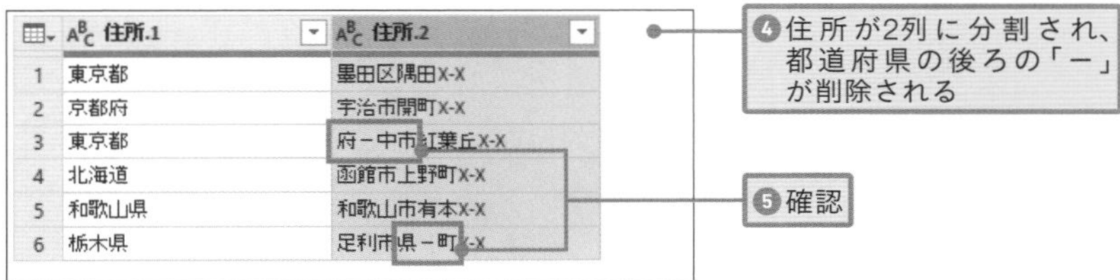

	住所.1	住所.2
1	東京都	墨田区隅田X-X
2	京都府	宇治市開町X-X
3	東京都	府ー中市紅葉丘X-X
4	北海道	函館市上野町X-X
5	和歌山県	和歌山市有本X-X
6	栃木県	足利市県ー町X-X

都道府県と市区町村の2列に分割され、都道府県の後ろの「ー」が削除された❹。市区町村名に含まれる「ー」は残ったままであることを確認する❺。

▼ 市区町村名に残った「ー」を削除する

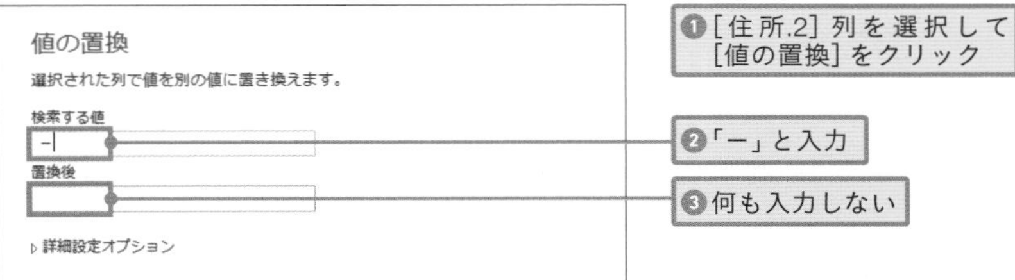

[住所.2] 列を選択して [ホーム] タブの [値の置換] をクリックする❶。[検索する値] 欄に全角の「ー」と入力し❷、[置換後] 欄に何も入力せずに [OK] をクリックする❸。手順❷で誤って半角の「-」を入力すると、番地の「-」が削除されてしまうので注意すること。

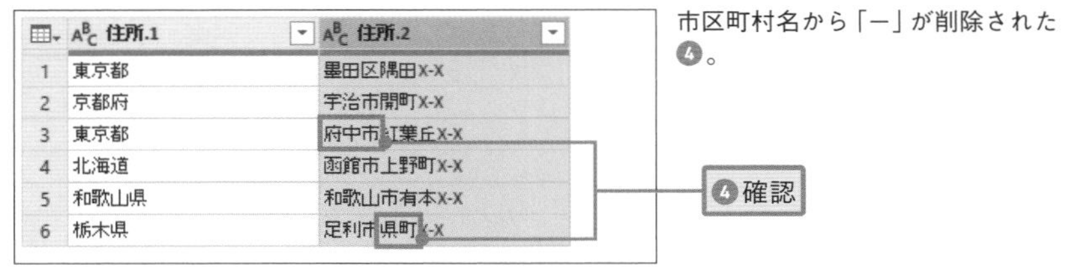

	住所.1	住所.2
1	東京都	墨田区隅田X-X
2	京都府	宇治市開町X-X
3	東京都	府中市紅葉丘X-X
4	北海道	函館市上野町X-X
5	和歌山県	和歌山市有本X-X
6	栃木県	足利市県町X-X

市区町村名から「ー」が削除された❹。

05 データ操作その1 文字列を思いのままに加工しよう

5-8 文字列から一部の文字列を取り出す

文字列の抽出

Sample 0508 文字列抽出 .xlsx

文字列から一部を抽出する

［抽出］を使用すると、位置や文字数、区切り文字を基準として文字列から一部の文字列を取り出せます。ここでは商品コードを分解します。

After

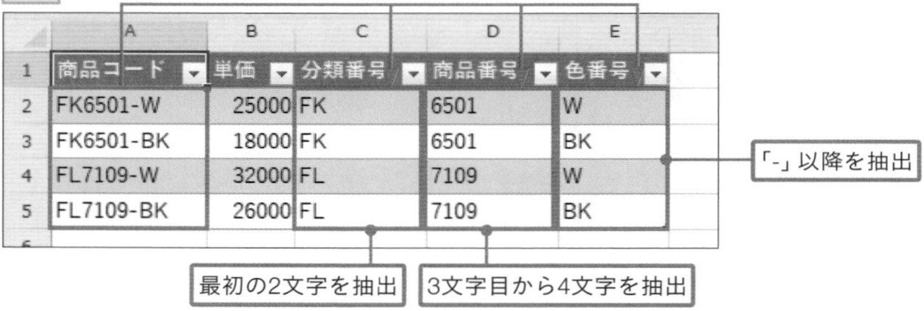

	A	B	C	D	E
1	商品コード	単価	分類番号	商品番号	色番号
2	FK6501-W	25000	FK	6501	W
3	FK6501-BK	18000	FK	6501	BK
4	FL7109-W	32000	FL	7109	W
5	FL7109-BK	26000	FL	7109	BK

「-」以降を抽出

最初の2文字を抽出

3文字目から4文字を抽出

最初の 2 文字を抽出する

［列の追加］タブの［抽出］は、あらかじめ指定した列から文字列を抽出して新しい列を作成する機能です。まずは、［抽出］→［最初の文字］を使用して、［商品コード］列の最初の2文字を抽出してみましょう。

[抽出] から [最初の文字] を実行する

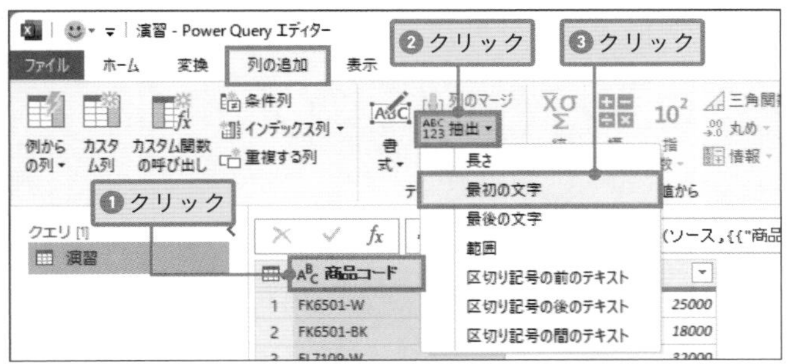

146ページの手順❶を参考に［演習］クエリを表示しておく。［商品コード］の列名をクリックする❶。［列の追加］タブの［抽出］をクリックし❷、［最初の文字］をクリックする❸。

［カウント］欄に「2」と入力して❹、［OK］をクリックする❺。

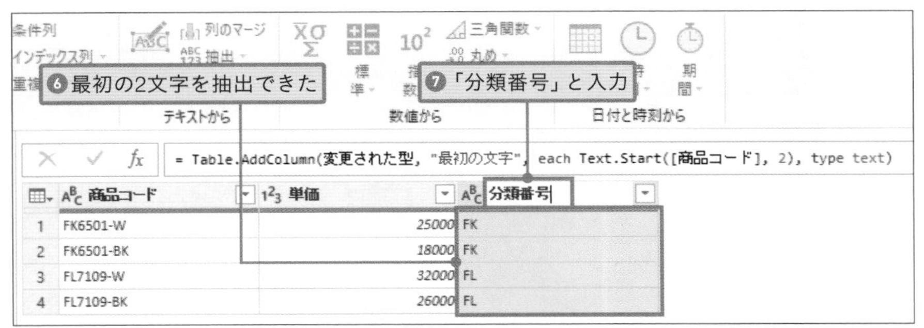

新しい列が追加され、［商品コード］の最初の2文字が表示される❻。列には自動で「最初の文字」という名前が付けられる。列名をダブルクリックし、「分類番号」と入力して Enter を押す❼。

抽出直後に数式バーで列名の文字列（ここでは「最初の文字」）の部分を、新たな列名（ここでは「分類番号」）で上書きすると、列名を変更できます。手順❼を実行すると［名前が変更された列］ステップが追加されますが、こちらの方法ではステップ数を増やさずに済みます。

知っておくと便利　元データの列に直接抽出するには

［変換］タブの［抽出］を使用すると、あらかじめ選択した列に直接抽出結果が表示されます。元のデータを残したい場合は［列の追加］タブの［抽出］、残さなくてよい場合は［変換］タブの［抽出］と使い分けます。

3文字目から4文字を抽出する

［抽出］→［範囲］を使用すると、開始インデックスと文字数を指定して抽出を行えます。開始インデックスは、最初の文字を「0」と数えた数値です。例えば3文字目から抽出を開始する場合は「2」を指定します。

[抽出]から[範囲]を実行する

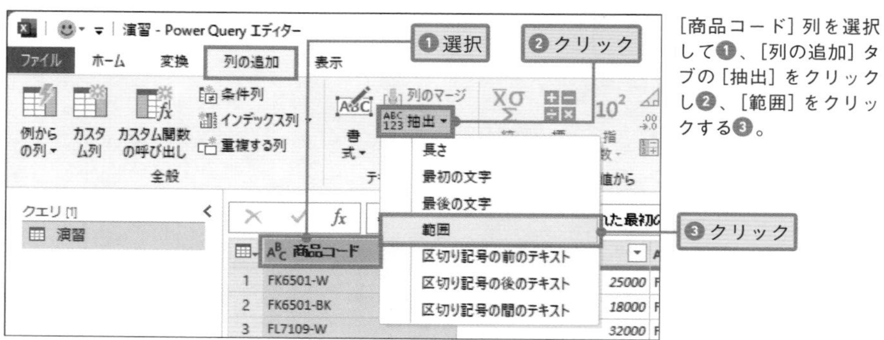

［商品コード］列を選択して❶、［列の追加］タブの［抽出］をクリックし❷、［範囲］をクリックする❸。

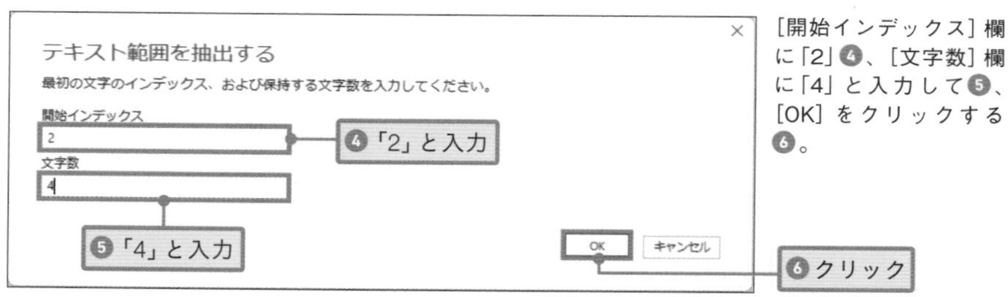

［開始インデックス］欄に「2」❹、［文字数］欄に「4」と入力して❺、［OK］をクリックする❻。

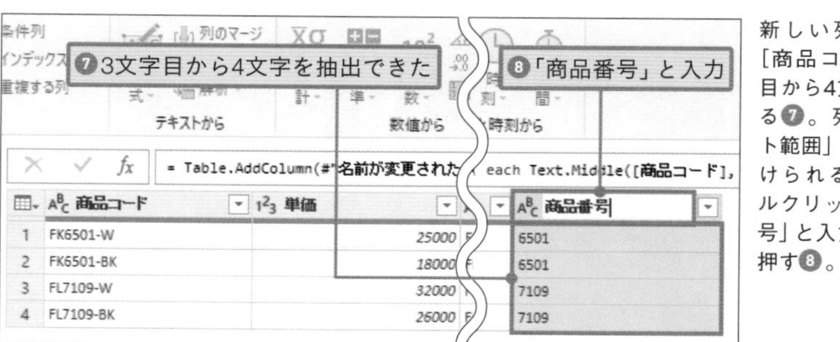

新しい列が追加され、［商品コード］の3文字目から4文字が表示される❼。列には「テキスト範囲」という名前が付けられる。列名をダブルクリックし、「商品番号」と入力して Enter を押す❽。

商品コードの文字数は8～9文字とバラバラですが、手順❹の画面で［開始インデックス］欄に「2」、［文字数］欄に多めの「10」を指定すると、「6501-W」「6501-BK」のように［商品コード］の3文字目から末尾までの文字列を取り出せます。

最後の「-」以降を抽出する

［抽出］→［区切り記号の後のテキスト］を使用すると、指定した文字より後の文字列を抽出できます。ここでは［商品コード］の「-」以降を抽出します。

［抽出］から［区切り記号の後のテキスト］を実行する

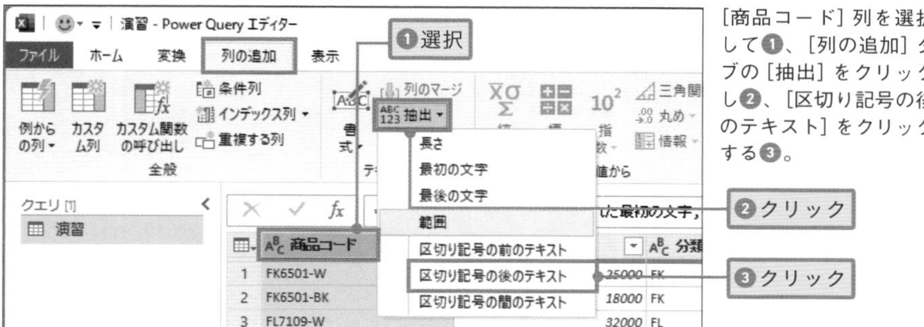

［商品コード］列を選択して❶、［列の追加］タブの［抽出］をクリックし❷、［区切り記号の後のテキスト］をクリックする❸。

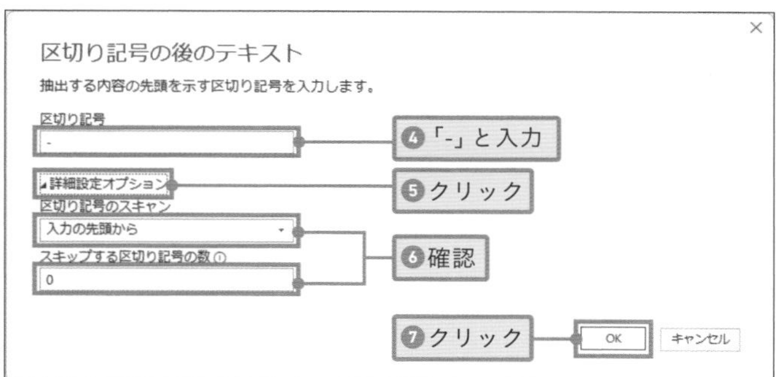

［区切り記号］欄に半角で「-」と入力する❹。［詳細設定オプション］をクリックして❺、［区切り記号のスキャン］欄に［入力の先頭から］、［スキップする区切り記号の数］欄に「0」が指定されていることを確認して❻、［OK］をクリックする❼。

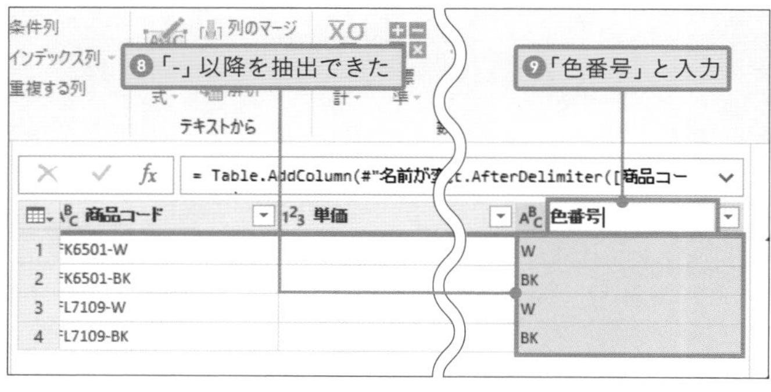

新しい列が追加され、［商品コード］の「-」以降の文字列が表示される❽。列名をダブルクリックし、「色番号」と入力して Enter を押す❾。［ホーム］タブの［閉じて読み込む］をクリックしておく。

区切り記号による抽出の［詳細設定オプション］

［詳細設定オプション］の［区切り記号のスキャン］欄では、区切り記号を検索する方向を指定します。また［スキップする区切り記号の数］欄では、無視する区切り記号の数を指定します。下表は、［区切り記号の前のテキスト］を実行した場合の結果です。元データは「AB-CD-EF-GH」、区切り記号は「-」とします。

▼［区切り記号の前のテキスト］の実行結果

区切り記号のスキャン	スキップする区切り記号の数	抽出結果	抽出の基準
入力の先頭から	0	AB	前から1つ目の「-」
入力の先頭から	1	AB-CD	前から2つ目の「-」
入力の末尾から	0	AB-CD-EF	後から1つ目の「-」
入力の末尾から	1	AB-CD	後から2つ目の「-」

［抽出］の種類

［抽出］のサブメニューには、7つの項目があります。下表に、元データが「AB-CD/EF」の場合の抽出結果をまとめます。［詳細設定オプション］は初期値のままとします。

▼「AB-CD/EF」の抽出結果

種類	指定項目	結果	説明
長さ	指定項目なし	8	文字数が求められる
最初の文字	カウント：2	AB	文字列の先頭から2文字が抽出される
最後の文字	カウント：2	EF	文字列の末尾から2文字が抽出される
範囲	開始インデックス：3 文字数：2	CD	最初の文字を「0」とした3文字目（実際には4文字目）から2文字抽出される
区切り記号の前のテキスト	区切り記号：/	AB-CD	「/」より前の文字が抽出される
区切り記号の後のテキスト	区切り記号：/	EF	「/」より後の文字が抽出される
区切り記号の間のテキスト	開始区切り記号：- 終了区切り記号：/	CD	「-」と「/」の間の文字が抽出される

Chapter

06

データ操作その2
数値や日付をもとに計算しよう

この章では、数値と日付の加工や計算方法を解説します。「消費税を計算して端数を切り捨てたい」「売上を月ごとにまとめて集計したい」「勤務時間を求めて時給計算したい」……。そんなときに必要になる数値と日付のテクニックが満載です。

6-1

数値や日付の計算の概要

四則演算、日付の変換、時間の計算、条件列の設定

数値の操作

この章では、数値の操作に関する以下のようなテクニックを紹介します。

- 表に連番の列を挿入する（→178ページ）
- 数値の頭に「0」を付けて桁合わせをする（→180ページ）
- 四則演算する（→183ページ）

▼本章で行う四則演算

売上高から売上原価を引いて粗利益を求める

	A	B	C	D	E	F	G
1	日付	顧客	売上高	売上原価	粗利益	消費税	
2	2024/9/2	株式会社橘デンキ	2,399,790	1,679,850	719,940	239,979	
3	2024/9/5	銀杏食品株式会社	2,416,710	1,740,030	676,680	241,671	
4	2024/9/8	株式会社楠マート	571,300	411,330	159,970	57,130	
5	2024/9/10	株式会社松商会	1,454,840	1,032,930	421,910	145,484	
6	2024/9/13	株式会社橘デンキ	3,315,830	2,453,710	862,120	331,583	
7	2024/9/13	株式会社黒松	3,754,440	2,890,910	863,530	375,444	

売上高に0.1を掛けて消費税を求める

- 自分で式を立てて計算する（→188ページ）

▼本章で行う計算式の設定

	A	B	C	D	E	F
1	商品番号	商品名	定価	割引率	割引価格	
2	MS-0903	メタルラック3段	7,580	30%	5,306	
3	MS-0904	メタルラック4段	7,580	30%	5,306	
4	MS-0905	メタルラック5段	6,780	30%	4,746	
5	MS-1001	ハンガーラック	4,650	20%	3,720	
6	MS-1002	ランドリーラック	12,800	20%	10,240	
7	MS-2001	パソコンラック	11,580	20%	9,264	
8	MS-2002	テレビラック	3,500	20%	2,800	

「定価×（1－割引率）」を計算した［割引価格］という列を作成する

- 小数点以下の端数を処理する（→194ページ）

日付／時刻の操作

日付や時刻の操作に関して、以下のようなテクニックを紹介します。

- 8桁の数字を日付に変換する（→198ページ）
- 日付から年や月、年齢を求める（→201ページ）

▼本章で行う日付の操作

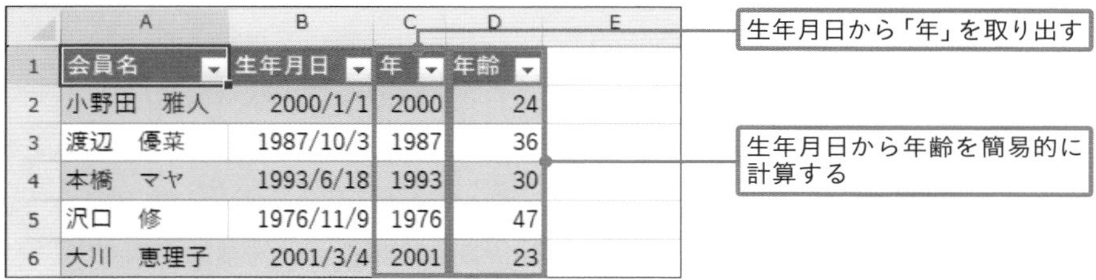

	A	B	C	D	E
1	会員名	生年月日	年	年齢	
2	小野田　雅人	2000/1/1	2000	24	
3	渡辺　優菜	1987/10/3	1987	36	
4	本橋　マヤ	1993/6/18	1993	30	
5	沢口　修	1976/11/9	1976	47	
6	大川　恵理子	2001/3/4	2001	23	

生年月日から「年」を取り出す
生年月日から年齢を簡易的に計算する

- 経過時間や経過日数を求める（→206ページ）

▼本章で行う時刻の操作

	A	B	C	D	E
1	氏名	出勤時刻	退勤時刻	勤務時間	
2	成登　由奈	9:00:00	17:30:00	8.5	
3	及川　健介	10:00:00	18:00:00	8	
4	松井　美優	9:15:00	17:30:00	8.25	
5	関根　誠	12:30:00	20:00:00	7.5	
6	杉本　夏美	9:00:00	18:30:00	9.5	

「退勤時刻－出勤時刻」で経過時間を算出して、時間単位で表示する

条件列の設定

特定の列の値が条件に当てはまるかどうかで、別の列に表示する値を切り替えることができます（→209ページ）。

▼本章で行う条件列の設定

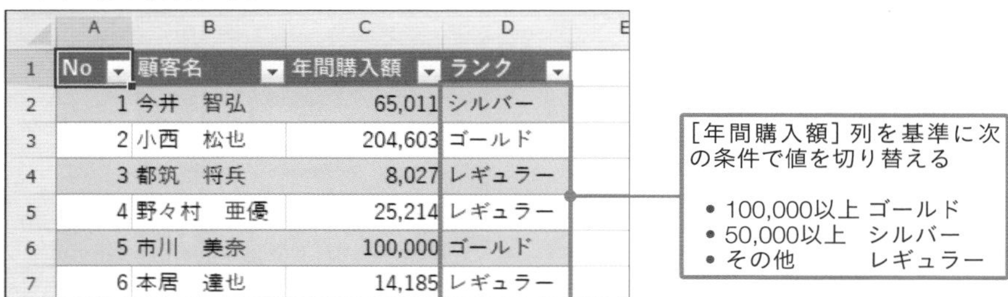

	A	B	C	D	E
1	No	顧客名	年間購入額	ランク	
2	1	今井　智弘	65,011	シルバー	
3	2	小西　松也	204,603	ゴールド	
4	3	都筑　将兵	8,027	レギュラー	
5	4	野々村　亜優	25,214	レギュラー	
6	5	市川　美奈	100,000	ゴールド	
7	6	本居　達也	14,185	レギュラー	

［年間購入額］列を基準に次の条件で値を切り替える
• 100,000以上 ゴールド
• 50,000以上 シルバー
• その他 レギュラー

6-2

[インデックス列]を使用して表に連番の列を追加する

連番の表示、インデックス列

Sample 0602_インデックス.xlsx

表に連番を表示する

[列の追加] タブにある [インデックス列] を使用すると、連番の列を追加できます。0からはじまる連番、1からはじまる連番、任意の数値からはじまる連番と、3種類の連番が用意されています。ここでは表に1からはじまる連番を追加します。表の右端に「インデックス」という列名で追加されるので、適宜移動と列名変更を行います。

After

	A	B	C	D	E
1	No	氏名	シメイ	入社年	
2	1	市村　亮	イチムラ　リョウ	1998	
3	2	及川　舞子	オイカワ　マイコ	2003	
4	3	工藤　省吾	クドウ　ショウゴ	2007	
5	4	園山　絵梨	ソノヤマ　エリ	2012	
6	5	手越　愛	テゴシ　アイ	2018	
7	6	堀井　雅也	ホリイ　マサヤ	2020	
8	7	山口　望	ヤマグチ　ノゾミ	2024	

1からはじまる連番を挿入する

[インデックス列]を使用して連番を表示する

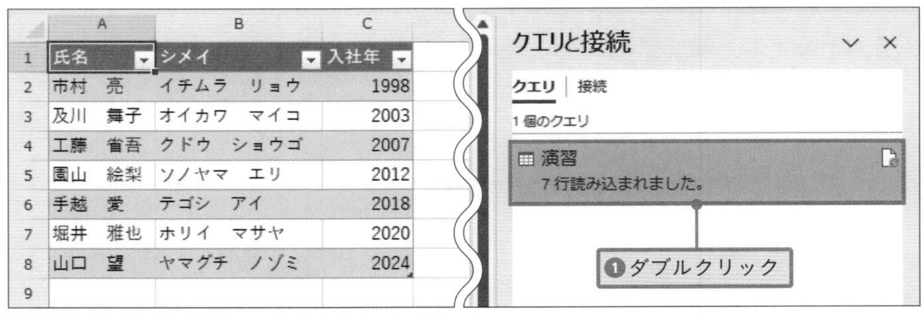

	A	B	C
1	氏名	シメイ	入社年
2	市村　亮	イチムラ　リョウ	1998
3	及川　舞子	オイカワ　マイコ	2003
4	工藤　省吾	クドウ　ショウゴ	2007
5	園山　絵梨	ソノヤマ　エリ	2012
6	手越　愛	テゴシ　アイ	2018
7	堀井　雅也	ホリイ　マサヤ	2020
8	山口　望	ヤマグチ　ノゾミ	2024
9			

サンプルファイルを開き、[クエリと接続] 作業ウィンドウ（表示方法は39ページの「知っておくと便利」参照）で [演習] クエリをダブルクリックする❶。もしくは [演習] シートのテーブル内のセルを選択して、[クエリ] タブの [編集] をクリックしてもよい。

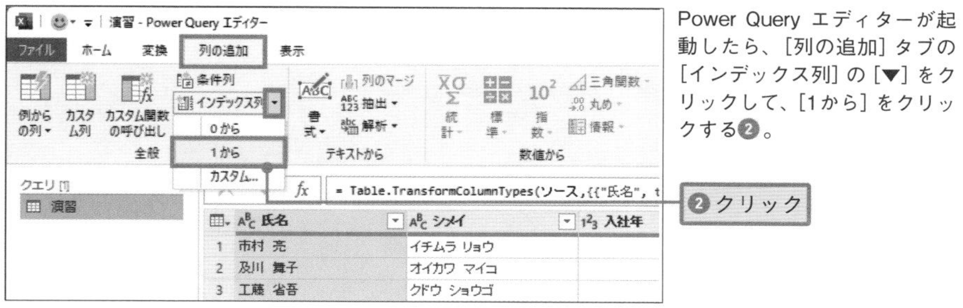

Power Query エディターが起動したら、[列の追加] タブの [インデックス列] の [▼] をクリックして、[1から] をクリックする❷。

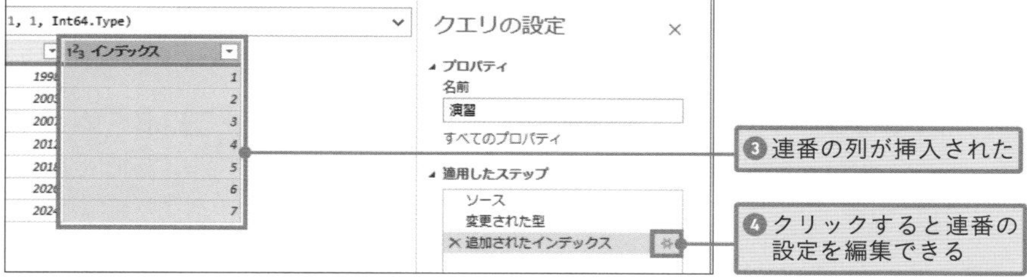

1からはじまる連番の列が挿入される❸。[適用したステップ] 欄に [追加されたインデックス] ステップが追加される。このステップをダブルクリックするか、その右の歯車のアイコン(⚙)をクリックすると、下の「知っておくと便利」のような設定画面が表示され、連番の設定を修正できる❹。

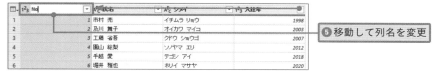

	No	氏名	シメイ	入社年
1	1	市村 亮	イチムラ リョウ	1998
2	2	及川 舞子	オイカワ マイコ	2003
3	3	工藤 省吾	クドウ ショウゴ	2007
4	4	園山 絵梨	ソノヤマ エリ	2012
5	5	手越 愛	テゴシ アイ	2018
6	6	堀井 雅也	ホリイ マサヤ	2020

❺移動して列名を変更

列名の部分をドラッグして表の左端に移動し、ダブルクリックして「No」と入力して Enter を押す❺。[ホーム] タブの [閉じて読み込む] をクリックして、ワークシートに読み込んでおく。

知っておくと便利　1001からはじまる連番や「10、20、30……」の連番の作成

手順❷のメニューから [カスタム] をクリックすると右図の設定画面が開きます。[開始インデックス] [増分] 欄にそれぞれ「1001」「1」を指定すると1001からはじまる連番、「10」「10」を指定すると「10、20、30」の連番を作成できます。

▼「1001、1002、1003」の連番の設定

インデックス列の追加

指定された開始インデックスおよび増分を含む

開始インデックス

1001

増分

1

6-3

数値の頭に「0」を付けて5桁に揃えて表示する

桁数の統一、ゼロ埋め

Sample 0603_ゼロ埋め.xlsx

ゼロ埋めして桁を揃える

数値の前に「0」を埋めて桁を揃える「ゼロ埋め」(ゼロパディング)も、パワークエリではメニュー操作だけで行えます。実行後の数値は[テキスト]型に変更されるため、四則演算などは行えなくなります。ここでは[伝票番号]列の数値を5桁に揃えます。

Before

	A	B	C	D	E
1	顧客名	伝票番号	日付	請求額	
2	株式会社椿フーズ	1	2024/9/1	1,422,400	
3	株式会社椿フーズ	13	2024/9/2	966,400	
4	株式会社椿フーズ	196	2024/9/28	2,175,200	
5	橘製菓株式会社	2	2024/9/1	1,209,200	
6	橘製菓株式会社	36	2024/9/6	2,317,800	
7	橘製菓株式会社	166	2024/9/24	4,483,900	
8	銀杏マート株式会社	3	2024/9/1	2,265,000	
9	銀杏マート株式会社	109	2024/9/16	4,587,100	
10	銀杏マート株式会社	128	2024/9/19	4,588,400	
11	銀杏マート株式会社	205	2024/9/30	576,700	

[伝票番号]列に数値が入力されている

After

	A	B	C	D	E
1	顧客名	伝票番号	日付	請求額	
2	株式会社椿フーズ	00001	2024/9/1	1422400	
3	株式会社椿フーズ	00013	2024/9/2	966400	
4	株式会社椿フーズ	00196	2024/9/28	2175200	
5	橘製菓株式会社	00002	2024/9/1	1209200	
6	橘製菓株式会社	00036	2024/9/6	2317800	
7	橘製菓株式会社	00166	2024/9/24	4483900	
8	銀杏マート株式会社	00003	2024/9/1	2265000	
9	銀杏マート株式会社	00109	2024/9/16	4587100	
10	銀杏マート株式会社	00128	2024/9/19	4588400	
11	銀杏マート株式会社	00205	2024/9/30	576700	

数値の先頭に「0」を追加して5桁で表示する

[プレフィックスの追加]と[抽出]を利用する

数値を5桁に揃えるには、[プレフィックスの追加]を利用して数値の前に「0」を4つ追加したあと、[抽出]を利用して末尾5桁を抜き出します。

[プレフィックスの追加]で「0」を 4 つ追加する

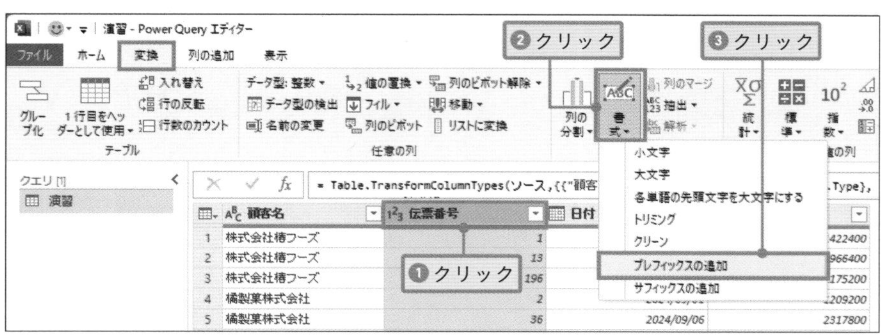

178ページの手順❶を参考に[演習]クエリを表示しておく。[伝票番号]の列名をクリックして列を選択する❶。[変換]タブの[書式]をクリックし❷、[プレフィックスの追加]をクリックする❸。

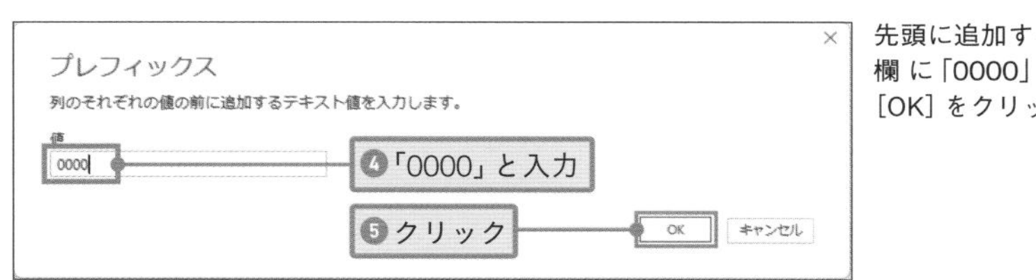

先頭に追加する値として[値]欄に「0000」を入力し❹、[OK]をクリックする❺。

[伝票番号]列が[テキスト]型に変わり❻、数値の前に「0」が4つ付く❼。

06 データ操作その2 数値や日付をもとに計算しよう

[抽出]を使用して末尾から5桁を取り出す

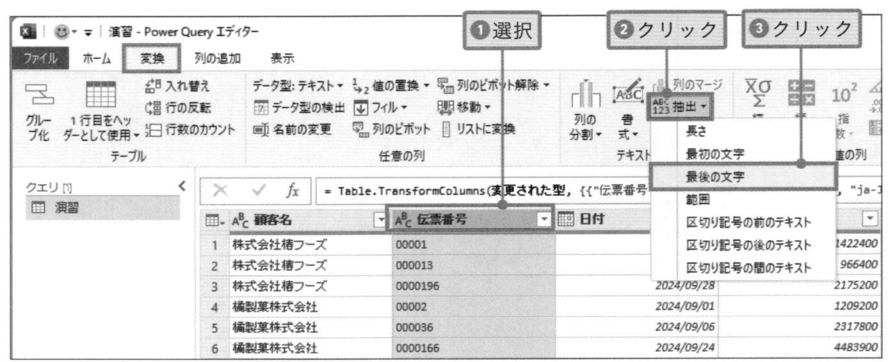

引き続き［伝票番号］列を選択しておく❶。［変換］タブの［抽出］をクリックし❷、［最後の文字］をクリックする❸。

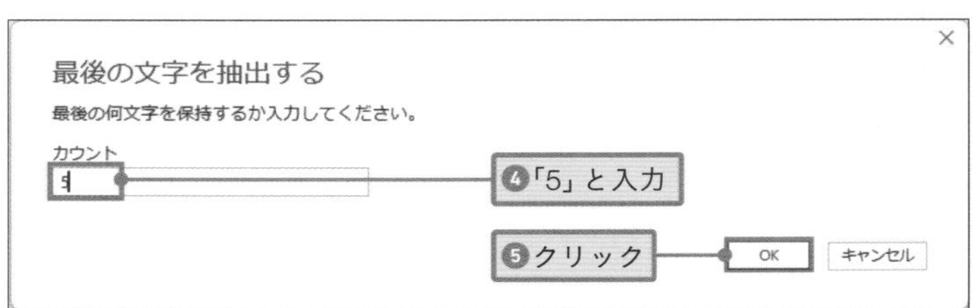

末尾から取り出す文字数として［カウント］欄に「5」と入力し❹、［OK］をクリックする❺。

	顧客名	伝票番号	日付	請求額
1	株式会社椿フーズ	00001	2024/09/01	1422400
2	株式会社椿フーズ	00013	2024/09/02	966400
3	株式会社椿フーズ	00196	2024/09/28	2175200
4	橘製菓株式会社	00002	2024/09/01	1209200
5	橘製菓株式会社	00036	2024/09/06	2317800
6	橘製菓株式会社	00166	2024/09/24	4483900
7	銀杏マート株式会社	00003	2024/09/01	2265000
8	銀杏マート株式会社	00109	2024/09/16	4587100
9	銀杏マート株式会社	00128	2024/09/19	4588400
10	銀杏マート株式会社	00205	2024/09/30	576700
11	株式会社楠食品	00004	2024/09/01	1271400
12	株式会社楠食品	00023	2024/09/04	3171200
13	株式会社楠食品	00086	2024/09/13	3349600

❻数値が5桁で表示された

末尾から5文字が取り出されて、数値が5桁で表示される❻。［ホーム］タブの［閉じて読み込む］をクリックして、ワークシートに読み込んでおく。

6-4 列の数値を使用して四則演算する

四則演算

Sample 0604_ 四則演算 .xlsx

数値の列から四則演算する

パワークエリでは［列の追加］タブの［標準］を使用すると、数式を使うことなく2つの数値から加算や減算、乗算などの四則演算を行えます。1つ目の数値として列を指定し、2つ目の数値として列または値を指定します。ちなみに加算と乗算は3列以上の数値から計算することも可能です。

ここでは［売上高］［売上原価］の2列から「売上高－売上原価」を計算して粗利益を求めます。また、［売上高］列と「0.1」という値から「売上高×0.1」を計算して消費税を求めます。

After

売上高から売上原価を引いて粗利益を求める

	A	B	C	D	E	F	G	H	I
1	日付	顧客	売上高	売上原価	粗利益	消費税			
2	2024/9/2	株式会社橘デンキ	2,399,790	1,679,850	719,940	239,979			
3	2024/9/5	銀杏食品株式会社	2,416,710	1,740,030	676,680	241,671			
4	2024/9/8	株式会社楠マート	571,300	411,330	159,970	57,130			
5	2024/9/10	株式会社松商会	1,454,840	1,032,930	421,910	145,484			
6	2024/9/13	株式会社橘デンキ	3,315,830	2,453,710	862,120	331,583			
7	2024/9/13	株式会社黒松	3,754,440	2,890,910	863,530	375,444			

売上高に0.1を掛けて消費税を求める

知っておくと便利　読み込んだテーブルに表示形式を設定する

上図の［売上高］から［消費税］までのセルには、Excelの［ホーム］タブの［数値］グループにある［桁区切りスタイル］（,）を使用して3桁区切りのコンマを表示しています。データを更新しても表示形式の設定はそのまま残ります。この節以降の「After」のサンプルには、3桁区切りなどの表示形式が設定してあります。

2つの列から減算を行う

［売上高］列の数値から［売上原価］列の数値を引くには、最初に［売上高］列、次に［売上原価］列を選択して［標準］のメニューから［減算］を実行します。列選択の順序を間違えると、正しく計算できないので注意してください。

「売上高ー売上原価」を計算する

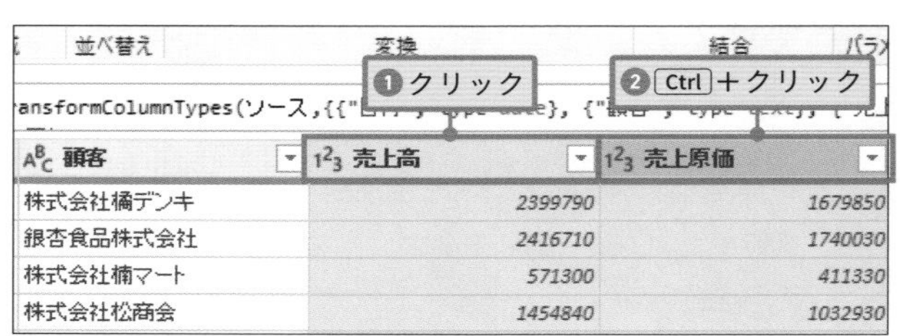

178ページの手順❶を参考に［演習］クエリを表示しておく。［売上高］の列名をクリックし❶、Ctrlを押しながら［売上原価］の列名をクリックして❷、売上高、売上原価の順に2列選択する。

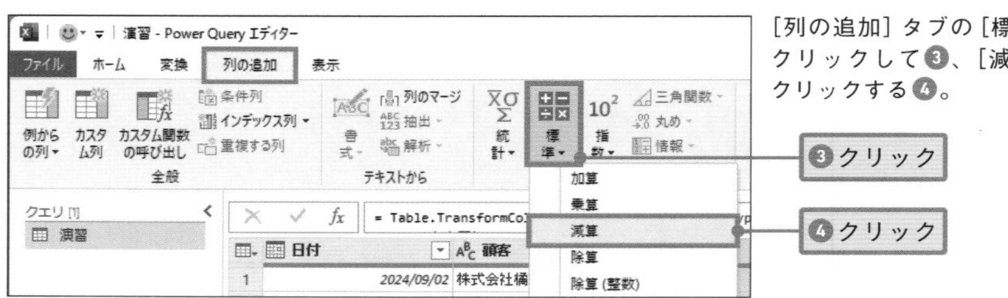

［列の追加］タブの［標準］をクリックして❸、［減算］をクリックする❹。

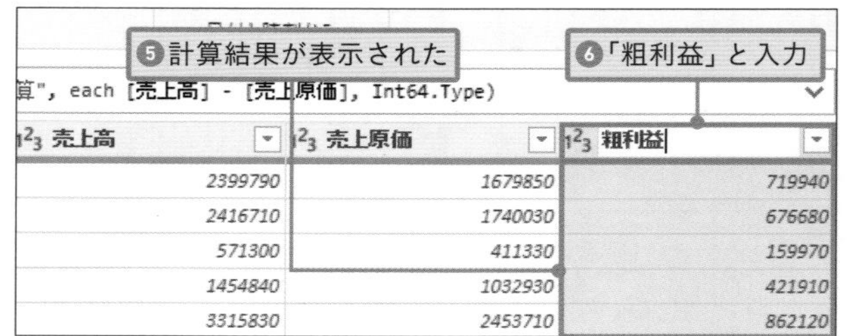

新しい列に計算結果が表示され❺、［適用したステップ］欄に［挿入された引き算］ステップが追加される。列名が「減算」になるので、ダブルクリックして「粗利益」と入力し、Enterを押す❻。

知っておくと便利　「null」は事前に「0」にしておく

「null」と表示されたセルを使用して四則演算すると、結果が「null」になります。「null」を0として計算したい場合は、あらかじめ146ページを参考に［値の置換］を実行し、［検索する値］欄に「null」、［置換後］欄に「0」と入力して「null」を「0」に置き換えてください。

1つの列と値から乗算を行う

列を1つだけ選択して［標準］のメニューから計算の種類を選ぶと、2つ目の数値を指定するための設定画面が表示されます。例えば［売上高］列を選択して［標準］→［乗算］を実行し、設定画面で「0.1」と入力すると、「売上高×0.1」が求められます。

「売上高× 0.1」を計算する

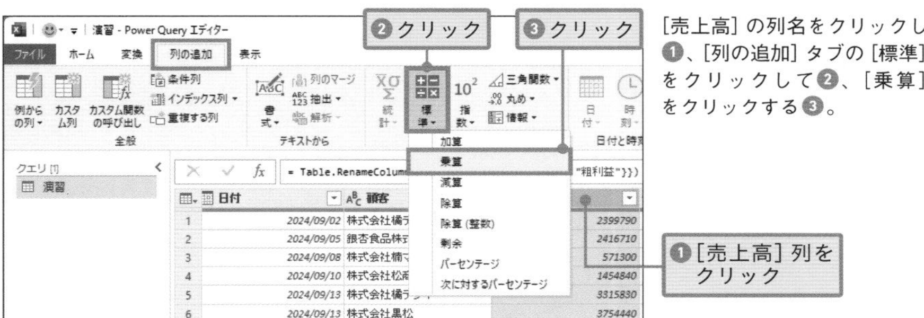

［売上高］の列名をクリックし❶、［列の追加］タブの［標準］をクリックして❷、［乗算］をクリックする❸。

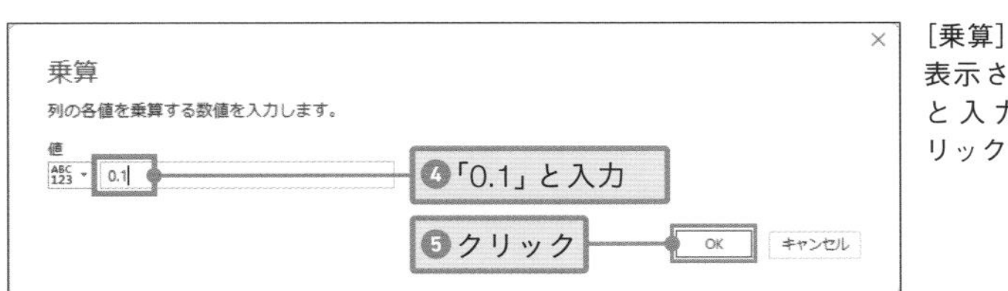

［乗算］ダイアログボックスが表示される。［値］欄に「0.1」と入力して❹、［OK］をクリックする❺。

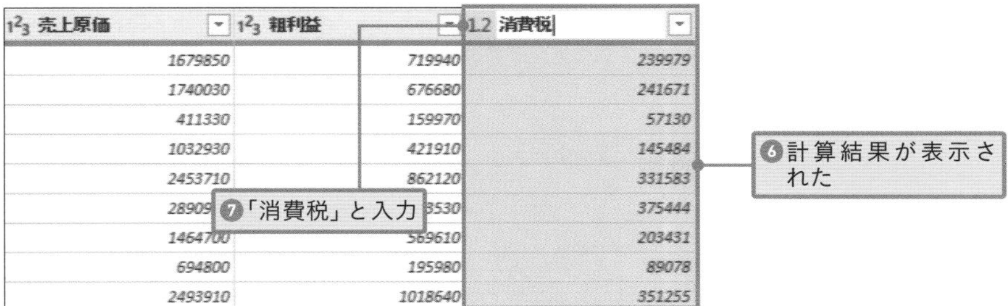

新しい列に計算結果が表示され❻、［適用したステップ］欄に［挿入された乗算］ステップが追加される。列名が「乗算」になるので、ダブルクリックして「消費税」と入力し、Enterを押す❼。［ホーム］タブの［閉じて読み込む］をクリックして、ワークシートに読み込んでおく。

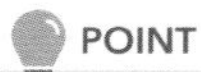

[標準]メニューの計算の種類

[列の追加]タブの[標準]のメニューには、下表の種類があります。[パーセンテージ]は、1列を選択した状態で実行します。[加算]と[乗算]は1列以上、そのほかの項目は1列または2列を選択した状態で実行します。

▼計算の種類と計算例

メニュー項目	1列目	2つ目の列または値	計算結果
加算	7	2	9
乗算	7	2	14
減算	7	2	5
除算	7	2	3.5
除算(整数)	7	2	3(「7÷2＝3余り1」の商)
剰余	7	2	1(「7÷2＝3余り1」の余り)
パーセンテージ	20	50(ダイアログボックスで「50」を指定)	10(20×50÷100＝10、20の50%が求められる)
次に対するパーセンテージ	10	20	50(10÷20×100＝50、20に対する10のパーセンテージが求められる)

知っておくと便利 [統計]メニューで行ごとの合計や平均を求める

Sample 0604_コラム_統計.xlsx

2列以上を選択して[列の追加]タブの[統計]のメニューから計算の種類を選ぶと、行ごとの合計や平均、最大値、最小値などを求めることができます。

▼[統計]を使用した計算

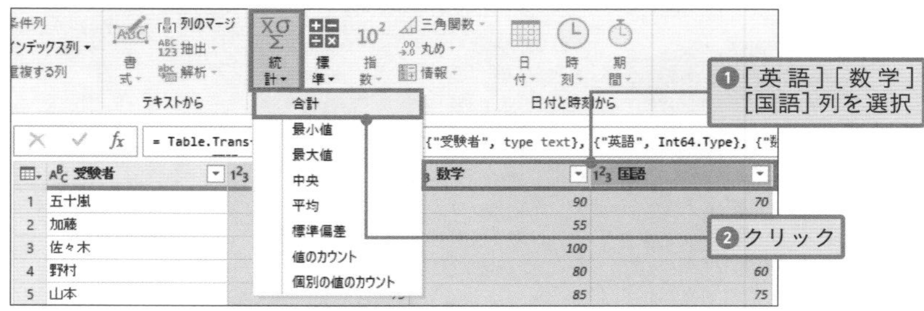

[英語][数学][国語]列を選択しておき❶、[列の追加]タブの[統計]→[合計]をクリックすると❷、新しい列が挿入され、行ごとに「英語＋数学＋国語」の計算結果が表示される。

知っておくと便利 [変換] タブのメニューで計算すると値が置き換わる

Sample 0604_コラム_変換.xlsx

[変換] タブにも [標準] のメニューがあります。これを使用して加算や乗算を行うと、選択した列の値が置き換わります。[単価] を一律に100円アップしたい、というようなときに使用します。事前に選択する列は1列のみです。

▼ [単価]列の各数値に「100」を加算する

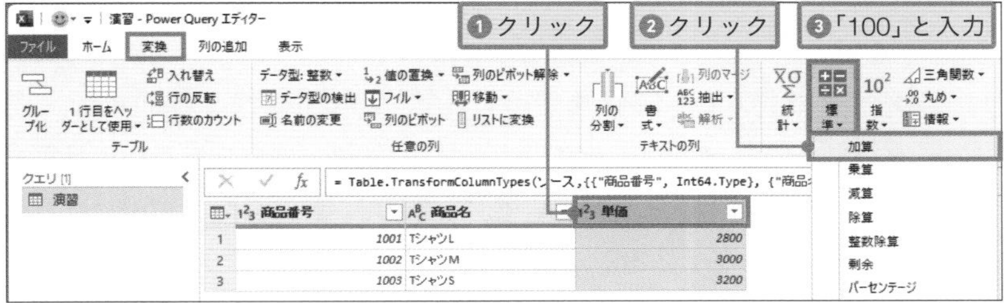

[単価] 列を選択し❶、[変換] タブの [標準] をクリックし、[加算] をクリックする❷。[加算] ダイアログボックスが開くので「100」と入力して Enter を押す❸。

	1²₃ 商品番号	Aᴮc 商品名	1.2 単価
1	1001	Tシャツ L	2900
2	1002	Tシャツ M	3100
3	1003	Tシャツ S	3300

❹各数値に100が加算された

[単価] 列の各数値に100が加算される❹。

なお、[列の追加] タブの [統計] のメニューでは行ごとの合計や平均が求められるのに対して、[変換] タブの [統計] のメニューでは、選択した列の合計や平均が求められます。下図は、上の手順❹の状態で [単価] 列を選択して、[変換] タブ→ [統計] → [平均] をクリックした結果の画面です。[単価] 列の平均値が1つだけ表示されます。その使い道は190ページで紹介します。

▼ [単価]列の平均値を表示する

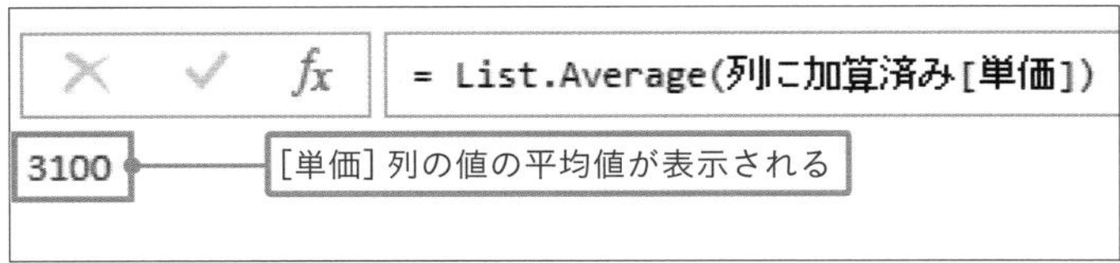

6-5

[カスタム列]を使用して自由に計算する

任意の計算、計算結果の列の作成、カスタム列

Sample 0605_ カスタム列 .xlsx

表に任意の計算結果の列を追加する

[列の追加] タブの [カスタム列] を使用すると、「+、ー、*、/」などの演算子を使用した任意の計算式を設定できます。ここでは「定価×(1ー割引率)」の計算を行います。[カスタム列] による計算では結果が [すべて] 型(ABC123)になるので、計算後に適切なデータ型に変更してください。

After

	A	B	C	D	E
1	商品番号	商品名	定価	割引率	割引価格
2	MS-0903	メタルラック3段	7,580	30%	5,306
3	MS-0904	メタルラック4段	7,580	30%	5,306
4	MS-0905	メタルラック5段	6,780	30%	4,746
5	MS-1001	ハンガーラック	4,650	20%	3,720
6	MS-1002	ランドリーラック	12,800	20%	10,240
7	MS-2001	パソコンラック	11,580	20%	9,264
8	MS-2002	テレビラック	3,500	20%	2,800
9	PT-0101	ラック用シート	820	10%	738

「定価×(1ー割引率)」を計算した[割引価格]という列を作成する

[カスタム列]を使用して計算する

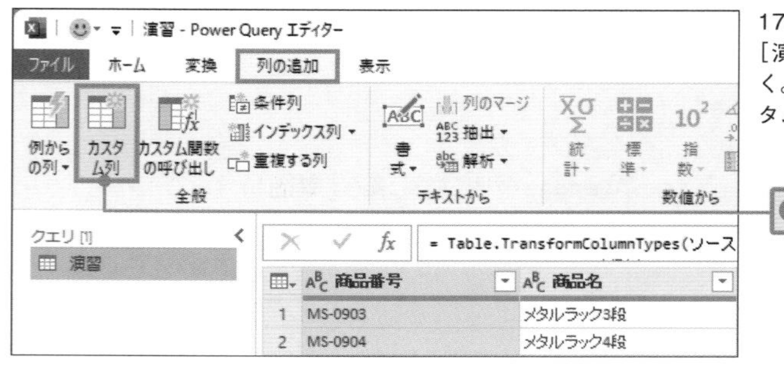

❶クリック

178ページの手順❶を参考に[演習] クエリを表示しておく。[列の追加] タブの [カスタム列] をクリックする❶。

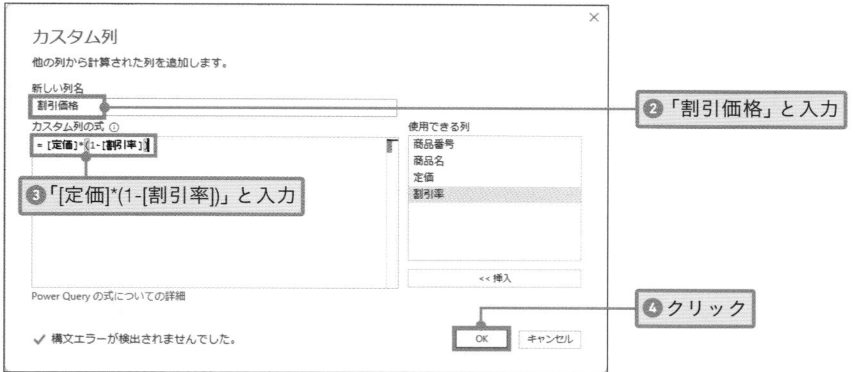

[カスタム列] ダイアログボックスが開く。[新しい列名] 欄に「割引価格」と入力する❷。[カスタム列の式] 欄に「=」が表示されるので、続けて「[定価]*(1-[割引率])」と入力する❸。記号はすべて半角で入力すること。「[定価]」「[割引率]」など、半角の角カッコで囲まれた列名は、右のボックスからダブルクリックで入力できる。最後に [OK] をクリックする❹。

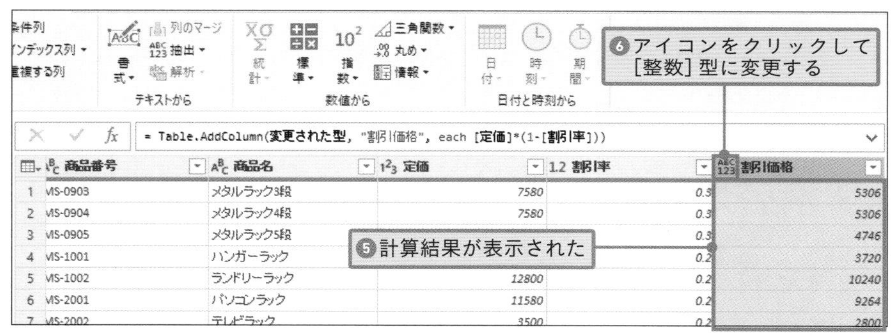

新しい列に計算結果が表示され❺、[適用したステップ] 欄に [追加されたカスタム] ステップが追加される。データ型が [すべて] 型になるので、アイコンをクリックして一覧から [整数] 型を選択する❻。[ホーム] タブの [閉じて読み込む] をクリックして、ワークシートに読み込んでおく。

一般の計算式と同様に「*」や「/」が「+」や「−」より優先的に計算されますが、丸カッコで囲むことにより優先順位を変更できます。例えば「1+2*3」では「2*3」が優先されて結果は「7」ですが、「(1+2)*3」では「1+2」が優先されて結果は「9」になります。

手順❺の計算結果はすべて整数ですが、小数点以下に数値がある場合、[整数] 型に変更すると偶数丸めが行われます。端数の処理方法や偶数丸めについては、次節を参照してください。

STEP UP

各商品の売上を売上合計で割って売上構成比を求める

Sample 0605_ コラム _ 構成比 .xlsx

各商品の売上合計に占める割合(売上構成比)を求めてみましょう。売上合計は、[変換] タブの [統計] → [合計] から求めます。そのステップ名(ここでは「計算された合計」)を合計値の名前として使用し、「= [売上]/計算された合計」という式を立てると、売上構成比が求められます。

▼売上合計を求める

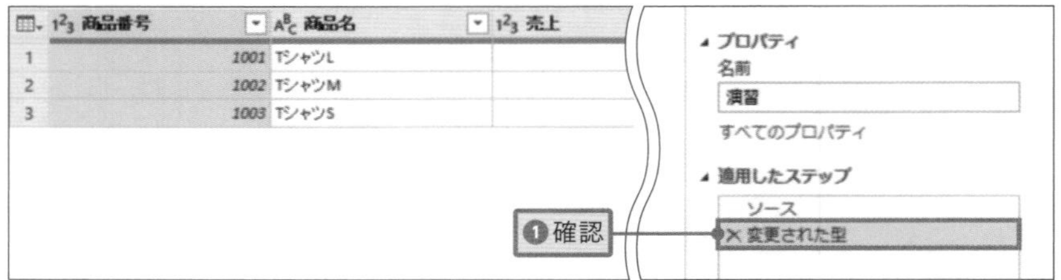

現在の最終ステップの名前が「変更された型」であることを確認しておく❶。

[売上] 列を選択し❷、[変換] タブ→ [統計] → [合計] をクリックする❸。

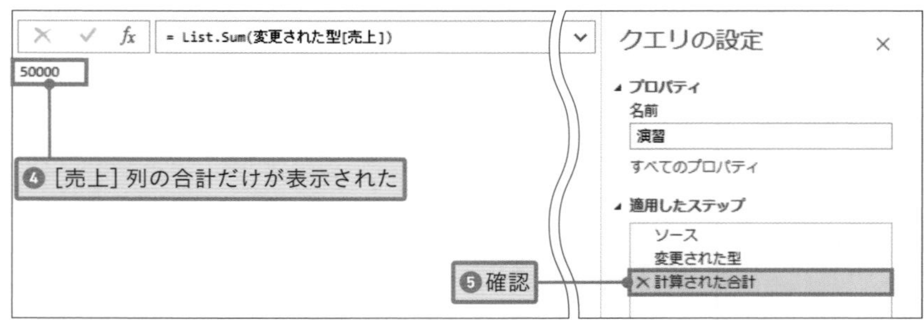

[売上] 列の合計だけが表示され❹、[計算された合計] ステップが追加される❺。このステップ名を売上構成比の計算に使用する。

▼ [変更された型]ステップに戻る

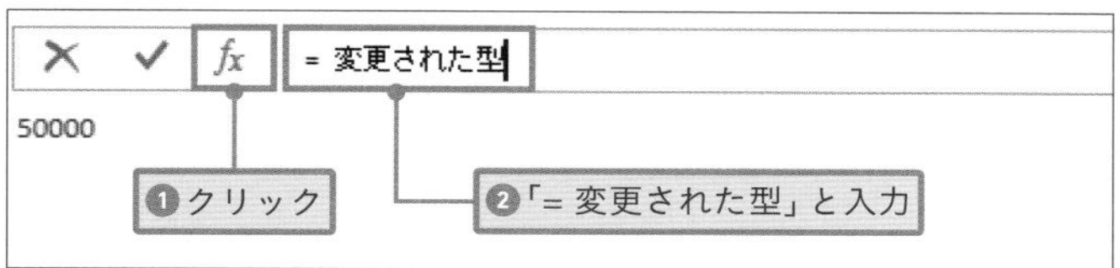

[ステップの追加]（「fx」のアイコン）をクリックすると❶、「= 計算された合計」と表示されるので、「= 変更された型」と入力し直して Enter を押す❷。

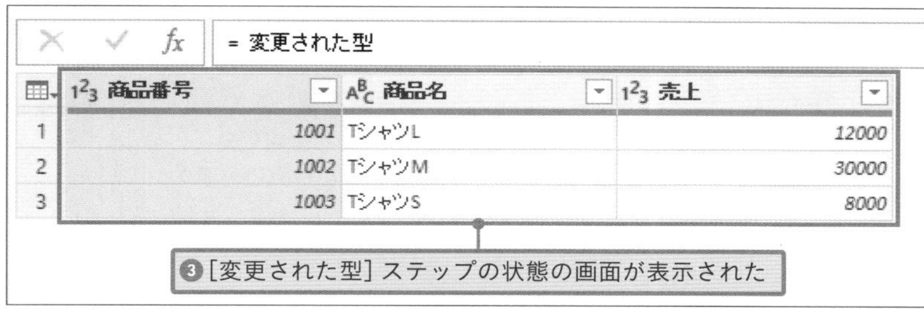

前ページの手順❶で確認した、[変更された型]ステップの状態の画面が表示される❸。

▼ [カスタム列]を使用して売上構成比を求める

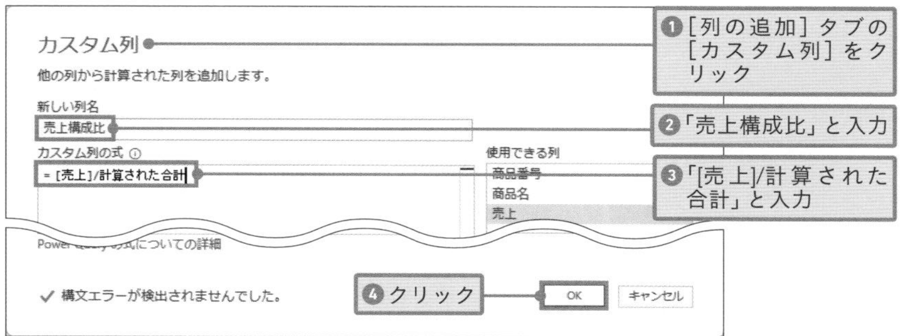

[列の追加]タブの[カスタム列]をクリックし❶、表示される画面の[新しい列名]欄に「売上構成比」❷、[カスタム列の式]欄に「[売上]/計算された合計」と入力して❸、[OK]をクリックする❹。

売上構成比が求められるので❺、データ型を[パーセンテージ]型に変えておく（ワークシートでもパーセント表示にするには別途設定が必要）。

STEP UP

「○○列○行目」の値を利用して前月比を求める

Sample 0605_コラム_前月比.xlsx

パワークエリで表の「○○列」の「○行目」の値は、例外はありますが基本的に次の式で表せます。

ステップ名[列名]{行番号}

- ステップ名：どのステップの表から値を取得するのかを指定
- 列名：取得する列名を角カッコで囲んで指定
- 行番号：1行目を「0」と数えて取得する行の番号を波カッコで囲んで指定

行番号の指定には、「0」からはじまるインデックス列を利用します。ここでは下図のように[月]列と[売上]列から構成される表にインデックス列を追加して、「売上÷前月売上」の式から前月比を求めます。インデックス列を追加した段階でのステップ名は「追加されたインデックス」です。

▼ **インデックス列を追加した状態**

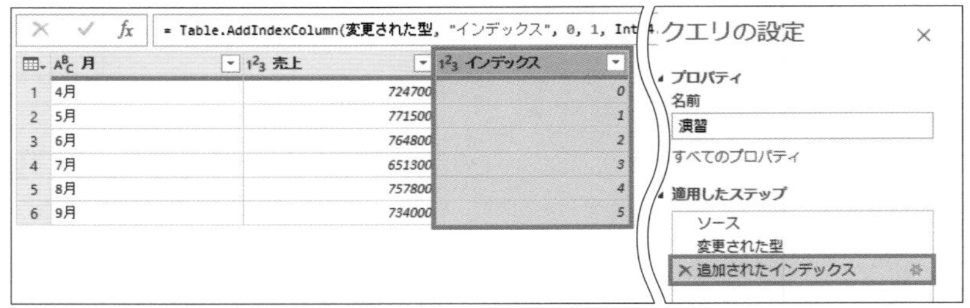

例えば5月のインデックスは「1」、「前月売上」は[売上]列の0行目の値なので「追加されたインデックス[売上]{0}」で表せます。同様に、6、7月のインデックスの値と「前月売上」を表す式は次のようになります。

- 6月　インデックス：2　　前月売上：追加されたインデックス[売上]{1}
- 7月　インデックス：3　　前月売上：追加されたインデックス[売上]{2}

行番号の「{0}」「{1}」「{2}」は、[インデックス]列の数値を使って「[インデックス]-1」と表せます。したがって、前月比は次の式で求められます。

= [売上]/追加されたインデックス[売上]{[インデックス]-1}

▼ 前月比を求める

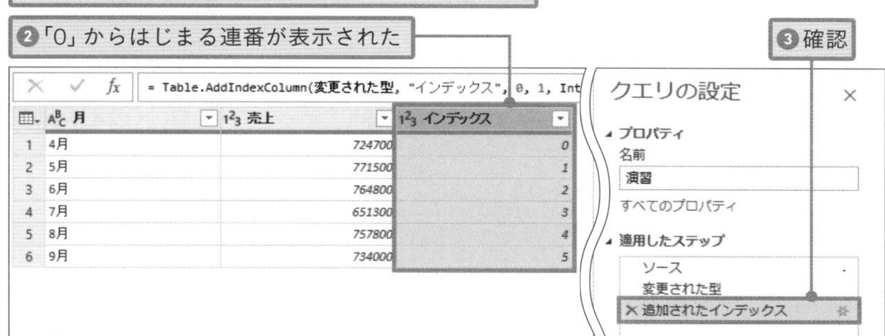

[列の追加] タブの [インデックス列] をクリックする❶。「インデックス」という名前の列が追加され、「0」からはじまる連番が表示される❷。また [追加されたインデックス] ステップが追加される❸。

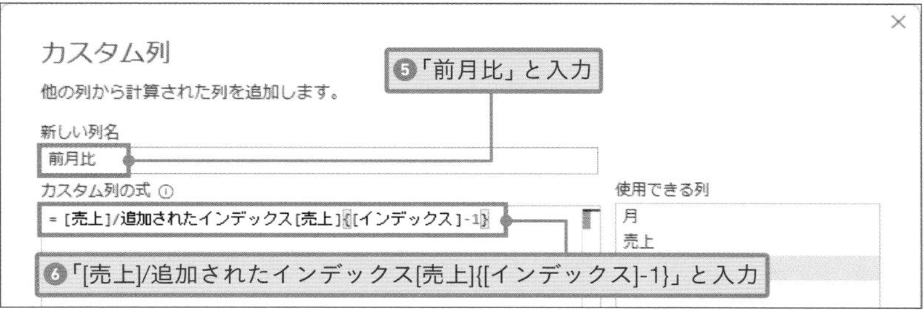

[列の追加] タブの [カスタム列] をクリックして [カスタム列] ダイアログボックスを表示する❹。[新しい列名] 欄に「前月比」と入力し❺、[カスタム列の式] 欄に「[売上]/追加されたインデックス[売上]{[インデックス]-1}」と入力して、[OK] をクリックする❻。

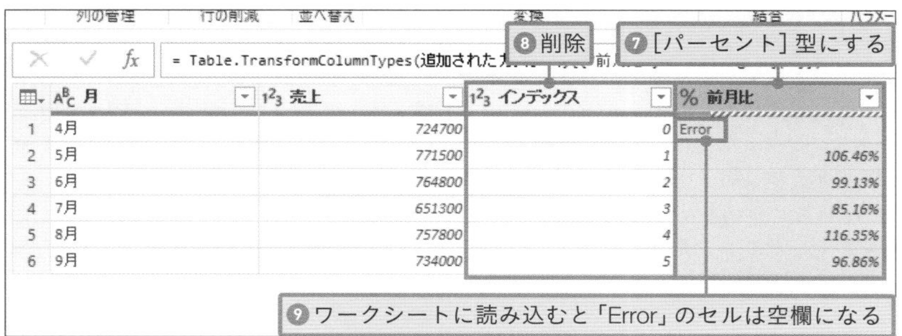

前月比が求められるので [パーセント] 型にする❼(ワークシートでもパーセント表示にするには別途設定が必要)。[インデックス] 列は不要になるので削除しておく❽。ワークシートに読み込むと「Error」のセルは空欄になる❾。

6-6

切り上げ・切り捨て・四捨五入 数値の端数を処理する

端数処理

Sample 0606_ 端数処理 .xlsx

小数点以下の端数を処理する

パワークエリでは、数値の小数点以下の端数を処理する方法として切り上げ、切り捨て、四捨五入が用意されています。ここでは切り捨てと四捨五入の2種類の方法で[消費税]列の端数を処理します。なお、パワークエリの四捨五入は一般の四捨五入と異なり、「偶数丸め」という方法で処理されます。

After

	A	B	C	D	E	F
1	商品No	価格	消費税	切り捨て	四捨五入	
2	P001	154	15.4	15	15	
3	P002	155	15.5	15	16	
4	P003	158	15.8	15	16	
5	P004	160	16	16	16	
6	P005	164	16.4	16	16	
7	P006	165	16.5	16	16	
8	P007	168	16.8	16	17	
9						

[消費税]列の端数を切り捨てた値を求める

[消費税]列の端数を偶数丸めした値を求める

知っておくと便利　偶数丸めって何？

一般的な四捨五入では「1、2、3、4」の4つが切り捨て、「5、6、7、8、9」の5つが切り上げになるので、切り捨てより切り上げの機会が多くなります。そのため、データが増えれば増えるほど、元のデータの合計より四捨五入したデータの合計が大きくなります。一方、偶数丸めでは、丸めを行う端数が「0.5」の場合に結果が偶数になるように丸められます。例えば「1.5」「3.5」は切り上げて「2」「4」に、「2.5」「4.5」は切り捨てて「2」「4」になります。切り捨てと切り上げの機会が均等になるので、合計したときの誤差の拡大を抑えられます。偶数丸めは銀行でよく使用される端数処理の方法なので、「銀行型丸め」とも呼ばれます。

小数点以下の端数を切り捨てる／切り上げる

数値の列を選択して、［列の追加］タブの［丸め］から［切り上げ］や［切り捨て］を実行すると、小数点以下の数字が切り上げ／切り捨てられます。例えば「15.4」「15.8」の切り上げは「16」、切り捨ては「15」になります。

［丸め］から［切り捨て］を実行する

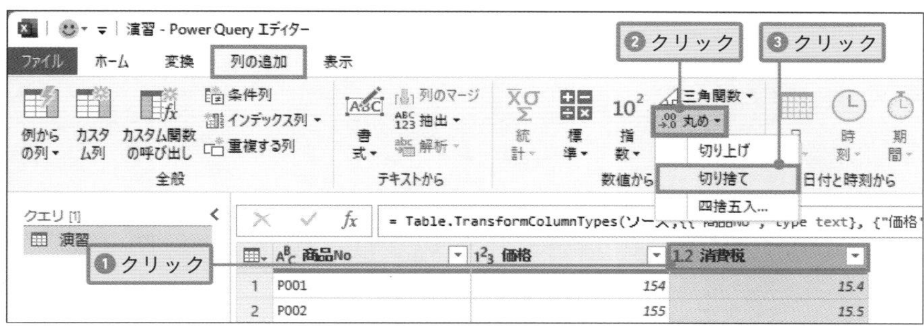

178ページの手順❶を参考に［演習］クエリを表示しておく。［消費税］の列名をクリックして列を選択する❶。［列の追加］タブの［丸め］をクリックして❷、［切り捨て］をクリックする❸。

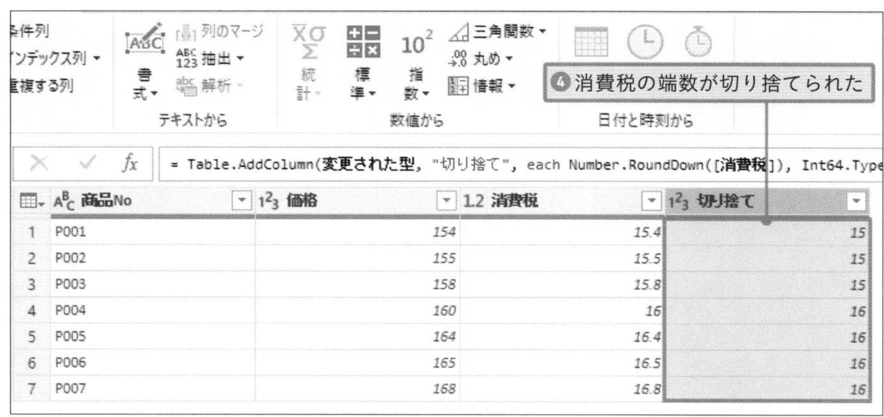

	商品No	価格	消費税	切り捨て
1	P001	154	15.4	15
2	P002	155	15.5	15
3	P003	158	15.8	15
4	P004	160	16	16
5	P005	164	16.4	16
6	P006	165	16.5	16
7	P007	168	16.8	16

新しい列が追加され、［消費税］の端数を切り捨てた数値が表示される❹。［適用したステップ］欄に［挿入された切り捨て］ステップが追加される。

このページの手順のように［列の追加］タブの［丸め］を使用すると、元の列はそのまま、新しい列が追加されて端数処理した結果が表示されます。元の列の数値を直接端数処理したい場合は、［変換］タブの［丸め］を使用してください。

小数点以下の端数を偶数丸めする

［丸め］のメニューにある［四捨五入］では、桁数を指定した端数処理を行えます。「0」を指定すれば、処理後の数値は整数になります。パワークエリではいわゆる偶数丸めが行われ、端数が「0.5」の場合にだけ一般的な四捨五入とは異なる挙動になります。

[丸め]から[切り捨て]を実行する

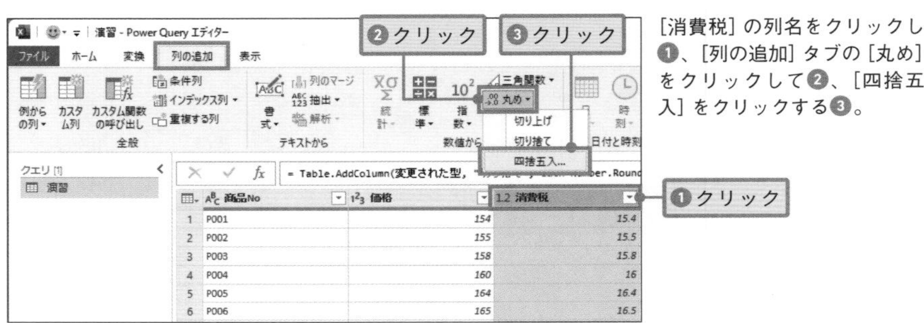

［消費税］の列名をクリックし❶、［列の追加］タブの［丸め］をクリックして❷、［四捨五入］をクリックする❸。

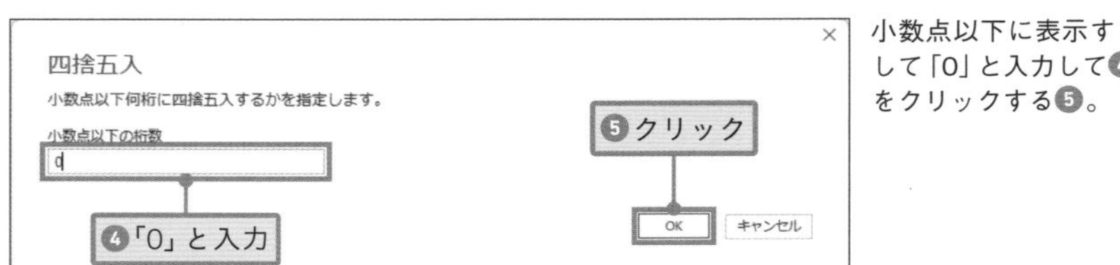

小数点以下に表示する桁数として「0」と入力して❹、［OK］をクリックする❺。

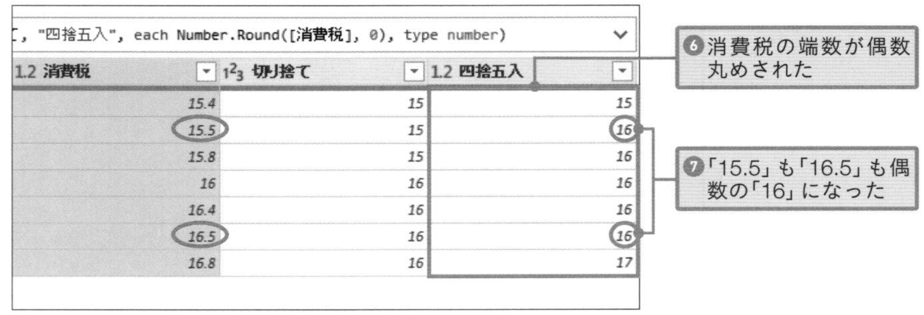

新しい列が追加され、［消費税］の端数を偶数丸めした数値が表示される❻。［適用したステップ］欄に［挿入された丸め］ステップが追加される。偶数丸めでは、端数が「0.5」の場合に結果が偶数になるように処理されるので、「15.5」も「16.5」も偶数の「16」になる❼。［ホーム］タブの［閉じて読み込む］をクリックして、ワークシートに読み込んでおく。

前ページの手順❹で正数を指定すると小数部、負数を指定すると整数部の桁数を指定できます。元の数値が「12345.678」の場合、「2」を指定すると「12345.68」に、「0」を指定すると「12346」に、「-2」を指定すると「12300」になります。

STEP UP

一般的な四捨五入を行うには

Sample 0606_コラム_四捨五入.xlsx

[適用したステップ] 欄で [挿入された丸め] ステップを選択すると、数式バーに偶数丸めの式「Number.Round([列名], 桁数)」が表示されます。桁数の後ろに「, RoundingMode.AwayFromZero」を追加すると、処理方法が偶数丸めから四捨五入に変わります。「,R」と入力すると入力候補のリストが表示され、その中からダブルクリックで簡単に「RoundingMode.AwayFromZero」を入力できます。

▼パワークエリで一般的な四捨五入を行う

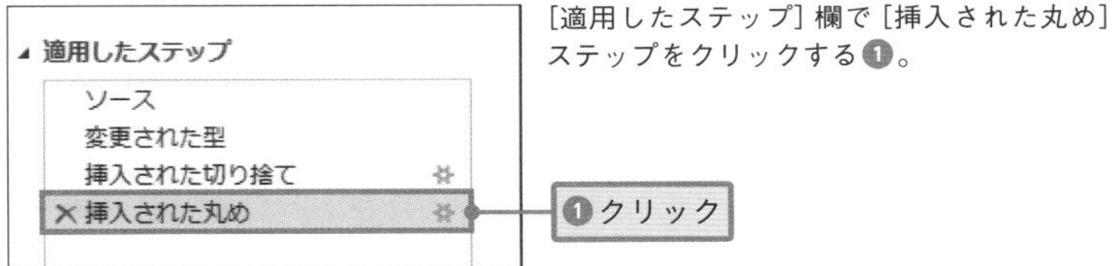

[適用したステップ] 欄で [挿入された丸め] ステップをクリックする❶。

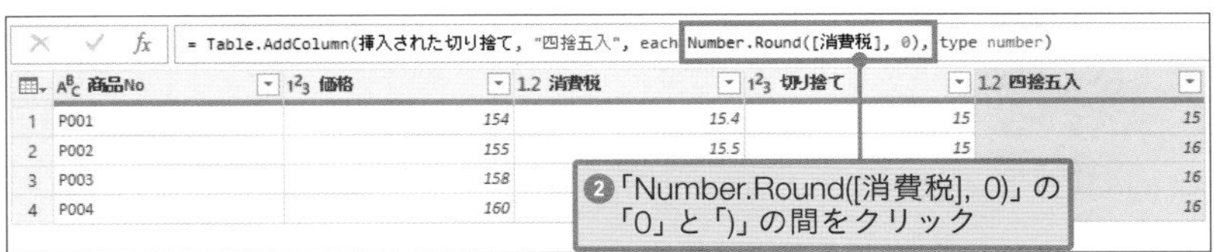

数式バーの「Number.Round([消費税], 0)」の「0」と「)」の間をクリックする❷。

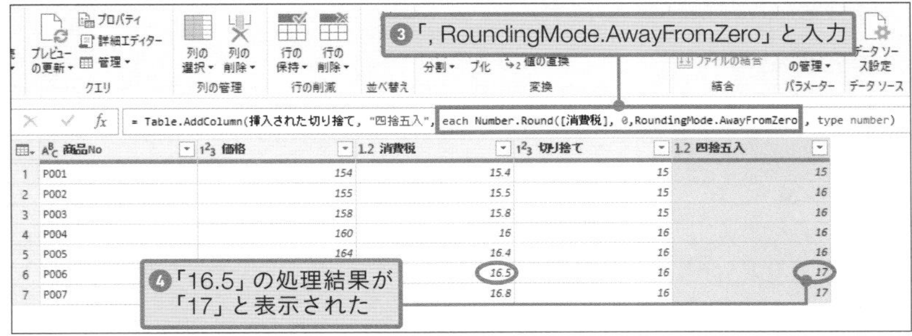

「0」と「)」の間に「, RoundingMode.AwayFromZero」と入力すると❸、「16.5」の処理結果が一般的な四捨五入と同じ「17」になる❹。

6-7 [例からの列]を使用して8桁の数字を日付に変換する

日付の列の作成、例からの列

Sample 0607_日付8桁.xlsx

[例からの列]を使用して8桁の数字から日付を作成する

外部から日付を取り込むときに、8桁の数字として取り込まれることがあります。[例からの列]という機能を使用すると、8桁の数字から簡単に日付の列を作成できます。元の8桁の数字の列はそのまま残りますが、不要なら列ごと削除してください。

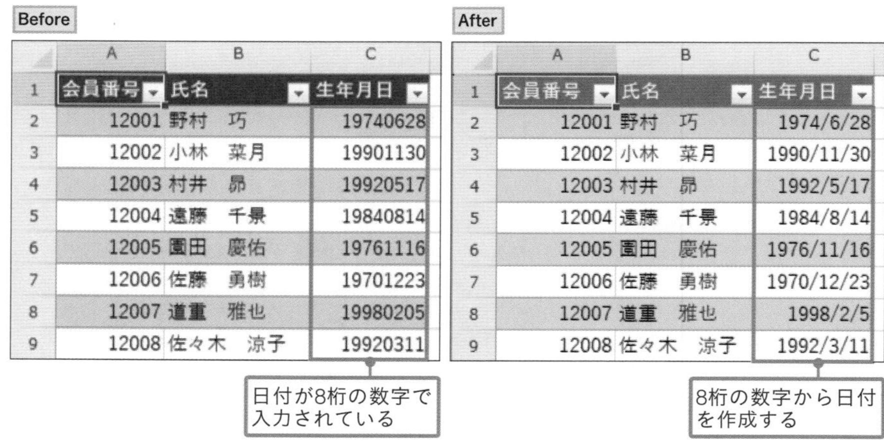

Before

	A	B	C
1	会員番号	氏名	生年月日
2	12001	野村　巧	19740628
3	12002	小林　菜月	19901130
4	12003	村井　昴	19920517
5	12004	遠藤　千景	19840814
6	12005	園田　慶佑	19761116
7	12006	佐藤　勇樹	19701223
8	12007	道重　雅也	19980205
9	12008	佐々木　涼子	19920311

After

	A	B	C
1	会員番号	氏名	生年月日
2	12001	野村　巧	1974/6/28
3	12002	小林　菜月	1990/11/30
4	12003	村井　昴	1992/5/17
5	12004	遠藤　千景	1984/8/14
6	12005	園田　慶佑	1976/11/16
7	12006	佐藤　勇樹	1970/12/23
8	12007	道重　雅也	1998/2/5
9	12008	佐々木　涼子	1992/3/11

[例からの列]を実行する

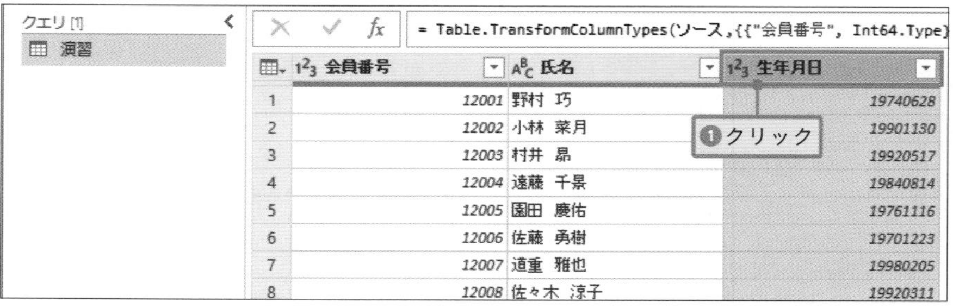

	会員番号	氏名	生年月日
1	12001	野村 巧	19740628
2	12002	小林 菜月	19901130
3	12003	村井 昴	19920517
4	12004	遠藤 千景	19840814
5	12005	園田 慶佑	19761116
6	12006	佐藤 勇樹	19701223
7	12007	道重 雅也	19980205
8	12008	佐々木 涼子	19920311

178ページの手順❶を参考に[演習]クエリを表示しておく。[生年月日]の列名をクリックして列を選択する❶。

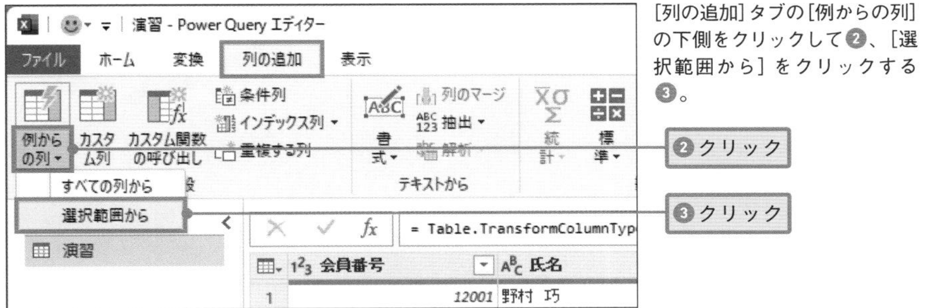

[列の追加] タブの [例からの列] の下側をクリックして❷、[選択範囲から] をクリックする❸。

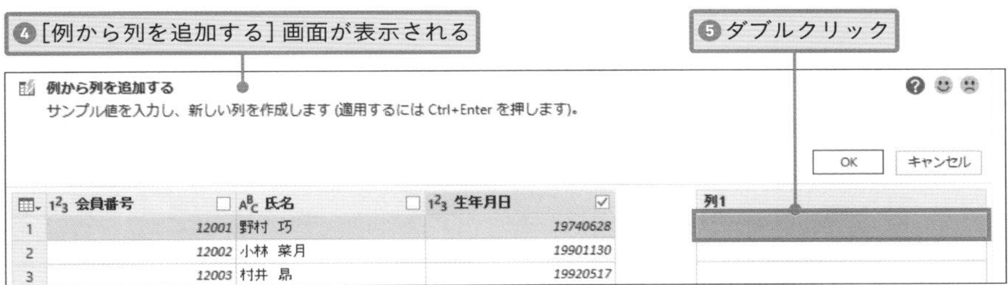

表の上部に [例から列を追加する] 画面が表示され❹、右側に新しい列が表示される。その1番上のセルをダブルクリックする❺。

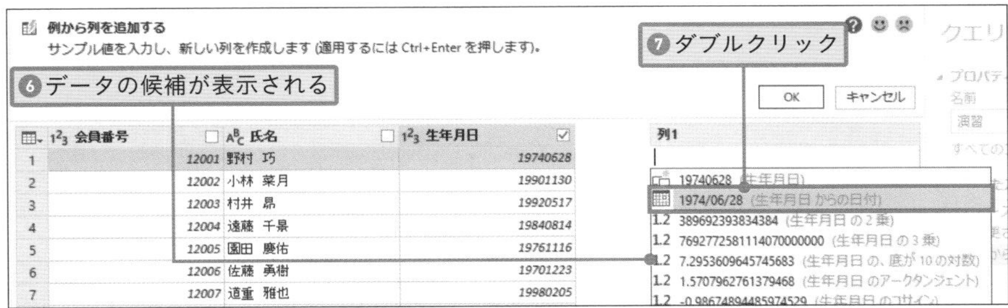

[生年月日] 列をもとにしたデータの候補が表示される❻。その中から [1974/06/28 (生年月日からの日付)] をダブルクリックする❼。

知っておくと便利 **年、月、日の3つの数値から日付を作成するには**

[例からの列] には、例として入力したデータの規則性を自動認識して新しい列を作成する機能もあります。例えば、[年] [月] [日] の3つの列がある状態で [例からの列] を実行し、新しい列に1行目の年、月、日の数値を「2024/10/15」のように「/」で区切って入力して Enter を押します。すると、2行目以降に年、月、日が「/」で区切られたデータが自動入力されます。[OK] をクリックすると日付が [テキスト] 型で表示されるので、データ型を [日付] 型に変更してください。

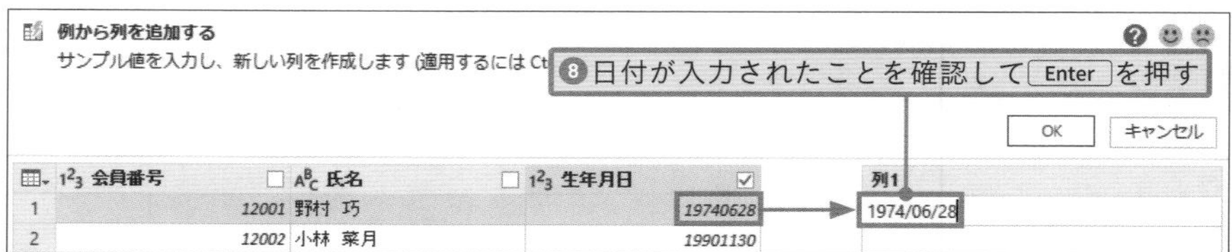

[生年月日] 列の1番上の「19740628」を日付に変換した値である「1974/06/28」が入力されたことを確認して、Enter を押す❽。

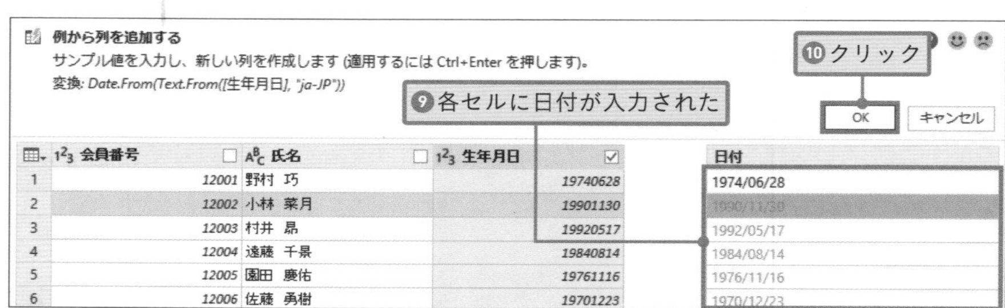

各セルに [生年月日] 列の数値を日付に変換した値が表示される❾。[OK] をクリックする❿。

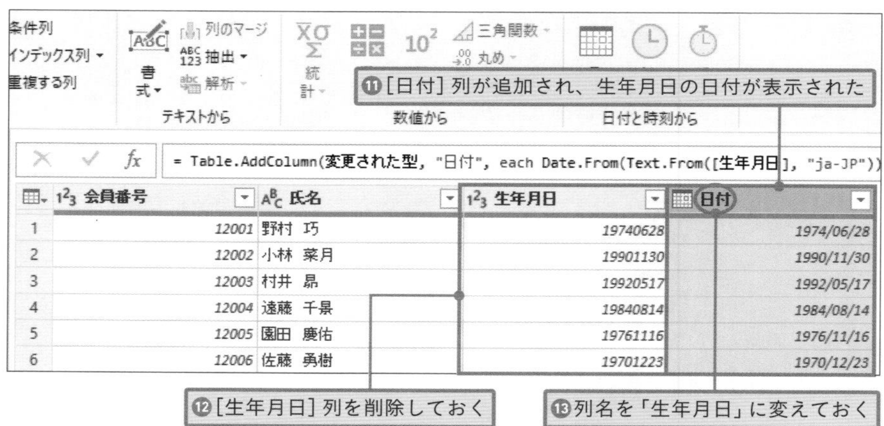

表の末尾に [日付] 列が追加され、生年月日の日付が表示される⓫。[適用したステップ] 欄に [挿入された日付] ステップが追加される。元からある [生年月日] 列を選択し、Delete で削除したうえで⓬、[日付] 列の列名を「生年月日」に変える⓭。[ホーム] タブの [閉じて読み込む] をクリックして、ワークシートに読み込んでおく。

手順❿で [OK] をクリックする前に [日付] の列名を変更すると、[挿入された日付] ステップの中で列名の変更を行えます。今回は既存の列と同じ名前を付けたかったので、手順⓬で [生年月日] 列を削除した後で列名を変更しました。

6-8

日付から年や月を取り出す 簡易年齢計算も可能

日付からの抽出、年齢計算

Sample 0608_ 日付操作 .xlsx

日付からさまざまな要素を取り出せる

売上を年ごとや月ごとに集計するには、あらかじめ売上日から「年」や「月」を取り出しておく必要があります。また、年齢による購買傾向を分析するには、生年月日から年齢を計算しておく必要があります。ここでは、日付から「年」「月」「四半期」「曜日」などの要素を取り出す方法と、年齢を簡易的に計算する方法を紹介します。算出される年齢は数日ずれる可能性があるので、それを踏まえたうえで使用してください。

After

	A	B	C	D	E
1	会員名	生年月日	年	年齢	
2	小野田　雅人	2000/1/1	2000	24	
3	渡辺　優菜	1987/10/3	1987	36	
4	本橋　マヤ	1993/6/18	1993	30	
5	沢口　修	1976/11/9	1976	47	
6	大川　恵理子	2001/3/4	2001	23	
7	津田　輝彦	2001/2/19	2001	23	
8	穂戸田　鈴	1967/9/23	1967	56	
9					

生年月日から「年」を取り出す

生年月日から年齢を簡易的に計算する

日付からさまざまな要素を取り出せる

［日付］型や［日付／時刻］型の列を選択して［列の追加］タブの［日付］から［年］や［月］のメニューを選択すると、新しい列が追加され、日付から「年」や「月」を取り出せます。また、［変換］タブの［日付］を使用した場合は、元の列の日付が「年」や「月」に変換されます。ここでは例として、［生年月日］から「年」を取り出します。

[生年月日]から「年」を取り出す

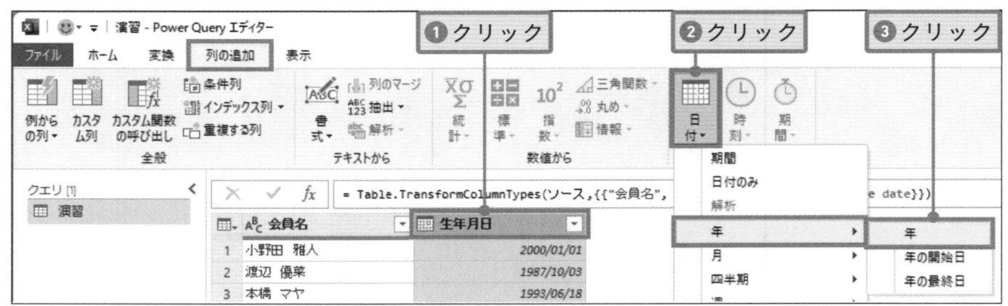

178ページの手順❶を参考に［演習］クエリを表示しておく。［生年月日］の列名をクリックして列を選択する❶。［列の追加］タブの［日付］をクリックし❷、［年］→［年］をクリックする❸。

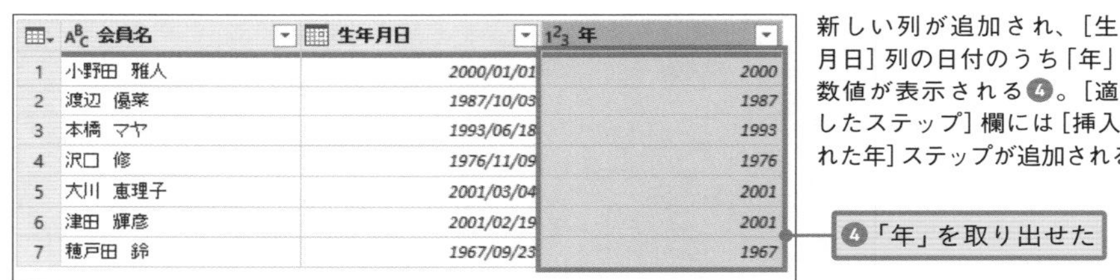

新しい列が追加され、［生年月日］列の日付のうち「年」の数値が表示される❹。［適用したステップ］欄には［挿入された年］ステップが追加される。

POINT

日付からどんな要素を取り出せる？

［列の追加］タブの［日付］や［変換］タブの［日付］を使用すると、下表のようにさまざまな要素を取り出せます。なお、会計年度を4月はじまりとした年度や四半期の求め方を208ページ「STEP UP」で紹介しているので、参考にしてください。

▼［日付］で取り出せる要素の例

メニュー	サブメニュー	「2024/2/15」に対する実行結果
年	年	2024
月	月	2
月	月の最終日	2024/2/29
月	月内の日数	29
月	月の名前	2月
四半期	年の四半期	1
日	日	15
日	曜日名	木曜日

知っておくと便利 日付から年月を取り出すには

［列の追加］タブの［日付］に「年月」を取り出すメニュー項目はありません。「年月」を取り出すには、6-7節で紹介した［例からの列］を使用するのが簡単です。新しい列に手動で2、3の年月データを入力すると、［生年月日］列の日付と入力した「年月」の値の関係に基づいて、残りのセルに年月が自動入力されます。

▼日付から年月を取り出す

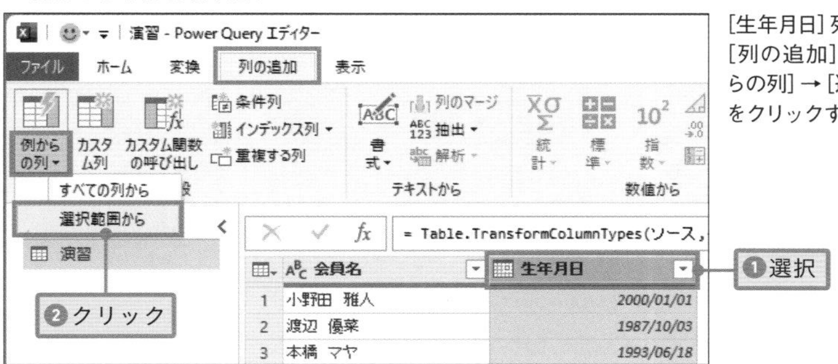

［生年月日］列を選択し❶、［列の追加］タブの［例からの列］→［選択範囲から］をクリックする❷。

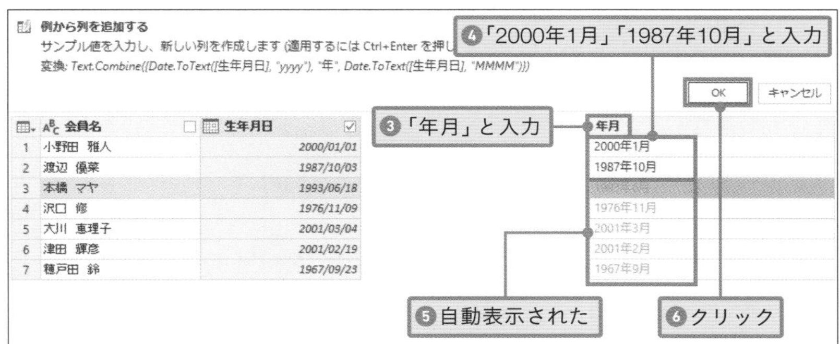

ダブルクリックして列名を入力し❸、1行目と2行目に「2000年1月」「1987年10月」と入力する❹。残りの「年月」データが自動表示されるので❺、［OK］をクリックする❻。

	会員名	生年月日	年月
1	小野田 雅人	2000/01/01	2000年1月
2	渡辺 優菜	1987/10/03	1987年10月
3	本橋 マヤ	1993/06/18	1993年6月
4	沢口 修	1976/11/09	1976年11月
5	大川 恵理子	2001/03/04	2001年3月
6	津田 輝彦	2001/02/19	2001年2月
7	穂戸田 鈴	1967/09/23	1967年9月

［年月］列が追加され、［生年月日］列の日付から「○年○月」が取り出される❼。

生年月日から年齢を簡易的に計算する

［日付］のメニューから［期間］を選択すると、元の列の日付から現在までの日数が求められます。これを年に換算することで、年齢を簡易的に計算できます。パワークエリでは日数を「365」で割ることで年換算を行うため、年齢が上がるのが生年月日から数日ずれる場合があることを知ったうえで利用してください。

生年月日から現在までの日数を求める

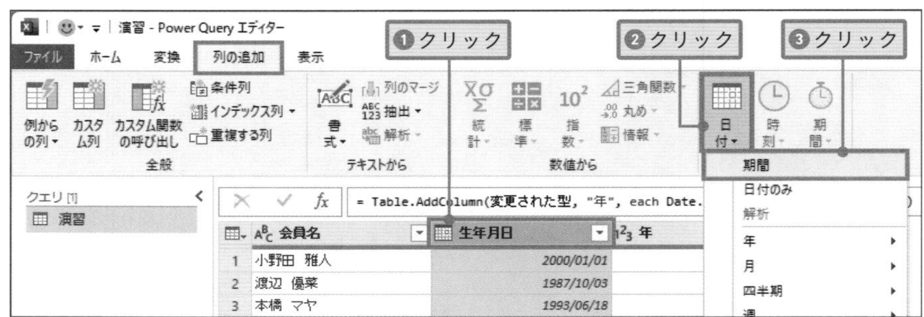

［生年月日］の列名をクリックして列を選択する❶。［列の追加］タブの［日付］をクリックし❷、［期間］をクリックする❸。

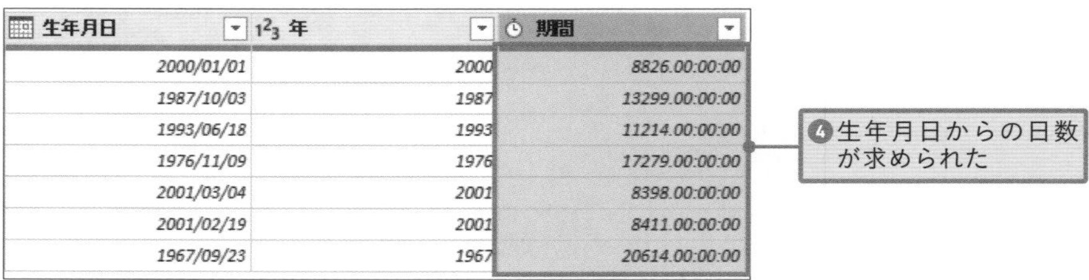

［期間］列が追加され、［生年月日］列の日付から現在までの期間が「8826.00:00:00」のような［期間］型のデータとして表示される❹。「8826」は生年月日から本日までの日数。

日数から年齢を求める

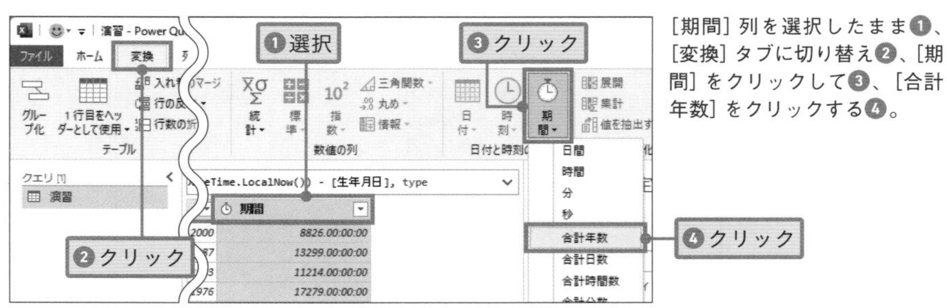

［期間］列を選択したまま❶、［変換］タブに切り替え❷、［期間］をクリックして❸、［合計年数］をクリックする❹。

[期間] 列のデータが「8826.00:00:00」形式の [期間] 型のデータから、「24.1808…」形式の数値に変わった❺。数式バーの式に「365」という数値があるとおり❻、この数値は「8826日÷365日/年」の計算結果。最後に [変換] タブの [丸め] から [切り捨て] をクリックする❼。

❽生年月日から年齢が求められた ❾列名を「年齢」に変更しておく

= Table.TransformColumns(計算された合計年数,{{"期間", Number.RoundDown, Int64.Type}})

	会員名	生年月日	年	期間
1	小野田　雅人	2000/01/01	2000	24
2	渡辺　優菜	1987/10/03	1987	36
3	本橋　マヤ	1993/06/18	1993	30
4	沢口　修	1976/11/09	1976	47

[期間] 列のデータの小数部が切り捨てられて年齢が求められた❽。列名を「年齢」に変更する❾。[ホーム] タブの [閉じて読み込む] をクリックして、ワークシートに読み込んでおく。

知っておくと便利　誕生日の前に年齢が上がってしまう

手順❺の数値は、手順❶の [期間] 列の日数を「365」で割って求めたものです。しかしうるう年は366日あるので、この計算方法だとタイミングによっては誕生日より前に年齢が上がってしまいます。例えば「2023/3/1」の365日後は「2024/2/29」なので、「2023/3/1」生まれの人は「2024/2/29」に1歳と計算されてしまいます。おおざっぱに「年齢と購買傾向の関係を分析する」というようなときには差し支えありませんが、正式な書類を作成するための年齢計算には使えません。ExcelでDATEDIF関数を使い、「=DATEDIF([@生年月日],TODAY(),"Y")」のような式を立てて年齢を求めてください。なお、法律上では誕生日の前日に年齢が1加算されます。その方式で年齢を求めるには、「=DATEDIF([@生年月日],TODAY()+1,"Y")」と式を立てます。ちなみに手順❻の数式バーで式中の「365」を「365.25」に変えると、誤差を多少緩和できます。

6-9

2つの時刻や日付から経過時間や経過日数を求める

期間の計算

Sample 0609_期間の計算.xlsx

減算を使用して期間を求める

［列の追加］タブの［時刻］から［減算］を実行すると、選択した2つの時刻から経過時間を求めることができます。経過時間は「日.時:分:秒」形式で「0.08:30:00」のように表示されます。ここでは「8.5時間」のように時間単位の数値に変換する方法も併せて紹介します。時間単位にしておくと、そのまま時給と掛け合わせて賃金を計算できます。

なお、2つの日付から経過日数を求めたいときは、［列の追加］タブの［日付］から［日数の減算］を選択してください。結果は整数で求められます。

After

	A	B	C	D
1	氏名	出勤時刻	退勤時刻	勤務時間
2	成登　由奈	9:00:00	17:30:00	8.5
3	及川　健介	10:00:00	18:00:00	8
4	松井　美優	9:15:00	17:30:00	8.25
5	関根　誠	12:30:00	20:00:00	7.5
6	杉本　夏美	9:00:00	18:30:00	9.5
7				

「退勤時刻－出勤時刻」で経過時間を算出して、時間単位で表示する

出勤時刻と退勤時刻から勤務時間を計算する

	氏名	出勤時刻	退勤時刻
1	成登 由奈	9:00:00	17:30:00
2	及川 健介	10:00:00	18:00:00
3	松井 美優	9:15:00	17:30:00
4	関根 誠	12:30:00	20:00:00
5	杉本 夏美	9:00:00	18:30:00

❶クリック

❷ Ctrl ＋クリック

178ページの手順❶を参考に［演習］クエリを表示しておく。「退勤時刻－出勤時刻」を計算するには、［退勤時刻］の列名をクリックして先に［退勤時刻］列を選択してから❶、Ctrl を押しながら［出勤時刻］の列名をクリックする❷。選択の順序を逆にすると引く時刻と引かれる時刻が逆になってしまうので注意すること。

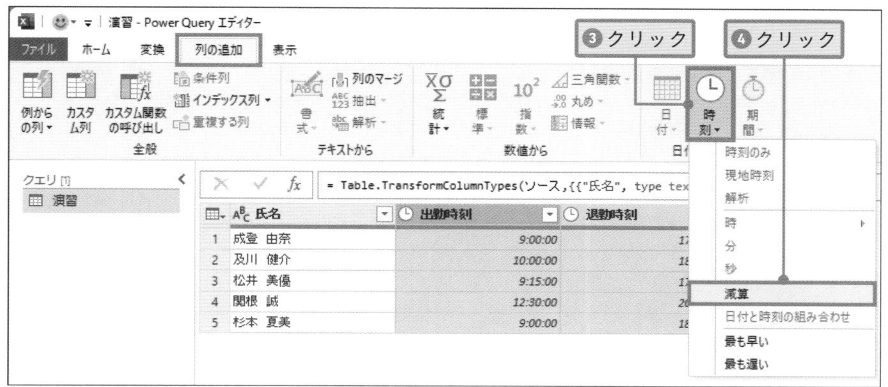

[列の追加] タブの [時刻] をクリックして❸、[減算] をクリックする❹。

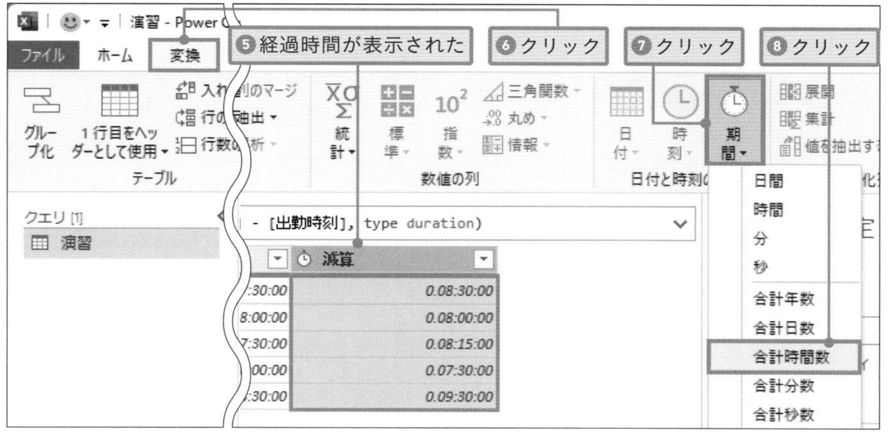

新しく [減算] 列が追加され、退勤時刻から出勤時刻を引いた経過時間が表示された❺。[減算] 列を選択したまま [変換] タブに切り替え❻、[期間] をクリックして❼、[合計時間数] をクリックする❽。

❾時間単位の数値に変わった

❿「勤務時間」に変更しておく

```
= Table.TransformColumns(挿入された時刻の減算,{{"減算", Duration.TotalHours, type number}})
```

	氏名	出勤時刻	退勤時刻	減算
1	成登 由奈	9:00:00	17:30:00	8.5
2	及川 健介	10:00:00	18:00:00	8
3	松井 美優	9:15:00	17:30:00	8.25
4	関根 誠	12:30:00	20:00:00	7.5
5	杉本 夏美	9:00:00	18:30:00	9.5

[減算] 列のデータが「0.08:30:00」形式の [期間] 型のデータから、「8.5」形式の数値に変わる❾。列名を「勤務時間」に変更する❿。[ホーム] タブの [閉じて読み込む] をクリックして、ワークシートに読み込んでおく。

STEP UP

4月から翌年3月を会計年度として年度や四半期を求める　Sample 0609_コラム_年度.xlsx

4月から翌年3月を会計年度として売上日から年度や四半期を求めるには、売上日の3カ月前の日付を求めて、その日付から「年」や「四半期」を取り出します。「Date.AddMonths」というパワークエリの関数の第1引数に売上日、第2引数に「-3」を指定すると、3カ月前の日付が求められます。例えば「2024/2/28」の3カ月前は「2023/11/28」なので、年度は「2023」と求められます。「2023/7/31」のようにぴったり3カ月前が存在しない場合は「2023/4/30」に調整されます。

▼売上日から年度と四半期を求める

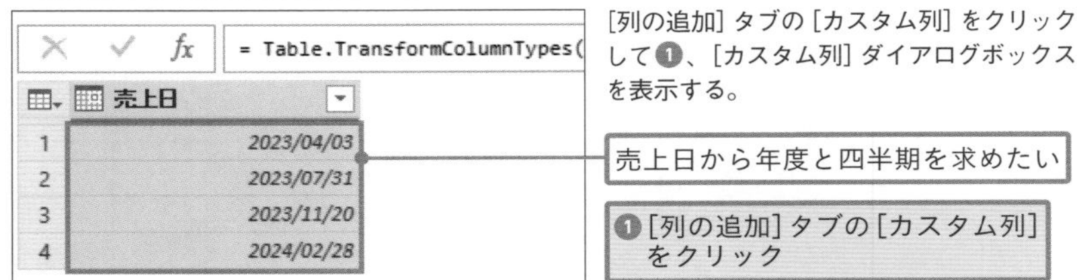

[列の追加]タブの[カスタム列]をクリックして❶、[カスタム列]ダイアログボックスを表示する。

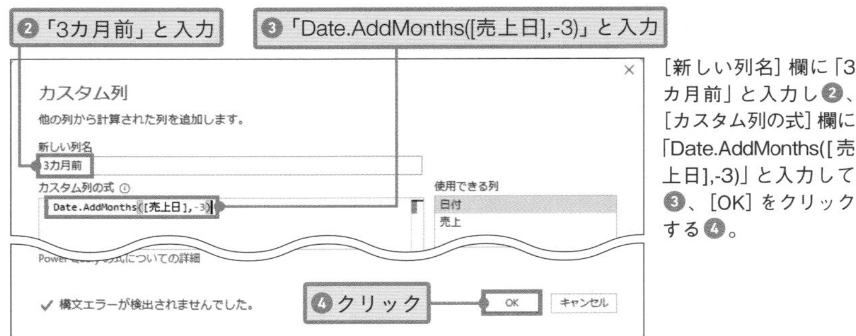

[新しい列名]欄に「3カ月前」と入力し❷、[カスタム列の式]欄に「Date.AddMonths([売上日],-3)」と入力して❸、[OK]をクリックする❹。

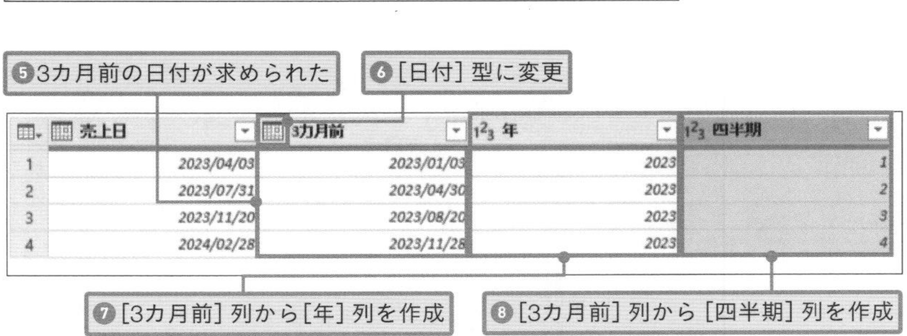

3カ月前の日付が求められるので❺、データ型を[日付]型に変更する❻。[3カ月前]列を選択して[列の追加]タブの[日付]→[年]→[年]を実行すると[年]列が表示される❼。同様に、[日付]→[四半期]→[年の四半期]を実行すると、[四半期]列が表示される❽。

6-10 条件に当てはまるかどうかで表示する値を切り替える

条件列

Sample 0610_ 条件列 .xlsx

条件に応じた値を表示できる

［条件列］という機能を使用すると、特定の列の値を基準に条件判定して、その条件に当てはまるかどうかで表示する値を切り替えることができます。ここでは「ランク」という名前の新しい列を作成し、［年間購入額］が「100,000以上」の場合に「ゴールド」、「50,000」以上の場合に「シルバー」、それ以外に「レギュラー」と表示します。

After

No	顧客名	年間購入額	ランク
1	今井　智弘	65,011	シルバー
2	小西　松也	204,603	ゴールド
3	都筑　将兵	8,027	レギュラー
4	野々村　亜優	25,214	レギュラー
5	市川　美奈	100,000	ゴールド
6	本居　達也	14,185	レギュラー
7	山口　恵梨香	50,000	シルバー
8	伊藤　淳	26,926	レギュラー
9	多田　裕子	101,023	ゴールド

［年間購入額］列を基準に次の条件で値を切り替える

- 100,000以上　ゴールド
- 50,000以上　シルバー
- その他　レギュラー

［条件列］を使用して値を切り替える

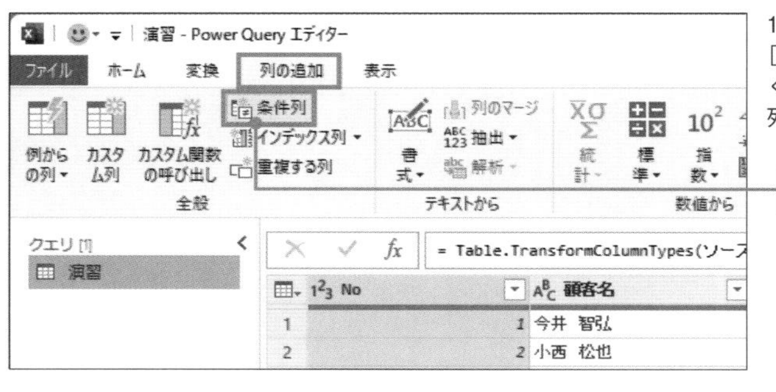

❶クリック

178ページの手順❶を参考に［演習］クエリを表示しておく。［列の追加］タブの［条件列］をクリックする❶。

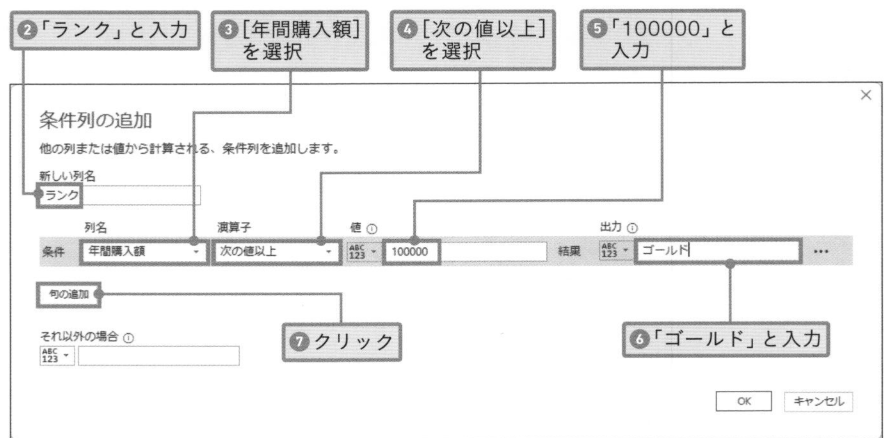

［条件列の追加］ダイアログボックスが開くので、［新しい列名］欄に「ランク」と入力する❷。まずは最優先する条件を指定する。［列名］欄から［年間購入額］❸、［演算子］欄から［次の値以上］を選択し❹、［値］欄に「100000」と入力する❺。以上で「年間購入額が100,000以上」という条件が指定される。その条件に当てはまる場合に表示する値として［出力］欄に「ゴールド」と入力し❻、次の条件を指定するために［句の追加］をクリックする❼。

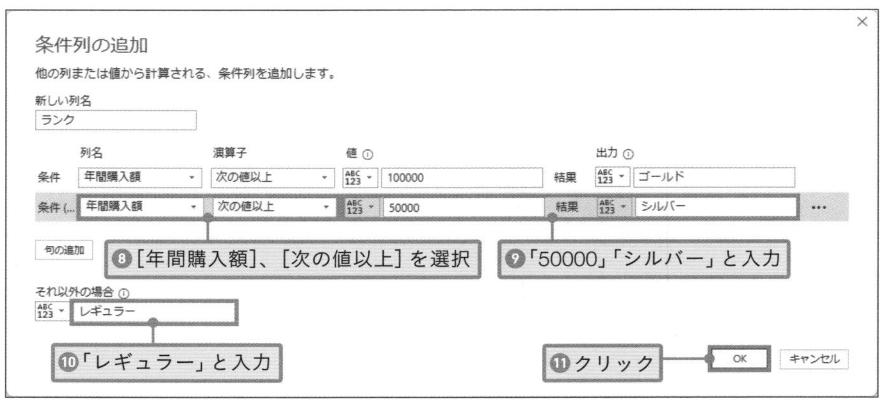

新しい条件の指定行が追加されるので、左から順に［年間購入額］、［次の値以上］を選択し❽、「50000」「シルバー」と入力する❾。いずれの条件にも当てはまらない場合に表示する値として［それ以外の場合］欄に「レギュラー」と入力し❿、［OK］をクリックする⓫。

［それ以外の場合］欄に何も入力しない場合、いずれの条件も当てはまらないときにPower Query エディターでは「null」と表示されますが、ワークシートに読み込むとセルは空欄になります。

⑫ランクを切り替えられた　⑬[テキスト]型に変更しておく

	No	顧客名	年間購入額	ランク
1	1	今井　智弘	65011	シルバー
2	2	小西　松也	204603	ゴールド
3	3	都筑　将兵	8027	レギュラー
4	4	野々村　亜優	25214	レギュラー
5	5	市川　美奈	100000	ゴールド
6	6	本居　達也	14185	レギュラー
7	7	山口　恵梨香	50000	シルバー
8	8	伊藤　淳	26926	レギュラー
9	9	多田　裕子	101023	ゴールド
10	10	桜井　蓮	86579	シルバー

[ランク] 列が追加され、[年間購入額] に応じて「ゴールド」「シルバー」「レギュラー」の3種類の値が表示される⑫。データ型が [すべて] 型になるので、[テキスト] 型に変更する⑬。[ホーム] タブの [閉じて読み込む] をクリックして、ワークシートに読み込んでおく。

POINT

複数の条件の優先順位

[条件列の追加] ダイアログボックスで [句の追加] をクリックすると、複数の条件を指定できます。条件は上の行にあるものが優先されます。例えば [年間購入額] が「204,603」の場合「100,000以上」と「50,000以上」の2つの条件に当てはまりますが、優先順位の高い「100,000以上」に指定した「ゴールド」が表示されます。なお、条件欄の右端にある […] から条件を上や下に移動したり、削除したりできます。

POINT

演算子の種類

[演算子] の選択肢は [列名] に指定した列の型に応じて下表の種類があります。

▼[数値]型

演算子
指定の値に等しい
指定の値と等しくない
次の値より大きい
次の値以上
次の値より小さい
次の値以下

▼[日付]型

演算子
指定の値に等しい
指定の値と等しくない
次の値より前
次の値以前
次の値より後
次の値以降

▼[テキスト]型

演算子
指定の値に等しい
指定の値と等しくない
指定の値で始まる
指定の値で始まらない
指定の値で終わる
指定の値で終わらない
指定の値を含む
指定の値を含まない

知っておくと便利　2つの列の値を比べて条件判定する　Sample 0610_コラム_列の比較.xlsx

［条件列の追加］ダイアログボックスの［値］欄のABC 123をクリックして［列の選択］を選択すると、図柄がに変わり、値の入力欄が列の選択欄に変わります。これにより、2つの列の値を比較した条件判定が行えます。ここでは［売上］列の値が［目標］列の値以上の場合に「達成」、そうでない場合に「未達成」と表示します。ちなみに［出力］欄や［それ以外の場合］欄でも同様にに変えることにより、条件に当てはまる場合／当てはまらない場合に指定した列の値を表示できます。

▼［売上］が［目標］以上の場合に「達成」、それ以外の場合に「未達成」と表示する

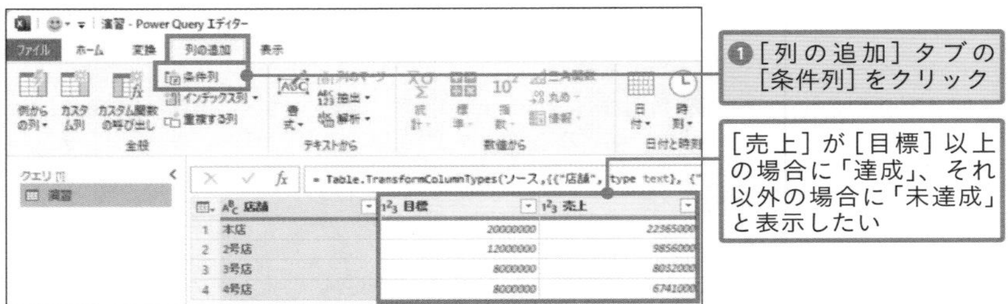

［列の追加］タブの［条件列］をクリックして❶、［条件列の追加］ダイアログボックスを表示する。

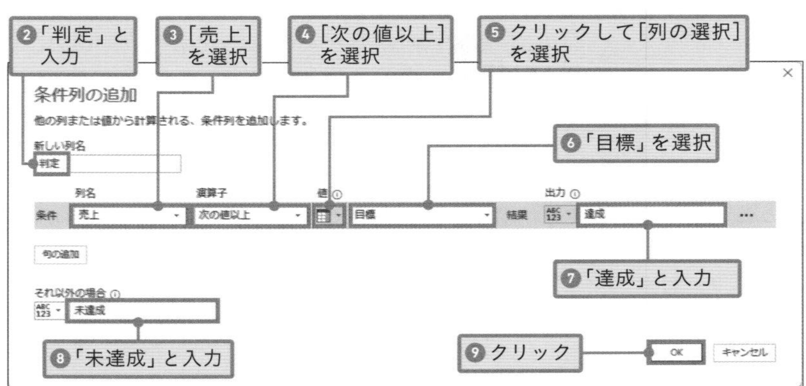

［新しい列名］欄に「判定」と入力する❷。左から順に［売上］❸、［次の値以上］を選択し❹、［値］欄のアイコンをクリックして［列の選択］を選択して❺、「目標」を選択する❻。［出力］欄に「達成」と入力し❼、［それ以外の場合］欄に「未達成」と入力し❽、［OK］をクリックする❾。

❿［売上］を［目標］と比較した結果の値を表示できた

目標	売上	判定
20000000	22365000	達成
12000000	9856000	未達成
8000000	8032000	達成
8000000	6741000	未達成

［売上］が［目標］以上の場合に「達成」、それ以外に「未達成」と表示される❿。

Chapter

07

抽出・並べ替え・集計など
行操作と集計をマスターしよう

この章では、行の削除や抽出、並べ替え、値が同じ行をグループ化して集計する方法など、データを行単位で操作するテクニックを紹介します。また、グループ集計の応用として、パワークエリでクロス集計する方法と Excel でピボットテーブルを作成する方法も紹介します。

7-1

行の操作と集計の概要

行の削除、データの整形、抽出、行の並べ替え、集計

表を行単位で操作する

第2章で、列の削除や移動などの操作を紹介しました。この章では、データを行単位で操作するテクニックを紹介します。

不要な行の削除

パワークエリでは表の上下の決まった行数を削除したり(→219ページ)、空白行、エラーの行、特定の列の値が重複している行を削除したりすることができます(→225ページ)。また、フィルター機能を利用して、特定の条件に当てはまる行を削除することもできます(→233ページ「知っておくと便利」)。

▼パワークエリでできる不要な行の削除

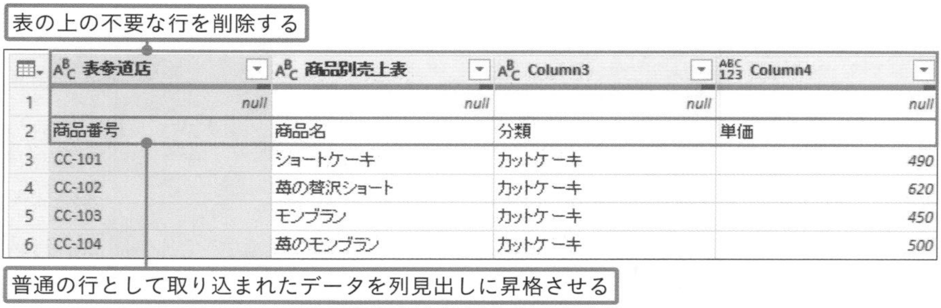

表の上の不要な行を削除する

	表参道店	商品別売上表	Column3	Column4
1	null	null	null	null
2	商品番号	商品名	分類	単価
3	CC-101	ショートケーキ	カットケーキ	490
4	CC-102	苺の贅沢ショート	カットケーキ	620
5	CC-103	モンブラン	カットケーキ	450
6	CC-104	苺のモンブラン	カットケーキ	500

普通の行として取り込まれたデータを列見出しに昇格させる

同じ会員番号が入力されている行の一方を削除する

	No	会員番号	氏名
1	1	12013	夏目　美香
2	2	12007	道重　雅也
3	3	12022	加藤　恵梨香
4	4	12002	小林　菜月
5	5	12021	坂上　保
6	6	12005	園田　慶佑
7	7	12007	道重　雅也
8	8	12027	東　陽太

》抽出と並べ替え

整形作業では、必要なデータだけを抽出して、見やすく表示することも大切です。データの抽出にはフィルター機能を使用します(→228ページ)。また並べ替えは、特定の列を基準に実行します(→234ページ)。

▼ パワークエリでできる整形作業

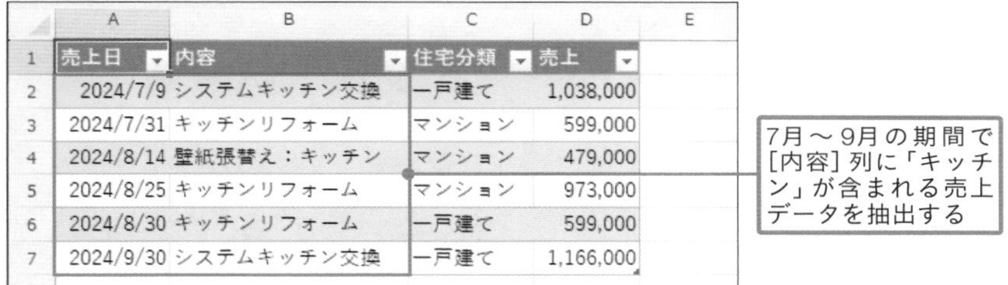

	A	B	C	D	E
1	売上日	内容	住宅分類	売上	
2	2024/7/9	システムキッチン交換	一戸建て	1,038,000	
3	2024/7/31	キッチンリフォーム	マンション	599,000	
4	2024/8/14	壁紙張替え：キッチン	マンション	479,000	
5	2024/8/25	キッチンリフォーム	マンション	973,000	
6	2024/8/30	キッチンリフォーム	一戸建て	599,000	
7	2024/9/30	システムキッチン交換	一戸建て	1,166,000	

7月～9月の期間で[内容] 列に「キッチン」が含まれる売上データを抽出する

売上を月ごとや商品ごとに集計する

パワークエリでは、同じ月や同じ商品をグループ化して売上を集計する「グループ集計」や(→239ページ)、グループ化する項目を縦軸と横軸に配置したクロス集計を行えます(→244ページ)。また、ピボットテーブルと連携すれば、より高度な集計も行えます(→248ページ)。

▼ パワークエリ・ピボットテーブルでできる集計

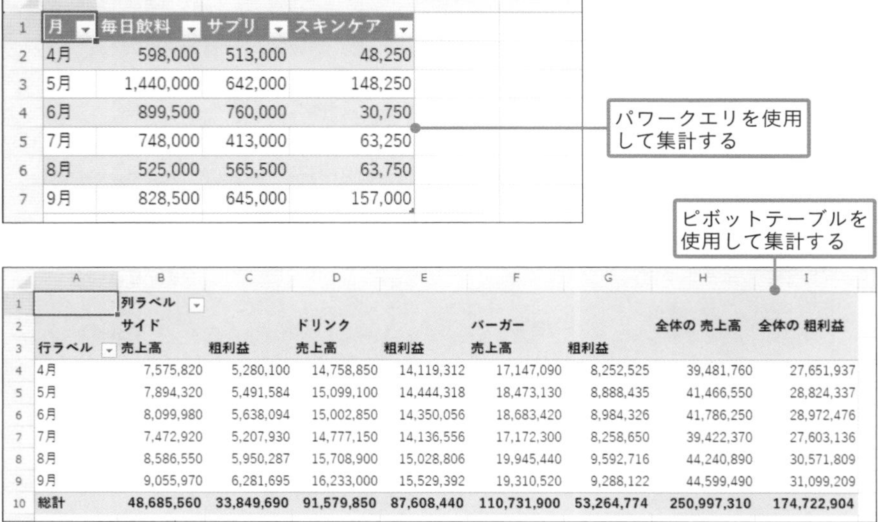

	A	B	C	D	E	F
1	月	毎日飲料	サプリ	スキンケア		
2	4月	598,000	513,000	48,250		
3	5月	1,440,000	642,000	148,250		
4	6月	899,500	760,000	30,750		
5	7月	748,000	413,000	63,250		
6	8月	525,000	565,500	63,750		
7	9月	828,500	645,000	157,000		

パワークエリを使用して集計する
ピボットテーブルを使用して集計する

	A	B	C	D	E	F	G	H	I
1		列ラベル							
2		サイド		ドリンク		バーガー		全体の 売上高	全体の 粗利益
3	行ラベル	売上高	粗利益	売上高	粗利益	売上高	粗利益		
4	4月	7,575,820	5,280,100	14,758,850	14,119,312	17,147,090	8,252,525	39,481,760	27,651,937
5	5月	7,894,320	5,491,584	15,099,100	14,444,318	18,473,130	8,888,435	41,466,550	28,824,337
6	6月	8,099,980	5,638,094	15,002,850	14,350,056	18,683,420	8,984,326	41,786,250	28,972,476
7	7月	7,472,920	5,207,930	14,777,150	14,136,556	17,172,300	8,258,650	39,422,370	27,603,136
8	8月	8,586,550	5,950,287	15,708,900	15,028,806	19,945,440	9,592,716	44,240,890	30,571,809
9	9月	9,055,970	6,281,695	16,233,000	15,529,392	19,310,520	9,288,122	44,599,490	31,099,209
10	総計	48,685,560	33,849,690	91,579,850	87,608,440	110,731,900	53,264,774	250,997,310	174,722,904

7-2

「上／下から○行」と指定して表の上下の不要な行を削除する

行の削除

Sample 0702_ 表参道店売上表 .xlsx

不要な行を取り込んだときは削除する

表の上下にタイトルなど何らかのデータが入力されているワークシートをまるごと読み込んだときは、Power Query エディターで削除する必要があります。[行の削除] という機能を使用すると、「上から○行」「下から○行」と行数を指定して削除を行えます。ここでは「上から2行」を削除します。

Before

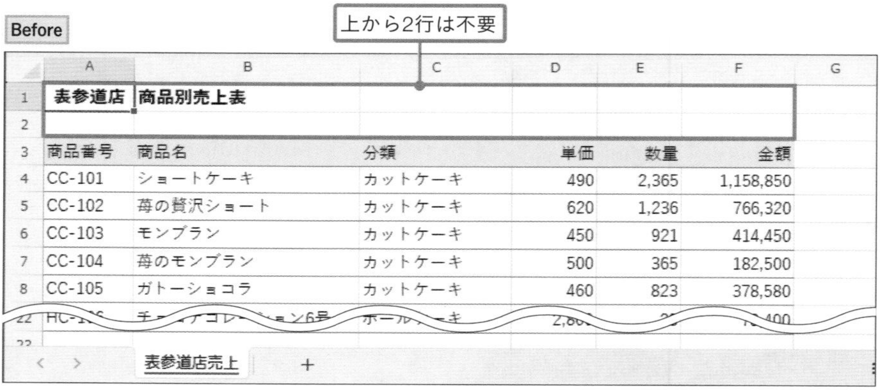

上から2行は不要

	A	B	C	D	E	F	G
1	表参道店	商品別売上表					
2							
3	商品番号	商品名	分類	単価	数量	金額	
4	CC-101	ショートケーキ	カットケーキ	490	2,365	1,158,850	
5	CC-102	苺の贅沢ショート	カットケーキ	620	1,236	766,320	
6	CC-103	モンブラン	カットケーキ	450	921	414,450	
7	CC-104	苺のモンブラン	カットケーキ	500	365	182,500	
8	CC-105	ガトーショコラ	カットケーキ	460	823	378,580	

表参道店売上

After

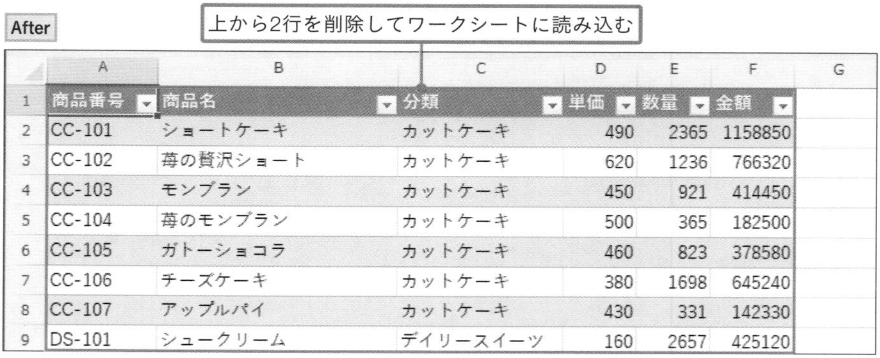

上から2行を削除してワークシートに読み込む

	A	B	C	D	E	F	G
1	商品番号	商品名	分類	単価	数量	金額	
2	CC-101	ショートケーキ	カットケーキ	490	2365	1158850	
3	CC-102	苺の贅沢ショート	カットケーキ	620	1236	766320	
4	CC-103	モンブラン	カットケーキ	450	921	414450	
5	CC-104	苺のモンブラン	カットケーキ	500	365	182500	
6	CC-105	ガトーショコラ	カットケーキ	460	823	378580	
7	CC-106	チーズケーキ	カットケーキ	380	1698	645240	
8	CC-107	アップルパイ	カットケーキ	430	331	142330	
9	DS-101	シュークリーム	デイリースイーツ	160	2657	425120	

Excelブックを取得する

まずは、[表参道店売上] シートをPower Query エディターに取り込みます。その際、ワークシートの1行目の内容が自動的に列名として配置されてしまいます。列名を配置するステップである [昇格されたヘッダー数] ステップを削除すれば、列名を1行目に戻せます。

[表参道店売上]シートを取得する

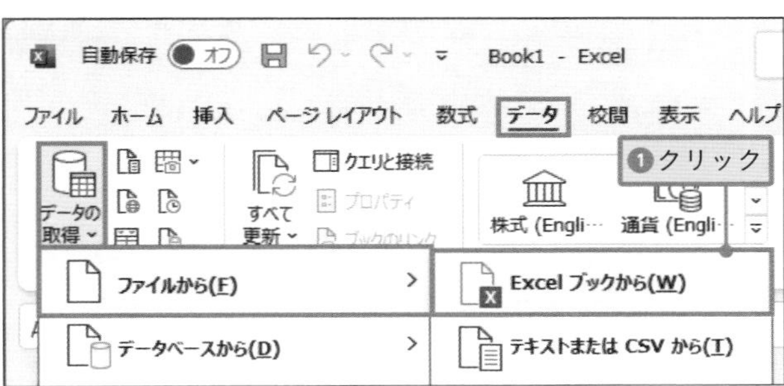

Excelで新規ブックを開き、[データ] タブの [データの取得] →[ファイルから] →[Excelブックから] をクリックする❶。[データの取り込み] ダイアログボックスが開くので、[Chap07] フォルダーから [0702_表参道店売上表.xlsx] をクリックし、[インポート] をクリックする。

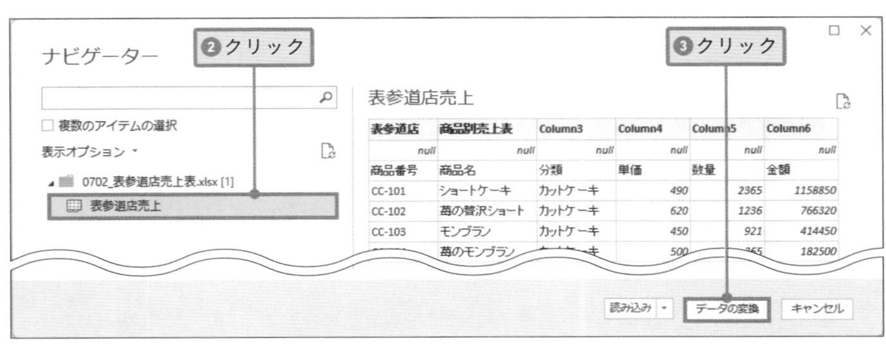

表参道店	商品別売上表	Column3	Column4	Column5	Column6
null	null	null	null	null	null
商品番号	商品名	分類	単価	数量	金額
CC-101	ショートケーキ	カットケーキ	490	2365	1158850
CC-102	苺の贅沢ショート	カットケーキ	620	1236	766320
CC-103	モンブラン	カットケーキ	450	921	414450
	苺のモンブラン		500		182500

[ナビゲーター] ダイアログボックスが開いたら、[表参道店売上] シートをクリックして❷、[データの変換] をクリックする❸。

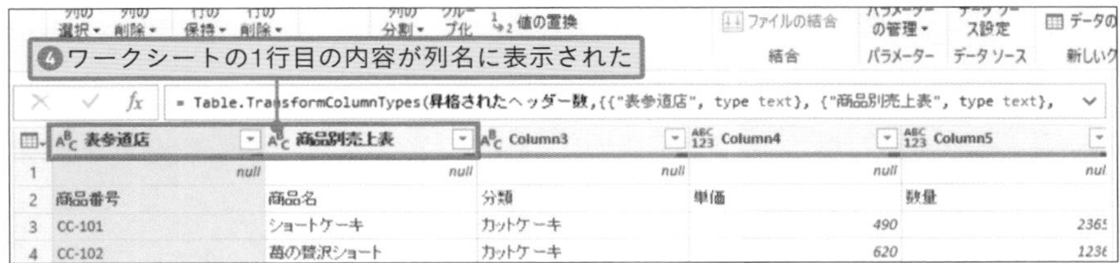

	表参道店	商品別売上表	Column3	Column4	Column5
1	null	null	null	null	null
2	商品番号	商品名	分類	単価	数量
3	CC-101	ショートケーキ	カットケーキ	490	2365
4	CC-102	苺の贅沢ショート	カットケーキ	620	1236

Power Query エディターが起動する。ワークシートのセルA1とセルB1の内容が1、2列目の列名になっていることを確認する❹。そのほかの列は「Column3」のような列名となる。

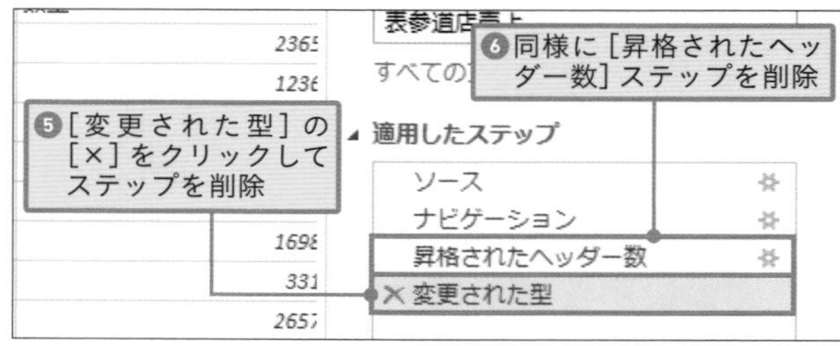

自動実行された4つのステップのうち、1番下の［変更された型］の［×］をクリックし❺、次に［昇格されたヘッダー数］の［×］をクリックする❻。

❼ステップが削除された

❽列名として表示されていた文字列が1行目に移動した

	Column1	Column2	Column3	
1	表参道店	商品別売上表		null
2	null	null		null
3	商品番号	商品名	分類	
4	CC-101	ショートケーキ	カットケーキ	2365
5	CC-102	苺の贅沢ショート	カットケーキ	1236
6	CC-103	モンブラン	カットケーキ	921
7	CC-104	苺のモンブラン	カットケーキ	365
8	CC-105	ガトーショコラ	カットケーキ	823
9	CC-106	チーズケーキ	カットケーキ	1698

プロパティ
名前
表参道店売上
すべてのプロパティ
適用したステップ
ソース
× ナビゲーション

2つのステップが削除され❼、列名として表示されていた文字列がプレビュー欄の1行目に移動する❽。列名には「Column1」「Column2」などの仮の名前が設定される。

POINT

どうしてステップを削除するの？

この節では、次の手順で操作します。

1. ［変更された型］［昇格されたヘッダー数］ステップを削除して列名を1行目に戻す
2. 表の上から2行分を削除する（［削除された最初の行］ステップが追加される）
3. 表の新しい1行名を列名に昇格させる（［昇格されたヘッダー数］［変更された型］ステップが追加される）

表の上から1行だけを削除して、その次の行を列名に昇格させれば、手順1を行わなくてもよいと感じるかもしれません。しかしその方法だと、データを更新するたびに［昇格されたヘッダー数］［変更された型］ステップが2回ずつ実行されることになります。1回目のステップは実行する必要のない無駄な処理なので、ここではそれらのステップを削除しました。

知っておくと便利　手動で列名を降格させるには

自動実行されたステップの次に何らかの作業をしたあとで［昇格されたヘッダー数］ステップを削除すると、不具合が起きる可能性があります。その場合は、［ホーム］タブの［1行目をヘッダーとして使用］の［▼］をクリックして、［ヘッダーを1行目として使用］をクリックすると、列名を1行目に移動できます。

行数を指定して「表の上から○行」を削除する

［ホーム］タブの［行の削除］から［上位の行の削除］を使用すると、「上から○行」を削除できます。表の配置が決まっている定型文書で、更新時に不要な行を確実に削除するのに有効です。

[上位の行の削除]を実行する

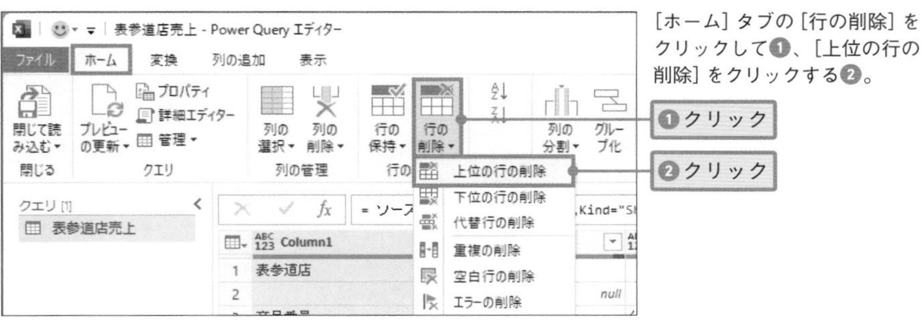

［ホーム］タブの［行の削除］をクリックして❶、［上位の行の削除］をクリックする❷。

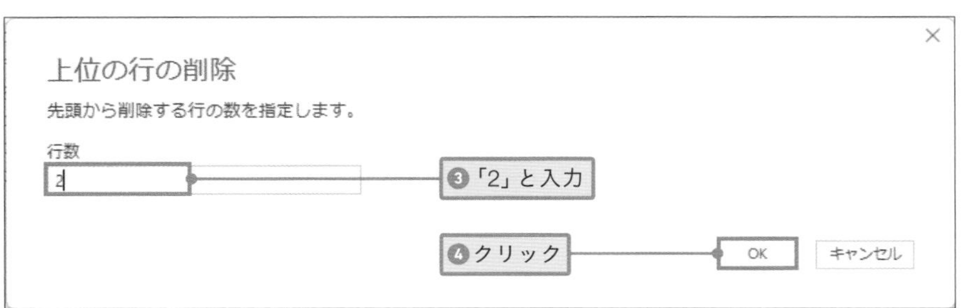

［上位の行の削除］ダイアログボックスが表示されるので、「2」と入力して❸、［OK］をクリックする❹。

= Table.Skip(表参道店売上_Sheet,2)

❺上から2行が削除された

	Column1	Column2	Column3	Column4	Column5
1	商品番号	商品名	分類	単価	数量
2	CC-101	ショートケーキ	カットケーキ	490	
3	CC-102	苺の贅沢ショート	カットケーキ	620	
4	CC-103	モンブラン	カットケーキ	450	
5	CC-104	苺のモンブラン	カットケーキ	500	
6	CC-105	ガトーショコラ	カットケーキ	460	
7	CC-106	チーズケーキ	カットケーキ	380	
8	CC-107	アップルパイ	カットケーキ	430	

上から2行が削除される❺。

1行目のデータを列名に昇格させる

現在、「商品番号」「商品名」「分類」などの本来の列名が1行目に表示されています。これを列名の位置に移動しましょう。

[1行目をヘッダーとして使用]を実行する

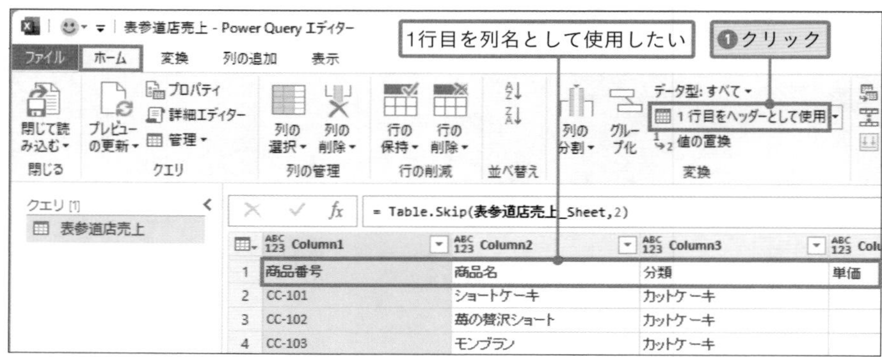

1行目のデータを列名として使用するには、[ホーム] タブの [1行目をヘッダーとして使用] をクリックする❶。

❷1行目にあったデータが列名になった

= Table.TransformColumnTypes(昇格されたヘッダー数,{{"商品番号", type text}, {"商品名", type text}, {"分

	商品番号	商品名	分類	単価	数量
1	CC-101	ショートケーキ	カットケーキ	490	
2	CC-102	苺の贅沢ショート	カットケーキ	620	
3	CC-103	モンブラン	カットケーキ	450	
4	CC-104	苺のモンブラン	カットケーキ	500	
5	CC-105	ガトーショコラ	カットケーキ	460	
6	CC-106	チーズケーキ	カットケーキ	380	

1行目にあったデータが列名となる❷。

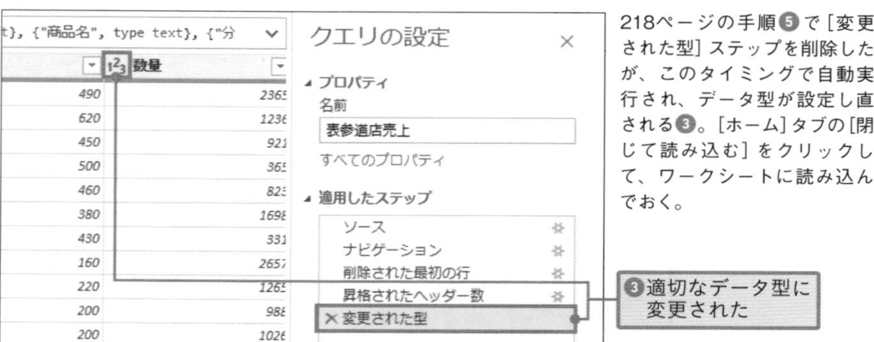

218ページの手順❺で [変更された型] ステップを削除したが、このタイミングで自動実行され、データ型が設定し直される❸。[ホーム] タブの [閉じて読み込む] をクリックして、ワークシートに読み込んでおく。

知っておくと便利 セル範囲に名前を付けるには

あらかじめ表のセル範囲に名前を付けたり、表をテーブルに変換したりしておけば217ページの手順❷の部分に名前やテーブル名が表示されるので、それを選べば表の部分だけを取り込むことができます。名前を設定するには、セル範囲を選択して、数式バーの左にある［名前ボックス］に名前を入力します。なお、設定した名前は［数式］タブの［名前の管理］から削除できます。

▼ セル範囲に名前を付ける

❶セル範囲を選択し、「表参道店」と入力

表参道店 | fx 商品番号

	A	B	C	D	E	F
1	表参道店	商品別売上表				
2						
3	商品番号	商品名	分類	単価	数量	金額
4	CC-101	ショートケーキ	カットケーキ	490	2,365	1,158,850
5	CC-102	苺の贅沢ショート	カットケーキ	620	1,236	766,320
6	CC-103	モンブラン	カットケーキ	450	921	414,450

❷セルA3～F22に「表参道店」という名前が設定された

セルA3～F22を選択し、［名前ボックス］に「表参道店」と入力して Enter を押すと❶、セルA3～F22に「表参道店」という名前が設定される❷。

知っておくと便利 下位の行や空白行も削除できる

［ホーム］タブの［行の削除］には下表の項目があり、さまざまなシーンで利用できます。

▼［行の削除］の項目

項目	説明
上位の行の削除	表の上端から指定した行数を削除する
下位の行の削除	表の下端から指定した行数を削除する
代替行の削除	削除を開始する行、および削除する行数と残す行数のパターンを指定して、開始行以降を「1行おきに削除」「2行削除して1行残す」のように規則的に削除する
重複の削除	選択した列の値に重複がある行を、先頭行のみ残して削除する
空白行の削除	行全体が空白（null）の行を削除する
エラーの削除	選択した列にエラーがある行を削除する

7-3

表から重複データを探し確認してから削除する

重複データの抽出、重複データの削除

Sample 0703_ 応募者名簿 .xlsx

大量のデータから重複を瞬時に見つけて削除する

重複データを削除したいときに、削除するデータを事前にチェックできると安心です。データが大量にある場合に手作業で重複を探すのは大変ですが、パワークエリでは重複データを見つけたり、削除したりするのも簡単です。

下図のデータには［会員番号］列に「12007」が2件、「12028」が3件含まれています。ここでは［会員番号］が重複する行を抽出して確認する方法を紹介します。さらに、1番上の行を残して重複行を削除する（［No］が2と10の行を残して、7、30、32の行を削除する）方法も紹介します。

Before

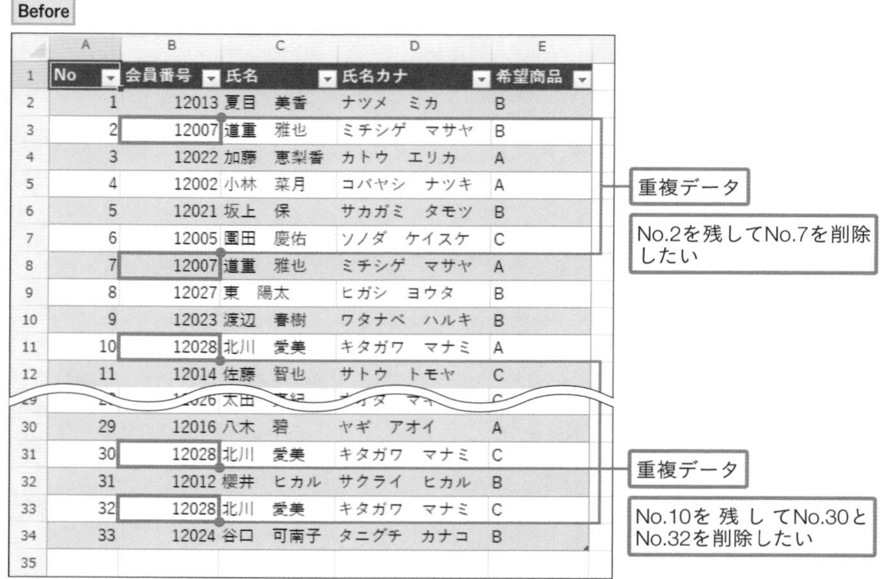

No	会員番号	氏名	氏名カナ	希望商品
1	12013	夏目　美香	ナツメ　ミカ	B
2	12007	道重　雅也	ミチシゲ　マサヤ	B
3	12022	加藤　恵梨香	カトウ　エリカ	A
4	12002	小林　菜月	コバヤシ　ナツキ	A
5	12021	坂上　保	サカガミ　タモツ	B
6	12005	園田　慶佑	ソノダ　ケイスケ	C
7	12007	道重　雅也	ミチシゲ　マサヤ	A
8	12027	東　陽太	ヒガシ　ヨウタ	B
9	12023	渡辺　春樹	ワタナベ　ハルキ	B
10	12028	北川　愛美	キタガワ　マナミ	A
11	12014	佐藤　智也	サトウ　トモヤ	C
29	12016	八木　碧	ヤギ　アオイ	A
30	12028	北川　愛美	キタガワ　マナミ	C
31	12012	櫻井　ヒカル	サクライ　ヒカル	B
32	12028	北川　愛美	キタガワ　マナミ	C
33	12024	谷口　可南子	タニグチ　カナコ	B

重複データ
No.2を残してNo.7を削除したい
重複データ
No.10を残してNo.30とNo.32を削除したい

After

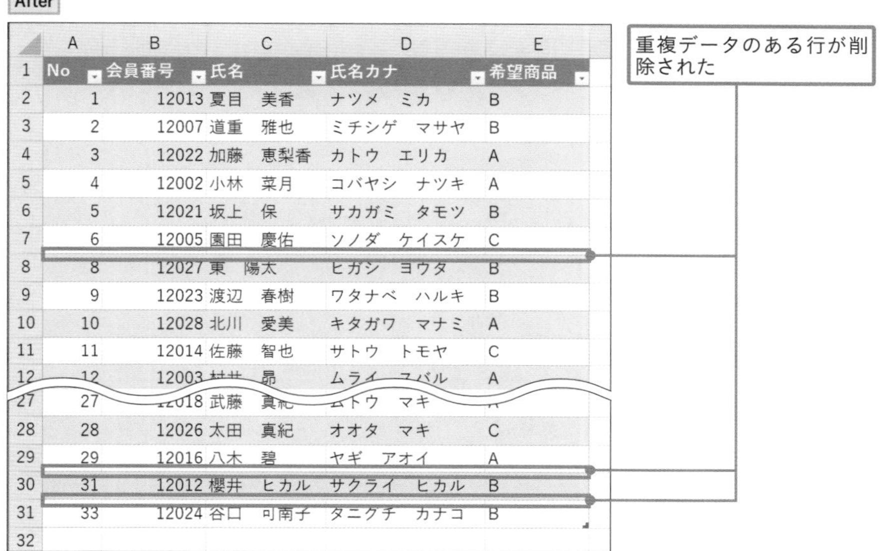

	A	B	C	D	E
1	No	会員番号	氏名	氏名カナ	希望商品
2	1	12013	夏目　美香	ナツメ　ミカ	B
3	2	12007	道重　雅也	ミチシゲ　マサヤ	B
4	3	12022	加藤　恵梨香	カトウ　エリカ	A
5	4	12002	小林　菜月	コバヤシ　ナツキ	A
6	5	12021	坂上　保	サカガミ　タモツ	B
7	6	12005	園田　慶佑	ソノダ　ケイスケ	C
8	8	12027	東　陽太	ヒガシ　ヨウタ	B
9	9	12023	渡辺　春樹	ワタナベ　ハルキ	B
10	10	12028	北川　愛美	キタガワ　マナミ	A
11	11	12014	佐藤　智也	サトウ　トモヤ	C
12	12	12003	村井　昴	ムライ　スバル	A
27	27	12018	武藤　真紀	ムトウ　マキ	A
28	28	12026	太田　真紀	オオタ　マキ	C
29	29	12016	八木　碧	ヤギ　アオイ	A
30	31	12012	櫻井　ヒカル	サクライ　ヒカル	B
31	33	12024	谷口　可南子	タニグチ　カナコ	B
32					

重複データを見つけ出す

列を選択して、[ホーム] タブの [行の保持] から [重複の保持] を実行すると、選択した列の値が重複する行だけを抽出できます。

[重複の保持]を実行する

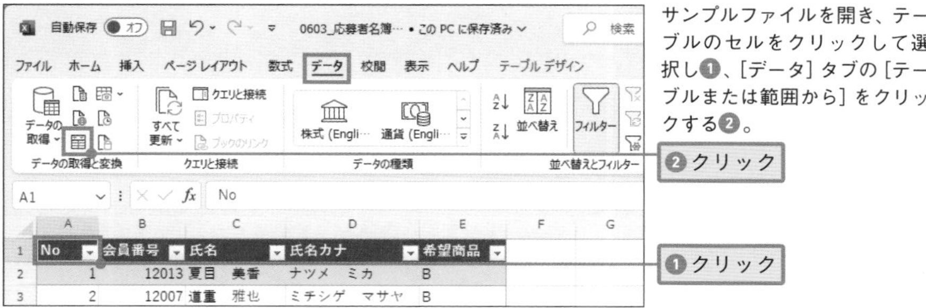

サンプルファイルを開き、テーブルのセルをクリックして選択し❶、[データ] タブの [テーブルまたは範囲から] をクリックする❷。

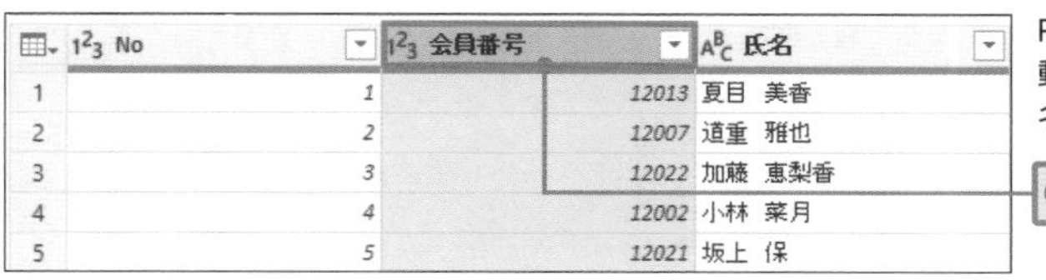

Power Query エディターが起動するので、[会員番号] の列名をクリックする❸。

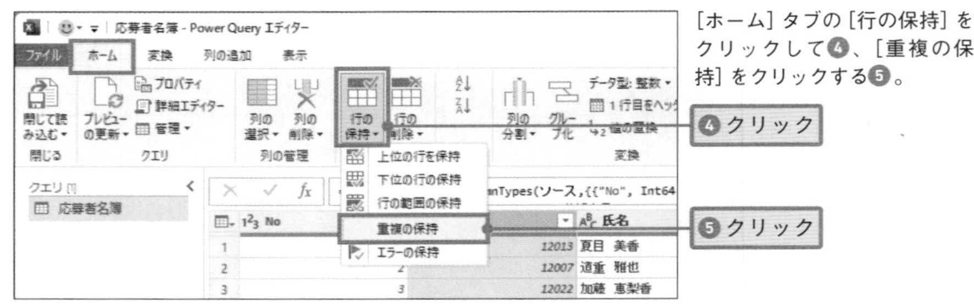

[ホーム] タブの [行の保持] をクリックして❹、[重複の保持] をクリックする❺。

[会員番号] 列の値が重複している2組5件の行だけが表示される❻。

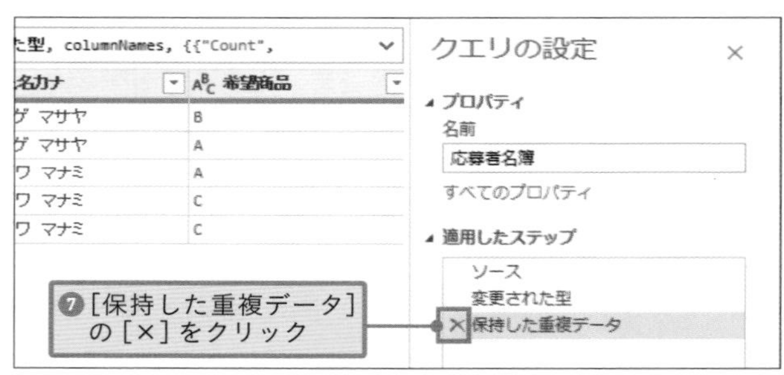

重複データを確認したら、[適用したステップ] 欄の1番下にある [保持した重複データ] ステップの [×] をクリックして❼、重複データの抽出を解除しておく。

知っておくと便利　[行の保持] のメニュー項目

[行の保持] には下表の項目があります。

▼ **[行の保持]のメニュー項目**

項目	説明
上位の行を保持	表の上端から指定した行数を残して、その他の行を削除する。
下位の行を保持	表の下端から指定した行数を残して、その他の行を削除する。
行の範囲の保持	指定した開始位置から指定した行数を残して、その他の行を削除する。
重複の保持	選択した列の値に重複がある行を残して、その他の行を削除する。
エラーの保持	選択した列にエラーがある行を残して、その他の行を削除する。

重複データの行を削除する

［重複の削除］を実行すると、選択した列の値が重複する行を、先頭行のみ残して削除できます。

［重複の削除］を実行する

❶［会員番号］の列を選択する

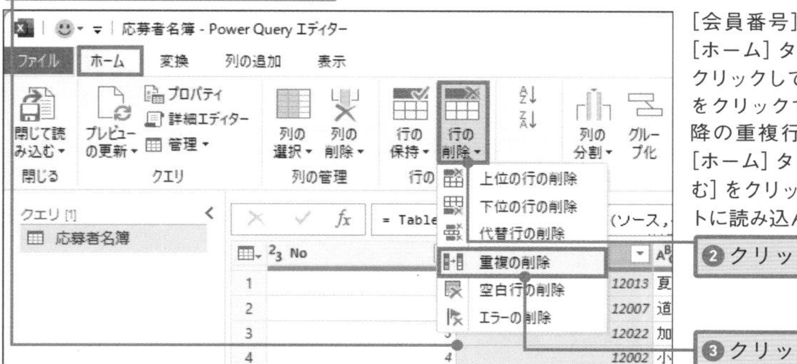

❷クリック

❸クリック

［会員番号］列を選択する❶。［ホーム］タブの［行の削除］をクリックして❷、［重複の削除］をクリックすると❸、2番目以降の重複行が削除される❹。［ホーム］タブの［閉じて読み込む］をクリックして、ワークシートに読み込んでおく。

❹重複行（［No］列が7、30、32の行）が削除された

	No	会員番号	氏名	氏名カナ	希望商品
1	1	12013	夏目 美香	ナツメ ミカ	B
2	2	12007	道重 雅也	ミチシゲ マサヤ	B
3	3	12022	加藤 恵梨香	カトウ エリカ	A
4	4	12002	小林 菜月	コバヤシ ナツキ	A
5	5	12021	坂上 保	サカガミ タモツ	B
6	6	12005	園田 慶佑	ソノダ ケイスケ	C
7	8	12027	東 陽太	ヒガシ ヨウタ	B
8	9	12023	渡辺 春樹	ワタナベ ハルキ	B
9	10	12028	北川 愛美	キタガワ マナミ	A
10	11	12014	佐藤 智也	サトウ トモヤ	C
27	28	12026	[illegible]	[illegible]	[illegible]
28	29	12016	八木 碧	ヤギ アオイ	A
29	31	12012	櫻井 ヒカル	サクライ ヒカル	B
30	33	12024	谷口 可南子	タニグチ カナコ	B

事前に複数の列を選択して［重複の削除］を実行すると、選択したすべての列の値が重複している行が、先頭行を残して削除されます。この節のサンプルで［会員番号］から［希望商品］までの4列を選択して［重複の削除］を実行した場合、［No］列の値が「32」の行が削除されます。

知っておくと便利 1番下の行を残して重複行を削除するには

Sample 0703_コラム_在庫.xlsx

［重複の削除］では、重複データのうち1番上の行を残して他が削除されます。反対に、1番下の行を残して他を削除するには、［重複の削除］を実行する前に［行の反転］を行います。

▼ 行を反転してから[重複の削除]を実行する

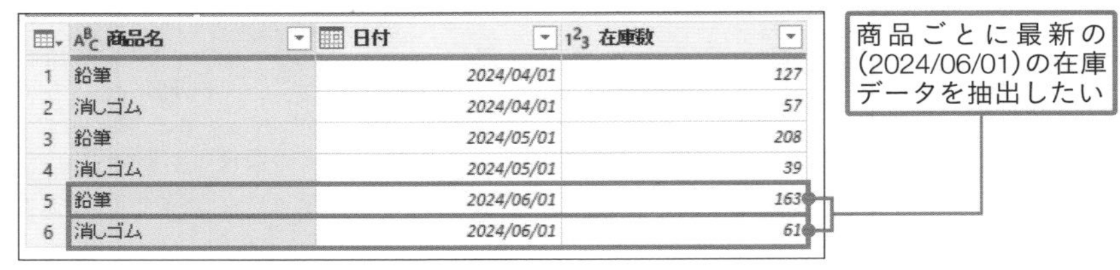

	商品名	日付	在庫数
1	鉛筆	2024/04/01	127
2	消しゴム	2024/04/01	57
3	鉛筆	2024/05/01	208
4	消しゴム	2024/05/01	39
5	鉛筆	2024/06/01	163
6	消しゴム	2024/06/01	61

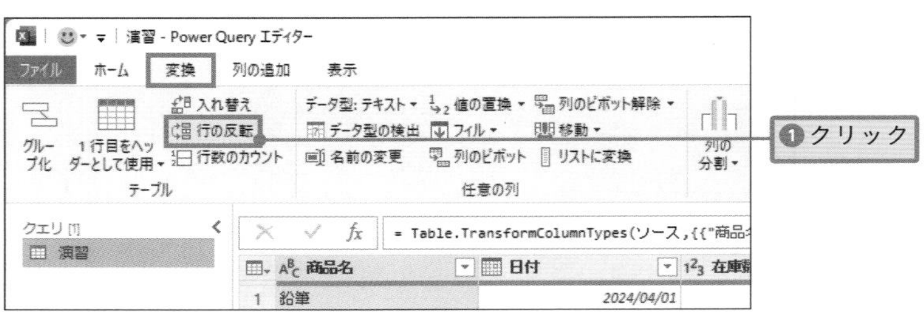

［変換］タブの［行の反転］をクリックする❶。

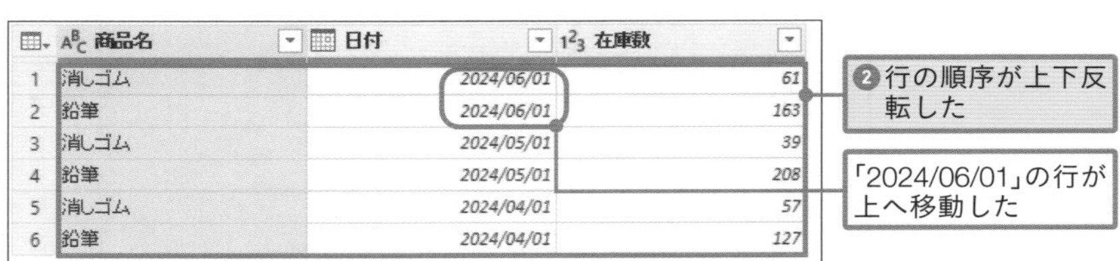

	商品名	日付	在庫数
1	消しゴム	2024/06/01	61
2	鉛筆	2024/06/01	163
3	消しゴム	2024/05/01	39
4	鉛筆	2024/05/01	208
5	消しゴム	2024/04/01	57
6	鉛筆	2024/04/01	127

行の順序が上下反転し、最新の日付の並び順になる❷。

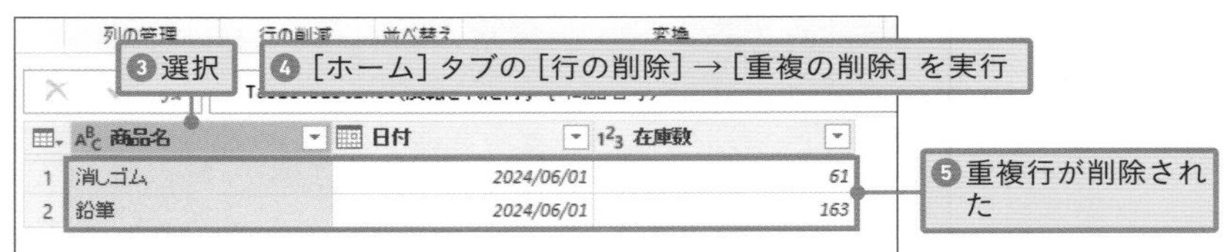

	商品名	日付	在庫数
1	消しゴム	2024/06/01	61
2	鉛筆	2024/06/01	163

［商品名］列を選択し❸、［ホーム］タブの［行の削除］→［重複の削除］を実行すると❹、商品ごとに最新のデータ以外が削除される❺。

STEP UP

並べ替えた表から重複行を削除するには

Sample 0703_コラム_得点.xlsx

並べ替えを行った表から重複を削除しても、並べ替え後の順序は無視され、並べ替え前に1番上だった行が残されます。「Table.Buffer」という関数を使用して並べ替えの式を囲むと、並べ替え後の順序を基準として1番上の行を残せます。以下では得点の表から選択科目ごとの最高得点を調べます。なお、同じ選択科目に最高得点の人が複数いる場合でも、表示されるのはその中の1人です。

▼ 並べ替えた表を関数で処理してから[重複の削除]を実行する

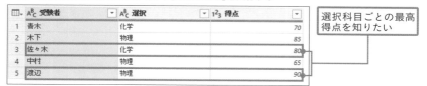

	受験者	選択	得点
1	青木	化学	70
2	木下	物理	85
3	佐々木	化学	80
4	中村	物理	65
5	渡辺	物理	90

選択科目ごとの最高得点を知りたい

```
= Table.Sort(変更された型,{{"得点", Order.Descending}})
```

	受験者	選択	得点
1	渡辺	物理	90
2	木下	物理	85
3	佐々木	化学	80
4	青木	化学	70
5	中村	物理	65

❶ [▼]→[降順で並べ替え]をクリック

[得点] 列の [▼] をクリックし、[降順で並べ替え] を選択して得点の高い順に並べ替える❶。この時点で [重複の削除] をしてもうまくいかない。

「Table.Sort」の前に「Table.Buffer (」を入力し(大文字/小文字を区別して入力すること)❷、末尾に「)」を入力する❸。

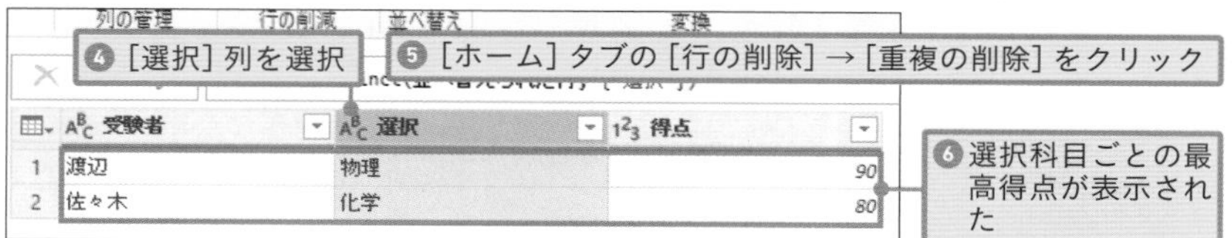

[選択] 列を選択し❹、[ホーム] タブの [行の削除] → [重複の削除] をクリックすると❺、並べ替えを行ったあとの並び順で1番上の行にある各科目の最高得点が表示される❻。

7-4

フィルター機能を使用して必要なデータだけ残して削除する

フィルター、データの抽出

Sample 0704_ 売上 .xlsx

フィルターを使用して必要なデータだけを表示する

社内のデータベースから出力されるファイルには、不要なデータが含まれることがあります。フィルター機能を使用すると、条件を指定して必要なデータだけを抽出できます。一方、抽出されなかった行は削除されます。データが大量にある場合、早い段階で行数を少なくしておくことで、その後のステップのパフォーマンスの改善を見込めます。

ここでは日付の範囲や文字列の部分一致の条件で抽出を行います。

Before

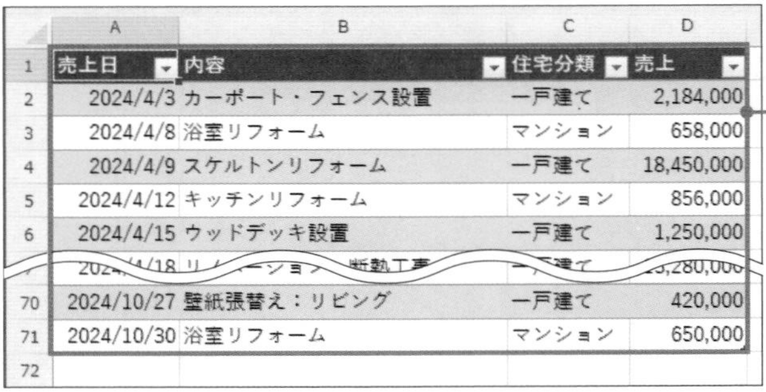

	A	B	C	D
1	売上日	内容	住宅分類	売上
2	2024/4/3	カーポート・フェンス設置	一戸建て	2,184,000
3	2024/4/8	浴室リフォーム	マンション	658,000
4	2024/4/9	スケルトンリフォーム	一戸建て	18,450,000
5	2024/4/12	キッチンリフォーム	マンション	856,000
6	2024/4/15	ウッドデッキ設置	一戸建て	1,250,000
70	2024/10/27	壁紙張替え：リビング	一戸建て	420,000
71	2024/10/30	浴室リフォーム	マンション	650,000
72				

[売上] テーブル

After

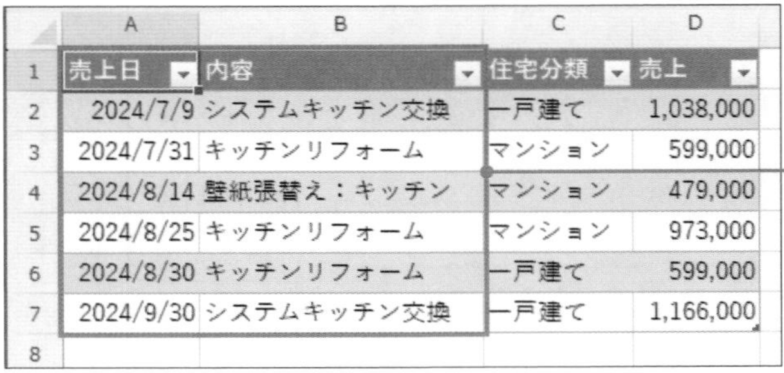

	A	B	C	D
1	売上日	内容	住宅分類	売上
2	2024/7/9	システムキッチン交換	一戸建て	1,038,000
3	2024/7/31	キッチンリフォーム	マンション	599,000
4	2024/8/14	壁紙張替え：キッチン	マンション	479,000
5	2024/8/25	キッチンリフォーム	マンション	973,000
6	2024/8/30	キッチンリフォーム	一戸建て	599,000
7	2024/9/30	システムキッチン交換	一戸建て	1,166,000
8				

2024/7/1 ～ 2024/9/30 の期間で [内容] 列に「キッチン」が含まれる売上データを抽出する

(注) [売上] 列のセルに桁区切りスタイルが設定してあります。

[日付フィルター]で期間を絞り込む

[日付]型の列では、日付の範囲を条件とする[日付フィルター]を使用できます。ここでは「2024/7/1 ～ 2024/9/30」の期間を抽出します。

[日付フィルター]を実行する

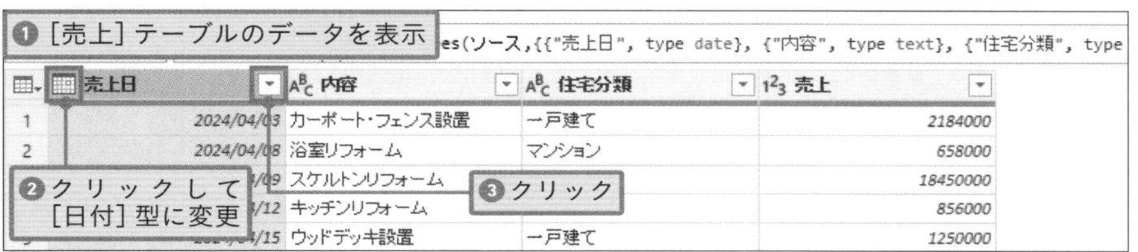

サンプルファイルを開き、223ページの手順❶～❷を参考に[売上]テーブルからPower Query エディターを起動しておく❶。[売上日]が[日付/時刻]型に自動設定されるので、[日付]型に変更しておく❷。その際に[列タイプの変更]ダイアログボックスが表示されるので[現在のものを置換]を選ぶこと。[売上日]の期間を抽出するには、フィルターボタン(▼)をクリックする❸。

条件を指定するためのメニューが開くので、[日付フィルター]をクリックし❹、[指定の値の間]をクリックする❺。

手順❺の一覧にある[次の][前の]を使用すると「明日から7日間」「先月の1か月間」のような条件を指定できます。また[年][月]を使用すると「来年」「今年」「昨年」「来月」「今月」「先月」のような条件を指定できます。データの更新時に、その時点での「明日から7日間」「先月」などの条件でフレキシブルな抽出を行えます。

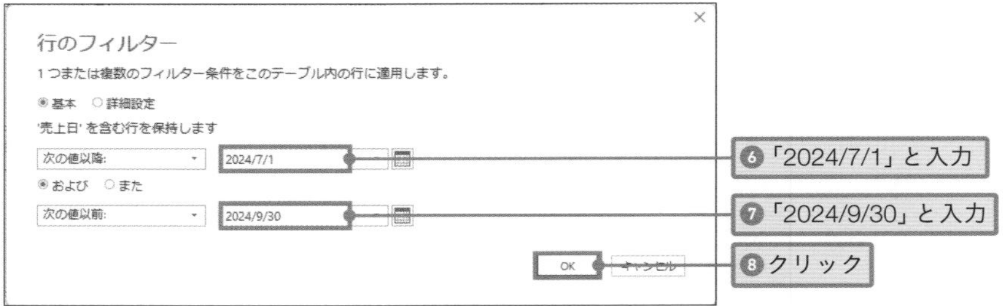

[行のフィルター] ダイアログボックスが開く。[次の値以降] の横に「2024/7/1」と入力し❻、[次の値以前] の横に「2024/9/30」と入力して❼、[OK] をクリックする❽。

❾データが抽出された
❿ボタンが ▾ から ▾ に変わった
SelectRows(変 … , 7, 1) and [売上日] <= #d

	売上日	内容	住宅分類	売上
1	2024/07/01	ベランダ防水工事	マンション	423000
2	2024/07/07	マンションフルリフォーム	マンション	21808000
3	2024/07/09	システムキッチン交換	一戸建て	1038000
4	2024/07/11	バリアフリー工事	一戸建て	2832000
5	2024/07/14	スケルトンリフォーム	一戸建て	26580000
6	2024/07/17	サンルーム設置	マンション	1485000
7	2024/07/21	ガレージ設置・フェンス設置	一戸建て	1858000
8	2024/07/22	浴室リフォーム	マンション	790000
9	2024/07/24	ウッドデッキ設置	一戸建て	1625000
28	2024/09/19	[illegible]設置	[illegible]建て	[illegible]000
29	2024/09/24	壁紙張替え:リビング	マンション	314000
30	2024/09/30	システムキッチン交換	一戸建て	1166000

列のプロファイリング

「2024/7/1 ～ 2024/9/30」のデータが抽出され❾、[売上日] 列のフィルターボタンの絵柄が変わる❿。

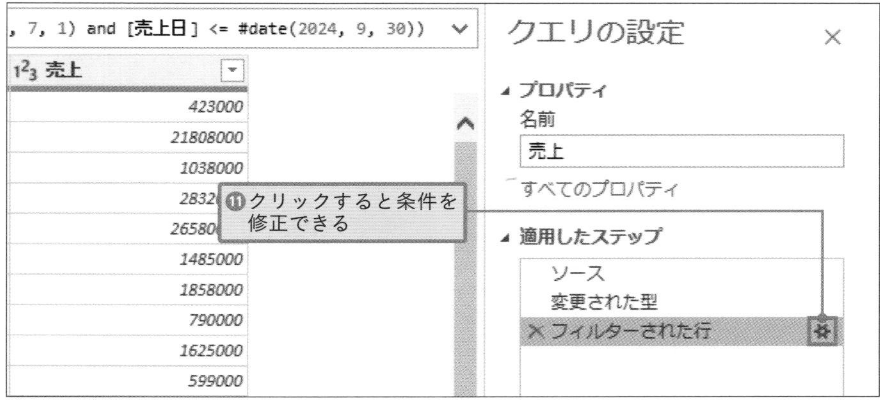

[適用したステップ] 欄に [フィルターされた行] ステップが追加される。このステップをダブルクリックするか、その右の歯車のアイコン( )をクリックすると、[行のフィルター] ダイアログボックスが再表示され、条件を修正できる⓫。

[テキストフィルター]で「キッチン」を含むデータを抽出する

続いて[内容]列から「キッチン」を含むデータを抽出します。[テキストフィルター]の[指定の値を含む]という項目を使用します。

[テキストフィルター]を実行する

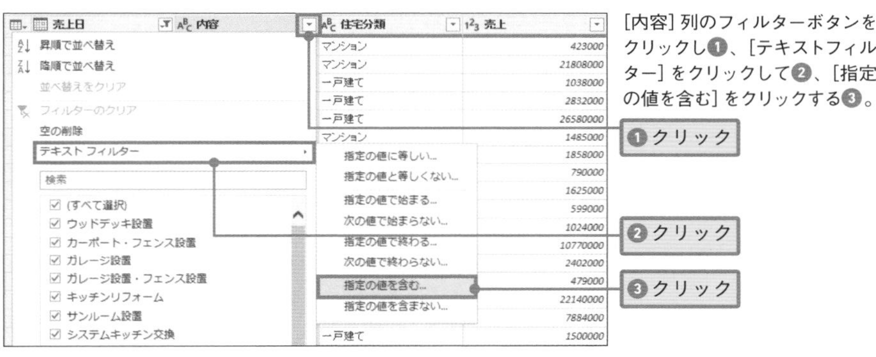

[内容]列のフィルターボタンをクリックし❶、[テキストフィルター]をクリックして❷、[指定の値を含む]をクリックする❸。

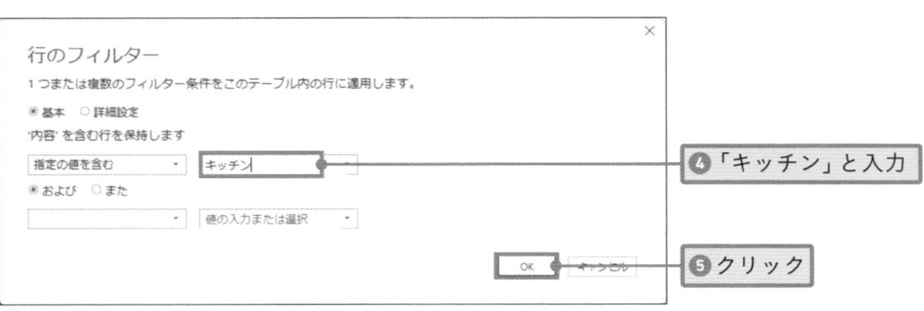

[行のフィルター]ダイアログボックスが開く。[指定の値を含む]の横に「キッチン」と入力して❹、[OK]をクリックする❺。

知っておくと便利　チェックの有無による抽出の注意

手順❷のメニューには列内のデータが最大1000項目まで一覧表示され、チェックを付けて[OK]をクリックすることで抽出を行えます。その際、項目数とチェックを付けた数の兼ね合いで、作成されるM言語が変わります。例えば[評価]という名前の列に「A」「B」「C」の3項目が入力されているとします。「A」「B」にチェックを付けて抽出すると、M言語内の条件式が「[評価]がCでない」という意味の「[評価] <> "C"」と記述されます。元表に「D」が追加された場合、クエリの更新時に「A」「B」のほかに「D」も抽出されてしまい、意図した結果になりません。[評価]列の項目が多い場合は、「A」「B」にチェックを付けたときに「[評価] = "A" or [評価] = "B"」と記述されることもあります。なお、[テキストフィルター]を使えば、確実に「A」「B」だけを抽出するよう設定できます。

❻データが抽出された　❼ボタンが に変わった

SelectRows(フィ…ins([内容], "キッチン"))

	売上日	内容	住宅分類	売上
1	2024/07/09	システムキッチン交換	一戸建て	1038000
2	2024/07/31	キッチンリフォーム	マンション	599000
3	2024/08/14	壁紙張替え:キッチン	マンション	479000
4	2024/08/25	キッチンリフォーム	マンション	973000
5	2024/08/30	キッチンリフォーム	一戸建て	599000
6	2024/09/30	システムキッチン交換	一戸建て	1166000

❽ボタンが に戻った

「キッチン」という単語を含むデータが抽出される❻。結果として「2024/7/1 ～ 2024/9/30」の期間の「キッチン」を含むデータが抽出される。[内容] 列のフィルターボタンの絵柄が変わり❼、[売上日] 列のフィルターボタンは元に戻る❽。[適用されたステップ] 欄には [フィルターされた行1] が追加される。[ホーム] タブの [閉じて読み込む] をクリックして、ワークシートに読み込んでおく。

知っておくと便利 **[詳細設定] を使えば複数の列の条件を指定可能**

[行のフィルター] ダイアログボックスの [詳細設定] を使用すると、複数の列の条件を「および」や「または」で組み合わせた複雑な条件を指定できます。この節では [売上日] 列と [内容] 列で別々に条件を設定しましたが、下図のように設定すれば、同時に [内容] 列の設定も行えます。また、[適用されたステップ] 欄に追加されるステップも1つにまとまります。

▼ **[詳細設定]を使用した複数列の条件設定**

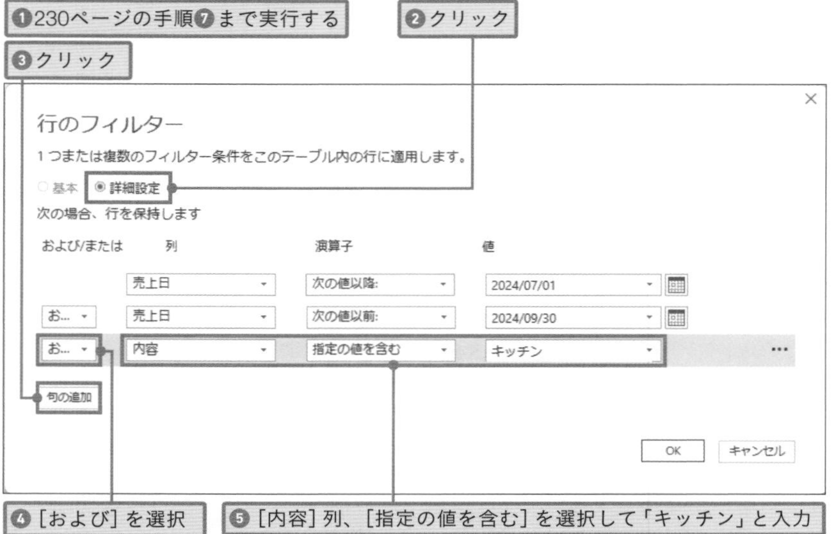

229ページの手順❶～230ページの手順❼を参考に [売上日] 列の条件指定を行う❶。[詳細設定] をクリックし❷、[句の追加] をクリックして条件の入力行を追加する❸。[および] を選択し❹、[内容] 列、[指定の値を含む] を選択して「キッチン」と入力して、[OK] をクリックする❺。

抽出の解除のタイミング

の絵柄のボタンをクリックして［フィルターのクリア］をクリックすると、［適用したステップ］欄から［フィルターされた行］ステップが削除され、該当の列の抽出を解除できます。また、［フィルターされた行］ステップを直接削除しても、抽出を解除できます。

なお、フィルターを実行したあと別のステップを実行すると、ボタンは に戻り、［フィルターのクリア］を実行できなくなります。［フィルターされた行］ステップを削除すれば抽出前の状態に戻せますが、そのあとのステップに支障が出る場合があるので注意してください。

知っておくと便利 不要な行の削除にも利用できる

フィルターは、必要な行の抽出だけでなく、不要な行の削除にも利用できます。例えば下図の表で［分類］列の［▼］をクリックして［合計］のチェックを外すと、合計行をまとめて削除できます。

▼ 合計行を削除する

クリックして［合計］のチェックを外す

	分類	コース	受講料	受講者数	売上金額
1	Excel	Excel 初級	5000	48	24000C
2	Excel	Excel 中級	6000	32	19200C
3	Excel	Excel 応用	8000	16	12800C
4	合計	null	null	96	56000C
5	Excel VBA	Excel VBA 初級	6500	38	24700C
6	Excel VBA	Excel VBA 中級	8000	17	13600C
7	Excel VBA	Excel VBA 実践	10000	26	26000C
8	合計	null	null	81	64300C
9	Power Query	Power Query 初級	6500	26	16900C
10	Power Query	Power Query 中級	8000	19	15200C
11	Power Query	Power Query 実践	10000	27	27000C
12	合計	null	null	72	59100C

合計行が削除された

	分類	コース	受講料	受講者数	売上金額
1	Excel	Excel 初級	5000	48	24000C
2	Excel	Excel 中級	6000	32	19200C
3	Excel	Excel 応用	8000	16	12800C
4	Excel VBA	Excel VBA 初級	6500	38	24700C
5	Excel VBA	Excel VBA 中級	8000	17	13600C
6	Excel VBA	Excel VBA 実践	10000	26	26000C
7	Power Query	Power Query 初級	6500	26	16900C
8	Power Query	Power Query 中級	8000	19	15200C
9	Power Query	Power Query 実践	10000	27	27000C

7-5

表が見やすくなるように データを並べ替える

行の並べ替え

Sample 0705_ 会員名簿 .xlsx

データを見やすく並べ替える

パワークエリでは列の値を基準に「昇順」または「降順」の並べ替えを行えます。昇順とは、数値の小さい順、日付の古い順、文字列の文字コード順で、降順はその逆の順序です。アルファベットやカナの昇順はABC順、五十音順になりますが、漢字は読みの順序になりません。例えば氏名を五十音順に並べ替えたい場合、氏名のふりがなの列が必要になるので注意してください。

ここでは下図の「Before」の名簿を［ランク］列の昇順、［氏名カナ］列の昇順に並べ替えます。複数の列に並べ替えの設定を行うときは、優先順位の高い［ランク］列の並べ替えを先に行うことがポイントです。なお、「After」の表では［ランク］列を左端に移動しています。

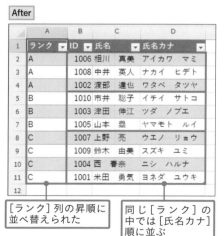

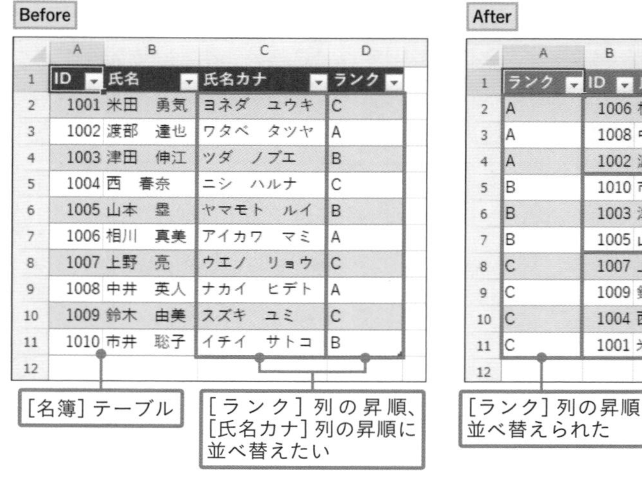

Before

	A	B	C	D
1	ID	氏名	氏名カナ	ランク
2	1001	米田　勇気	ヨネダ　ユウキ	C
3	1002	渡部　達也	ワタベ　タツヤ	A
4	1003	津田　伸江	ツダ　ノブエ	B
5	1004	西　春奈	ニシ　ハルナ	C
6	1005	山本　塁	ヤマモト　ルイ	B
7	1006	相川　真美	アイカワ　マミ	A
8	1007	上野　亮	ウエノ　リョウ	C
9	1008	中井　英人	ナカイ　ヒデト	A
10	1009	鈴木　由美	スズキ　ユミ	C
11	1010	市井　聡子	イチイ　サトコ	B
12				

［名簿］テーブル

［ランク］列の昇順、［氏名カナ］列の昇順に並べ替えたい

After

	A	B	C	D
1	ランク	ID	氏名	氏名カナ
2	A	1006	相川　真美	アイカワ　マミ
3	A	1008	中井　英人	ナカイ　ヒデト
4	A	1002	渡部　達也	ワタベ　タツヤ
5	B	1010	市井　聡子	イチイ　サトコ
6	B	1003	津田　伸江	ツダ　ノブエ
7	B	1005	山本　塁	ヤマモト　ルイ
8	C	1007	上野　亮	ウエノ　リョウ
9	C	1009	鈴木　由美	スズキ　ユミ
10	C	1004	西　春奈	ニシ　ハルナ
11	C	1001	米田　勇気	ヨネダ　ユウキ
12				

［ランク］列の昇順に並べ替えられた

同じ［ランク］の中では［氏名カナ］順に並ぶ

最優先の[ランク]列の並べ替えを設定する

まずは最優先の基準となる［ランク］列の昇順の並べ替えを行います。列に入力されているデータが「A、B、C」の順序で並べ替えられます。

[ランク]列の昇順で並べ替える

列の管理　行の削減　並べ替え　変換　結合　パラメー

❶［名簿］テーブルのデータを表示　❷クリック

= Table.TransformColumnTypes(ソース,{{"ID", Int64.Type}, {"氏名", type text}, {"氏名カ

	ID	氏名	氏名カナ	ランク
1	1001	米田　勇気	ヨネダ　ユウキ	C
2	1002	渡部　達也	ワタベ　タツヤ	A
3	1003	津田　伸江	ツダ　ノブエ	B
4	1004	西　春奈	ニシ　ハルナ	C
5	1005	山本　塁	ヤマモト　ルイ	B

サンプルファイルを開き、223ページの手順❶～❷を参考に［名簿］テーブルからPower Query エディターを起動しておく❶。［ランク］列の並べ替えを設定するには、フィルターボタン（▼）をクリックする❷。

= Table.TransformColumnTypes(ソース,{{"ID", Int64　❸クリック　", type text}, {"氏名カ

	ID	氏名
1	1001	米田　勇気
2	1002	渡部　達也
3	1003	津田　伸江
4	1004	西　春奈
5	1005	山本　塁
6	1006	相川　真美

昇順で並べ替え
降順で並べ替え
並べ替えをクリア
フィルターのクリア
空の削除

表示されるメニューから［昇順で並べ替え］をクリックする❸。

❹昇順で並べ替えられた　(変更された型,{{"ランク", Order.Asc　❺ボタンが▼から↑に変わった

	ID	氏名	氏名カナ	ランク
1	1002	渡部　達也	ワタベ　タツヤ	A
2	1006	相川　真美	アイカワ　マミ	A
3	1008	中井　英人	ナカイ　ヒデト	A
4	1003	津田　伸江	ツダ　ノブエ	B
5	1005	山本　塁	ヤマモト　ルイ	B
6	1010	市井　聡子	イチイ　サトコ	B
7	1007	上野　亮	ウエノ　リョウ	C
8	1009	鈴木　由美	スズキ　ユミ	C
9	1004	西　春奈	ニシ　ハルナ	C
10	1001	米田　勇気	ヨネダ　ユウキ	C

［ランク］列の文字列がアルファベット順に並べ替えられ❹、ボタンの絵柄が「昇順」を意味する上向き矢印が付いた絵柄に変わる❺。

[ランク] 列を選択して [ホーム] タブの [並べ替え] グループにある [昇順で並べ替え] (A↓Z) をクリックしても、[ランク] 列を基準に昇順で並べ替えることができます。[降順で並べ替え] (Z↓A) をクリックした場合は、降順で並べ替えられます。

優先順位の低い[氏名カナ]列の並べ替えを設定する

続いて2番目の優先順位となる [氏名カナ] 列の昇順の並べ替えを行います。列に入力されているデータが五十音順に並べ替えられます。

[氏名カナ]列の昇順で並べ替える

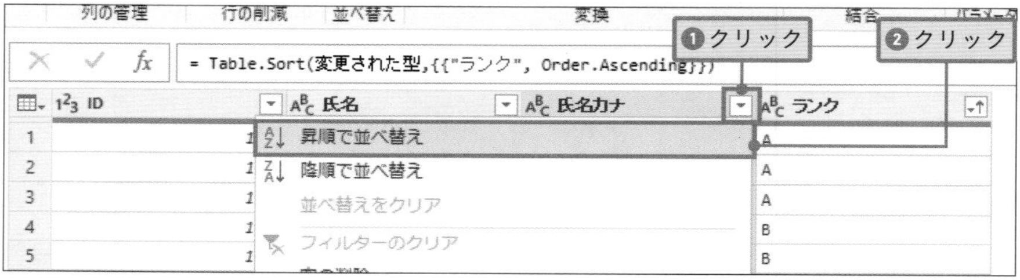

[氏名カナ] 列のフィルターボタンをクリックし❶、表示されるメニューから [昇順で並べ替え] をクリックする❷。

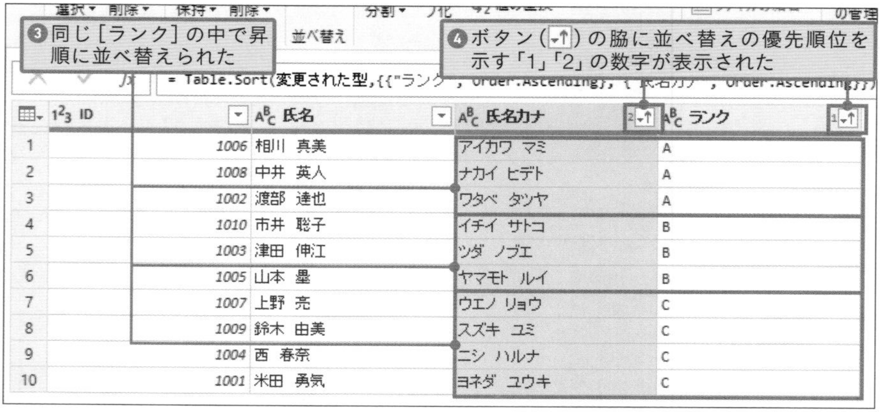

	ID	氏名	氏名カナ	ランク
1	1006	相川 真美	アイカワ マミ	A
2	1008	中井 英人	ナカイ ヒデト	A
3	1002	渡部 達也	ワタベ タツヤ	A
4	1010	市井 聡子	イチイ サトコ	B
5	1003	津田 伸江	ツダ ノブエ	B
6	1005	山本 塁	ヤマモト ルイ	B
7	1007	上野 亮	ウエノ リョウ	C
8	1009	鈴木 由美	スズキ ユミ	C
9	1004	西 春奈	ニシ ハルナ	C
10	1001	米田 勇気	ヨネダ ユウキ	C

[ランク] 列のデータが同じものの中で、[氏名カナ] のアイウエオ順に並べ替えられる❸。フィルターボタンの脇に並べ替えの優先順位を示す「1」「2」の数字が表示される❹。

行の並べ替えは、パワークエリにとって負荷のかかる処理です。ワークシート上での並べ替えのほうが高速です。パワークエリで並べ替えを行ったときに処理速度が落ちる場合は、ワークシートに読み込んでから並べ替えることを検討しましょう。

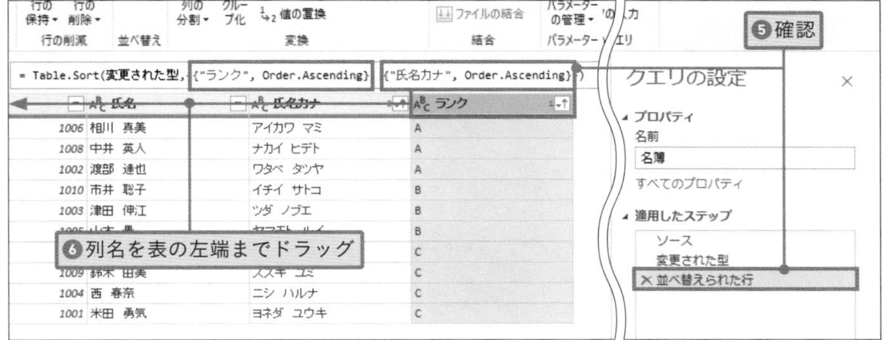

並べ替えを続けて行った場合、その設定は同じ式にまとめられ、1つのステップとなる❺。最後に[ランク]の列名を左端までドラッグする❻。

[ランク]列が左端に移動すると❼、並べ替えた列のフィルターボタン（↓↑）が▼に戻る❽。[ホーム]タブの[閉じて読み込む]をクリックして、ワークシートに読み込んでおく。

POINT

並べ替えを元に戻すための列を用意しておこう

並べ替えの実行直後は、↓↑をクリックして[並べ替えをクリア]をクリックすることで、その列の並べ替えを解除できます。また、[並べ替えられた行]ステップを削除することで、複数の列の並べ替えを一気に解除することもできます。

なお、並べ替え後にほかのステップを実行すると、アイコンは▼に戻り[並べ替えをクリア]を実行できなくなります。あとから元の並び順に戻すには、今回の表の場合は[ID]列を基準に昇順の並べ替えを行います。元に戻すための基準となる列が存在しない場合は、178ページを参考に並べ替え前にインデックス列を追加しておくとよいでしょう。

知っておくと便利 任意の順序で並べ替えるには

Sample 0705_コラム_任意の順序.xlsx

昇順や降順ではなく任意の順序で並べ替えるには、別途並べ替えの順序を指定する表を作成してマージを行います。ここでは、[ランク] 列を「S、A、B」の順序で並べ替えます。

▼任意の順序で並べ替え

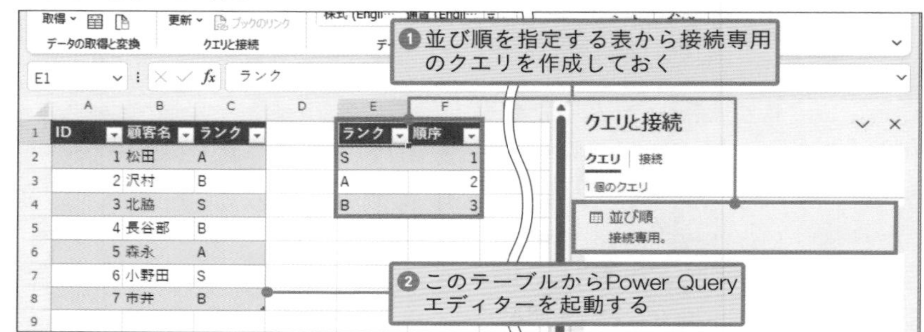

並び順を指定する表を作成し、その表から98ページを参考に接続専用のクエリを作成しておく❶。223ページを参考に [名簿] テーブルからPower Query エディターを起動する❷。

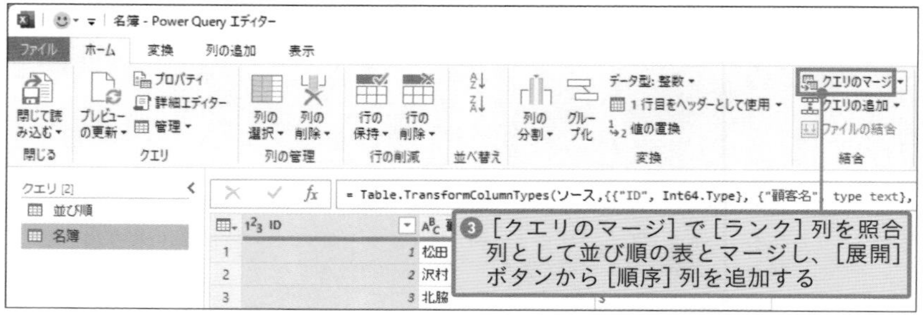

102ページを参考に [クエリのマージ] を実行して、[ランク] 列を照合列として並び順の表とマージし、[展開] ボタンから [順序] 列を追加しておく❸。

❹ [順序] 列で昇順の並べ替えを行うと [ランク] 列が「S、A、B」の順序で並ぶ

	ID	顧客名	ランク	順序
1	6	小野田	S	1
2	3	北脇	S	1
3	1	松田	A	2
4	5	森永	A	2
5	7	市井	B	3
6	4	長谷部	B	3
7	2	沢村	B	3

[順序] 列のフィルターボタンをクリックし、表示されるメニューから [昇順で並べ替え] をクリックすると [ランク] 列が「S、A、B」の順序で並ぶ❹。

7-6

同じ月や同じ商品をひとまとめにして数値をグループ集計する

グループ化、集計

Sample 0706_ 上期売上 .xlsx

特定の列をグループ化して集計する

パワークエリで整形したデータをワークシートに読み込めば、ピボットテーブルなどの高度な機能を使用して自由自在に集計できます。しかし、簡単な集計ならパワークエリでも行えます。整形から集計までを自動化してワークシートに読み込みたいケースで有効です。

この節では、下図の「Before」の売上表から「グループ化」という機能を使用して「月別商品分類別」に金額を集計します。

Before

	A	B	C	D
1	販売日	商品名	商品分類	金額
2	2024/4/1	野菜ジュース	毎日飲料	27,000
3	2024/4/2	グルコサミンEx	サプリ	21,000
4	2024/4/3	豆乳バナナ	毎日飲料	19,500
5	2024/4/3	コラーゲンEx	サプリ	26,000
6	2024/4/4	ブルーベリーEx	サプリ	15,000
7	2024/4/5	頭皮ケアDx	スキンケア	27,000
8	2024/4/6	コラーゲンEx	サプリ	52,000
9	2024/4/7	豆乳バナナ	毎日飲料	39,000
10	2024/4/8	金の野菜ジュース	毎日飲料	51,000
11	2024/4/9	ビタミンEx	サプリ	12,000
12	2024/4/10	ハンドケアDx	スキンケア	4,250
13	2024/4/10	ハンドケアDx	スキンケア	12,750
14	2024/4/11	果実ジュース	毎日飲料	50,000
15	2024/4/12	野菜ジュース	毎日飲料	108,000
16	2024/4/13	果実ジュース	毎日飲料	25,000
250	2024/9/30	果実ジュース	毎日飲料	25,000
251	2024/9/30	金の野菜ジュース	毎日飲料	51,000
252	2024/9/30	ビタミンEx	サプリ	6,000
253				

[売上] テーブル

4月から9月の売上データが入力されている

After

	A	B	C	D	E
1	月	商品分類	売上		
2	4月	毎日飲料	598,000		
3	4月	サプリ	513,000		
4	4月	スキンケア	48,250		
5	5月	毎日飲料	1,440,000		
6	5月	スキンケア	148,250		
7	5月	サプリ	642,000		
8	6月	毎日飲料	899,500		
9	6月	サプリ	760,000		
10	6月	スキンケア	30,750		
11	7月	サプリ	413,000		
12	7月	毎日飲料	748,000		
13	7月	スキンケア	63,250		
14	8月	毎日飲料	525,000		
15	8月	サプリ	565,500		
16	8月	スキンケア	63,750		
17	9月	サプリ	645,000		
18	9月	毎日飲料	828,500		
19	9月	スキンケア	157,000		
20					

月別、商品分類別に金額を集計する

(注) [売上] のセルに桁区切りスタイルが設定してあります。

[月]列を作成してグループ集計する

グループ集計では、グループ化する列と集計する列、および集計方法の指定が必要です。例えば月別に金額を合計するには、グループ化する列として「月」、集計する列として「金額」、集計方法として「合計」を指定します。表に「月」の列がない場合は、事前に日付から「月」を取り出しておく必要があります。ここでは月別の集計を行いますが、同様に「年」を取り出せば年別集計、「四半期」を取り出せば四半期別集計と、さまざまな集計に応用できます。

日付から「月」を取り出す

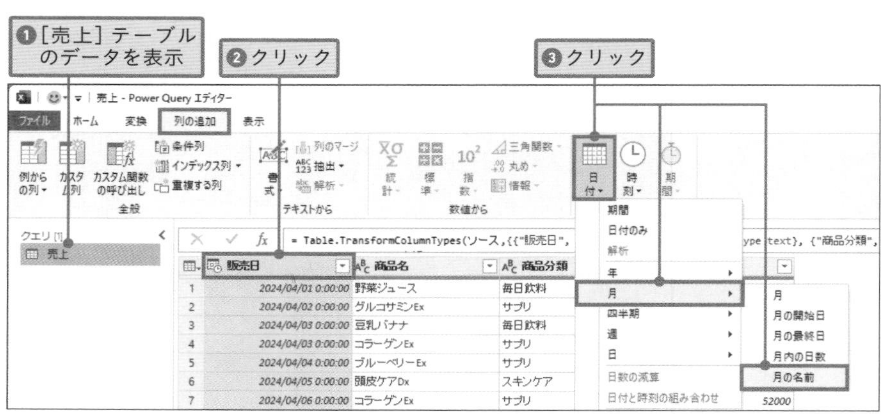

サンプルファイルを開き、223ページの手順❶～❷を参考に［売上］テーブルからPower Query エディターを起動しておく❶。［販売日］列をクリックして❷、［列の追加］タブの［日付］→［月］→［月の名前］をクリックする❸。

❹［販売日］から月名が取り出された
❺列名を「月」に変更

```
= Table.AddColumn(変更された型, "月の名前", each Date.MonthName([販売日]), type text)
```

	販売日	商品名	商品分類	金額	月
1	2024/04/01 0:00:00	野菜ジュース	毎日飲料	27000	4月
2	2024/04/02 0:00:00	グルコサミンEx	サプリ	21000	4月
3	2024/04/03 0:00:00	豆乳バナナ	毎日飲料	19500	4月
4	2024/04/03 0:00:00	コラーゲンEx	サプリ	26000	4月
5	2024/04/04 0:00:00	ブルーベリーEx	サプリ	15000	4月
6	2024/04/05 0:00:00	頭皮ケアDx	スキンケア	27000	4月
7	2024/04/06 0:00:00	コラーゲンEx	サプリ	52000	4月
8	2024/04/07 0:00:00	豆乳バナナ	毎日飲料	39000	4月

新しい列が追加され、［販売日］列の日付から「4月」「5月」などと月が取り出される❹。自動で「月の名前」という列名が付けられるので、ダブルクリックして「月」に変更し、Enterを押す❺。

[月]列でグループ化して[金額]の合計を求める

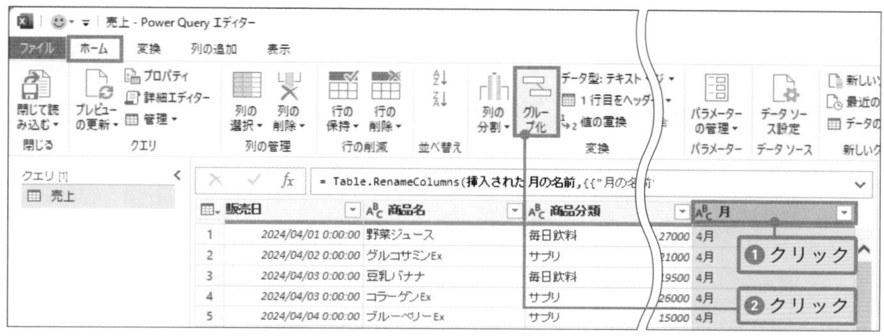

グループ化する［月］列をクリックして❶、［ホーム］タブの［グループ化］をクリックする❷。［変換］タブの［テーブル］グループにある［グループ化］をクリックしてもよい。

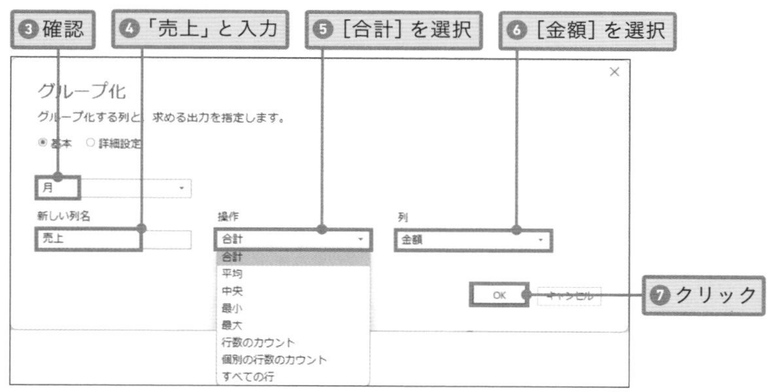

［グループ化］ダイアログボックスが開くので、［月］が選択されていることを確認する❸。手順❶で［月］列を選択しなかった場合は、［▼］をクリックして一覧から選択し直すことも可能。新しい列名として「売上」と入力し❹、［操作］欄から集計方法として［合計］を選択し❺、集計対象として［金額］列を選択し❻、［OK］をクリックする❼。

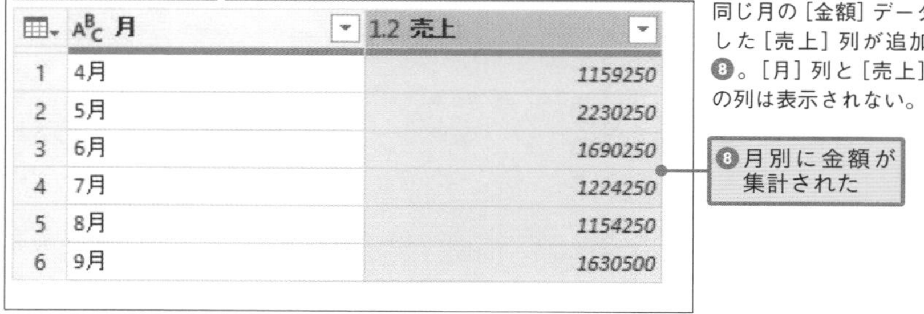

	月	1.2 売上
1	4月	1159250
2	5月	2230250
3	6月	1690250
4	7月	1224250
5	8月	1154250
6	9月	1630500

同じ月の［金額］データを合計した［売上］列が追加される❽。［月］列と［売上］列以外の列は表示されない。

グループ化する列を追加する

［グループ化］ダイアログボックスでは、［詳細設定］をクリックすることによりグループ化する列を複数指定できます。前ページで［グループ化］ダイアログボックスを閉じてしまいましたが、［適用したステップ］欄から再表示できます。ここではグループ化する列として［商品分類］を追加します。

グループ化する列として［商品分類］を追加する

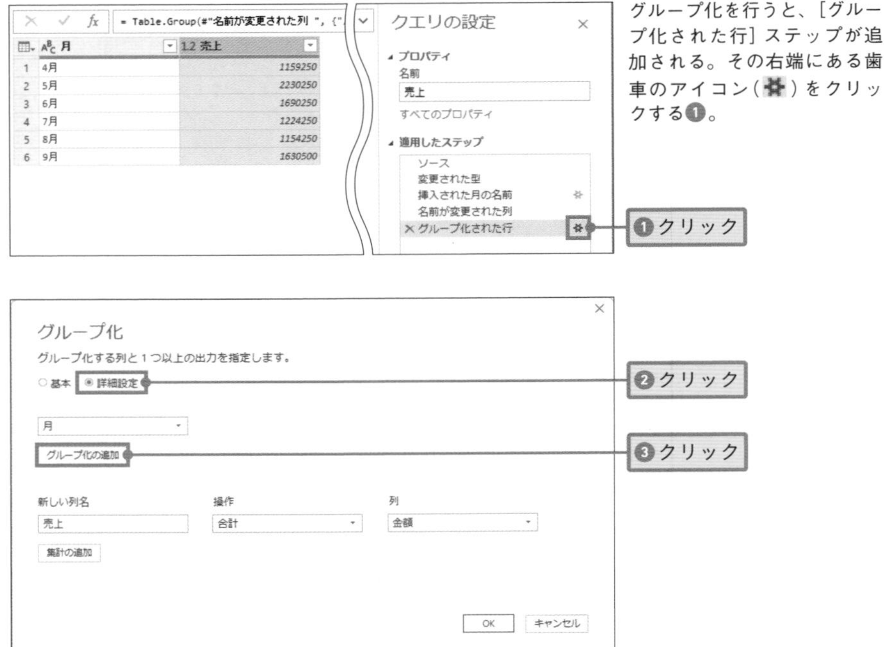

グループ化を行うと、［グループ化された行］ステップが追加される。その右端にある歯車のアイコン（⚙）をクリックする❶。

［グループ化］ダイアログボックスが再表示されるので［詳細設定］をクリックする❷。表示された［グループ化の追加］をクリックする❸。

［詳細設定］をクリックすると、［グループ化の追加］のほかに［集計の追加］が現れます。これをクリックすると、集計する列を追加できます。例えば「A列の合計とB列の平均を求める」というような集計を行えます。

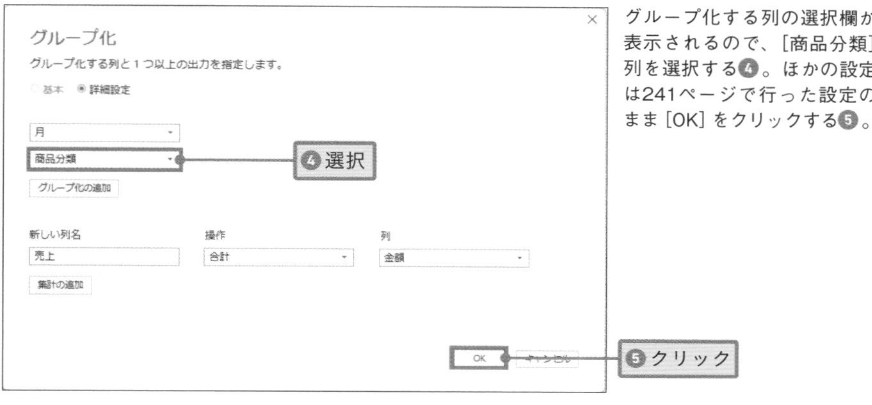

グループ化する列の選択欄が表示されるので、[商品分類]列を選択する❹。ほかの設定は241ページで行った設定のまま[OK]をクリックする❺。

手順❹の[商品分類]にマウスポインターを合わせると右に[…]が表示され、そこからグループ化する列を削除したり、上下の順序を変更したりできます。

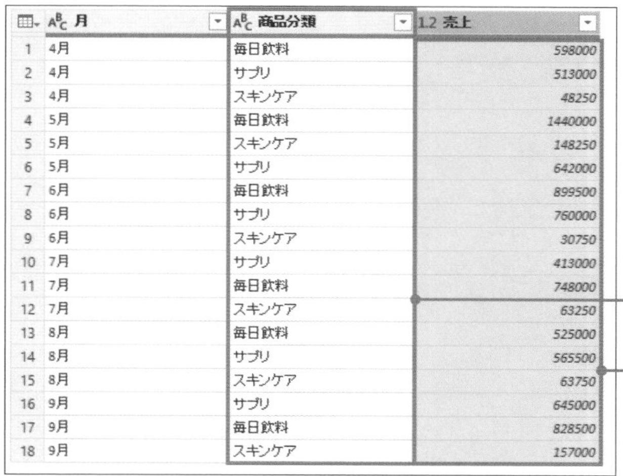

	月	商品分類	1.2 売上
1	4月	毎日飲料	598000
2	4月	サプリ	513000
3	4月	スキンケア	48250
4	5月	毎日飲料	1440000
5	5月	スキンケア	148250
6	5月	サプリ	642000
7	6月	毎日飲料	899500
8	6月	サプリ	760000
9	6月	スキンケア	30750
10	7月	サプリ	413000
11	7月	毎日飲料	748000
12	7月	スキンケア	63250
13	8月	毎日飲料	525000
14	8月	サプリ	565500
15	8月	スキンケア	63750
16	9月	サプリ	645000
17	9月	毎日飲料	828500
18	9月	スキンケア	157000

[商品分類]列が追加され❻、「月別商品分類別」に[金額]列が集計し直される❼。必要に応じて[売上]列を[整数]型に変更し、[月]順[商品分類]順に並べ替えをしておく。[ホーム]タブの[閉じて読み込む]をクリックして、ワークシートに読み込んでおく。

POINT

集計方法の種類

[グループ化]ダイアログボックスの[操作]欄では、8種類の集計方法を選べます。[合計][平均][中央][最小][最大]の5つは、それぞれ[列]を指定して列の合計値、平均値、中央値、最小値、最大値を求めます。[行数のカウント]ではグループごとの行数、[個別行数のカウント]では同じ値を1つと数えてグループごとの行数を求めます。[すべての行]は、グループごとにデータをテーブル化します。

7-7

縦軸と横軸に項目を並べてクロス集計する

クロス集計

Sample 0707_上期売上.xlsx

[列のピボット]を使用してクロス集計する

［列のピボット］という機能を使用すると、縦と横に項目を並べたクロス集計表を作成できます。ここでは前節と同じ売上表から縦軸に月、横軸に商品分類を並べて金額を集計します。前節では月と商品分類の2項目を縦に並べましたが、そのうちの商品分類を横軸に配置し直した形の見やすい集計表になります。

Before

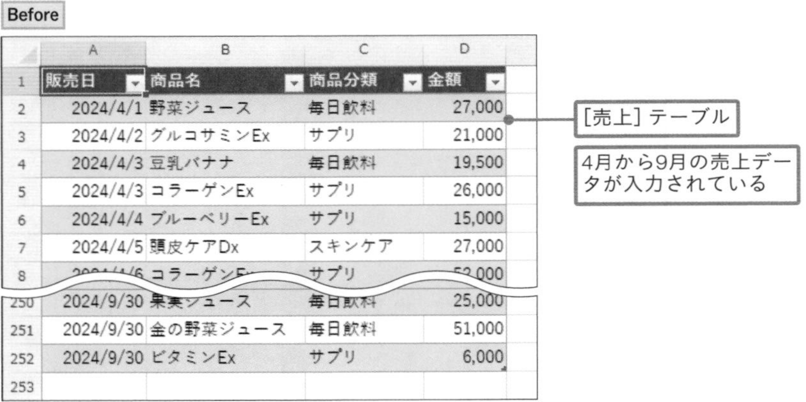

	A	B	C	D
1	販売日	商品名	商品分類	金額
2	2024/4/1	野菜ジュース	毎日飲料	27,000
3	2024/4/2	グルコサミンEx	サプリ	21,000
4	2024/4/3	豆乳バナナ	毎日飲料	19,500
5	2024/4/3	コラーゲンEx	サプリ	26,000
6	2024/4/4	ブルーベリーEx	サプリ	15,000
7	2024/4/5	頭皮ケアDx	スキンケア	27,000
8	2024/4/6	コラーゲンEx	サプリ	52,000
250	2024/9/30	果実ジュース	毎日飲料	25,000
251	2024/9/30	金の野菜ジュース	毎日飲料	51,000
252	2024/9/30	ビタミンEx	サプリ	6,000
253				

[売上]テーブル
4月から9月の売上データが入力されている

After

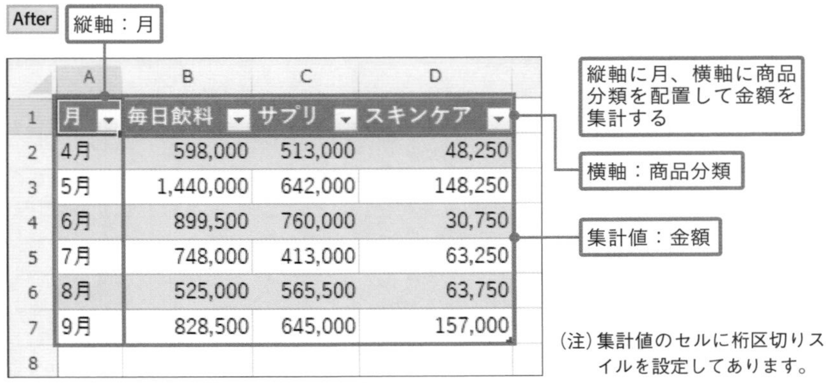

	A	B	C	D
1	月	毎日飲料	サプリ	スキンケア
2	4月	598,000	513,000	48,250
3	5月	1,440,000	642,000	148,250
4	6月	899,500	760,000	30,750
5	7月	748,000	413,000	63,250
6	8月	525,000	565,500	63,750
7	9月	828,500	645,000	157,000
8				

縦軸：月
縦軸に月、横軸に商品分類を配置して金額を集計する
横軸：商品分類
集計値：金額

(注)集計値のセルに桁区切りスタイルを設定してあります。

横軸と集計値の項目を指定して[列のピボット]を実行する

［列のピボット］によるクロス集計表の作成では、「横軸に並べる列」と「集計する列」の2列を指定します。横軸に並べる列は、［列のピボット］をクリックする前に選択します。集計する列は、設定画面で指定します。指定した2列以外は縦軸になるので、不要な列は事前に削除しておきましょう。また、ここでは月を縦軸にしたいので、事前に日付から月を取り出しておきます。

クロス集計作成の下準備をする

❶［売上］テーブルのデータを表示しておく

❷［販売日］列から「月」を取り出し、列名を「月」に変更しておく

	販売日	商品名	商品分類	金額	月
1	2024/04/01 0:00:00	野菜ジュース	毎日飲料	27000	4月
2	2024/04/02 0:00:00	グルコサミンEx	サプリ	21000	4月
3	2024/04/03 0:00:00	豆乳バナナ	毎日飲料	19500	4月
4	2024/04/03 0:00:00	コラーゲンEx	サプリ	26000	4月
5	2024/04/04 0:00:00	ブルーベリーEx	サプリ	15000	4月
6	2024/04/05 0:00:00	頭皮ケアDx	スキンケア	27000	4月
7	2024/04/06 0:00:00	コラーゲンEx	サプリ	52000	4月

サンプルファイルを開き、223ページの手順❶～❷を参考に［売上］テーブルからPower Query エディターを起動しておく❶。［販売日］列をクリックして、［列の追加］タブの［日付］→［月］→［月の名前］をクリックして「月」を取り出し、列名を「月」に変更しておく❷。

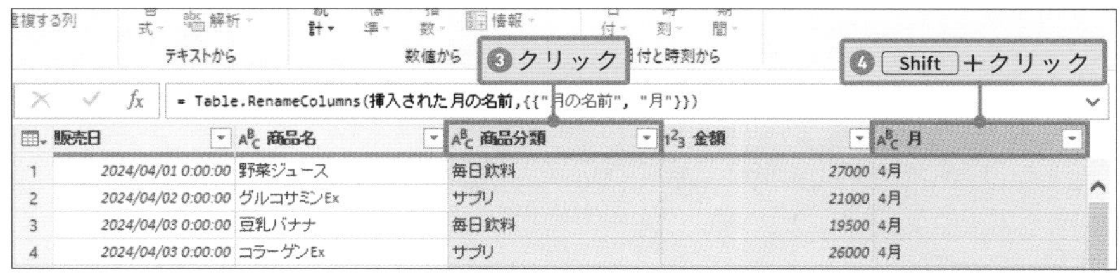

［商品分類］の列名をクリックし❸、Shift を押しながら［月］の列名をクリックして❹、［商品分類］［金額］［月］の3列を選択する。

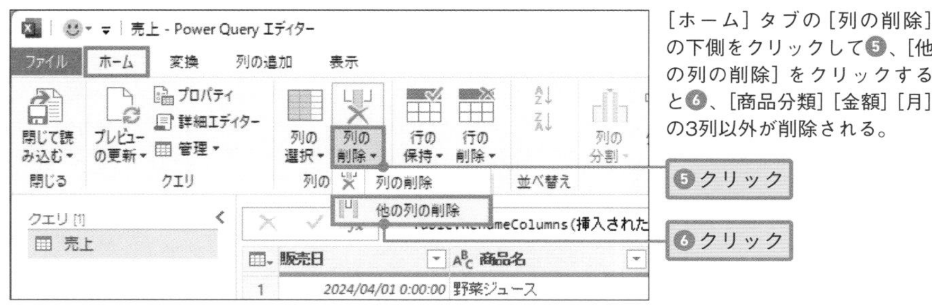

［ホーム］タブの［列の削除］の下側をクリックして❺、［他の列の削除］をクリックすると❻、［商品分類］［金額］［月］の3列以外が削除される。

[列のピボット]を実行する

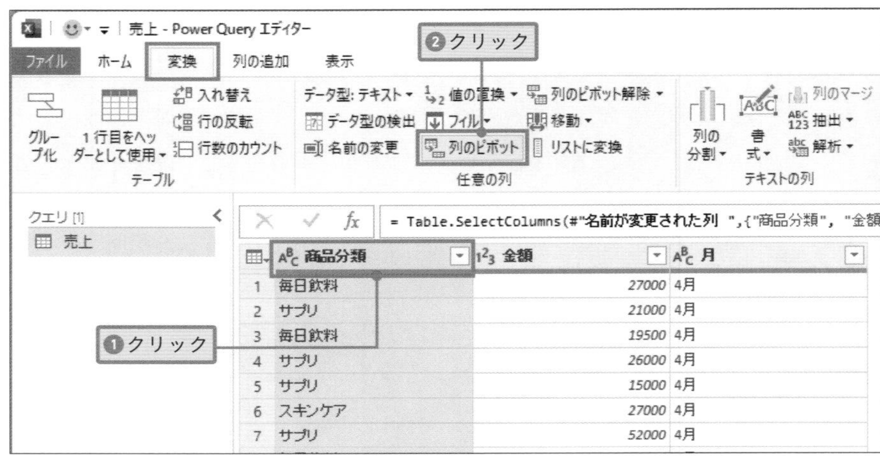

横軸に並べる列として［商品分類］の列名をクリックし❶、［変換］タブの［列のピボット］をクリックする❷。

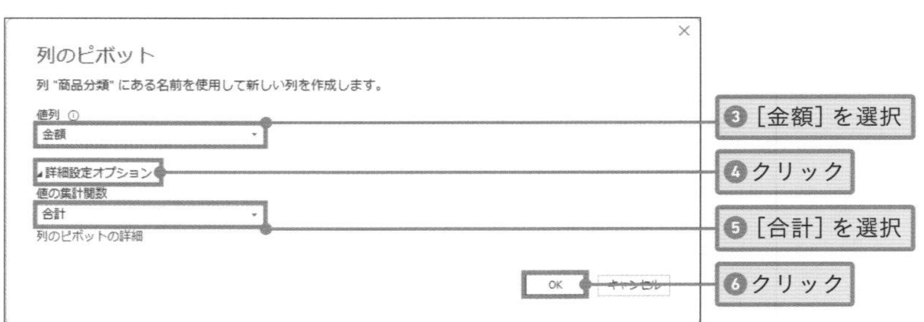

［列のピボット］ダイアログボックスが開く。［値列］欄から集計する列として［金額］を選択し❸、［詳細設定オプション］をクリックする❹。［値の集計関数］欄で［合計］を選択して❺、［OK］をクリックする❻。

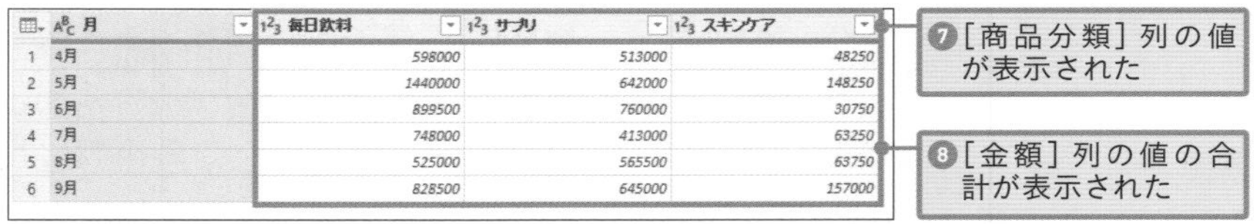

	月	毎日飲料	サプリ	スキンケア
1	4月	598000	513000	48250
2	5月	1440000	642000	148250
3	6月	899500	760000	30750
4	7月	748000	413000	63250
5	8月	525000	565500	63750
6	9月	828500	645000	157000

［商品分類］列の値が列名として表示される❼。また、月別商品分類別に［金額］の値が合計され❽、クロス集計表が完成する。［適用したステップ］欄で［ピボットされた列］ステップの右にある をクリックすると、手順❸の画面が表示され、設定を変更できる。［ホーム］タブの［閉じて読み込む］をクリックして、ワークシートに読み込んでおく。

前節で［月］と［商品分類］を縦に並べた集計表を作成しましたが、その集計表の［商品分類］列を選択して［列のピボット］を実行しても、この節の実行結果と同じクロス集計表を作成できます。既に集計が済んでいるので、集計方法として［集計しない］を選択します。

POINT

集計方法の種類

［列のピボット］ダイアログボックスで［詳細設定オプション］をクリックすると［値の集計関数］欄が表示され、［カウント（すべて）］［カウント（空白なし）］［最小値］［最大値］［中央］［平均］［合計］［集計しない］から集計方法を選択できます。［集計しない］の使用例を279ページで紹介するので参考にしてください。

知っておくと便利　縦軸には複数列を表示できる

［列のピボット］では、「横軸に並べる列」と「集計する列」以外の列は縦軸になります。例えば、［月］［商品分類］［商品名］［金額］の4列ある表で横軸として［月］、集計する列として［金額］を選ぶと、［商品分類］と［商品名］の2列が縦軸になります。

▼ **縦軸が複数列の場合**

縦軸：商品分類、商品名　　横軸：月

	A	B	C	D	E	F	G	H
1	商品分類	商品名	4月	5月	6月	7月	8月	9月
2	サプリ	グルコサミンEx	105,000	147,000	42,000	147,000	84,000	126,000
3	サプリ	コラーゲンEx	208,000	78,000	234,000	104,000	130,000	260,000
4	サプリ	ゴマパワーEx	97,500	136,500	175,500	58,500	39,000	97,500
5	サプリ	ビタミンEx	65,000	250,500	271,000	103,500	230,000	154,000
6	サプリ	ブルーベリーEx	37,500	30,000	37,500		82,500	7,500
7	スキンケア	ハンドケアDx	21,250	4,250	12,750	21,250	12,750	34,000
8	スキンケア	肌ケアDx		54,000		42,000	42,000	42,000
9	スキンケア	頭皮ケアDx	27,000	90,000	18,000		9,000	81,000
10	毎日飲料	スッキリ野菜	76,000	133,000	190,000	76,000	95,000	114,000
11	毎日飲料	健康青汁		120,000	24,000	120,000	48,000	216,000
12	毎日飲料	果実ジュース	75,000	125,000	150,000	225,000	100,000	125,000
13	毎日飲料	豆乳ココア	97,500	117,000	136,500	19,500	78,000	39,000
14	毎日飲料	豆乳バナナ	58,500	156,000	39,000	19,500		97,500
15	毎日飲料	野菜ジュース	189,000	432,000	54,000	135,000		135,000
16	毎日飲料	金の野菜ジュース	102,000	357,000	306,000	153,000	204,000	102,000
17								

7-8 ピボットテーブルと連携して整形から集計までを自動化する

ピボットテーブル、集計

Sample 0708_ 売上データ .xlsx、0708_ 売上更新用 .xlsx

さまざまな角度から自由に集計できる

Excelのピボットテーブルを使用すると、総計入りの集計やグラフを併用した集計など、高度な集計を行えます。パワークエリでデータの整形を行い、そのデータを元にピボットテーブルを作成しておけば、データの取得から集計までの一連の作業が自動化されるので大変便利です。

Before

4月から9月の売上データが入力されている

	A	B	C	D	E	F	G	H
1	NO	日付	店舗	分類	商品	売上	粗利率	
2	1	2024/4/1	東が丘店	バーガー	Wバーガー	684,400	48%	
3	2	2024/4/1	東が丘店	バーガー	チーズバーガー	396,000	46%	
4	3	2024/4/1	東が丘店	バーガー	てりやきバーガー	553,500	50%	
5	4	2024/4/1	東が丘店	サイド	ポテト	464,240	75%	
6	5	2024/4/1	東が丘店	サイド	ナゲット	351,400	62%	
7	6	[illegible]	[illegible]	[illegible]	[illegible]	[illegible]	[illegible]	
576	575	2024/9/21	西崎店	ドリンク	カフェラテ	375,400	95%	
577	576	2024/9/21	西崎店	ドリンク	紅茶	334,350	96%	
578								

売上

After

縦軸に月、横軸に分類を配置して売上と粗利を集計する

	A	B	C	D	E	F	G	H	I
1		列ラベル							
2		サイド		ドリンク		バーガー		全体の 売上高	全体の 粗利益
3	行ラベル	売上高	粗利益	売上高	粗利益	売上高	粗利益		
4	4月	7,575,820	5,280,100	14,758,850	14,119,312	17,147,090	8,252,525	39,481,760	27,651,937
5	5月	7,894,320	5,491,584	15,099,100	14,444,318	18,473,130	8,888,435	41,466,550	28,824,337
6	6月	8,099,980	5,638,094	15,002,850	14,350,056	18,683,420	8,984,326	41,786,250	28,972,476
7	7月	7,472,920	5,207,930	14,777,150	14,136,556	17,172,300	8,258,650	39,422,370	27,603,136
8	8月	8,586,550	5,950,287	15,708,900	15,028,806	19,945,440	9,592,716	44,240,890	30,571,809
9	9月	9,055,970	6,281,695	16,233,000	15,529,392	19,310,520	9,288,122	44,599,490	31,099,209
10	**総計**	**48,685,560**	**33,849,690**	**91,579,850**	**87,608,440**	**110,731,900**	**53,264,774**	**250,997,310**	**174,722,904**

「ピボットテーブル」とは？

「ピボットテーブル」は、Excelの集計機能の1つです。[フィールドリスト]で[行][列][値]のフィールドを指定するだけで、集計表を作成できます。「フィールド」はパワークエリの列にあたります。[行]に指定したフィールドは集計表の縦軸、[列]に指定したフィールドは集計表の横軸に表示されます。また、[値]に指定したフィールドは集計項目になります。

▼フィールドリストの設定項目とピボットテーブルの表示

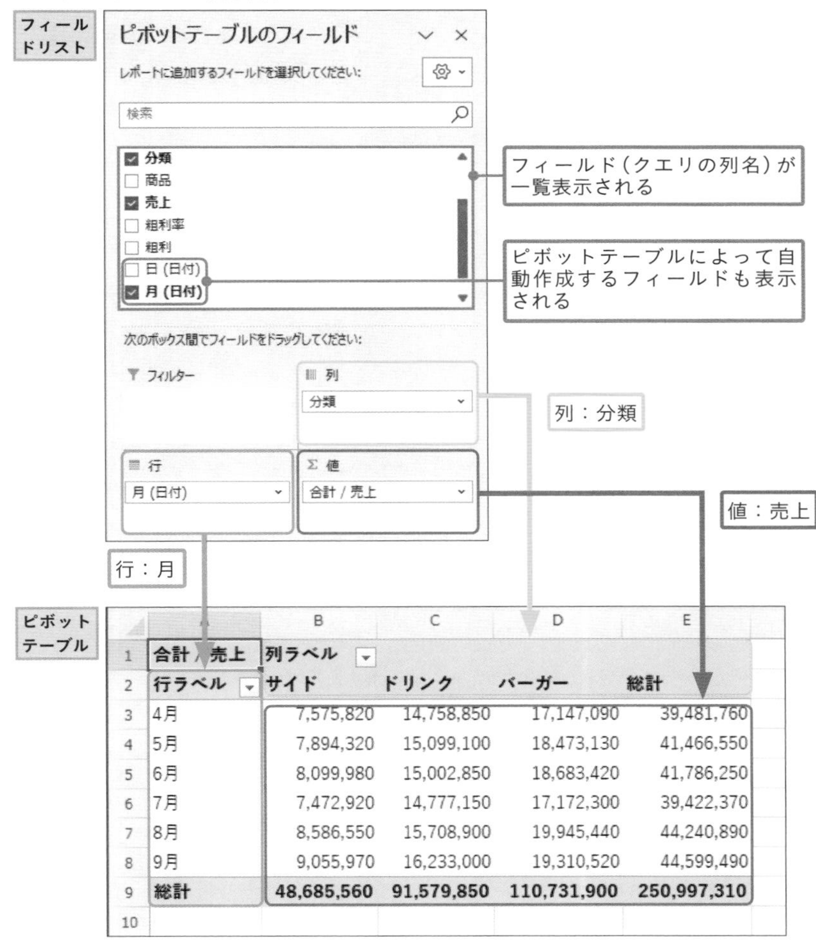

	A	B	C	D	E
1	合計 / 売上	列ラベル			
2	行ラベル	サイド	ドリンク	バーガー	総計
3	4月	7,575,820	14,758,850	17,147,090	39,481,760
4	5月	7,894,320	15,099,100	18,473,130	41,466,550
5	6月	8,099,980	15,002,850	18,683,420	41,786,250
6	7月	7,472,920	14,777,150	17,172,300	39,422,370
7	8月	8,586,550	15,708,900	19,945,440	44,240,890
8	9月	9,055,970	16,233,000	19,310,520	44,599,490
9	総計	48,685,560	91,579,850	110,731,900	250,997,310
10					

クエリからピボットテーブルの骨格を作成する

ここでは新規ブックにクエリを作成して、粗利を計算します。データを［ピボットテーブルレポート］として読み込むと、自動でピボットテーブルの骨格が作成されます。

サンプルファイルからデータを取得する

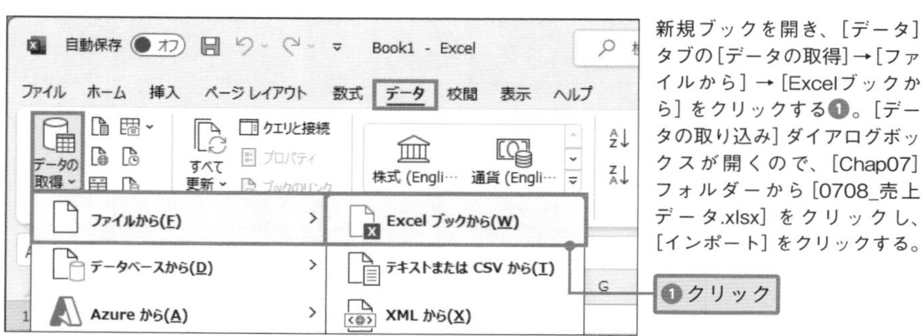

新規ブックを開き、［データ］タブの［データの取得］→［ファイルから］→［Excelブックから］をクリックする❶。［データの取り込み］ダイアログボックスが開くので、［Chap07］フォルダーから［0708_売上データ.xlsx］をクリックし、［インポート］をクリックする。

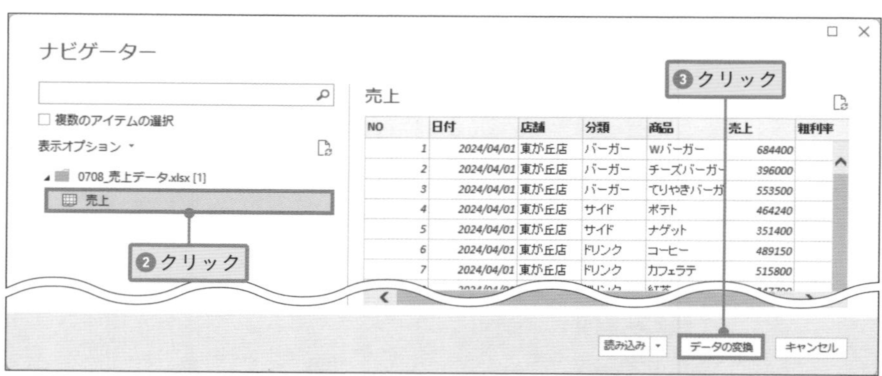

NO	日付	店舗	分類	商品	売上	粗利率
1	2024/04/01	東が丘店	バーガー	Wバーガー	684400	
2	2024/04/01	東が丘店	バーガー	チーズバーガ-	396000	
3	2024/04/01	東が丘店	バーガー	てりやきバーガ	553500	
4	2024/04/01	東が丘店	サイド	ポテト	464240	
5	2024/04/01	東が丘店	サイド	ナゲット	351400	
6	2024/04/01	東が丘店	ドリンク	コーヒー	489150	
7	2024/04/01	東が丘店	ドリンク	カフェラテ	515800	

［ナビゲーター］ダイアログボックスが開いたら、［売上］シートをクリックして❷、［データの変換］をクリックする❸。

❹Power Query エディターが起動した

日付と時刻から

= Table.TransformColumnTypes(昇格されたヘッダー数,{{"NO", Int64.Type}, {"日付", type date}, {"店舗",

	NO	日付	店舗	分類	商品
1	1	2024/04/01	東が丘店	バーガー	Wバーガー
2	2	2024/04/01	東が丘店	バーガー	チーズバーガー

Power Query エディターが起動し、データが表示される❹。

粗利を計算してピボットテーブルとして読み込む

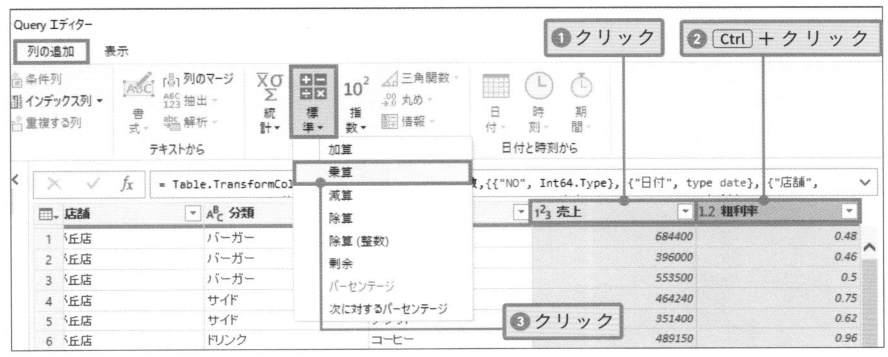

「売上×粗利率」で粗利を求めるには、［売上］列をクリックし❶、Ctrl を押しながら［粗利率］列をクリックして❷、［列の追加］タブの［標準］→［乗算］をクリックする❸。

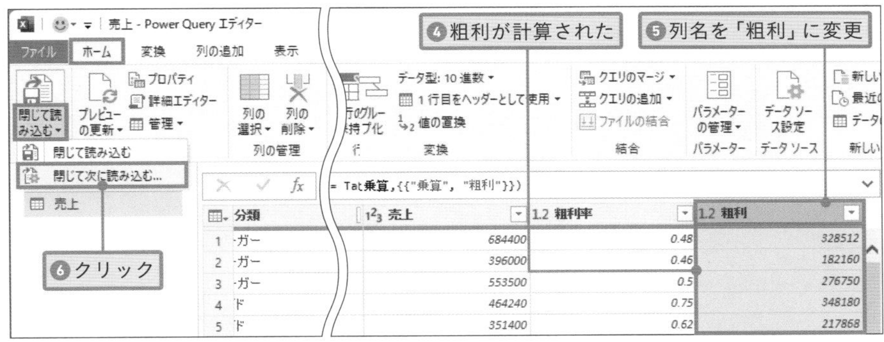

粗利が計算されるので❹、列名をダブルクリックして「粗利」に変更する❺。［ホーム］タブの［閉じて読み込む］→［閉じて次に読み込む］をクリックする❻。

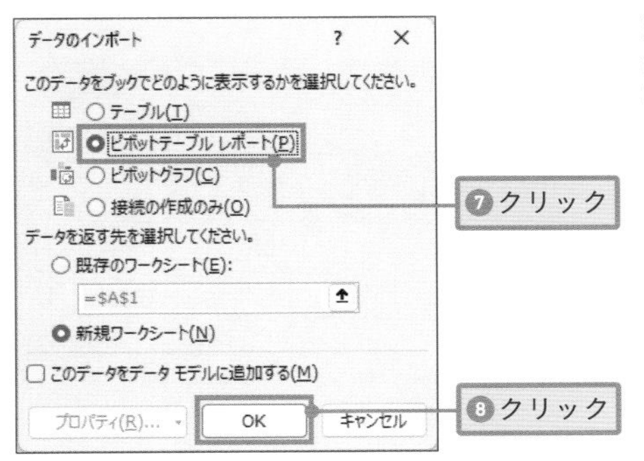

［データのインポート］ダイアログボックスが表示されるので、［ピボットテーブルレポート］をクリックして❼、［OK］をクリックする❽。

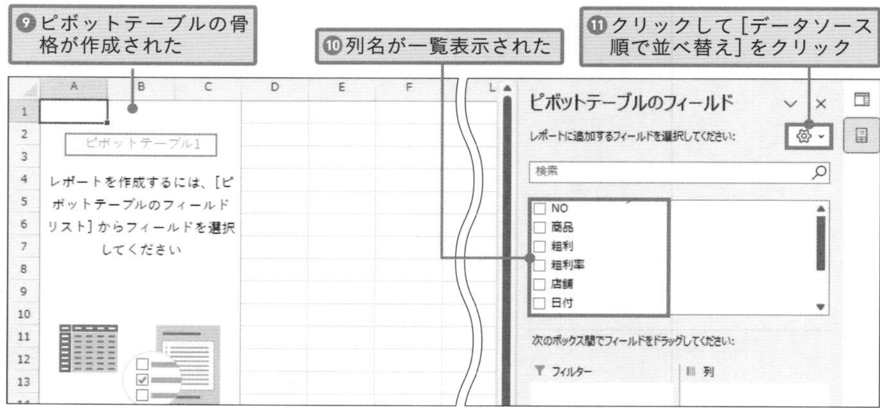

ピボットテーブルの骨格が作成される❾。フィールドリストには、列名が一覧表示されるが❿、順序がバラバラで見づらい。[ツール]（⚙）をクリックして一覧から[データソース順で並べ替え]をクリックすると⓫、列名の並び順が元データと一致して見やすくなる⓬。

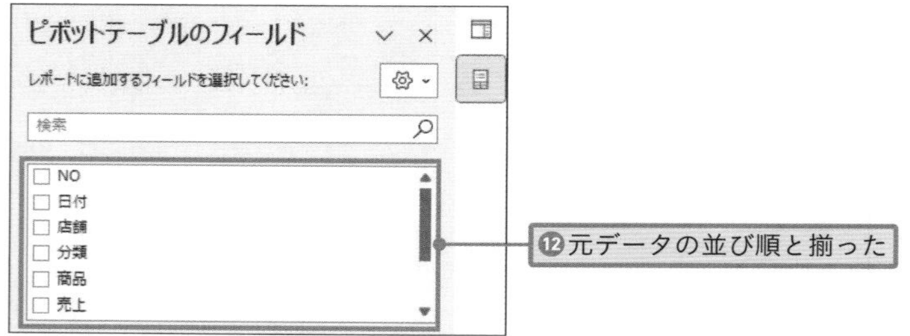

知っておくと便利　クエリを編集するには

画面右にある[ ]と[ ]で[クエリと接続]作業ウィンドウとフィールドリストを切り替えられます❶。[ ]が表示されない場合は、[データ]タブの[クエリと接続]をクリックしてください。[クエリと接続]作業ウィンドウでクエリをダブルクリックすると❷、Power Query エディターが起動してデータの整形などクエリの編集を行えます。

▼Power Query エディターの起動方法

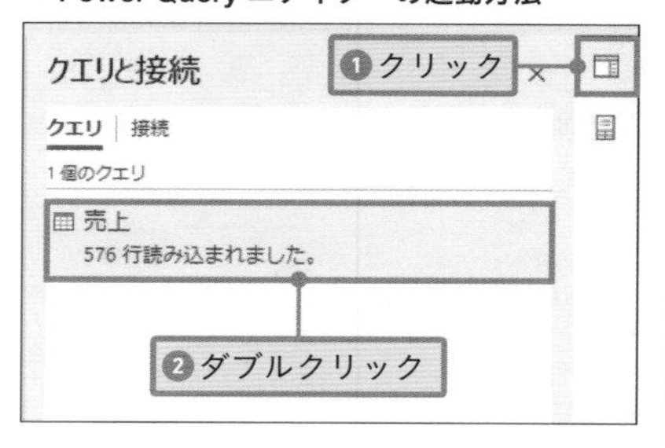

集計項目を指定してクロス集計表を作成する

ピボットテーブルで［行］［列］［値］の3つを指定すると、クロス集計を行えます。ここでは［行］に［日付］、［列］に［分類］、［値］に［売上］を配置して月別分類別に売上を集計します。あらかじめ日付から「月」や「年」を取り出しておかなくても、日付の列に入力されている値の範囲に応じて自動的に月ごとや年ごとに集計されます。

月別分類別に売上をクロス集計する

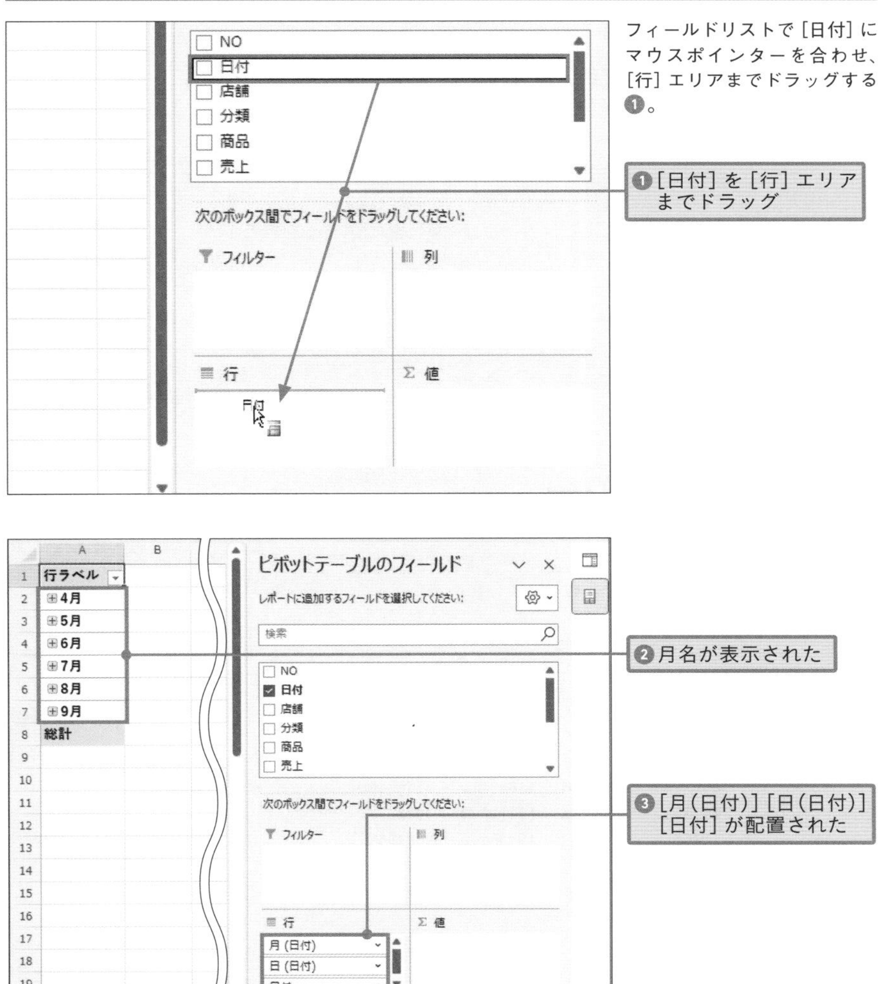

フィールドリストで［日付］にマウスポインターを合わせ、［行］エリアまでドラッグする❶。

ピボットテーブルの縦軸に月名が表示される❷。［行］エリアには、［月(日付)］［日(日付)］［日付］の3フィールドが配置される❸。

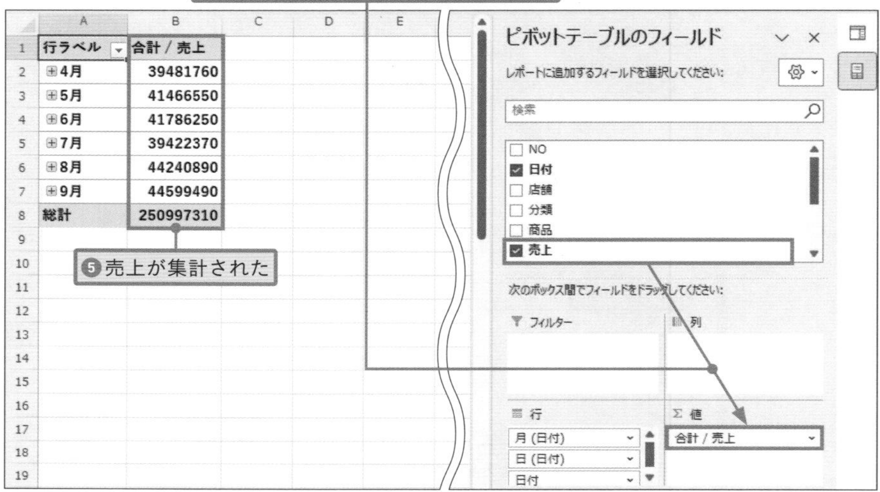

行ラベル	合計 / 売上
⊞4月	39481760
⊞5月	41466550
⊞6月	41786250
⊞7月	39422370
⊞8月	44240890
⊞9月	44599490
総計	250997310

フィールドリストで［売上］にマウスポインターを合わせ、［値］エリアまでドラッグすると❹、［合計／売上］と表示される。ピボットテーブルで売上が月別に合計される❺。

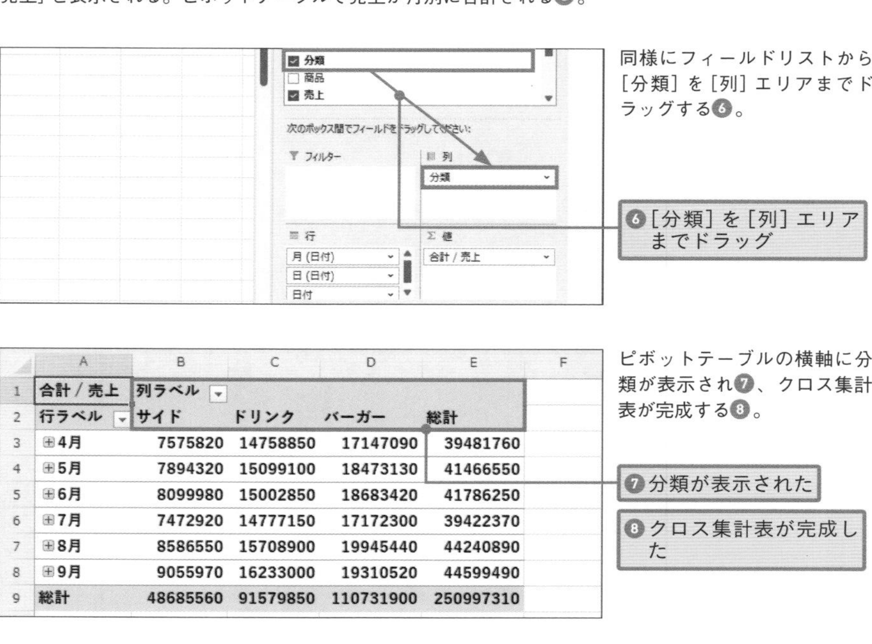

同様にフィールドリストから［分類］を［列］エリアまでドラッグする❻。

合計 / 売上	列ラベル			
行ラベル	サイド	ドリンク	バーガー	総計
⊞4月	7575820	14758850	17147090	39481760
⊞5月	7894320	15099100	18473130	41466550
⊞6月	8099980	15002850	18683420	41786250
⊞7月	7472920	14777150	17172300	39422370
⊞8月	8586550	15708900	19945440	44240890
⊞9月	9055970	16233000	19310520	44599490
総計	48685560	91579850	110731900	250997310

ピボットテーブルの横軸に分類が表示され❼、クロス集計表が完成する❽。

Excelのバージョンや更新状況によっては、前ページの手順❸に［月］と［日付］の2項目が表示されます。また、元の表に数年分のデータが入力されている場合、年単位や四半期単位でグループ化されることもあります。グループ化の単位を変更したい場合は、月や日付のセルを右クリックして［グループ化］をクリックし、単位を設定してください。

売上と粗利の２項目の集計表に変える

現在、集計表の縦軸は「月」でグループ化され、日付が折りたたまれた状態になっています。特に日付を展開する必要がない場合は、階層構造を解除して月だけの表示にすると集計表がすっきりします。ここではさらに、[値] エリアに [粗利] を配置して、売上と粗利の2項目の集計表に作り変えます。

月の階層構造を解除する

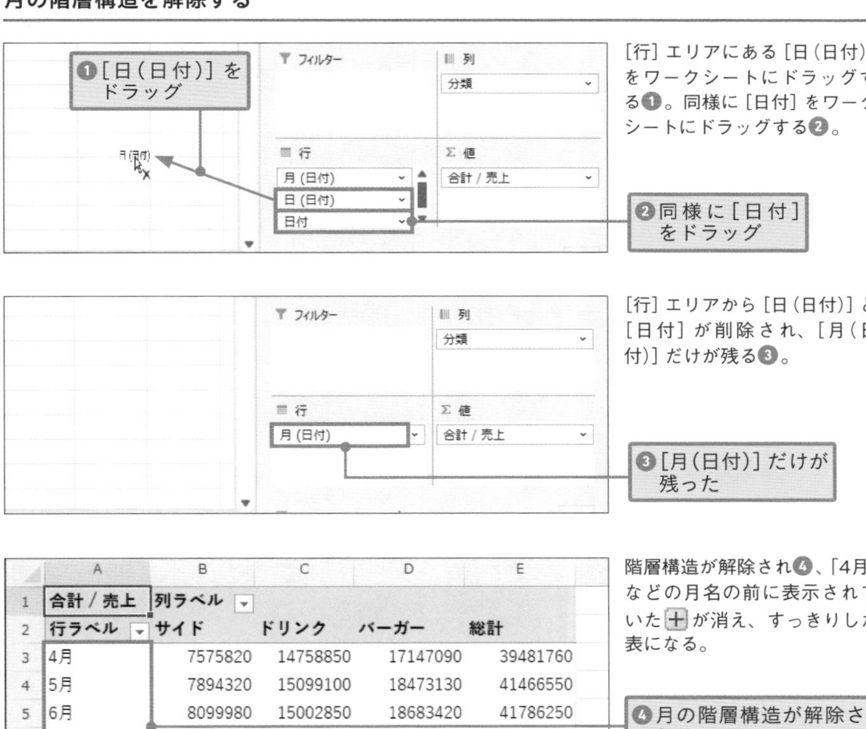

[行] エリアにある [日 (日付)] をワークシートにドラッグする❶。同様に [日付] をワークシートにドラッグする❷。

[行] エリアから [日 (日付)] と [日付] が削除され、[月 (日付)] だけが残る❸。

	A	B	C	D	E
1	合計 / 売上	列ラベル			
2	行ラベル	サイド	ドリンク	バーガー	総計
3	4月	7575820	14758850	17147090	39481760
4	5月	7894320	15099100	18473130	41466550
5	6月	8099980	15002850	18683420	41786250
6	7月	7472920	14777150	17172300	39422370
7	8月	8586550	15708900	19945440	44240890
8	9月	9055970	16233000	19310520	44599490
9	総計	48685560	91579850	110731900	250997310

❹月の階層構造が解除される

階層構造が解除され❹、「4月」などの月名の前に表示されていた＋が消え、すっきりした表になる。

前ページの手順❽の状態の表で、[月 (日付)] の値である [4月] の＋をクリックすると [日 (日付)] の値である「4月1日」などが表示されます。さらに＋をクリックすると、[日付] の値である「2024/4/1」などが表示されます。[月 (日付)] [日 (日付)] は、[日付] をグループ化するために自動的に追加されたフィールドです。

売上と粗利の2項目の集計表に変える

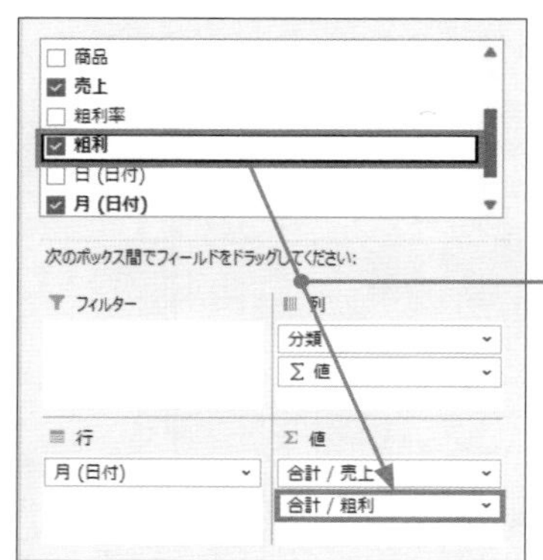

❶[粗利]を[合計/売上]の下側にドラッグ

[粗利] を [値] エリアの [合計/売上] の下側にドラッグする❶。すると、[列] エリアに [Σ値] が自動配置されるが、これは [値] エリアに複数列分の項目が配置されたことを示すもので気にしなくてよい。

❷売上と粗利の2項目の集計表になった

	列ラベル							
	サイド		ドリンク		バーガー		全体の 合計 / 売上	全体の 合計 / 粗利
行ラベル	合計 / 売上	合計 / 粗利	合計 / 売上	合計 / 粗利	合計 / 売上	合計 / 粗利		
4月	7575820	5280100	14758850	14119312	17147090	8252525	39481760	27651937
5月	7894320	5491584	15099100	14444318	18473130	8888435	41466550	28824337
6月	8099980	5638094	15002850	14350056	18683420	8984326	41786250	28972476
7月	7472920	5207930	14777150	14136556	17172300	8258650	39422370	27603136
8月	8586550	5950287	15708900	15028806	19945440	9592716	44240890	30571809
9月	9055970	6281695	16233000	15529392	19310520	9288122	44599490	31099209
総計	48685560	33849690	91579850	87608440	110731900	53264774	250997310	174722904

売上と粗利の2項目の集計表になる❷。

❸「売上高」と入力　❹「粗利益」と入力　❺[桁区切りスタイル]を設定

	列ラベル							
	サイド		ドリンク		バーガー		全体の 売上高	全体の 粗利益
行ラベル	売上高	粗利益	売上高	粗利益	売上高	粗利益		
4月	7,575,820	5,280,100	14,758,850	14,119,312	17,147,090	8,252,525	39,481,760	27,651,937
5月	7,894,320	5,491,584	15,099,100	14,444,318	18,473,130	8,888,435	41,466,550	28,824,337
6月	8,099,980	5,638,094	15,002,850	14,350,056	18,683,420	8,984,326	41,786,250	28,972,476
7月	7,472,920	5,207,930	14,777,150	14,136,556	17,172,300	8,258,650	39,422,370	27,603,136
8月	8,586,550	5,950,287	15,708,900	15,028,806	19,945,440	9,592,716	44,240,890	30,571,809
9月	9,055,970	6,281,695	16,233,000	15,529,392	19,310,520	9,288,122	44,599,490	31,099,209
総計	48,685,560	33,849,690	91,579,850	87,608,440	110,731,900	53,264,774	250,997,310	174,722,904

セルB3で「合計/売上」を「売上高」に❸、セルC3で「合計/粗利」を「粗利益」に変更すると❹、自動でほかの列名も「売上高」「粗利益」になる。売上高のセルを1つ右クリックして [表示形式] をクリックし、表示される画面の [分類] から [通貨]、[記号] から [なし] を選択すると、すべての売上高を3桁区切りで表示できる。同様に粗利益も3桁区切りの表示にする❺。ブックに名前を付けて保存して閉じておく。

10月のデータを追加して更新する

データソースに新しいデータが追加されたときは、更新を実行すると、新しいデータを含めて集計し直されます。「0708_売上更新用.xlsx」に4月～10月のデータが入力されているので、これを使用して実際に更新してみましょう。

ピボットテーブルを更新する

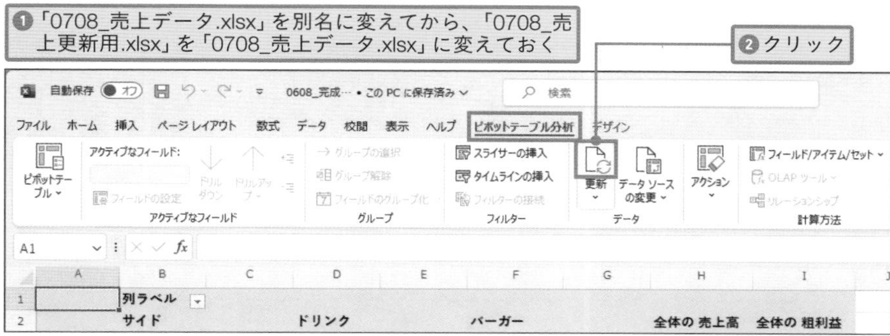

49ページを参考に「0708_売上データ.xlsx」を別名に変えてから、「0708_売上更新用.xlsx」を「0708_売上データ.xlsx」に変えておく❶。前ページで保存したブックを開き、ピボットテーブル内のセルを選択する。すると［ピボットテーブル分析］タブが現れるので［更新］の上側をクリックする❷。

❸10月のデータが追加された

列ラベル	サイド		ドリンク		バーガー		全体の 売上高	全体の 粗利益
行ラベル	売上高	粗利益	売上高	粗利益	売上高	粗利益		
4月	7,575,820	5,280,100	14,758,850	14,119,312	17,147,090	8,252,525	39,481,760	27,651,937
5月	7,894,320	5,491,584	15,099,100	14,444,318	18,473,130	8,888,435	41,466,550	28,824,337
6月	8,099,980	5,638,094	15,002,850	14,350,056	18,683,420	8,984,326	41,786,250	28,972,476
7月	7,472,920	5,207,930	14,777,150	14,136,556	17,172,300	8,258,650	39,422,370	27,603,136
8月	8,586,550	5,950,287	15,708,900	15,028,806	19,945,440	9,592,716	44,240,890	30,571,809
9月	9,055,970	6,281,695	16,233,000	15,529,392	19,310,520	9,288,122	44,599,490	31,099,209
10月	9,605,190	6,650,931	16,387,950	15,675,996	20,463,960	9,848,310	46,457,100	32,175,237
総計	58,290,750	40,500,621	107,967,800	103,284,436	131,195,860	63,113,084	297,454,410	206,898,141

クエリおよびピボットテーブルが更新され、集計表に10月のデータが追加される❸。

［データ］タブの［クエリと接続］グループにある［すべて更新］や［クエリと接続］作業ウィンドウの［最新の情報に更新］をクリックしても、ピボットテーブルを更新できます。

知っておくと便利　ピボットグラフを作成する

［ピボットテーブル分析］タブの［ピボットグラフ］から、現在ピボットテーブルに表示されているデータを元にグラフを作成できます。フィールドの変更やデータの更新を行うと、グラフも自動で変更されます。

なお、251ページの手順❼の画面で［ピボットグラフ］を選択すると、最初からピボットテーブルとピボットグラフが作成されます。作成されたピボットグラフは、［デザイン］タブの［グラフの種類の変更］から種類を変更できます。

▼ ピボットグラフの作成

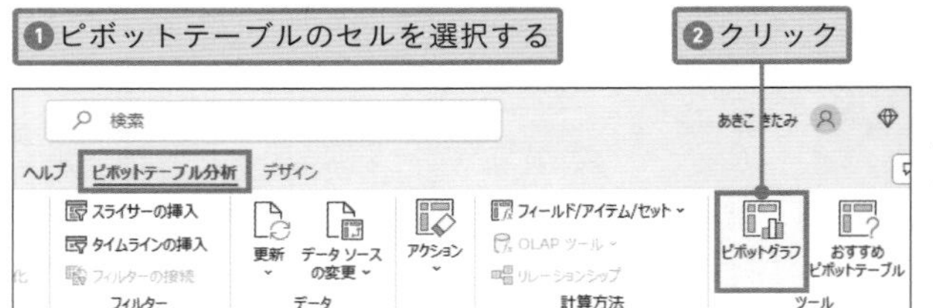

ピボットテーブルのセルを選択して❶、［ピボットテーブル分析］タブの［ピボットグラフ］をクリックする❷。

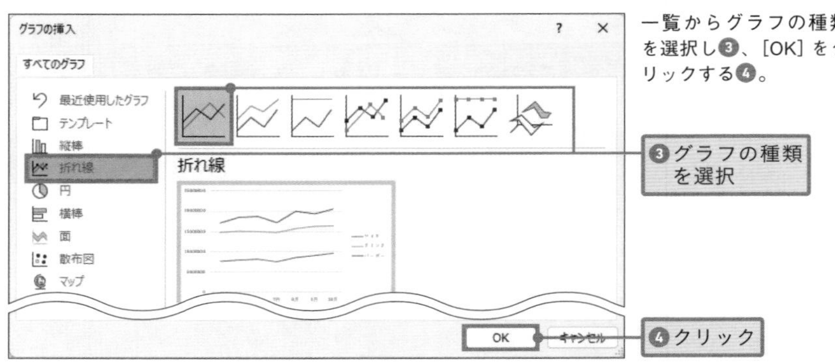

一覧からグラフの種類を選択し❸、［OK］をクリックする❹。

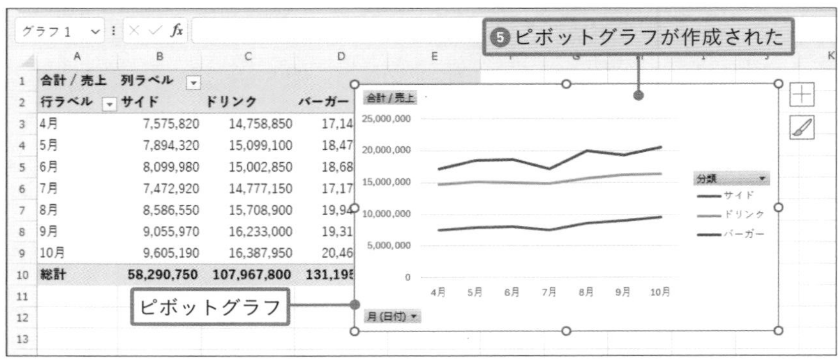

	A	B	C	D
1	合計 / 売上	列ラベル		
2	行ラベル	サイド	ドリンク	バーガー
3	4月	7,575,820	14,758,850	17,14
4	5月	7,894,320	15,099,100	18,47
5	6月	8,099,980	15,002,850	18,68
6	7月	7,472,920	14,777,150	17,17
7	8月	8,586,550	15,708,900	19,94
8	9月	9,055,970	16,233,000	19,31
9	10月	9,605,190	16,387,950	20,46
10	総計	58,290,750	107,967,800	131,195

ピボットテーブルのデータを元にピボットグラフが表示される❺。

Chapter

08

組み替えを自動化
表の形を縦横無尽に組み替えよう

前章までのデータソースは、すべて「データベース形式」に整えられたものでした。しかし、データベース形式に沿わない表のデータを使用したいこともあるでしょう。この章ではさまざまな形の表をデータベースとして活用できるように組み替えるテクニックを紹介します。

8-1

表の組み替えの概要

表の組み替え、表の整形、データベースの作成

表をデータベース形式に組み替える

パワークエリで扱う表は、次のルールに則った「データベース形式」に整えておくとスムーズに使用できます。この章では、データベースを意識せずに作った表をデータベース形式に組み替えるテクニックを紹介します。

- 1行目に列名、2行目以降にデータが入力されている
- 1つのセルに1つのデータが入力されている
- 1行に1件分のデータが入力されている
- 列に同じデータ型のデータが入力されている

▼セル結合を含む表をデータベース形式に整える(→ 262 ページ)

	A	B	C	D	E	F
1	商品分類	商品名	商品コード	色	価格	
2	帆布バッグ	A4トートバッグ	HB-101-KI	キナリ	12,800	
3			HB-101-KH	カーキ	12,800	
4		ミニトート	HB-301-KI	キナリ	8,800	
5			HB-301-KH	カーキ	8,800	
6		丸底トートバッグM	HB-202-JU	ベージュ	14,900	
7			HB-202-KH	カーキ	14,900	
8		丸底トートバッグL	HB-201-JU	ベージュ	17,900	
9			HB-201-KH	カーキ	17,900	
10		レザートート	LB-101-JU	ベージュ	65,000	
11			LB-101-BK	ブラック	65,000	
12		レザーショルダー	LB-201-JU	ベージュ	38,600	
13			LB-201-BK	ブラック	38,600	

結合を解除してすべてのセルをデータで埋める

▼セル結合を含む2行の列見出しを1行に収める(→ 265 ページ)

	A	B	C	D	E	F	G	H
1	地区	2021年		2022年		2023年		
2		上期	下期	上期	下期	上期	下期	
3	東地区	991,800	712,100	816,600	800,400	742,500	996,200	
4	西地区	801,900	895,800	840,800	874,300	915,500	919,400	
5	南地区	779,900	752,700	835,800	898,000	801,900	842,800	
6	北地区	923,000	845,100	890,400	778,000	765,000	769,900	
7								

「2021年上期」「2021年下期」のように列見出しをそれぞれ1つのセルにまとめる

▼ 複数の値が入ったセルを複数行に分割する(→ 270 ページ)

品番	商品名	色	サイズ	価格
MS101	リネンシャツ	WH、GY	M、L	5,990
MS201	綿混シャツ	WH	S、M、L	4,990
MO101	リネンジャケット	GY、BK	S、M、L	9,800
MO201	撥水パーカー	GY、BK	M、L	7,990
MT101	Tシャツ	WH、BL、BK	M	2,890
MT201	ポロシャツ	WH、BL、BK	M	4,900
MP101	スリムパンツ	NV、BK	73、76、88	5,800

「WH×M」「WH×L」「GY×M」「GY×L」のように色とサイズを掛け合わせて別データとして使用できるようにする

▼ 横に並んだ項目を縦に組み替える(→ 274 ページ)

分類	商品名	単品	2枚セット	5枚セット
速乾タオル	フェイルタオル	¥680	¥1,290	¥3,060
速乾タオル	ハーフバスタオル	¥1,080	¥2,050	¥4,860
速乾タオル	バスタオル	¥2,180	¥4,140	¥9,810
北欧デザイン	フェイルタオル	¥1,040	¥1,980	¥4,680
北欧デザイン	ハーフバスタオル	¥1,540	¥2,930	¥6,930
北欧デザイン	バスタオル	¥3,040	¥5,780	¥13,680
ホテル仕様	フェイルタオル	¥1,180	¥2,240	¥5,310
ホテル仕様	ハーフバスタオル	¥1,880	¥3,570	¥8,460
ホテル仕様	バスタオル	¥3,480	¥6,610	¥15,660

内容数と価格がそれぞれ1列の項目になるように組み替える

▼ フォルダー内の請求書をまとめてデータベース化する(→ 280 ページ)

請求書_1001.xlsx　請求書_1002.xlsx　請求書_1003.xlsx　請求書_1004.xlsx

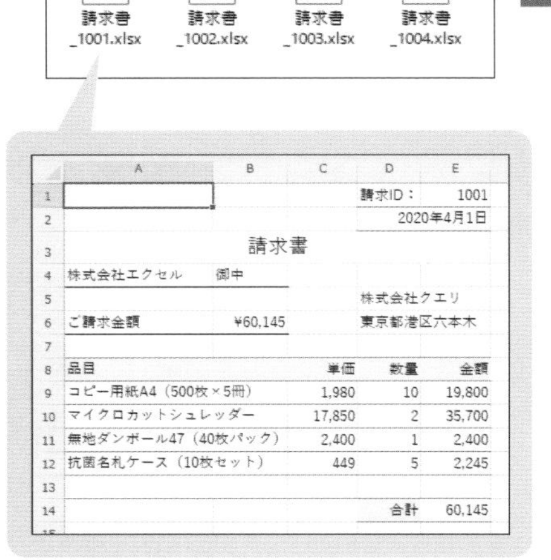

			請求ID：	1001
				2020年4月1日
請求書				
株式会社エクセル	御中			
			株式会社クエリ	
ご請求金額	¥60,145		東京都港区六本木	
品目		単価	数量	金額
コピー用紙A4（500枚×5冊）		1,980	10	19,800
マイクロカットシュレッダー		17,850	2	35,700
無地ダンボール47（40枚パック）		2,400	1	2,400
抗菌名札ケース（10枚セット）		449	5	2,245
			合計	60,145

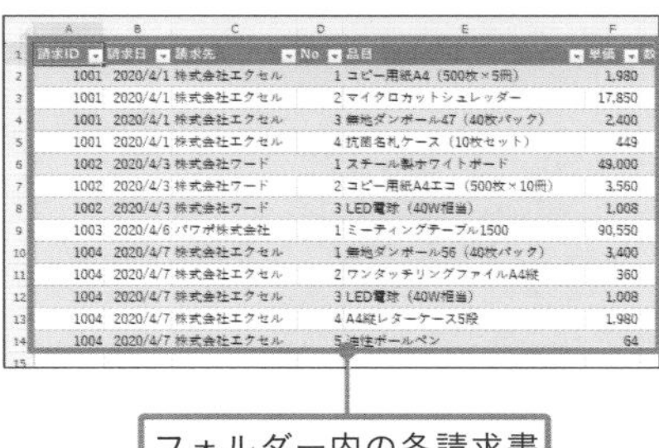

請求ID	請求日	請求先	No	品目	単価
1001	2020/4/1	株式会社エクセル	1	コピー用紙A4（500枚×5冊）	1,980
1001	2020/4/1	株式会社エクセル	2	マイクロカットシュレッダー	17,850
1001	2020/4/1	株式会社エクセル	3	無地ダンボール47（40枚パック）	2,400
1001	2020/4/1	株式会社エクセル	4	抗菌名札ケース（10枚セット）	449
1002	2020/4/3	株式会社ワード	1	スチール製ホワイトボード	49,000
1002	2020/4/3	株式会社ワード	2	コピー用紙A4エコ（500枚×10冊）	3,560
1002	2020/4/3	株式会社ワード	3	LED電球（40W相当）	1,008
1003	2020/4/6	パワポ株式会社	1	ミーティングテーブル1500	90,550
1004	2020/4/7	株式会社エクセル	1	無地ダンボール56（40枚パック）	3,400
1004	2020/4/7	株式会社エクセル	2	ワンタッチリングファイルA4縦	360
1004	2020/4/7	株式会社エクセル	3	LED電球（40W相当）	1,008
1004	2020/4/7	株式会社エクセル	4	A4縦レターケース5段	1,980
1004	2020/4/7	株式会社エクセル	5	油性ボールペン	64

フォルダー内の各請求書から必要なデータを抜き出して縦に結合し、データベースを作成する

8-2

セル結合を含む表をデータベース形式に整える

フィル、セル結合の解除、列の移動

Sample 0802_商品リスト.xlsx

データベース操作にセル結合は厳禁

データベースとして使用する表は、1行に1件ずつデータが入力されていることが基本です。下の「Before」の表のようにセルが結合されていると、並べ替え、抽出、マージなどさまざまな操作に支障をきたします。ここでは「After」の表のように、結合されていたセルに1つずつ同じデータを自動入力する方法を紹介します。

Before

	A	B	C	D	E	F
1	商品分類	商品名	商品コード	色	価格	
2	帆布バッグ	A4トートバッグ	HB-101-KI	キナリ	12,800	
3			HB-101-KH	カーキ	12,800	
4		ミニトート	HB-301-KI	キナリ	8,800	
5			HB-301-KH	カーキ	8,800	
6		丸底トートバッグM	HB-202-JU	ベージュ	14,900	
7			HB-202-KH	カーキ	14,900	
8		丸底トートバッグL	HB-201-JU	ベージュ	17,900	
9			HB-201-KH	カーキ	17,900	
10		レザートート	LB-101-JU	ベージュ	65,000	
11			LB-101-BK	ブラック	65,000	

セルが結合されている

After

	A	B	C	D	E	F
1	商品コード	商品分類	商品名	色	価格	
2	HB-101-KI	帆布バッグ	A4トートバッグ	キナリ	12800	
3	HB-101-KH	帆布バッグ	A4トートバッグ	カーキ	12800	
4	HB-301-KI	帆布バッグ	ミニトート	キナリ	8800	
5	HB-301-KH	帆布バッグ	ミニトート	カーキ	8800	
6	HB-202-JU	帆布バッグ	丸底トートバッグM	ベージュ	14900	
7	HB-202-KH	帆布バッグ	丸底トートバッグM	カーキ	14900	
8	HB-201-JU	帆布バッグ	丸底トートバッグL	ベージュ	17900	
9	HB-201-KH	帆布バッグ	丸底トートバッグL	カーキ	17900	
10	LB-101-JU	革製バッグ	レザートート	ベージュ	65000	
11	LB-101-BK	革製バッグ	レザートート	ブラック	65000	

セル結合を解除して、同じ値を入力し直す

データベースとして使いやすいように［商品コード］列を先頭に移動する

[フィル]を使用して同じデータを空欄のセルにコピーする

［テーブルまたは範囲から］を使用してデータをPower Query エディターに取り込むと、自動的にセル結合が解除され、空欄のセルに「null」と表示されます。［フィル］という機能を使用すると、「null」のセルをその上のデータで一気に埋めることができます。

テーブルに変換して取り込む

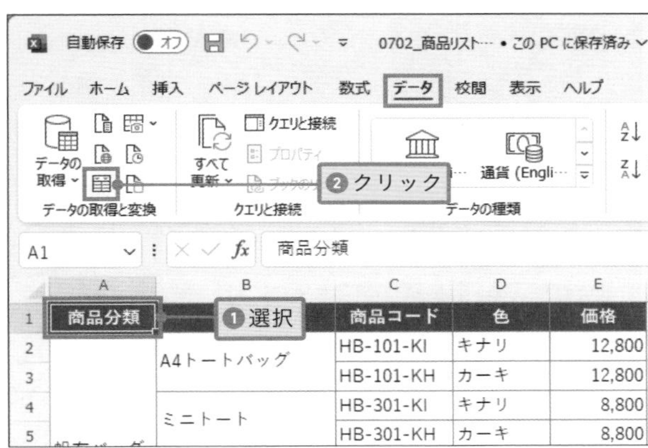

❷クリック
❶選択

表内のセル（ここではセルA1）を選択して❶、［データ］タブの［テーブルまたは範囲から］をクリックする❷。

この節の手順を実行すると、元の表自体のセル結合も解除されます。元の表を残したい場合は、事前にコピーしておきましょう。

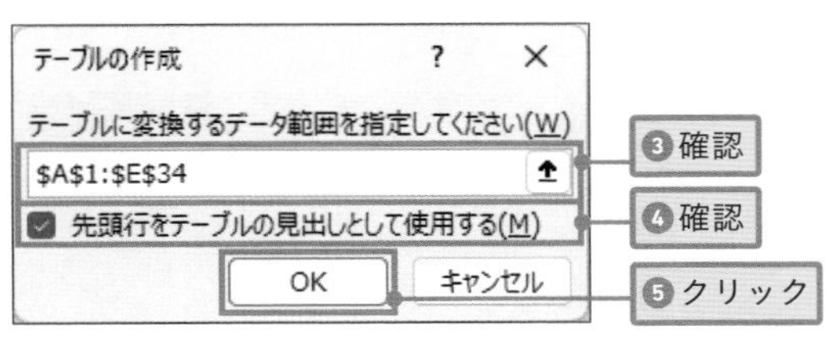

❸確認
❹確認
❺クリック

表のセル範囲が正しく指定されていることを確認する❸。間違っていた場合は指定し直すこと。［先頭行をテーブルの見出しとして使用する］にチェックが付いていることを確認して❹、［OK］をクリックする❺。

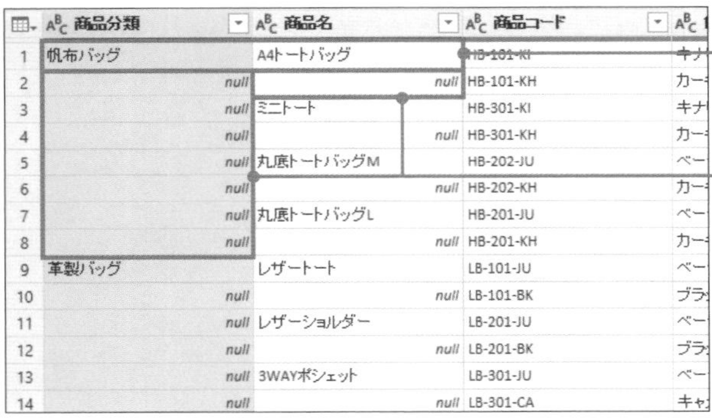

❻データは結合範囲の先頭セルだけに表示される
❼結合範囲の2行目以降のセルは「null」が表示される

Power Query エディターが起動する。セル結合は解除され、データは結合範囲の1番上のセルだけに表示される❻。その下のセルには「null」が表示される❼。

[フィル]を実行して「null」をデータで埋める

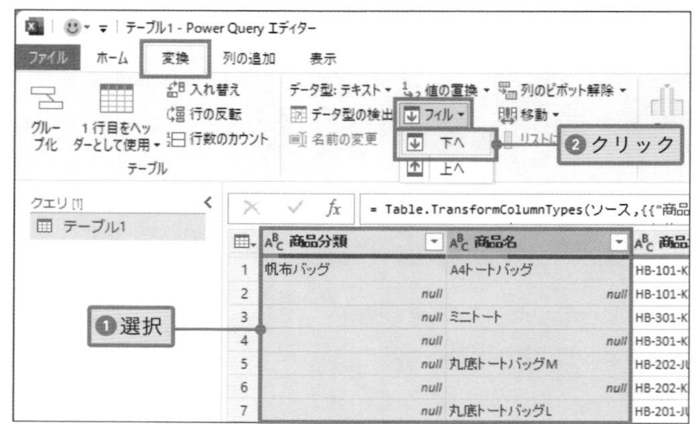

[商品分類] の列名をクリックし、Ctrl を押しながら [商品名] の列名をクリックして2列を選択する❶。[変換] タブの [フィル] → [下へ] をクリックする❷。

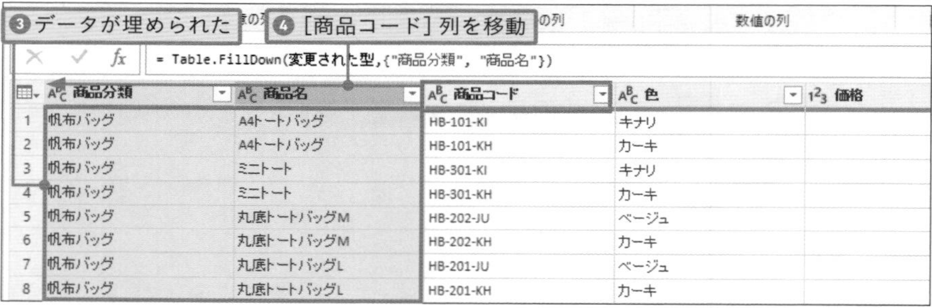

「null」のセルがその上に入力されていたデータで埋められる❸。[商品コード] の列名をドラッグして表の左端に移動しておく❹。[ホーム] タブの [閉じて読み込む] をクリックして、ワークシートに読み込んでおく。

知っておくと便利 「null」や「エラー」の割合は色で確認できる

データがすべて埋まっている列は、列名の下に緑一色の帯が表示されます。一方、「null」を含む列は「null」の割合に応じて緑にグレーの線が混じります。また、エラーを含む列はエラーの割合に応じて赤い帯が表示されます。いずれも、先頭1000件分のデータを元にした割合です。

▼ 列名の下の表示からデータの状態を確認できる

	全てデータ	Null 7 割	Null 2 割	エラー有
1	1	null	null	Error
2	2	null	null	Error
3	3	null	3	Error
4	4	null	4	4
5	5	null	5	5
6	6	null	6	6

8-3

セル結合を含む 2 行の列見出しを整形して 1 行にする

列見出しの整形、行列の入れ替え

Sample 0803_ 売上 .xlsx

結合した 2 行にわたる列見出しも整形できる

Excelで表を作るときに、下の「Before」の表のように列見出しを2行に分けて入力することがあります。1行目の列見出しはセル結合しています。このような表をデータベースとして利用するには、「After」の表のように列見出しを1つのセルにまとめなければなりません。パワークエリでは、[入れ替え] [フィル] の2つの機能を使用すると、このような列見出しの整形を行えます。なお、「After」の表を完全なデータベース形式にするには、8-5節を参考に [列のピボット解除] を実行してください。

Before

列見出しにセル結合が含まれている

列見出しが2行にわたっている

	A	B	C	D	E	F	G	H
1	地区	2021年		2022年		2023年		
2		上期	下期	上期	下期	上期	下期	
3	東地区	991,800	712,100	816,600	800,400	742,500	996,200	
4	西地区	801,900	895,800	840,800	874,300	915,500	919,400	
5	南地区	779,900	752,700	835,800	898,000	801,900	842,800	
6	北地区	923,000	845,100	890,400	778,000	765,000	769,900	
7								

After

	A	B	C	D	E	F	G
1	地区	2021年上期	2021年下期	2022年上期	2022年下期	2023年上期	2023年下期
2	東地区	991,800	712,100	816,600	800,400	742,500	996,200
3	西地区	801,900	895,800	840,800	874,300	915,500	919,400
4	南地区	779,900	752,700	835,800	898,000	801,900	842,800
5	北地区	923,000	845,100	890,400	778,000	765,000	769,900
6							
7							
8							
9							

各列見出しを1つのセルにまとめる

(注) 数値のセルに桁区切りスタイルを設定してあります。

表の縦横を入れ替えて[フィル]を実行する

元データでは、左右2つのセルを結合した中に「2021年」などの年データが入力されています。結合を解除すると、年データは左のセルだけに表示されます。右のセルにも入れるために前節で紹介した［フィル］を使いたいところですが、［フィル］の方向は上か下だけです。そこで、表の1、2行目が1、2列目になるように表の行と列を入れ替えてから、［フィル］を実行することにします。［入れ替え］機能を使用すると、表の行列を入れ替えられます。

テーブルに変換して取り込む

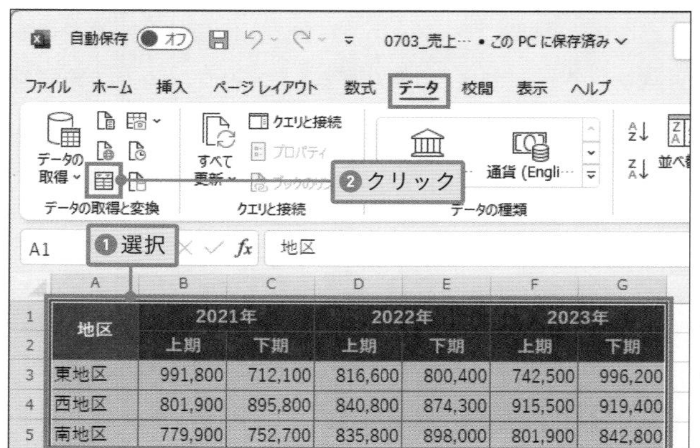

表のセル範囲（セルA1～G6）を選択して❶、［データ］タブの［テーブルまたは範囲から］をクリックする❷。

この節の手順を実行すると、元の表自体のセル結合も解除されます。元の表を残したい場合は、事前にコピーしておきましょう。

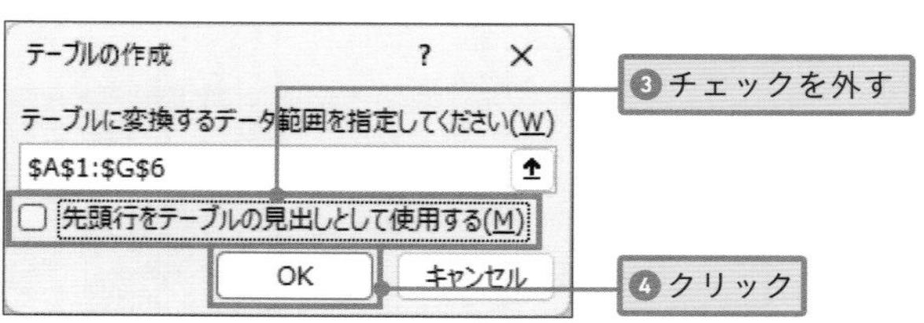

［先頭行をテーブルの見出しとして使用する］のチェックを外して❸、［OK］をクリックする❹。

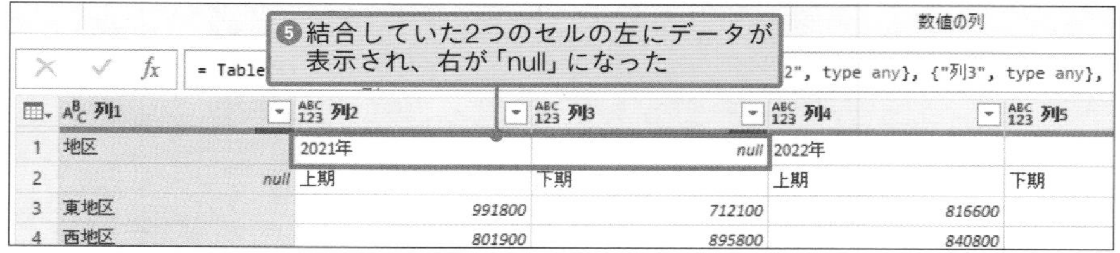

Power Query エディターが起動する。手順❸の実行によって、列名は「列1」などの仮の名前になる。セル結合は解除され、結合していた2つのセルの左にデータ、右に「null」が表示される❺。

[入れ替え]を実行して表の縦横を入れ替える

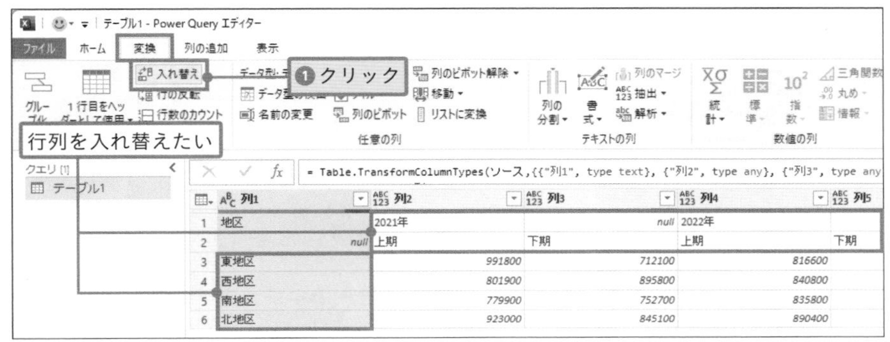

現在、1列目に地区名、1～2行目に年・期が入力されている。この縦横を入れ替えたい。それには［変換］タブの［入れ替え］をクリックする❶。

❷行列が入れ替わった

	Column1	Column2	Column3	Column4	Column5
1	地区	null	東地区	西地区	南地区
2	2021年	上期	991800	801900	779900
3	null	下期	712100	895800	752700
4	2022年	上期	816600	840800	835800
5	null	下期	800400	874300	898000
6	2023年	上期	742500	915500	801900
7	null	下期	996200	919400	842800

行列が入れ替わり、1～2列目に年・期、1行目に地区名が表示される❷。

[フィル]で「年」を埋める

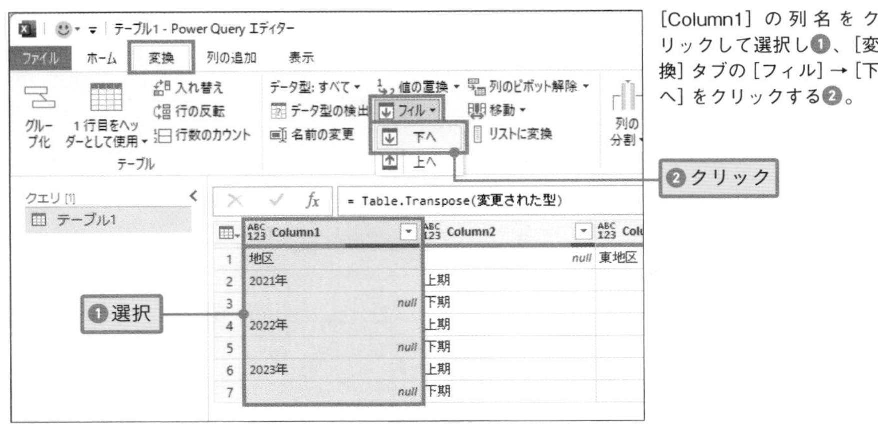

［Column1］の列名をクリックして選択し❶、［変換］タブの［フィル］→［下へ］をクリックする❷。

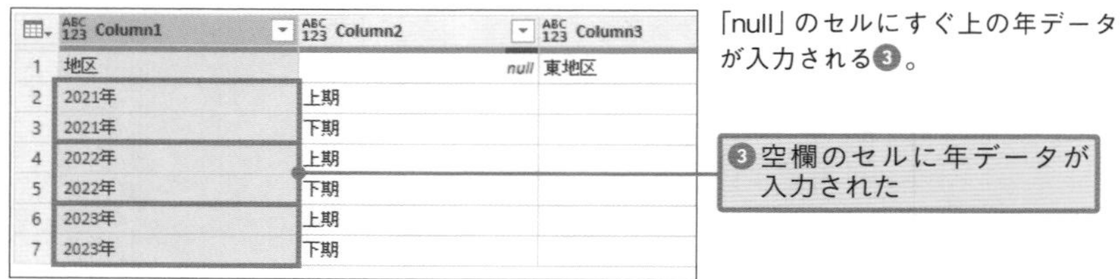

「null」のセルにすぐ上の年データが入力される❸。

「2021年上期」形式に変換して列名に戻す

最終的な列名を「2021年上期」「2021年下期」の形式にするために、「2021年」の列と「上期」の列で[列のマージ]を行います。そのあと行列を入れ替えて、先頭行を列名に昇格させれば完成です。

[列のマージ][入れ替え][1行目をヘッダーとして使用]を実行する

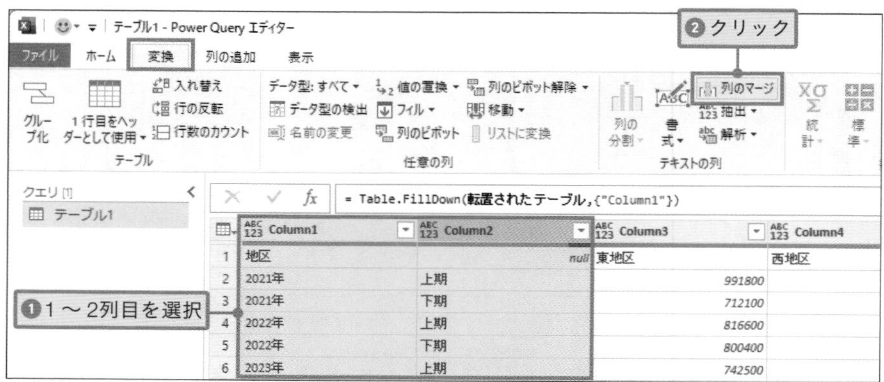

[Column1]の列名をクリックし、Ctrlを押しながら[Column2]の列名をクリックして1～2列目を選択する❶。[変換]タブの[列のマージ]をクリックする❷。

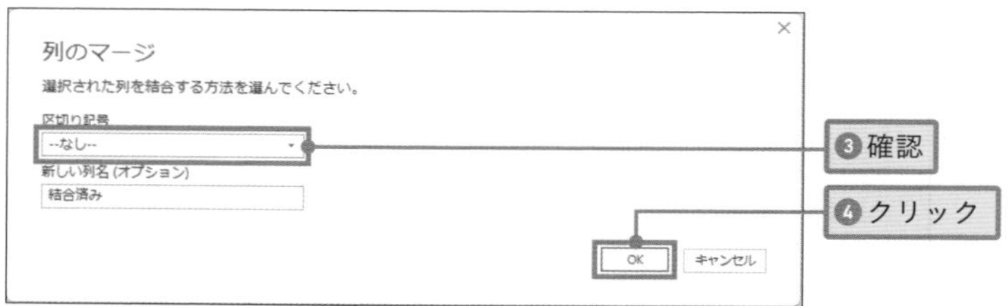

[列のマージ]ダイアログボックスが表示される。[区切り記号]に初期値の[--なし--]が選択されていることを確認して❸、[OK]をクリックする❹。なお、列名は後で行列の入れ替えを実行すると消えるので、初期値の「結合済み」のままでよい。

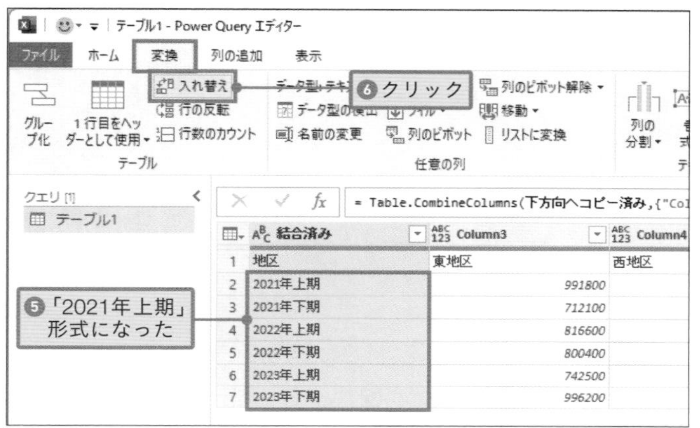

「2021年」などが入力されていた列と「上期」などが入力されていた列がマージされて1つの列になる❺。[変換] タブの [入れ替え] をクリックする❻。

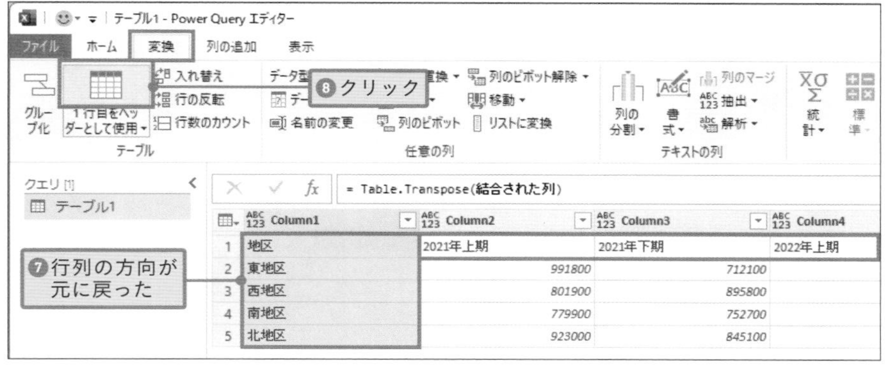

地区が縦方向、年・期が横方向に戻る❼。最後に [変換] タブの [1行目をヘッダーとして使用] の上側をクリックする❽。

❾列名が正しく設定された

= Table.TransformColumnTypes(昇格されたヘッダー数,{{"地区", type text}, {"2021年上期", Int64.Type}, {"2021年下

	地区	2021年上期	2021年下期	2022年上期	2022年下期
1	東地区	991800	712100	816600	800400
2	西地区	801900	895800	840800	874300
3	南地区	779900	752700	835800	898000
4	北地区	923000	845100	890400	778000

「2021年上期」など、1行目にあったデータが列名となる❾。[ホーム] タブの [閉じて読み込む] をクリックして、ワークシートに読み込んでおく。

表の整形だけが目的でパワークエリを使用し、今後元データに接続する必要がない場合は、ワークシートに読み込んだあと、308ページを参考にデータソースとの接続を削除してください。

8-4

複数の値が入ったセルを複数行に分割する

セルの分割

Sample 0804_ 商品リスト .xlsx

1 つのセルに 1 つのデータが基本

データベースでは「1つのセルに1つのデータ、1行に1件分のデータ」が基本です。下の「Before」の表には、[色] 列と [サイズ] 列に複数のデータが入力されています。[列の分割] を使用して複数のデータを行方向に分割すると、「1つのセルに1つのデータ、1行に1件のデータ」の形に整形できます。例えば1行目の「リネンシャツ」の場合、色とサイズがそれぞれ2種類ずつあるので、分割すると「2×2＝4」件分のデータになります。

Before

	A	B	C	D	E
1	品番	商品名	色	サイズ	価格
2	MS101	リネンシャツ	WH、GY	M、L	5,990
3	MS201	綿混シャツ	WH	S、M、L	4,990
4	MO101	リネンジャケット	GY、BK	S、M、L	9,800
5	MO201	撥水パーカー	GY、BK	M、L	7,990
6	MT101	Tシャツ	WH、BL、BK	M	2,890
7	MT201	ポロシャツ	WH、BL、BK	M	4,900
8	MP101	スリムパンツ	NV、BK	73、76、88	5,800
9					

色とサイズが2種類ずつ入力されている

After

	A	B	C	D	E	F	G
1	品番	商品名	色	サイズ	価格		
2	MS101	リネンシャツ	WH	M	5,990		
3	MS101	リネンシャツ	WH	L	5,990		
4	MS101	リネンシャツ	GY	M	5,990		
5	MS101	リネンシャツ	GY	L	5,990		
6	MS201	綿混シャツ	WH	S	4,990		
7	MS201	綿混シャツ	WH	M	4,990		
8	MS201	綿混シャツ	WH	L	4,990		
9	MO101	リネンジャケット	GY	S	9,800		
10	MO101	リネンジャケット	GY	M	9,800		
11	MO101	リネンジャケット	GY	L	9,800		
12	MO101	リネンジャケット	BK	S	9,800		

色とサイズがそれぞれ行方向に分割され、4件分のデータになった

(注) 数値のセルに桁区切りスタイルを設定してあります。

[列の分割]で複数データを行方向に展開する

セル内の複数のデータを行方向に分割するには、[列の分割] ダイアログボックスで分割方向として [行] を指定します。[色] [サイズ] とも複数のデータが「、」(全角の読点) で区切られているので、[区切り記号] として「、」を指定します。2列同時に分割できないので、1列ずつ操作してください。

[列の分割]を実行して[色]を分割する

❶Power Query エディターを起動　❷クリック

	品番	商品名	色	サイズ	価格
1	MS101	リネンシャツ	WH、GY	M、L	599(
2	MS201	綿混シャツ	WH	S、M、L	499(
3	MO101	リネンジャケット	GY、BK	S、M、L	980(
4	MO201	撥水パーカー	GY、BK	M、L	799(
5	MT101	Tシャツ	WH、BL、BK	M	289(
6	MT201	ポロシャツ	WH、BL、BK	M	490(
7	MP101	スリムパンツ	NV、BK	73、76、88	580(

サンプルファイルを開き、263ページの手順❶〜❺を参考にPower Query エディターを起動しておく❶。[色] の列名をクリックして列を選択する❷。

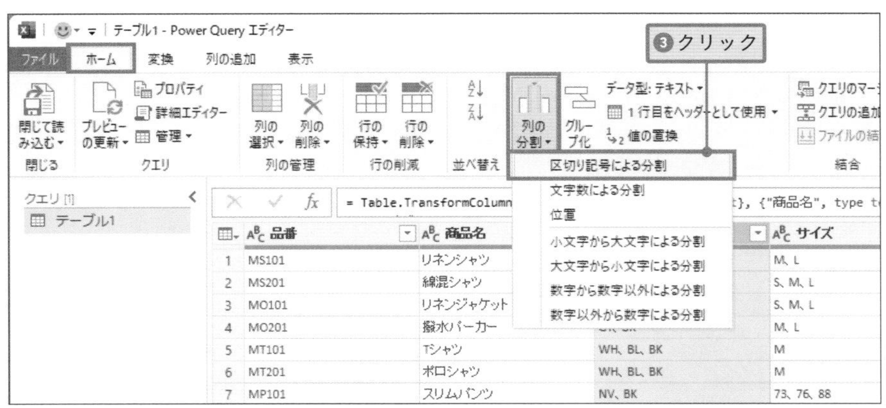

[ホーム] タブの [列の分割] → [区切り記号による分割] をクリックする❸。

[列の分割] は、列内のセルのデータを指定した区切り文字で区切って分割する機能です。162ページでスペースを区切りとして氏名を [姓] 列と [名] 列に分解したように、データを列方向(複数列)に分割したいときによく使われます。今回のように行方向(複数行)に分割したい場合は、[詳細設定オプション] を展開して [行] を選択する必要があるので注意してください。

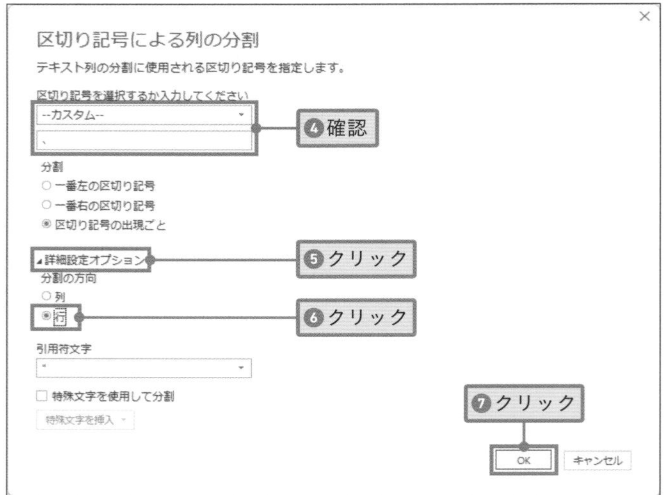

[区切り記号による列の分割] ダイアログボックスが開く。区切り記号として [--カスタム--] [、] が指定されていることを確認し❹、[詳細設定オプション] をクリックする❺。分割方向の指定欄が表示されるので、[行] をクリックして❻、[OK] をクリックする❼。

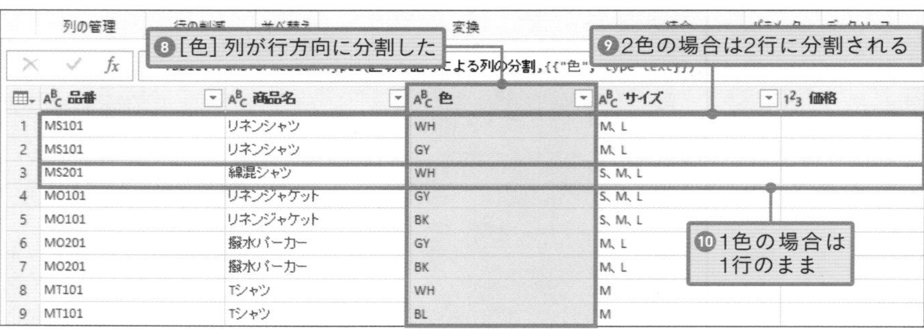

	品番	商品名	色	サイズ	価格
1	MS101	リネンシャツ	WH	M、L	
2	MS101	リネンシャツ	GY	M、L	
3	MS201	綿混シャツ	WH	S、M、L	
4	MO101	リネンジャケット	GY	S、M、L	
5	MO101	リネンジャケット	BK	S、M、L	
6	MO201	撥水パーカー	GY	M、L	
7	MO201	撥水パーカー	BK	M、L	
8	MT101	Tシャツ	WH	M	
9	MT101	Tシャツ	BL	M	

[色] 列のデータが行方向に分割される❽。例えばリネンシャツは2色あるので、2行になる❾。綿混シャツは1色なので1行のままになる❿。

[列の分割]を実行して[サイズ]を分割する

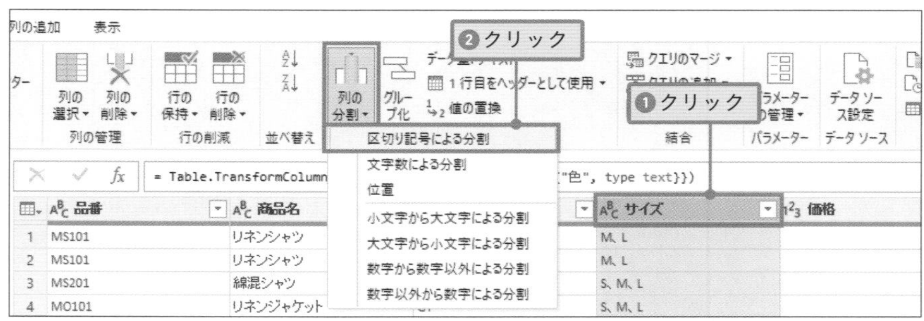

続いて [サイズ] 列を選択して❶、[ホーム] タブの [列の分割] → [区切り記号による分割] をクリックする❷。表示される設定画面で、上の手順❹～❼と同様に設定を行う。

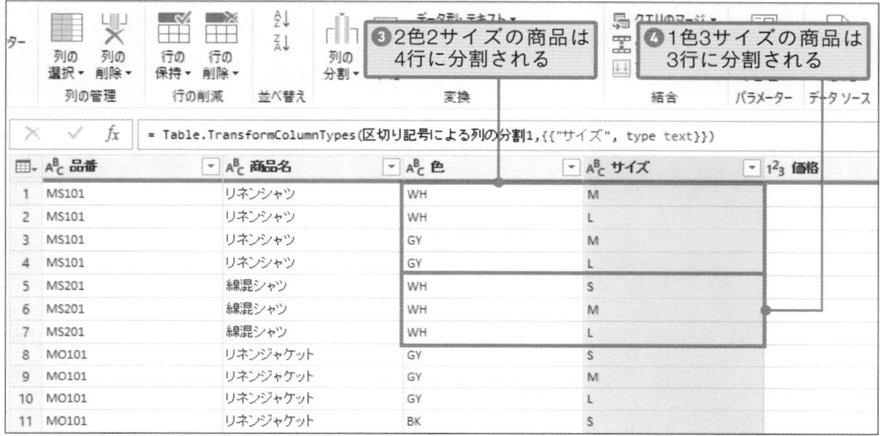

［サイズ］列のデータが行方向に分割される。「2色×2サイズ」の商品は最終的に4行になる❸。また、「1色×3サイズ」の商品は最終的に3行になる❹。［ホーム］タブの［閉じて読み込む］をクリックして、ワークシートに読み込んでおく。

知っておくと便利 データがセル内改行で区切られている場合

［区切り記号による分割］では区切り記号が自動認識されますが、正しく認識されなかった場合は修正してください。区切り文字として改行などの特殊文字を指定したいときは、［特殊文字を挿入］の一覧から選択してください。［改行］を選択した場合、区切り記号の入力欄に「ラインフィード」を意味する「#(lf)」が自動入力されます。

▼改行を区切り文字として指定する

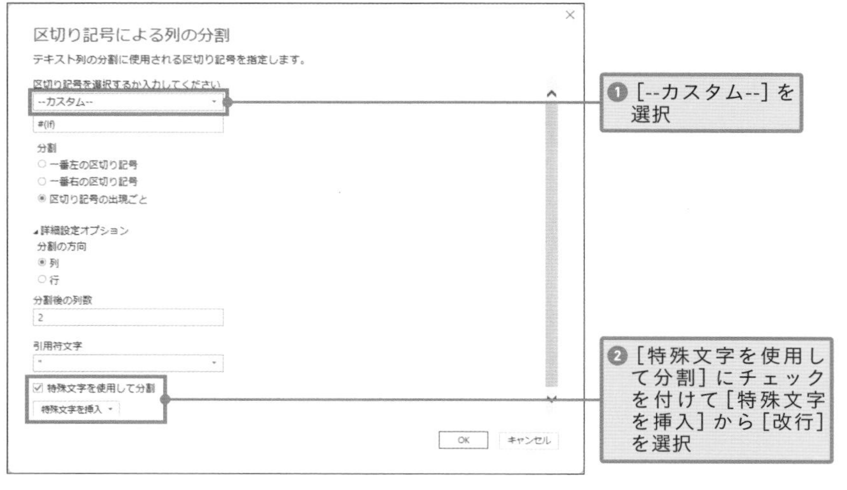

8-5 「ピボット解除」を利用して横に並んだ項目を縦に組み替える

表の組み替え、列のピボット、列のピボット解除

Sample 0805_価格表.xlsx

[列のピボット]と[列のピボット解除]

左下図の2次元表は、商品別サイズ別の価格表です。商品名が縦軸、サイズが横軸に配置され、目的の商品の価格がすぐに見つかります。しかし、見る人にとってわかりやすい表でも、データベースとしては使い勝手がよくありません。必要なデータをフィルターで絞り込んだり、並べ替えたり、売上表とマージしたりするには、「1列目に商品名、2列目にサイズ、3列目に価格」という具合に、同じ列に同種のデータが入るデータベース形式になっている必要があります。

パワークエリでは、[列のピボット解除]という機能を使用すると、2次元の表の横軸を縦方向に配置し直して、データベース形式の表に組み替えることができます。反対に、[列のピボット]という機能を使用すると、データベース形式の表の列から1つを横軸に配置し直して、縦横2次元の表に組み替えられます。

▼「列のピボット」と「列のピボット解除」

2次元の表

商品名	S	M	L
コーヒー	230	280	330
ラテ	350	400	450
ココア	360	410	460

・商品名が縦方向、サイズが横方向
・人にとって見やすい

列のピボット解除 →

← 列のピボット

データベース形式の表

商品名	サイズ	価格
コーヒー	S	230
コーヒー	M	280
コーヒー	L	330
ラテ	S	350
ラテ	M	400
ラテ	L	450
ココア	S	360
ココア	M	410
ココア	L	460

・商品名もサイズも縦方向
・データベースとして扱いやすい

[列のピボット]は、7-7節でクロス集計を行うときに使用した機能です。

この節では［列のピボット解除］を使用して、縦軸に分類と商品名、横軸に内容数が並ぶ2次元の表から「After」のデータベース形式の表に作り変えます。作り変えることでデータベースとして利用できるようになり、データの活用の幅が広がります。内容数の方向が横から縦に変わることに注目して操作してください。

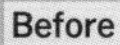

	A	B	C	D	E
1	分類	商品名	単品	2枚セット	5枚セット
2	速乾タオル	フェイルタオル	¥680	¥1,290	¥3,060
3	速乾タオル	ハーフバスタオル	¥1,080	¥2,050	¥4,860
4	速乾タオル	バスタオル	¥2,180	¥4,140	¥9,810
5	北欧デザイン	フェイルタオル	¥1,040	¥1,980	¥4,680
6	北欧デザイン	ハーフバスタオル	¥1,540	¥2,930	¥6,930
7	北欧デザイン	バスタオル	¥3,040	¥5,780	¥13,680
8	ホテル仕様	フェイルタオル	¥1,180	¥2,240	¥5,310
9	ホテル仕様	ハーフバスタオル	¥1,880	¥3,570	¥8,460
10	ホテル仕様	バスタオル	¥3,480	¥6,610	¥15,660
11					

「内容数」は横方向に並んでいる
「価格」は縦横2次元に配置されている
「分類」「商品名」は最初から縦方向に並んでいる

After

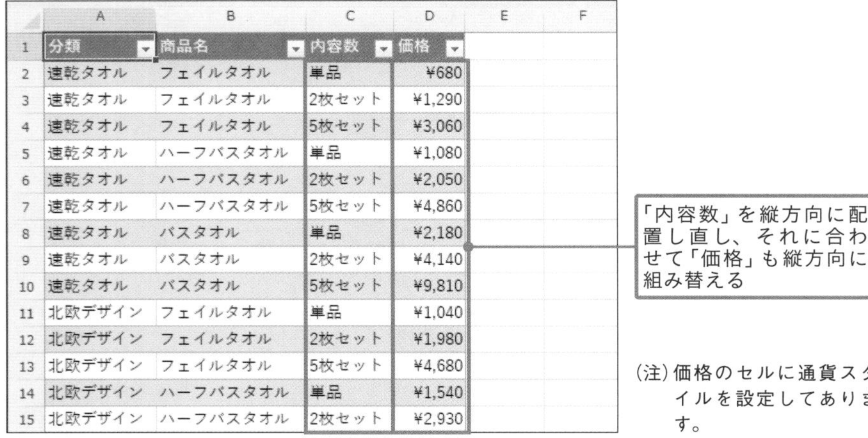

	A	B	C	D	E	F
1	分類	商品名	内容数	価格		
2	速乾タオル	フェイルタオル	単品	¥680		
3	速乾タオル	フェイルタオル	2枚セット	¥1,290		
4	速乾タオル	フェイルタオル	5枚セット	¥3,060		
5	速乾タオル	ハーフバスタオル	単品	¥1,080		
6	速乾タオル	ハーフバスタオル	2枚セット	¥2,050		
7	速乾タオル	ハーフバスタオル	5枚セット	¥4,860		
8	速乾タオル	バスタオル	単品	¥2,180		
9	速乾タオル	バスタオル	2枚セット	¥4,140		
10	速乾タオル	バスタオル	5枚セット	¥9,810		
11	北欧デザイン	フェイルタオル	単品	¥1,040		
12	北欧デザイン	フェイルタオル	2枚セット	¥1,980		
13	北欧デザイン	フェイルタオル	5枚セット	¥4,680		
14	北欧デザイン	ハーフバスタオル	単品	¥1,540		
15	北欧デザイン	ハーフバスタオル	2枚セット	¥2,930		

「内容数」を縦方向に配置し直し、それに合わせて「価格」も縦方向に組み替える

（注）価格のセルに通貨スタイルを設定してあります。

［列のピボット解除］を実行すると、表の組み替えにより新たに2つの列が追加されます。元データの横軸から作成された列には「属性」、横軸の下に表示されていた数値には「値」という列名が自動で付けられるので、適切な列名（ここでは「内容数」「価格」）に変更する必要があります。

ピボット解除を利用してデータベース形式に組み替える

［列のピボット解除］のサブメニューには3種類の項目があります。ここではそのうちの［その他の列のピボット解除］という機能を使用してピボット解除を実行します。あらかじめ表の縦軸の列（ここでは［分類］列と［商品名］列）を選択してから実行することがポイントです。

［その他の列のピボット解除］を実行する

	分類	商品名	単品	2枚セット	5枚セット
1	速乾タオル	フェイルタオル	680	1290	
2	速乾タオル	ハーフバスタオル	1080	2050	
3	速乾タオル	バスタオル	2180	4140	
4	北欧デザイン	フェイルタオル	1040	1980	
5	北欧デザイン	ハーフバスタオル	1540	2930	
6	北欧デザイン	バスタオル	3040	5780	
7	ホテル仕様	フェイルタオル	1180	2240	
8	ホテル仕様	ハーフバスタオル	1880	3570	
9	ホテル仕様	バスタオル	3480	6610	

サンプルファイルを開き、263ページの手順❶～❺を参考にPower Query エディターを起動しておく❶。［分類］の列名をクリックし❷、Shiftを押しながら［商品名］の列名をクリックして2列を選択する❸。

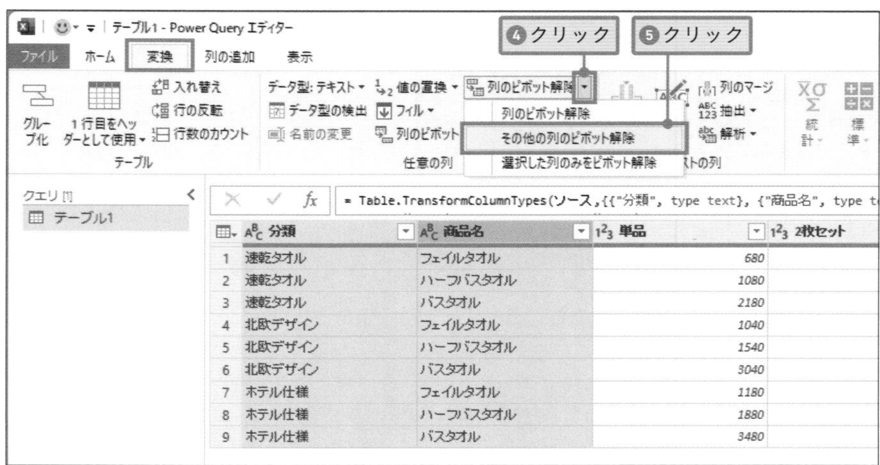

［変換］タブの［列のピボット解除］の［▼］をクリックして❹、［その他の列のピボット解除］をクリックする❺。

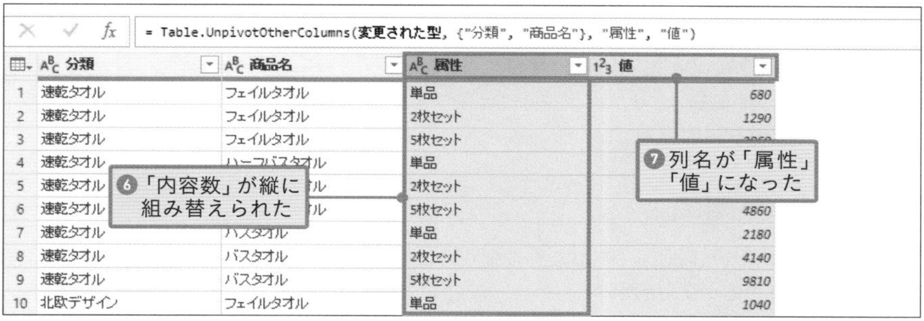

```
= Table.UnpivotOtherColumns(変更された型, {"分類", "商品名"}, "属性", "値")
```

	分類	商品名	属性	値
1	速乾タオル	フェイルタオル	単品	680
2	速乾タオル	フェイルタオル	2枚セット	1290
3	速乾タオル	フェイルタオル	5枚セット	[illegible]
4	速乾タオル	ハーフバスタオル	単品	[illegible]
5	速乾タオル	[illegible]	2枚セット	[illegible]
6	速乾タオル	[illegible]	5枚セット	4860
7	速乾タオル	バスタオル	単品	2180
8	速乾タオル	バスタオル	2枚セット	4140
9	速乾タオル	バスタオル	5枚セット	9810
10	北欧デザイン	フェイルタオル	単品	1040

❻「内容数」が縦に組み替えられた

❼列名が「属性」「値」になった

列名だった「内容数」が新たな列となり、縦一列に並ぶ❻。新たな列となった「内容数」と数値の2列にそれぞれ「属性」「値」という名前が付く❼。

	分類	商品名	内容数	価格
1	速乾タオル	フェイルタオル	単品	680
2	速乾タオル	フェイルタオル	2枚セット	1290
3	速乾タオル	フェイルタオル	5枚セット	3060
4	速乾タオル	ハーフバスタオル	単品	1080
5	速乾タオル	ハーフバスタオル	2枚セット	2050
6	速乾タオル	ハーフバスタオル	5枚セット	4860
7	速乾タオル	バスタオル	単品	2180
8	速乾タオル	バスタオル	2枚セット	4140
9	速乾タオル	バスタオル	5枚セット	9810
10	北欧デザイン	フェイルタオル	単品	1040

❽列名を変更

[属性] [値] の列名をそれぞれダブルクリックして「内容数」「価格」に変更する❽。[ホーム] タブの [閉じて読み込む] をクリックして、ワークシートに読み込んでおく。

知っておくと便利　クロス集計表の合計欄は削除しておく

[合計] 列や [合計] 行を含むクロス集計表をピボット解除する場合は、手順❷の実行前に合計欄を削除しておきましょう。[合計] 列は、列を選択して Delete を押すと削除できます。[合計] 行は、フィルターで削除します。「合計」の文字を含む列のフィルターボタンをクリックして、一覧から [合計] のチェックを外して [OK] をクリックすると、[合計] 行を削除できます。

知っておくと便利　値が「null」のセルは省略される

例えば元データの「速乾タオル、バスタオル」の行の [5枚セット] 列が空欄（null）だった場合、ピボット解除後の表に「速乾タオル、バスタオル、5枚セット」の行は表示されません。表示したい場合は、ピボット解除前に、184ページの「知っておくと便利」を参考に「null」を「0」に置換しておきます。

［列のピボット解除］の3つのメニュー項目

［列のピボット解除］のサブメニューには以下の3項目があります。それぞれ、事前に選択する列と、元データに新しい列が追加されたときの挙動が異なります。

①列のピボット解除
事前に選択する列：2次元表の横軸の列（[単品][2枚セット][5枚セット]）
元表に追加された列：追加された列は更新時にピボット解除される

②その他の列のピボット解除
事前に選択する列：2次元表の縦軸の列（[分類][商品名]）
元表に追加された列：追加された列は更新時にピボット解除される

③選択した列のみをピボット解除
事前に選択する列：2次元表の横軸の列（[単品][2枚セット][5枚セット]）
元表に追加された列：追加された列は更新時にピボット解除されない

事前選択する列については、選択位置が表の左端にあり、選択する列数も少ないであろう②の［その他の列のピボット解除］がラクでしょう。

新しい列が追加されたとき、①②では新しい列がピボット解除され、③ではピボット解除されません。［10枚セット］などの列が追加される場合は①②が有利で、［商品コード］［品質］などの列が追加される場合は③が有利です。一般的には、［10枚セット］などピボット解除したい列が追加されるケースが多いでしょう。

▼新たに[10枚セット]列が追加されたときの①②の挙動

	A	B	C	D	E	F
1	分類	商品名	内容数	価格		
2	速乾タオル	フェイルタオル	単品	680		
3	速乾タオル	フェイルタオル	2枚セット	1290		
4	速乾タオル	フェイルタオル	5枚セット	3060		
5	速乾タオル	フェイルタオル	10枚セット	5780		
6	速乾タオル	ハーフバスタオル	単品	1080		
7	速乾タオル	ハーフバスタオル	2枚セット	2050		

新しい列はピボット解除される

▼新たに[10枚セット]列が追加されたときの③の挙動

	A	B	C	D	E
1	分類	商品名	10枚セット	属性	値
2	速乾タオル	フェイルタオル	5780	単品	680
3	速乾タオル	フェイルタオル	5780	2枚セット	1290
4	速乾タオル	フェイルタオル	5780	5枚セット	3060
5	速乾タオル	ハーフバスタオル	9180	単品	1080
6	速乾タオル	ハーフバスタオル	9180	2枚セット	2050
7	速乾タオル	ハーフバスタオル	9180	5枚セット	4860

新しい列はピボット解除されない

知っておくと便利 2次元の表にするには

Sample 0805_コラム_価格表.xlsx

［列のピボット］では、列の組み替えと同時に集計を実行できます。7-7節では［合計］を選択してクロス集計を行いましたが、［集計しない］を選択すれば集計せずに2次元の表を作成できます。本節の「After」の状態の表から2次元の表に変換するには、以下のように操作します。

▼［列のピボット］で2次元の表に変換する

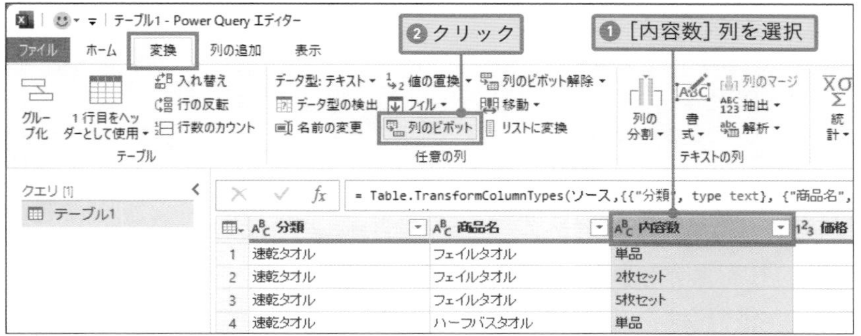

横軸に配置したい［内容数］列を選択し❶、［変換］タブの［列のピボット］をクリックする❷。

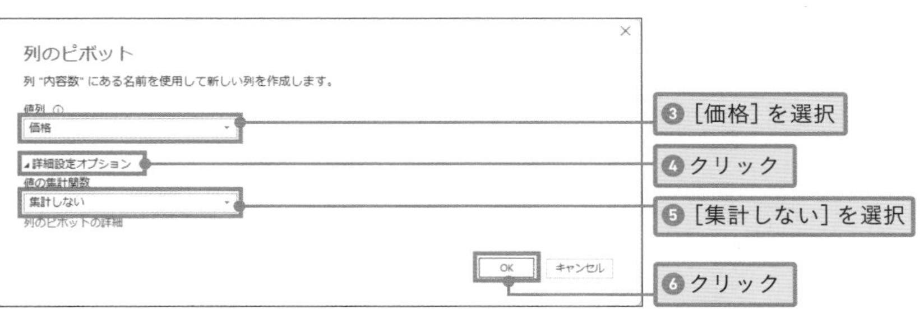

［値列］欄から［価格］を選択し❸、［詳細設定オプション］をクリックする❹。［値の集計関数］欄から［集計しない］を選択し❺、［OK］をクリックする❻。

	分類	商品名	単品	2枚セット	5枚セット
1	ホテル仕様	ハーフバスタオル	1880	3570	8460
2	ホテル仕様	バスタオル	3480	6610	15660
3	ホテル仕様	フェイルタオル			5310
4	北欧デザイン	ハーフバスタオル			6930
5	北欧デザイン	バスタオル			13680
6	北欧デザイン	フェイルタオル	1040	1980	4680
7	速乾タオル	ハーフバスタオル	1080	2050	4860
8	速乾タオル	バスタオル	2180	4140	9810
9	速乾タオル	フェイルタオル	680	1290	3060

❼2次元の表に組み替えられた

［内容数］を横軸にした2次元の表に組み替えられる❼。

8-6

フォルダー内の請求書をまとめてデータベース化する①

データベース化、ファイルの結合、列の削除

Sample [請求書]フォルダー

請求書ブックをデータベース化する

パソコンの中に、まだデータベース化されていない古い請求書や受注明細書などのファイルが眠っていないでしょうか。請求書などのファイルは、過去の売上を分析したり、今後の販売戦略を立てたりするための貴重な情報源です。どのファイルも同じセルに同種のデータが入力される状態なら、パワークエリで複数のファイルの取得、整形、結合をまるごと自動化できます。

ここでは下図のような請求書を例に、データベース化の操作方法を紹介します。データベース化することにより、眠っていたデータが価値のある情報としてよみがえります。

▼本節で扱うファイル

請求書_1001.xlsx

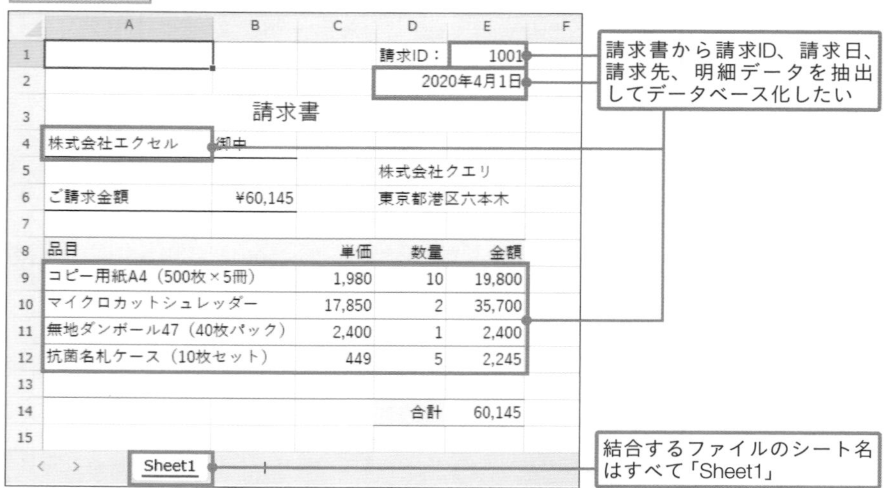

[フォルダーから]を使用して全ファイルを結合する

各ファイルのデータの結合には、4-9節で紹介した［フォルダーから］機能を使用します。フォルダー内の全ブックを取得して縦に結合する機能です。本節から8-8節まで3節にわたり、［請求書］フォルダー内の全ブックを結合して、下図の「After」のようなデータベースを作成していきます。本節では、4つのファイルを結合して、不要な列を削除するところまでを実行します。

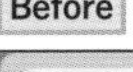

［請求書］フォルダー

After

4つのファイルからデータを抽出して縦につなぐ

	A	B	C	D	E	F	G	H
1	請求ID	請求日	請求先	No	品目	単価	数量	金額
2	1001	2020/4/1	株式会社エクセル	1	コピー用紙A4（500枚×5冊）	1,980	10	19,800
3	1001	2020/4/1	株式会社エクセル	2	マイクロカットシュレッダー	17,850	2	35,700
4	1001	2020/4/1	株式会社エクセル	3	無地ダンボール47（40枚パック）	2,400	1	2,400
5	1001	2020/4/1	株式会社エクセル	4	抗菌名札ケース（10枚セット）	449	5	2,245
6	1002	2020/4/3	株式会社ワード	1	スチール製ホワイトボード	49,000	1	49,000
7	1002	2020/4/3	株式会社ワード	2	コピー用紙A4エコ（500枚×10冊）	3,560	2	7,120
8	1002	2020/4/3	株式会社ワード	3	LED電球（40W相当）	1,008	5	5,040
9	1003	2020/4/6	パワポ株式会社	1	ミーティングテーブル1500	90,550	1	90,550
10	1004	2020/4/7	株式会社エクセル	1	無地ダンボール56（40枚パック）	3,400	1	3,400
11	1004	2020/4/7	株式会社エクセル	2	ワンタッチリングファイルA4縦	360	20	7,200
12	1004	2020/4/7	株式会社エクセル	3	LED電球（40W相当）	1,008	5	5,040
13	1004	2020/4/7	株式会社エクセル	4	A4縦レターケース5段	1,980	10	19,800
14	1004	2020/4/7	株式会社エクセル	5	油性ボールペン	64	50	3,200
15								

請求ID、請求日、請求先は請求書のヘッダー部から抽出する

Noは、請求書ごとに振り直されるように連番を振る

品目、単価、数量、金額は請求書の明細部から抽出する

[請求書]フォルダーの全ブックを取得する

それでは操作に移りましょう。まずは［請求書］フォルダーの全ブックをPower Query エディターに取り込みます。

フォルダーを指定してデータを取得する

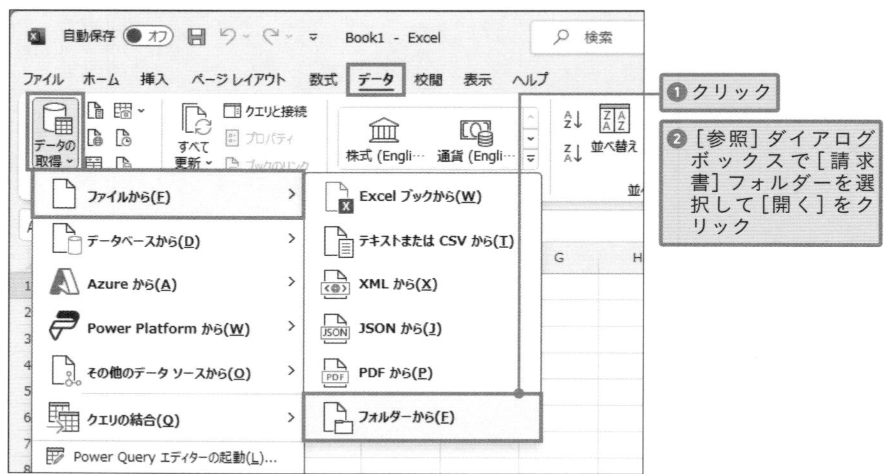

Excelで新規ブックを開き、［データ］タブの［データの取得］→［ファイルから］→［フォルダーから］をクリックする❶。［参照］ダイアログボックスが開くので、［Chap08］フォルダー内の［請求書］フォルダーを選択し、［開く］をクリックする❷。

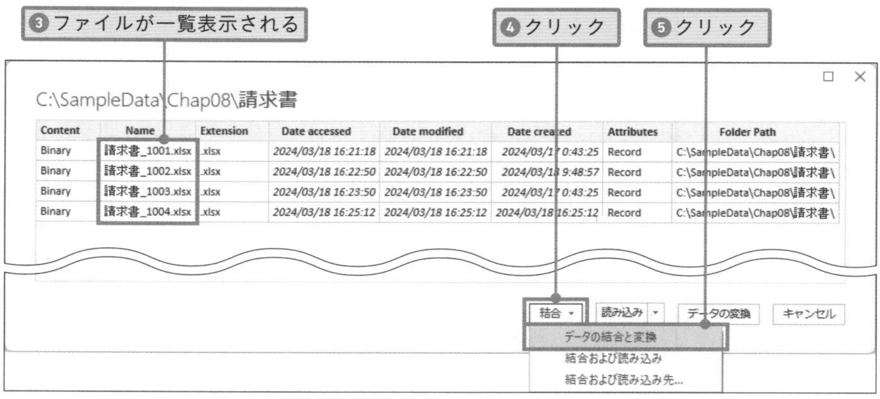

ファイルを一覧表示する画面が表示される❸。［結合］をクリックして❹、［データの結合と変換］をクリックする❺。

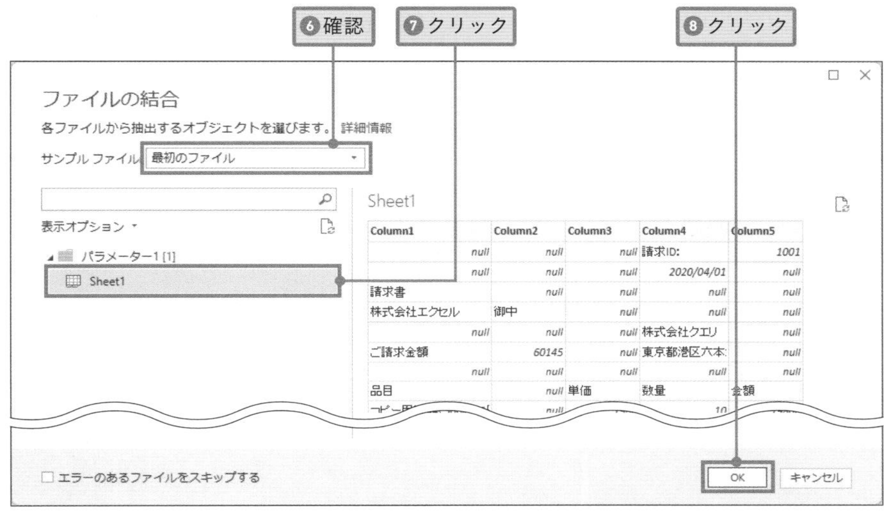

[ファイルの結合] ダイアログボックスが表示される。[サンプルファイル] 欄で基準のブックとして [最初のファイル] が選択されていることを確認し❻、[Sheet1] を選択する❼。選択したワークシートのデータを確認して、[OK] をクリックする❽。

❾ブックが縦に結合した

ypes(展開されたテーブル列1,{{"Source.Name", type text}, {"Column1", type text}, {"Column2", type

	Source.Name	Column1	Column2	Column3	Column4	Column5
1	請求書_1001.xlsx	null	null	null	請求ID:	
2	請求書_1001.xlsx	null	null	null	2020/04/01	
3	請求書_1001.xlsx	請求書	null	null	null	
4	請求書_1001.xlsx	株式会社エクセル	御中	null	null	
5	請求書_1001.xlsx	null	null	null	株式会社クエリ	
6	請求書_1001.xlsx	ご請求金額	60145	null	東京都港区六本木	
7	請求書_1001.xlsx	null		null	null	
8	請求書_1001.xlsx	品目			数量	金額
9	請求書_1001.xlsx	コピー用紙A4(500枚×5冊)	null	1980	10	
10	請求書_1001.xlsx	マイクロカットシュレッダー	null	17850	2	
11	請求書_1001.xlsx	無地ダンボール47(40枚パッ...	null	2400	1	
12	請求書_1001.xlsx	抗菌名札ケース(10枚セット)	null	449	5	
13	請求書_1001.xlsx	null	null	null	null	
14	請求書_1001.xlsx	null	null	null	合計	
15	請求書_1002.xlsx	null	null	null	請求ID:	
16	請求書_1002.xlsx	null	null	null	2020/04/03	
17	請求書_1002.xlsx	請求書	null	null	null	
18	請求書_1002.xlsx	株式会社ワード	御中	null	null	
19	請求書_1002.xlsx	null	null	null	株式会社クエリ	
20	請求書_1002.xlsx	ご請求金額	61160	null	東京都港区六本木	
21	請求書_1002.xlsx	null		null	null	
22	請求書_1002.xlsx	品目			数量	金額
23	請求書_1002.xlsx	スチール製ホワイトボード	null	49000	1	
24	請求書_1002.xlsx	コピー用紙A4エコ(500枚×10...	null	3560	2	
25	請求書_1002.xlsx	LED電球(40W相当)	null	1008	5	
26	請求書_1002.xlsx	null	null	null	null	
27	請求書_1002.xlsx	null	null	null	null	
28	請求書_1002.xlsx	null	null	null	合計	

1ファイル目

2ファイル目

Power Query エディターが起動して、各ブックのデータが縦に連結した結果が表示される❾。

[サンプルファイルの変換]クエリを整形する

［ファイルから］を実行して複数のブックを結合すると、その過程でいくつかのクエリが自動作成されます。そのうちの［サンプルファイルの変換］クエリは、前ページの手順❻の［サンプルファイル］欄で指定したファイル（ここでは「請求書_1001.xlsx」）をもとにしたクエリです。［サンプルファイルの変換］クエリで整形を行うと、ほかのブックにも整形操作が反映され、全ブックが整形された状態で結合されます。つまり、整形操作は［サンプルファイルの変換］クエリで行えばいいわけです。ここでは試しに不要な列を削除します。

[サンプルファイルの変換]クエリで列を削除する

現在プレビューに表示されているクエリの名前が［請求書］であることを確認する❶。このクエリ名は、取得元の［請求書］フォルダーから自動的に命名された名前。

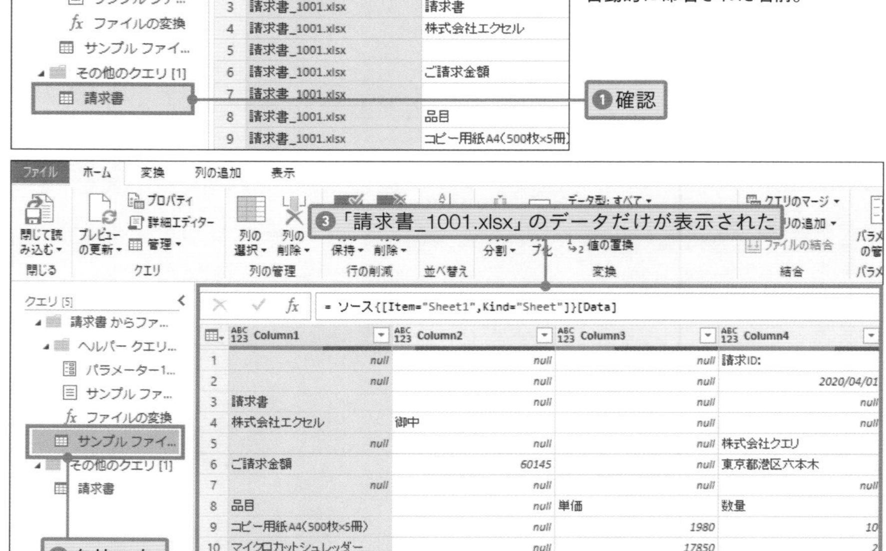

［サンプルファイルの変換］クエリをクリックする❷。すると、画面に「請求書_1001.xlsx」のデータだけが表示される❸。例えば、請求書のセルA4に入力されていた「株式会社エクセル」の文字は1列4行目のセルに表示される。セルA3～E3を結合した中に入力されていた「請求書」の文字は1列3行目に表示され、2列3行目～5列3行目は「null」になる。

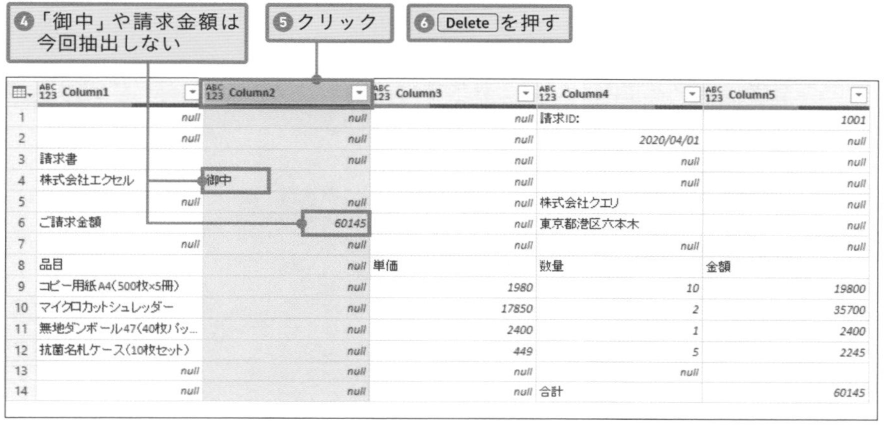

	Column1	Column2	Column3	Column4	Column5
1	null	null	null	請求ID:	1001
2	null	null	null	2020/04/01	null
3	請求書	null	null	null	null
4	株式会社エクセル	御中	null	null	null
5	null	null	null	株式会社クエリ	null
6	ご請求金額	60145	null	東京都港区六本木	null
7	null	null	null	null	null
8	品目	null	単価	数量	金額
9	コピー用紙A4(500枚×5冊)	null	1980	10	19800
10	マイクロカットシュレッダー	null	17850	2	35700
11	無地ダンボール47(40枚)パッ...	null	2400	1	2400
12	抗菌名札ケース(10枚セット)	null	449	5	2245
13	null	null	null	null	
14	null	null	null	合計	60145

[Column2] 列には抽出したいデータが含まれていないので削除する❹。それには [Column2] の列名をクリックして❺、Delete を押す❻。

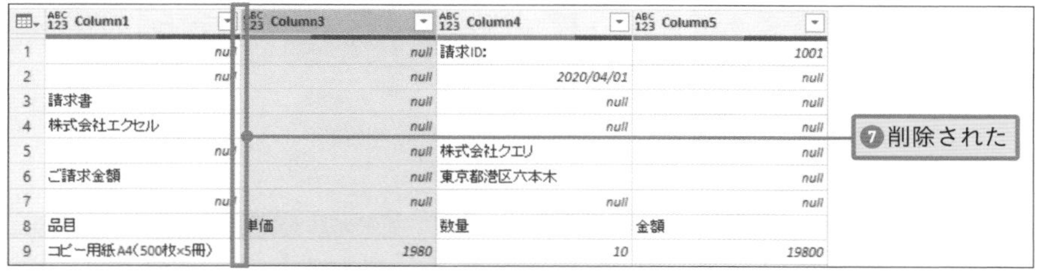

	Column1	Column3	Column4	Column5
1	null	null	請求ID:	1001
2	null	null	2020/04/01	null
3	請求書	null	null	null
4	株式会社エクセル	null	null	null
5	null	null	株式会社クエリ	null
6	ご請求金額	null	東京都港区六本木	null
7	null	null	null	null
8	品目	単価	数量	金額
9	コピー用紙A4(500枚×5冊)	1980	10	19800

[Column2] 列が削除されて、4列が残った❼。

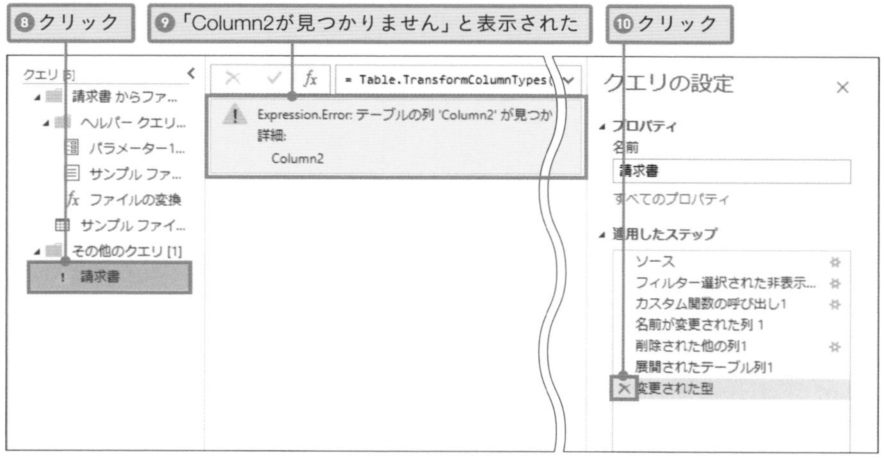

[請求書] クエリの状態を確認するために、クエリの一覧から [請求書] をクリックする❽。すると「Column2が見つかりません」と表示される❾。このエラーを解除するために、[適用したステップ] 欄の1番下にある [変更された型] の [×] をクリックする❿。

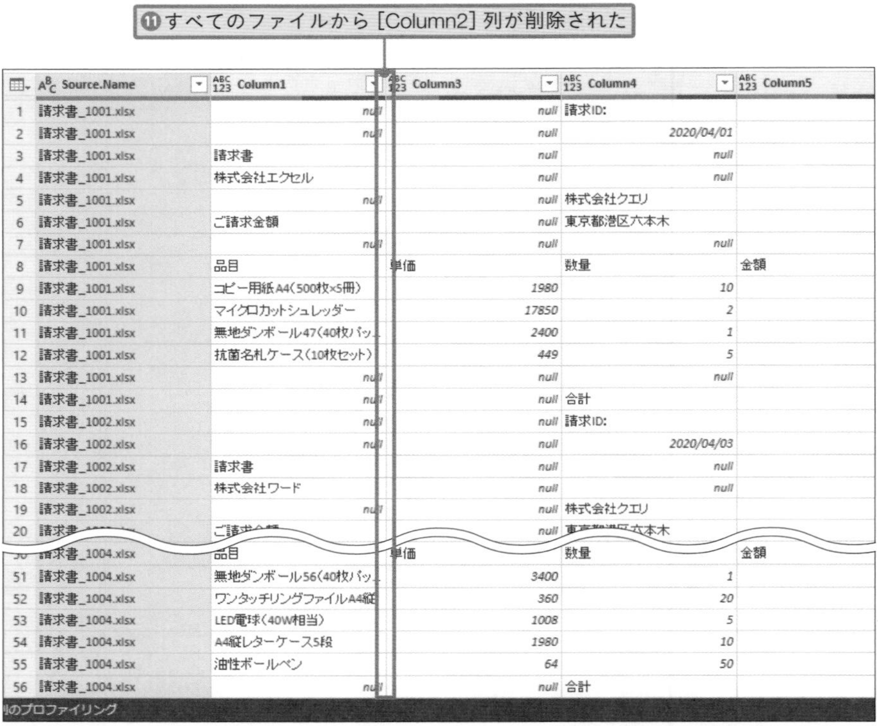

⓫すべてのファイルから［Column2］列が削除された

	Source.Name	Column1	Column3	Column4	Column5
1	請求書_1001.xlsx	null	null	請求ID:	
2	請求書_1001.xlsx	null	null	2020/04/01	
3	請求書_1001.xlsx	請求書	null	null	
4	請求書_1001.xlsx	株式会社エクセル	null	null	
5	請求書_1001.xlsx	null	null	株式会社クエリ	
6	請求書_1001.xlsx	ご請求金額	null	東京都港区六本木	
7	請求書_1001.xlsx	null	null	null	
8	請求書_1001.xlsx	品目	単価	数量	金額
9	請求書_1001.xlsx	コピー用紙A4(500枚×5冊)	1980	10	
10	請求書_1001.xlsx	マイクロカットシュレッダー	17850	2	
11	請求書_1001.xlsx	無地ダンボール47(40枚パッ…	2400	1	
12	請求書_1001.xlsx	抗菌名札ケース(10枚セット)	449	5	
13	請求書_1001.xlsx	null	null	null	
14	請求書_1001.xlsx	null	null	合計	
15	請求書_1002.xlsx	null	null	請求ID:	
16	請求書_1002.xlsx	null	null	2020/04/03	
17	請求書_1002.xlsx	請求書	null	null	
18	請求書_1002.xlsx	株式会社ワード	null	null	
19	請求書_1002.xlsx	null	null	株式会社クエリ	
20	請求書_1002.xlsx	ご請求金額	null	東京都港区六本木	
50	請求書_1004.xlsx	品目	単価	数量	金額
51	請求書_1004.xlsx	無地ダンボール56(40枚パッ…	3400	1	
52	請求書_1004.xlsx	ワンタッチリングファイルA4縦	360	20	
53	請求書_1004.xlsx	LED電球(40W相当)	1008	5	
54	請求書_1004.xlsx	A4縦レターケース5段	1980	10	
55	請求書_1004.xlsx	油性ボールペン	64	50	
56	請求書_1004.xlsx	null	null	合計	

列のプロファイリング

「請求書_1001.xlsx」から「請求書_1004.xlsx」までの4ファイルから［Column2］列が削除されたことを確認する⓫。なお、1列目の［Source.Name］列にファイル名が表示されているほうがファイルを区別しやすいので、今回はすべての操作が終わるまで残しておくことにする。

POINT

［請求書］クエリにエラーが出たのはなぜ？

前ページの手順⓾の画面で［変更された型］ステップを選択して数式バーを見ると、以下のような式が表示されます。この式の中に「Column2」という列名が含まれています。そのため、［サンプルファイルの変換］クエリで［Column2］列を削除すると、［請求書］クエリの［変更された型］ステップでエラーが発生してしまいます。［変更された型］ステップを削除すれば、エラーが解消されます。データ型は整形後に設定し直します。

```
= Table.TransformColumnTypes(展開されたテーブル列1,{{"Source.Name", type text}, {"Column1", type text}, {"Column2", type any}, {"Column3", type any}, {"Column4", type any}, {"Column5", type any}})
```

ワークシートに読み込んで保存する

ここまでの内容をいったんワークシートに読み込んで保存しておきましょう。ステップ数の多いクエリを作成するときは、途中でワークシートに読み込んで保存しておくと、フリーズなどのトラブルがあったときに安心です。

ワークシートに読み込む

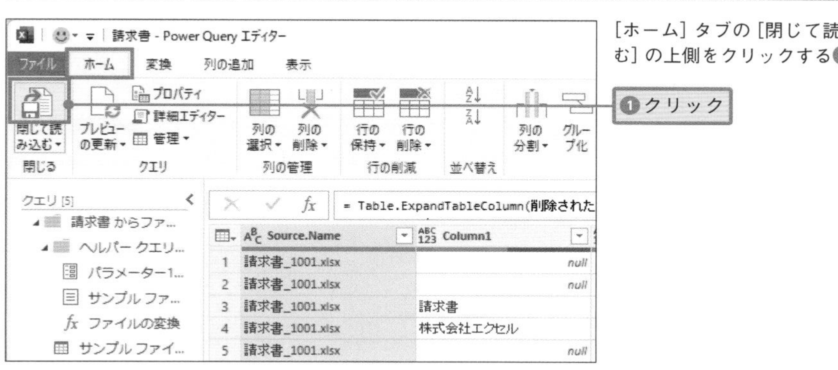

[ホーム] タブの [閉じて読み込む] の上側をクリックする❶。

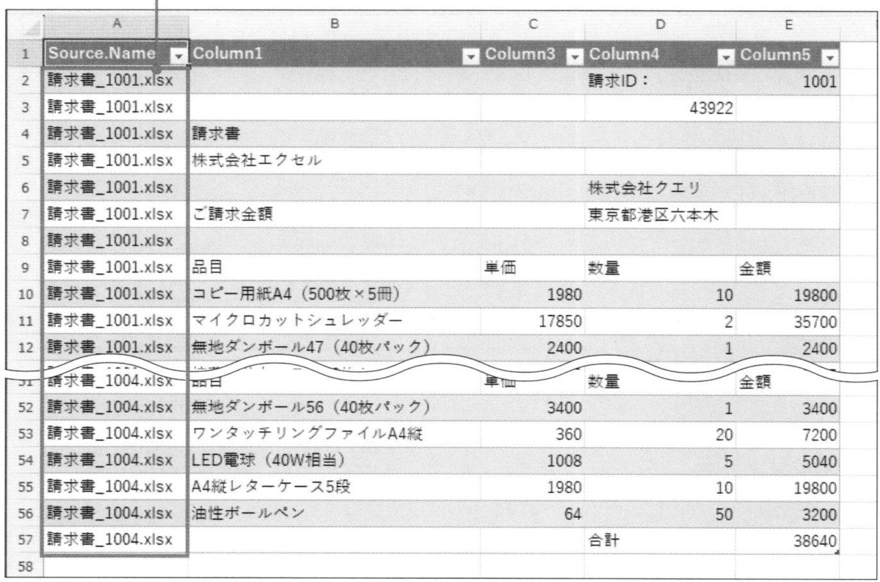

	A	B	C	D	E
1	Source.Name	Column1	Column3	Column4	Column5
2	請求書_1001.xlsx			請求ID：	1001
3	請求書_1001.xlsx			43922	
4	請求書_1001.xlsx	請求書			
5	請求書_1001.xlsx	株式会社エクセル			
6	請求書_1001.xlsx			株式会社クエリ	
7	請求書_1001.xlsx	ご請求金額		東京都港区六本木	
8	請求書_1001.xlsx				
9	請求書_1001.xlsx	品目	単価	数量	金額
10	請求書_1001.xlsx	コピー用紙A4（500枚×5冊）	1980	10	19800
11	請求書_1001.xlsx	マイクロカットシュレッダー	17850	2	35700
12	請求書_1001.xlsx	無地ダンボール47（40枚パック）	2400	1	2400
51	請求書_1004.xlsx	品目	単価	数量	金額
52	請求書_1004.xlsx	無地ダンボール56（40枚パック）	3400	1	3400
53	請求書_1004.xlsx	ワンタッチリングファイルA4縦	360	20	7200
54	請求書_1004.xlsx	LED電球（40W相当）	1008	5	5040
55	請求書_1004.xlsx	A4縦レターケース5段	1980	10	19800
56	請求書_1004.xlsx	油性ボールペン	64	50	3200
57	請求書_1004.xlsx			合計	38640
58					

「請求書_1001.xlsx」から「請求書_1004.xlsx」までの4つのファイルが縦に結合した状態で読み込まれる❷。ブックに名前を付けて保存しておく。このまま次節に進む。

8-7

フォルダー内の請求書をまとめてデータベース化する②

列の追加

Sample 前節の操作後のブック

ヘッダー部のデータを列に置き換える

「請求ID」「請求日」「請求先」は、それぞれ請求書のヘッダー部のセルに入力されています。最終的にデータベースとして残すのは明細行だけなので、[請求ID][請求日][請求先]列を追加して、それぞれの値を入力しましょう。そうすれば明細行以外の行を削除しても、請求IDなどをデータベースに残せます。

Before

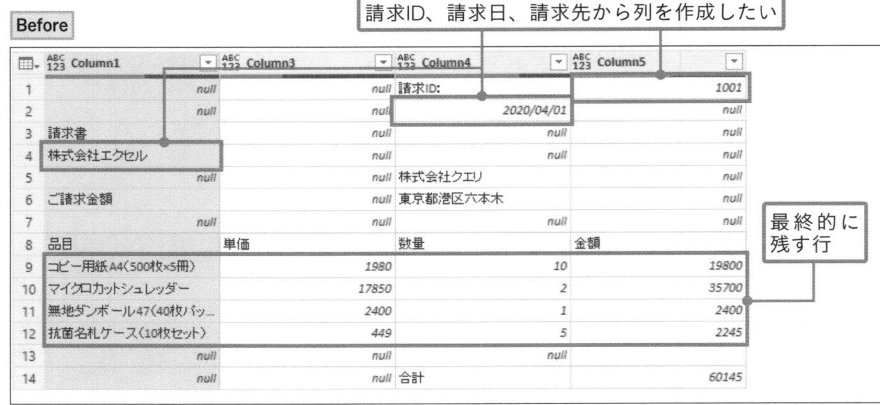

	Column1	Column3	Column4	Column5
1	null	null	請求ID:	1001
2	null	null	2020/04/01	null
3	請求書	null	null	null
4	株式会社エクセル	null	null	null
5	null	null	株式会社クエリ	null
6	ご請求金額	null	東京都港区六本木	null
7	null	null	null	null
8	品目	単価	数量	金額
9	コピー用紙A4(500枚×5冊)	1980	10	19800
10	マイクロカットシュレッダー	17850	2	35700
11	無地ダンボール47(40枚パッ…	2400	1	2400
12	抗菌名札ケース(10枚セット)	449	5	2245
13	null	null	null	
14	null	null	合計	60145

After

[請求ID][請求日][請求先]列が追加された

	Column1	Colu		請求ID	請求日	請求先
1	null		1001	1001	2020/04/01	株式会社エクセル
2	null		null	1001	2020/04/01	株式会社エクセル
3	請求書		null	1001	2020/04/01	株式会社エクセル
4	株式会社エクセル		null	1001	2020/04/01	株式会社エクセル
5	null		null	1001	2020/04/01	株式会社エクセル
6	ご請求金額		null	1001	2020/04/01	株式会社エクセル
7	null		null	1001	2020/04/01	株式会社エクセル
8	品目	単価		1001	2020/04/01	株式会社エクセル
9	コピー用紙A4(500枚×5冊)		19800	1001	2020/04/01	株式会社エクセル
10	マイクロカットシュレッダー		35700	1001	2020/04/01	株式会社エクセル

最終的に残す行に[請求ID][請求日][請求先]の値を入力できた

セルの値を取り出すには

パワークエリでは、表の「○○列」の「○行目」の値を次の式で表します。

テーブル[列名]{行番号}

「テーブル」の部分には、通常ステップ名を指定します。列名は角カッコで囲んで指定し、行番号には1行目を「0」と数えた番号を波カッコで囲んで指定します。今回取り出したい3つのデータは、下図の式で表現できます。各式の「テーブル」の部分には、直前のステップ名を当てはめてください。

式の確認ができたら、実際の作業に移りましょう。

▼ **各セルの値を取り出すための式**

テーブル[Column1]{3}　テーブル[Column4]{1}　テーブル[Column5]{0}

	Column1	Column3	Column4	Column5
1	null	null	請求ID:	1001
2	null	null	2020/04/01	null
3	請求書	null	null	null
4	株式会社エクセル	null	null	null
5	null	null	株式会社クエリ	null
6	ご請求金額	null	東京都港区六本木	null
7	null	null	null	null

[カスタム列]を使用して[請求 ID]を取り出す

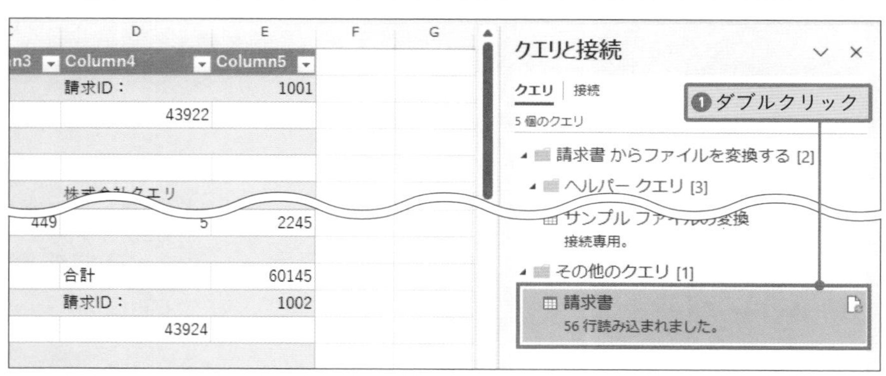

前節で保存したブックを開いておく。[クエリと接続] 作業ウィンドウの [請求書] をダブルクリックする❶。[クエリと接続] 作業ウィンドウは [データ] タブの [クエリと接続] から表示できる。

「テーブル[列名]{行番号}」の「テーブル」の部分は、ステップ名が使えない場合もあります。例えば[ナビゲーション] ステップの場合、ステップを選択したときに数式バーに表示される式（ここでは「ソース{[Item="Sheet1",Kind="Sheet"]}[Data]」）を「テーブル」の部分に指定します。

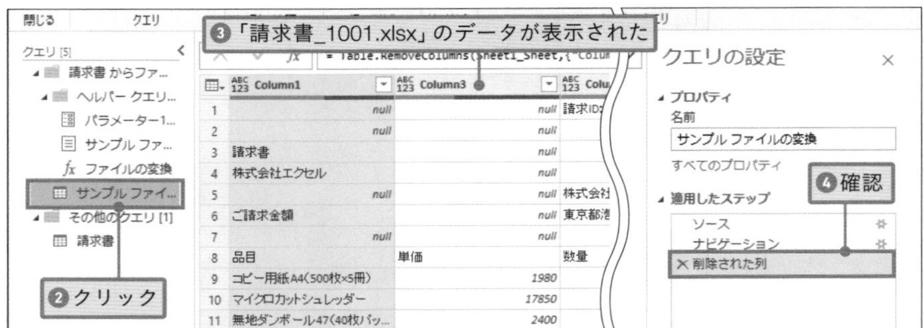

クエリの一覧から［サンプルファイルの変換］クエリをクリックすると❷、プレビュー画面に「請求書_1001.xlsx」のデータが表示される❸。［適用したステップ］欄の1番下に［削除された列］ステップがあることを確認しておく❹。

［列の追加］タブの［カスタム列］をクリックする❺。

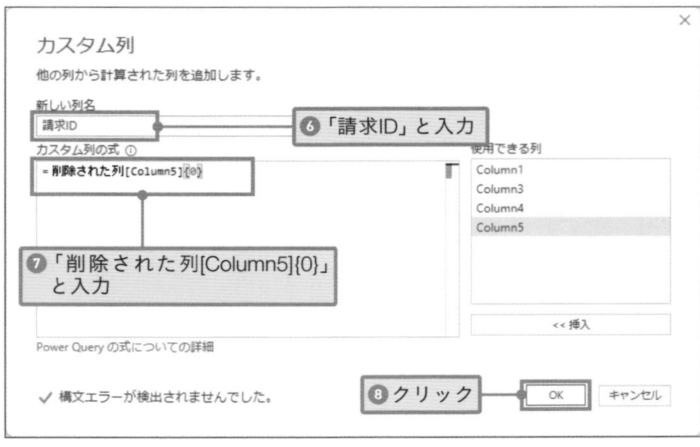

［カスタム列］ダイアログボックスが開く。［新しい列名］欄に「請求ID」と入力し❻、［カスタム列の式］欄に図の式を入力して❼、［OK］をクリックする❽。

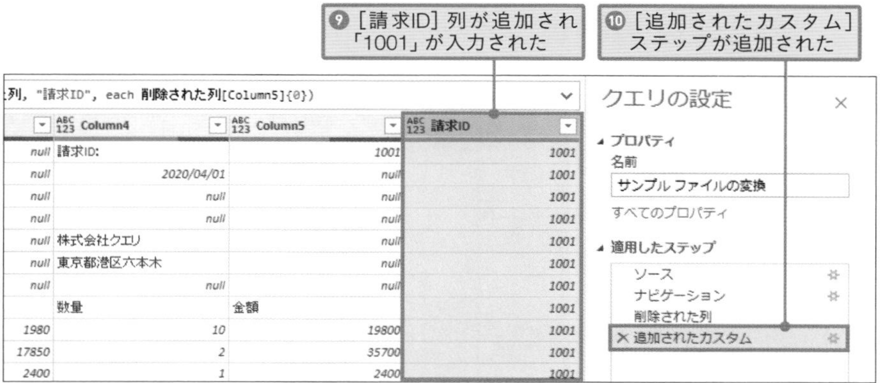

表の右端に［請求ID］列が追加され、列の全セルに「1001」と入力される❾。［適用したステップ］欄には［追加されたカスタム］ステップが追加される❿。

同様に[請求日]と[請求先]を取り出す

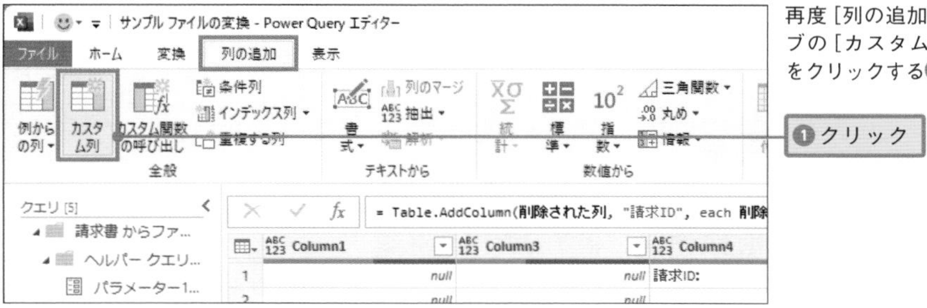

再度［列の追加］タブの［カスタム列］をクリックする❶。

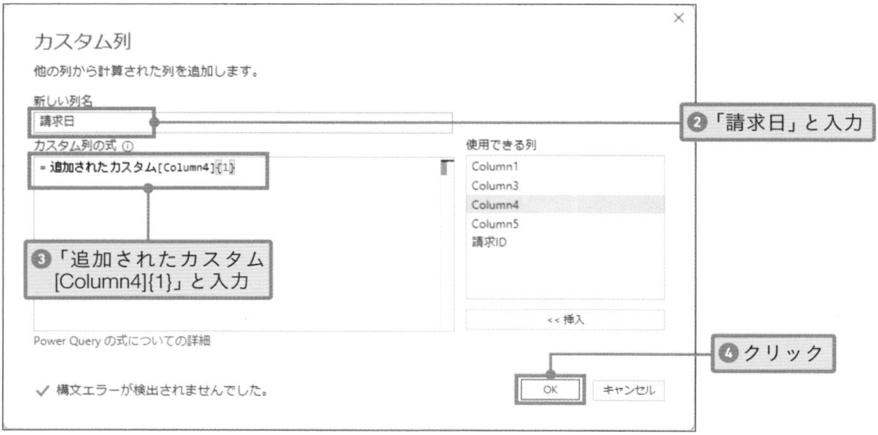

❶クリック

❷「請求日」と入力

❸「追加されたカスタム[Column4]{1}」と入力

❹クリック

［カスタム列］ダイアログボックスが開く。［新しい列名］欄に「請求日」と入力し❷、［カスタム列の式］欄に図の式を入力して❸、［OK］をクリックする❹。

❺［請求日］列が追加された

❻［追加されたカスタム1］ステップが追加された

❼［列の追加］タブの［カスタム］列をクリック

.カスタム, "請求日", each 追加されたカスタム[Column4]{1})

	Column5	請求ID	請求日
	1001	1001	2020/04/01
0/04/01	null	1001	2020/04/01
null	null	1001	2020/04/01
null	null	1001	2020/04/01
	null	1001	2020/04/01
	null	1001	2020/04/01
null	null	1001	2020/04/01
	金額	1001	2020/04/01
10	19800	1001	2020/04/01
2	35700	1001	2020/04/01
1	2400	1001	2020/04/01
5	2245	1001	2020/04/01

クエリの設定

プロパティ

名前

サンプル ファイルの変換

すべてのプロパティ

適用したステップ

ソース

ナビゲーション

削除された列

追加されたカスタム

× 追加されたカスタム1

表の右端に［請求日］列が追加され、列の全セルに「2020/04/01」が入力される❺。［適用したステップ］欄には［追加されたカスタム1］ステップが追加される❻。再度［列の追加］タブの［カスタム列］をクリックする❼。

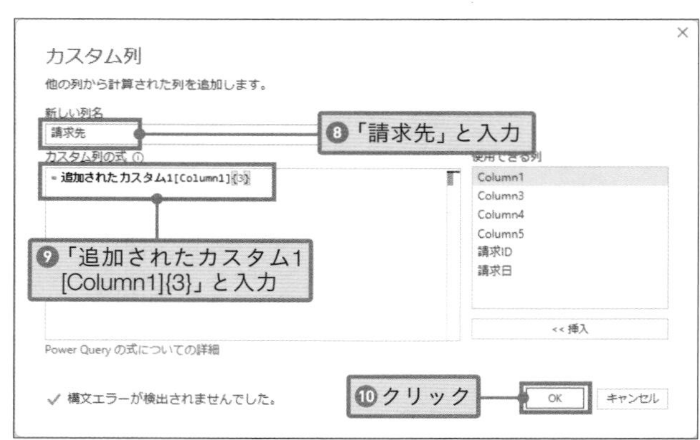

［カスタム列］ダイアログボックスが開く。［新しい列名］欄に「請求先」と入力し❽、［カスタム列の式］欄に図の式を入力して❾、［OK］をクリックする❿。

	請求ID	請求日	請求先
1001	1001	2020/04/01	株式会社エクセル
null	1001	2020/04/01	株式会社エクセル
null	1001	2020/04/01	株式会社エクセル
null	1001	2020/04/01	株式会社エクセル
null	1001	2020/04/01	株式会社エクセル
null		2020/04/01	株式会社エクセル
null		2020/04/01	株式会社エクセル
	1001	2020/04/01	株式会社エクセル
19800	1001	2020/04/01	株式会社エクセル
35700	1001	2020/04/01	株式会社エクセル
2400	1001	2020/04/01	株式会社エクセル
2245	1001	2020/04/01	株式会社エクセル
	1001	2020/04/01	株式会社エクセル
60145	1001	2020/04/01	株式会社エクセル

⓫［請求先］列が追加された

表の右端に［請求先］列が追加され、列の全セルに「株式会社エクセル」が入力される⓫。このまま次節に進む。

8-8

フォルダー内の請求書をまとめてデータベース化する③

行の削除、連番の表示、列の移動、列名の変更、列の削除、データ型の検出

Sample 前節の操作後のブック

不要な行を削除する

請求書のデータベース化もあと一歩です。この節では不要な行を削除します。

必要なデータは、5行の明細行のうち、販売データが入力されている行だけです。その上の8行と、合計が入力されている最終行は無条件で削除します。

明細行については注意が必要です。［サンプルファイル］として表示されている「請求書_1001.xlsx」では5行の明細行のうち4行が使用されていますが、使用されている行数はファイルによって異なります。販売データが1行だけのファイルもあれば、5行すべて埋まっているファイルもあります。どのファイルからも販売データが入力されていない明細行だけが削除されるようにするには、フィルターを利用して「［Column1］列がnull」という条件で行を削除します。

請求書の上から8行はどのファイルからも削除する

Before

	Column1	Column3	Column4	Column5	請求ID
1	null	null	請求ID:	1001	
2	null	null	2020/04/01	null	
3	請求書	null	null	null	
4	株式会社エクセル	null	null	null	
5	null	null	株式会社クエリ	null	
6	ご請求金額	null	東京都港区六本木	null	
7	null	null	null	null	
8	品目	単価	数量	金額	
9	コピー用紙A4（500枚×5冊）	1980	10	19800	
10	マイクロカットシュレッダー	17850	2	35700	
11	無地ダンボール47（40枚パッ...	2400	1	2400	
12	抗菌名札ケース（10枚セット）	449	5	2245	
13	null	null	null		
14	null	null	合計	60145	

明細行5行のうち販売データが入力されていない行数はファイルによって異なる

請求書の最終行はどのファイルからも削除する

表の上下から不要な行を削除する

まずは［行の削除］機能を使用して、上から8行と下から1行を削除します。［サンプルファイル］で削除すれば、どのファイルからも削除されます。

上から 8 行と下から 1 行を削除する

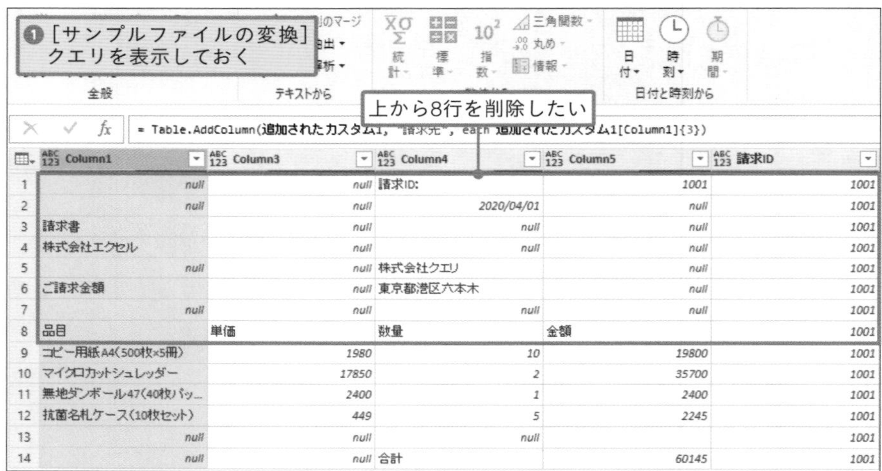

前節から引き続き［サンプルファイルの変換］クエリを表示する❶。

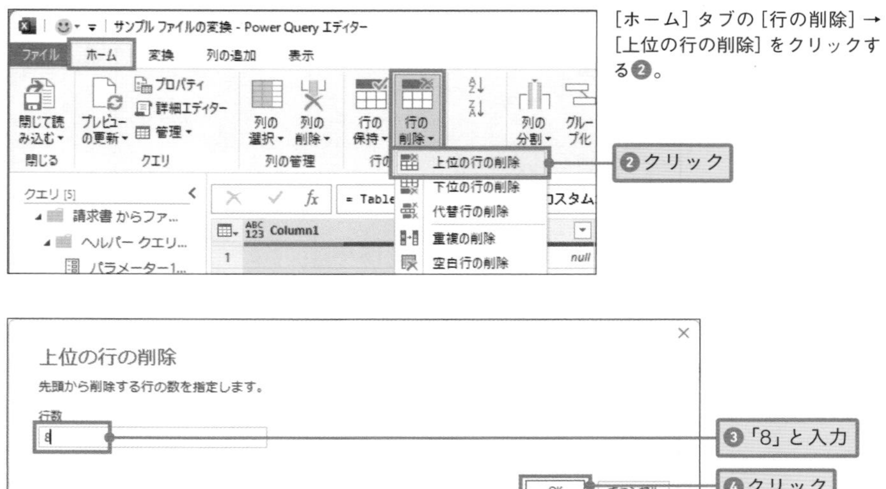

［ホーム］タブの［行の削除］→［上位の行の削除］をクリックする❷。

［上位の行の削除］ダイアログボックスが表示される。［行数］欄に「8」と入力して❸、［OK］をクリックする❹。

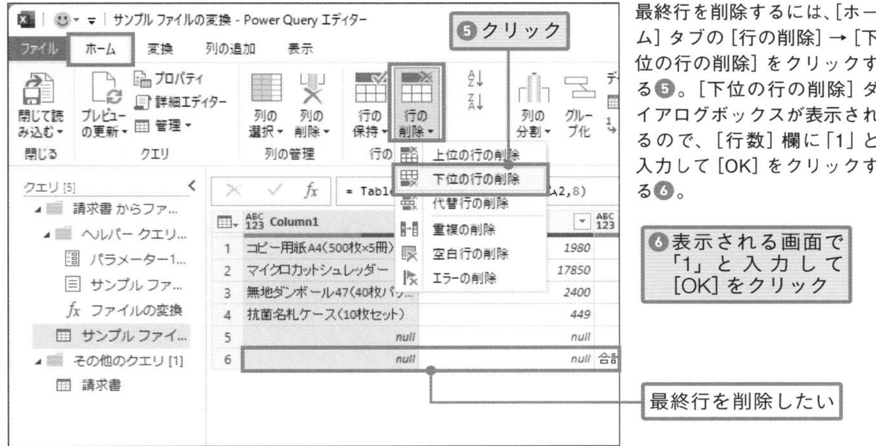

最終行を削除するには、[ホーム] タブの [行の削除] → [下位の行の削除] をクリックする❺。[下位の行の削除] ダイアログボックスが表示されるので、[行数] 欄に「1」と入力して [OK] をクリックする❻。

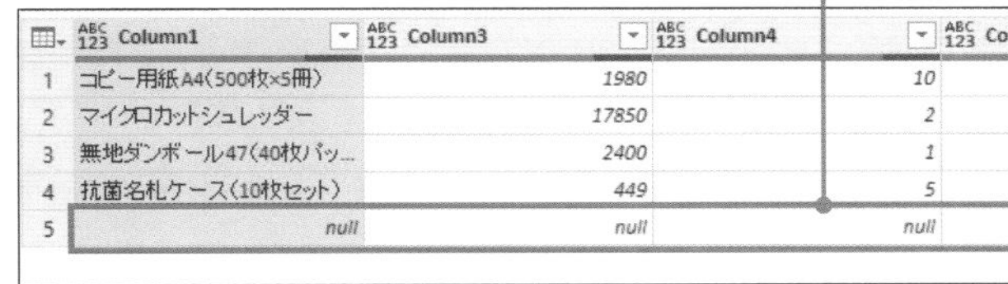

請求書の明細行の5行を残して、ほかの行はすべて削除される❼。このあと、明細行のうち販売データが入力されていない行を削除していく。

手順 ❻ で下から削除する行を「2」とすると明細行の5行目にある「null」の行も一緒に削除できます。しかしその場合、ほかのファイルからも一律に明細行の5行目が削除されてしまいます。ファイルによっては空行が残ったり、必要な販売データが削除されてしまったりして不具合が生じます。

明細行から未入力の行を削除する

明細データが入力されていない行を削除するには、フィルターを使用して「[Column1] 列が「null」である」という条件に当てはまる行を削除します。

[Column1]に品目が入力されていない行を削除する

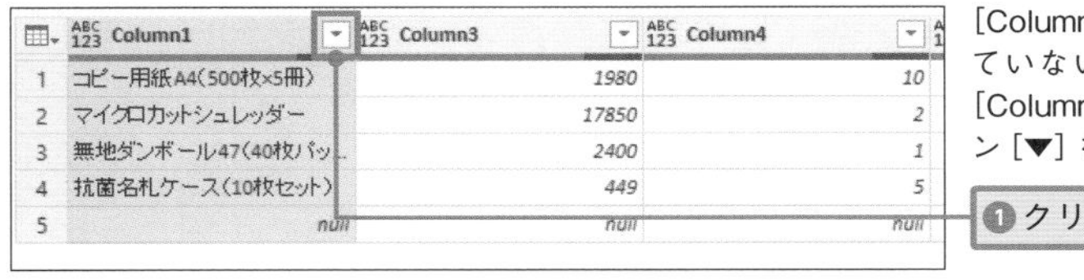

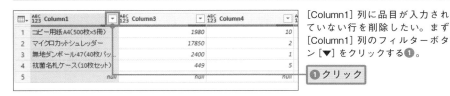

[Column1] 列に品目が入力されていない行を削除したい。まず [Column1] 列のフィルターボタン [▼] をクリックする❶。

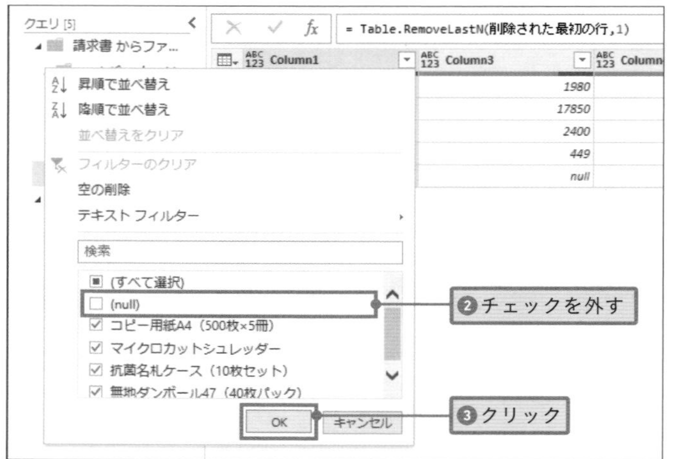

表示される一覧から［(null)］のチェックを外し❷、［OK］をクリックする❸。

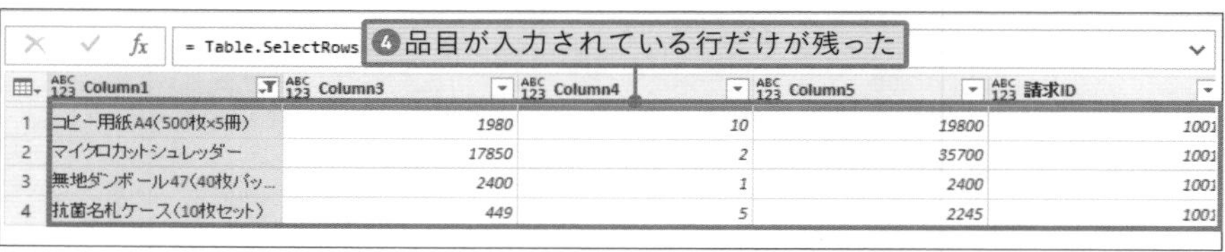

	Column1	Column3	Column4	Column5	請求ID
1	コピー用紙A4(500枚×5冊)	1980	10	19800	1001
2	マイクロカットシュレッダー	17850	2	35700	1001
3	無地ダンボール47(40枚パッ…	2400	1	2400	1001
4	抗菌名札ケース(10枚セット)	449	5	2245	1001

「null」の行が削除され、品目が入力されている明細行だけが残る❹。このステップにより、明細行が1行のファイルでは1行が残り、明細行がすべて入力されているファイルでは5行すべてが残る。

知っておくと便利　サンプルファイルの明細欄が埋まっている場合

［サンプルファイルの変換］クエリに表示されるファイルは、283ページの手順❻の［サンプルファイル］欄で指定したファイルです。そこで明細行の5行がすべて埋まっているファイルが指定された場合、「nullの行を削除する」というステップを実行できません。明細行に空白行を含むファイルを指定し直す必要があります。

▼サンプルファイルの指定時の注意

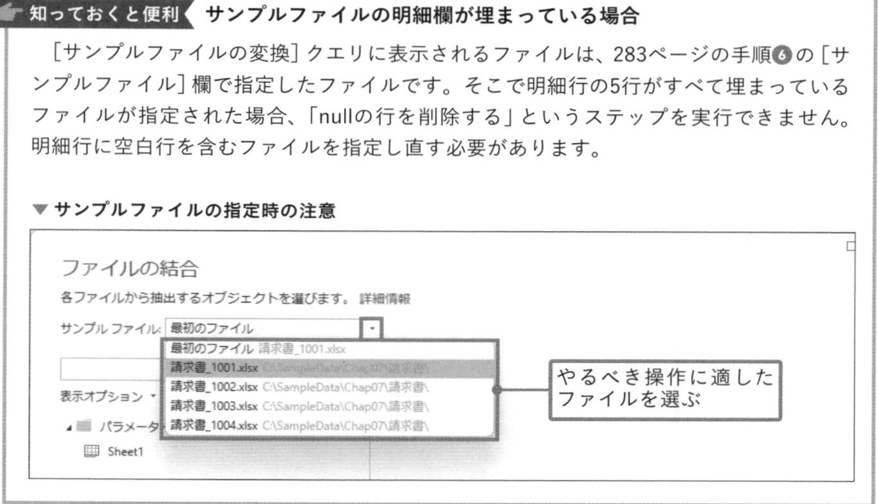

明細行に連番を振り体裁を整える

行数が確定したので、明細行に連番を振ります。また、列の入れ替えや列名の設定などをして体裁を整えます。連番は、複数のファイルを結合したときに、ファイルごとに1から振り直されます。

1からはじまる連番を振る

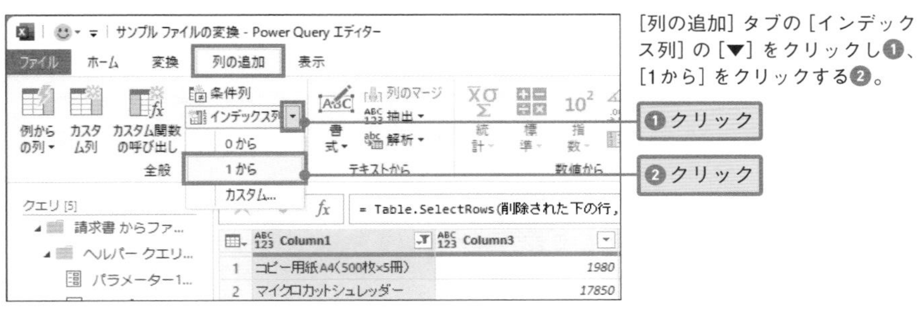

［列の追加］タブの［インデックス列］の［▼］をクリックし❶、［1から］をクリックする❷。

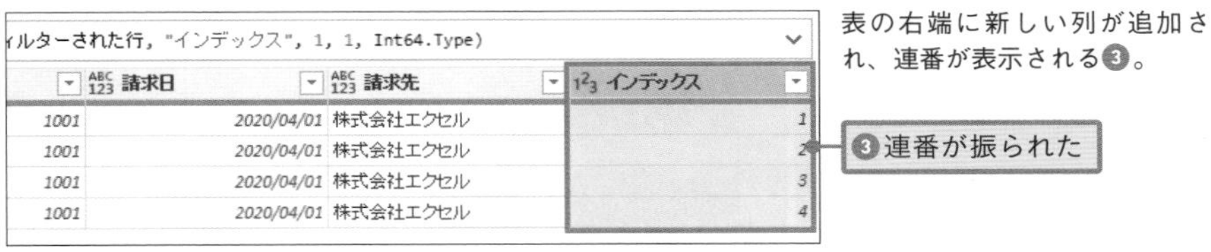

表の右端に新しい列が追加され、連番が表示される❸。

列の位置と列名を調整する

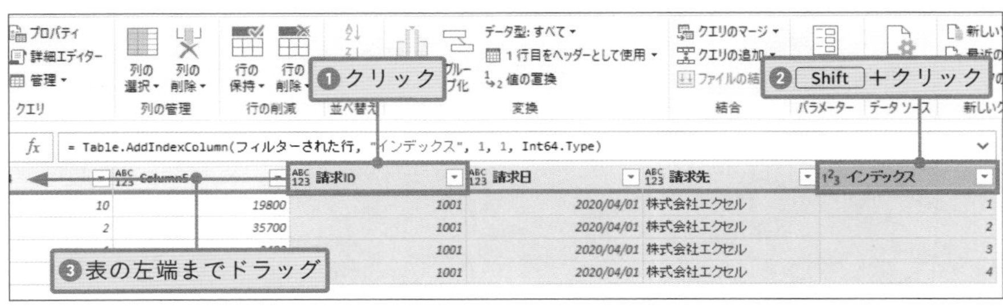

［請求ID］～［インデックス］列を表の左端に移動したい。まず［請求ID］の列名をクリックして❶、Shift を押しながら［インデックス］の列名をクリックし❷、列を選択する。クリックする列の順序を逆にすると、ドラッグして移動したときに列の配置が逆になってしまうので注意すること。選択した列を表の左端までドラッグする❸。

［請求ID］～［インデックス］列をドラッグする代わりに、［変換］タブの［任意の列］グループにある［移動］→［先頭に移動］をクリックしても表の左端に移動できます。

❹列が移動した

[請求ID] ～ [インデックス] 列が表の左端に移動する❹。

❺列名を変更する

[インデックス] 列の列名をダブルクリックして「No」と入力し直す。同様に「Column1」を「品目」、「Column3」を「単価」、「Column4」を「数量」、「Column5」を「金額」に書き換える❺。以上で [サンプルファイルの変換] クエリの整形は終了。

[請求書]クエリの体裁を整える

[サンプルファイルの変換] クエリの整形が終わったら、[請求書] クエリに切り替えて [Source.Name] 列の削除と各列のデータ型の設定を行います。

[Source.Name]列を削除する

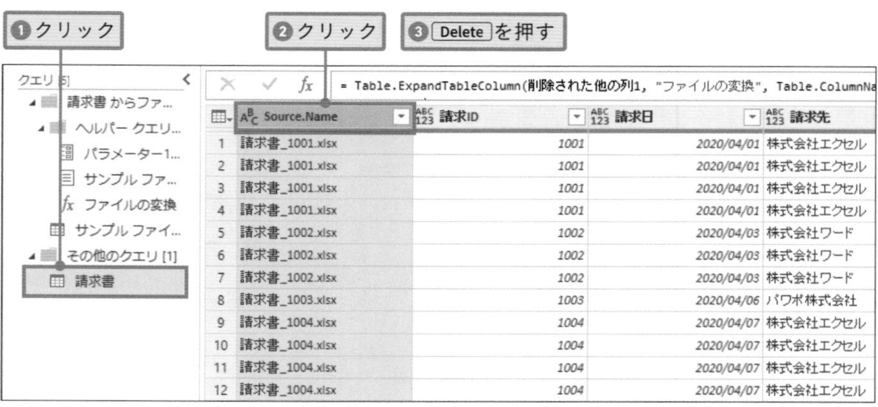

クエリの一覧から [請求書] クエリをクリックして❶、[請求書] クエリに切り替える。ファイル名が表示されている [Source.Name] の列名をクリックして選択し❷、Deleteで削除する❸。

[データ型の検出]を実行する

❶クリック　❷Ctrl＋Aを押すと、すべての列が選択される

= Table.RemoveColumns(展開されたテーブル列1,{"Source.Name"})

	請求ID	請求日	請求先	No	品目
1	1001	2020/04/01	株式会社エクセル	1	コピー用紙A4(500枚×5冊)
2	1001	2020/04/01	株式会社エクセル	2	マイクロカットシュレッダー
3	1001	2020/04/01	株式会社エクセル	3	無地ダンボール47(40枚パッ…
4	1001	2020/04/01	株式会社エクセル	4	抗菌名札ケース(10枚セット)
5	1002	2020/04/03	株式会社ワード	1	スチール製ホワイトボード
6	1002	2020/04/03	株式会社ワード	2	コピー用紙A4エコ(500枚×10…
7	1002	2020/04/03	株式会社ワード	3	LED電球(40W相当)

現在、どの列もデータ型が［すべて］型（ABC123）になっているので、適切なデータ型を設定したい。まず［請求ID］列をクリックして選択し❶、Ctrlを押しながらAを押して、すべての列を選択する❷。

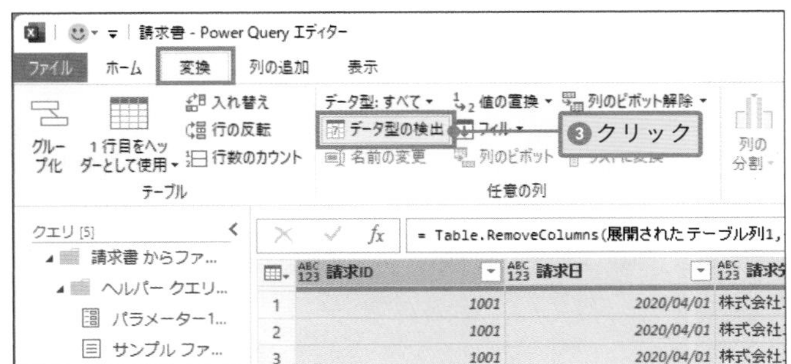

［変換］タブの［データ型の検出］をクリックする❸。

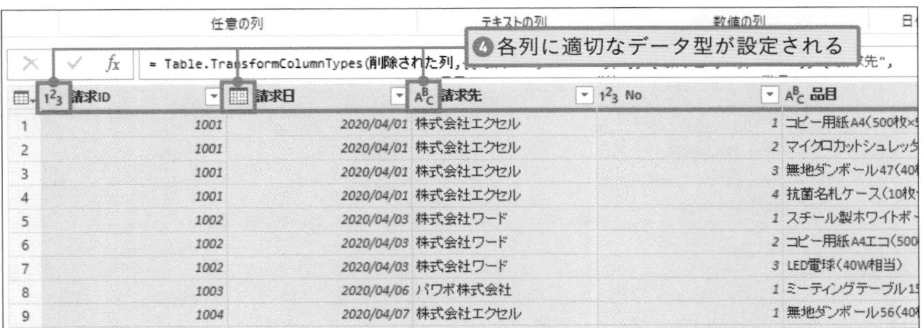

	請求ID	請求日	請求先	No	品目
1	1001	2020/04/01	株式会社エクセル	1	コピー用紙A4(500枚×
2	1001	2020/04/01	株式会社エクセル	2	マイクロカットシュレッダ
3	1001	2020/04/01	株式会社エクセル	3	無地ダンボール47(40
4	1001	2020/04/01	株式会社エクセル	4	抗菌名札ケース(10枚
5	1002	2020/04/03	株式会社ワード	1	スチール製ホワイトボ
6	1002	2020/04/03	株式会社ワード	2	コピー用紙A4エコ(500
7	1002	2020/04/03	株式会社ワード	3	LED電球(40W相当)
8	1003	2020/04/06	パワポ株式会社	1	ミーティングテーブル1
9	1004	2020/04/07	株式会社エクセル	1	無地ダンボール56(40

［請求ID］列は［整数］型（123）、［請求日］列は［日付］型、［請求先］列は［テキスト］型（ABC）という具合に各列に適切なデータ型が設定されたことを確認する❹。

POINT

データ型を一括設定する

［データ型の検出］は、選択されている列のデータ型を自動判定する機能です。すべての列を選択して実行すれば、データ型を効率よく設定できます。目的と異なるデータ型が設定された場合は、手動で設定し直してください。

ワークシートに読み込む

最後にワークシートに読み込むと、データベースが完成します。

ワークシートに読み込む

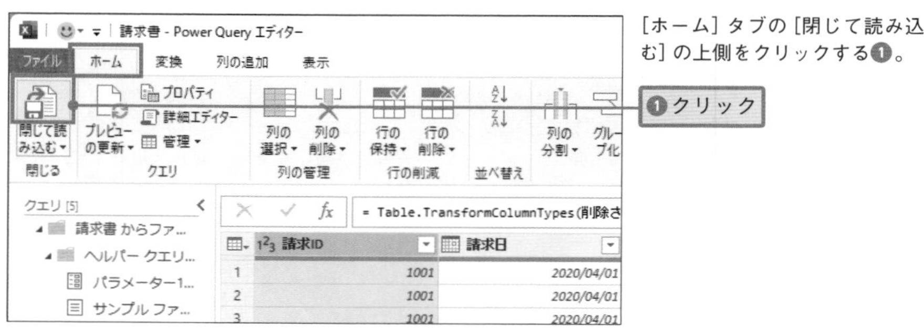

[ホーム] タブの [閉じて読み込む] の上側をクリックする❶。

❷複数のファイルを結合できた

請求ID	請求日	請求先	No	品目	単価	数量	金額
1001	2020/4/1	株式会社エクセル	1	コピー用紙A4（500枚×5冊）	1,980	10	19,800
1001	2020/4/1	株式会社エクセル	2	マイクロカットシュレッダー	17,850	2	35,700
1001	2020/4/1	株式会社エクセル	3	無地ダンボール47（40枚パック）	2,400	1	2,400
1001	2020/4/1	株式会社エクセル	4	抗菌名札ケース（10枚セット）	449	5	2,245
1002	2020/4/3	株式会社ワード	1	スチール製ホワイトボード	49,000	1	49,000
1002	2020/4/3	株式会社ワード	2	コピー用紙A4エコ（500枚×10冊）	3,560	2	7,120
1002	2020/4/3	株式会社ワード	3	LED電球（40W相当）	1,008	5	5,040
1003	2020/4/6	パワポ株式会社	1	ミーティングテーブル1500	90,550	1	90,550
1004	2020/4/7	株式会社エクセル	1	無地ダンボール56（40枚パック）	3,400	1	3,400
1004	2020/4/7	株式会社エクセル	2	ワンタッチリングファイルA4縦	360	20	7,200
1004	2020/4/7	株式会社エクセル	3	LED電球（40W相当）	1,008	5	5,040
1004	2020/4/7	株式会社エクセル	4	A4縦レターケース5段	1,980	10	19,800
1004	2020/4/7	株式会社エクセル	5	油性ボールペン	64	50	3,200

フォルダー内の全ファイルを結合したデータベースが完成する❷。[No] 列では、ファイルごとに連番が振り直されている。[単価] 列と [金額] 列のセルを選択し、[ホーム] タブの [数値] グループにある [桁区切りスタイル]（ ❟ ）をクリックして数値を3桁区切りにしておく。

POINT

少なめのファイルでクエリを作成する

ステップ数の多いクエリを作成するときは、いきなり多数のファイルで作成すると試行錯誤しながらの処理に時間がかかります。少なめのファイルでクエリを作成し、完成後にすべてのファイルをフォルダーに配置して更新するとよいでしょう。

Chapter

09

管理・運用の効率化
クエリを管理・運用するための機能を知ろう

ステップ数の多いクエリを作成したり、複数のクエリを組み合わせて使用したりするようになってくると、クエリを効率よく管理・運用するための知識も必要になってきます。この章ではクエリの管理・運用に役立つテクニックを紹介します。

9-1

データソースの場所やファイル名を再設定してエラーを回避する

データソースの設定

Sample 0901_ データソース .xlsx

[データソースの設定]で外部ファイルを再設定する

パワークエリでは、接続する外部ファイルの場所と名前を絶対パスで「C:¥SampleData¥売上データ.xlsx」のように記録します。そのため、外部ファイルを移動したりファイル名を変更したりすると、クエリの更新の際にエラーになります。[データソース設定] ダイアログボックスを使用すると、データソースの再設定を行えます。ここでは、データソースのパスが以下のように変更されたものとして、再設定します。

変更前：C:¥SampleData¥売上データ.xlsx

変更後：C:¥SampleData¥Chap09¥売上.xlsx

データソースのファイル名を変えるとエラーが出る

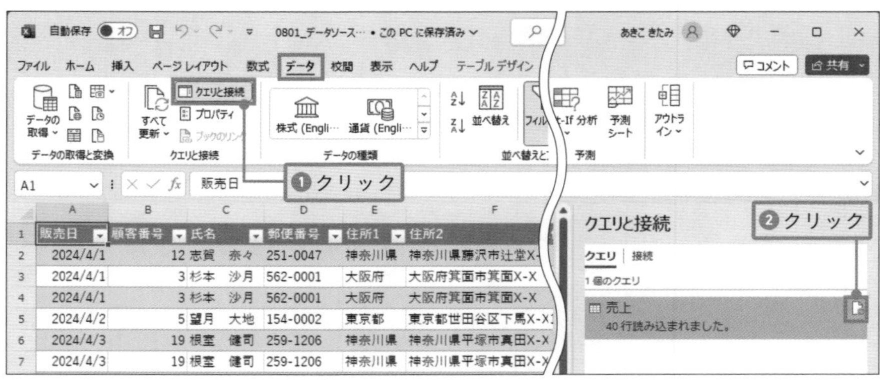

サンプルファイルを開き、[データ] タブの [クエリと接続] をクリックする❶。[クエリと接続] 作業ウィンドウが表示されるので、[売上] クエリの [最新の情報に更新] をクリックする❷。もしくは、[データ] タブの [すべて更新] をクリックしてもよい。

上記のような「ファイルが見つかりません」というエラーメッセージが表示されるので、[OK] をクリックする❸。

データソースを再設定する

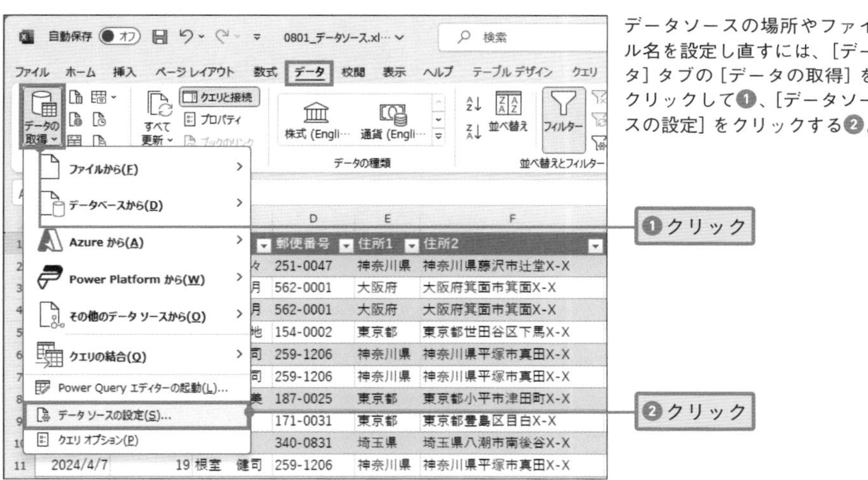

データソースの場所やファイル名を設定し直すには、[データ] タブの [データの取得] をクリックして❶、[データソースの設定] をクリックする❷。

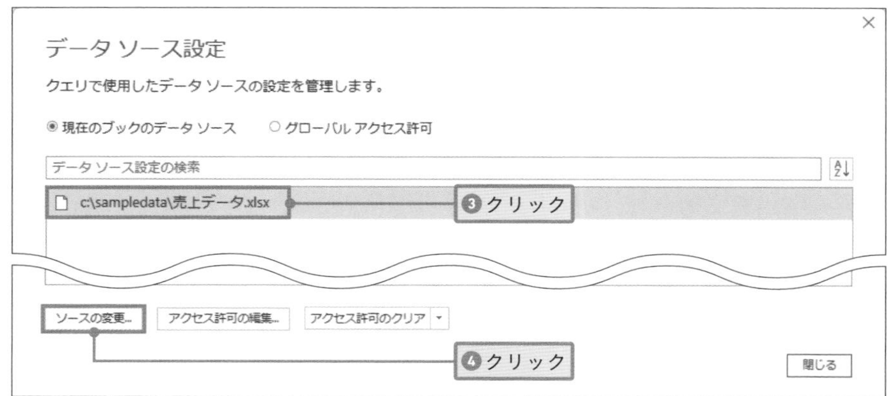

[データソース設定] ダイアログボックスが開き、データソースの一覧が表示される。変更したいデータソースをクリックして❸、[ソースの変更] をクリックする❹。なお、この画面と次の画面ではファイルパス中の円記号の代わりにバックスラッシュ「\」が表示される。

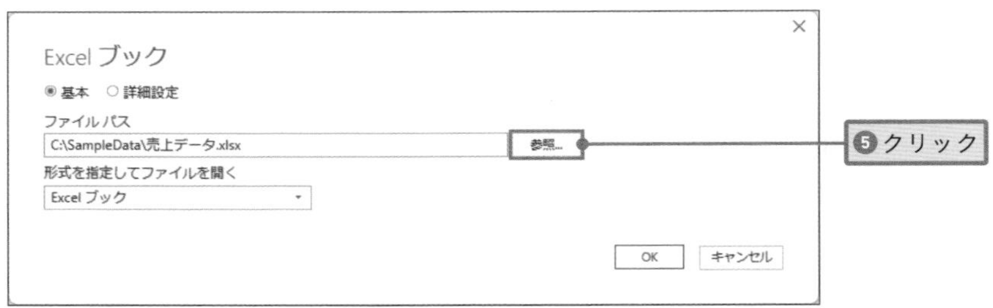

[Excelブック] ダイアログボックスが表示されたら、[参照] をクリックする❺。なお、データソースのファイルの種類によって、表示される画面は異なる。

[データの取り込み] ダイアログボックスが開くので、[Chap09] フォルダーから [売上.xlsx] をクリックして❻、[インポート] をクリックする❼。すると手順❺の画面に戻るので [OK] をクリックし❽、さらに手順❸の画面に戻るので [閉じる] をクリックする❾。

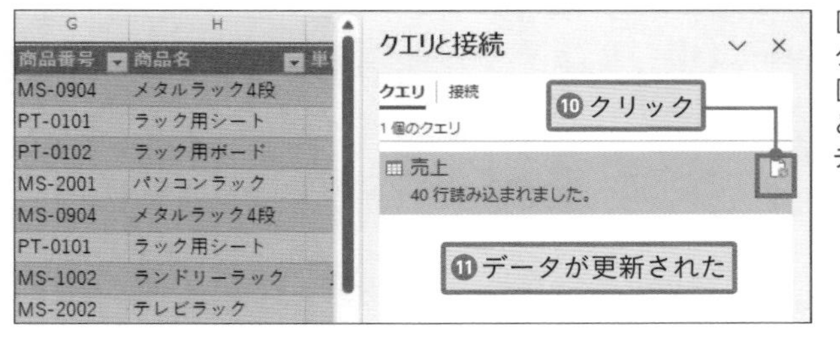

[最新の情報に更新] をクリックするか❿、[データ] タブの [すべて更新] をクリックすると、データソースに接続してデータが更新される⓫。

同じファイル内のテーブルをデータソースとする場合は、ファイルの移動やファイル名の変更が行われても問題なくクエリを更新できます。

知っておくと便利 Power Query エディターで再設定を行うには

Power Query エディターでデータソースの再設定を行うには、[ホーム] タブの [データソース設定] をクリックし、303ページの手順❸から304ページの手順❾を実行します。最後に [ホーム] タブの [プレビューの更新] をクリックすると、データが更新されます。

▼ Power Query エディターでデータソースの再設定を行う

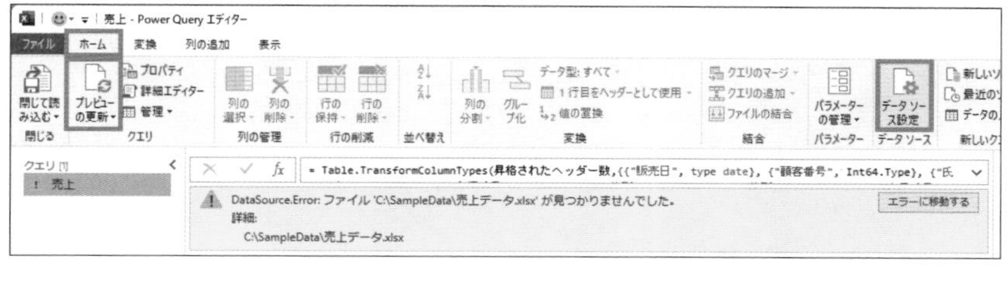

知っておくと便利 ブックを開くときに自動的に更新するには

[クエリと接続] 作業ウィンドウでクエリを右クリックし、[プロパティ] をクリックすると、右図のような [クエリプロパティ] ダイアログボックスが表示されます。[ファイルを開くときにデータを更新する] にチェックを付けると、ブックを開くタイミングでそのクエリの更新が自動で実行されます。

▼ ブックを開くときに自動更新を行う設定

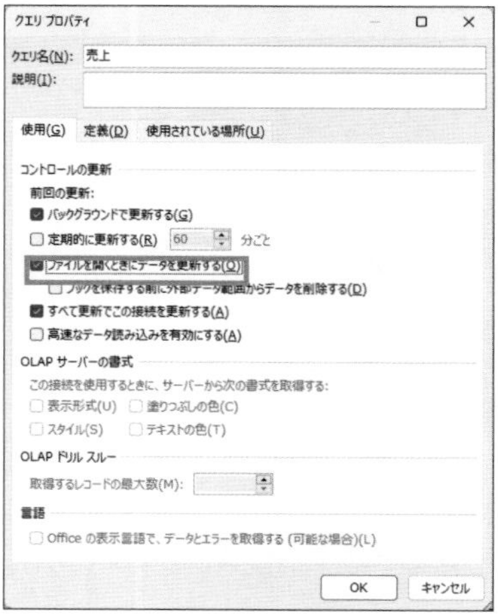

クエリ プロパティ
クエリ名(N): 売上
説明(I):
使用(G) 定義(D) 使用されている場所(U)
コントロールの更新
前回の更新:
☑ バックグラウンドで更新する(G)
☐ 定期的に更新する(R) 60 分ごと
☑ ファイルを開くときにデータを更新する(O)
☐ ブックを保存する前に外部データ範囲からデータを削除する(D)
☑ すべて更新でこの接続を更新する(A)
☐ 高速なデータ読み込みを有効にする(A)
OLAP サーバーの書式
この接続を使用するときに、サーバーから次の書式を取得する:
☐ 表示形式(U) ☐ 塗りつぶしの色(C)
☐ スタイル(S) ☐ テキストの色(T)
OLAP ドリル スルー
取得するレコードの最大数(M):
言語
☐ Office の表示言語で、データとエラーを取得する (可能な場合)(L)
OK キャンセル

9-2

データの読み込み先を変更する

インポート先の設定

Sample 0902_ 読み込み先 .xlsx

[データのインポート]画面で読み込み先を変更する

データの読み込み先の指定を間違って読み込んでしまったときなど、読み込み先を変更したいことがあります。[クエリと接続]作業ウィンドウでショートカットメニューから、読み込み先の変更が行えます。

ショートカットメニューから変更する

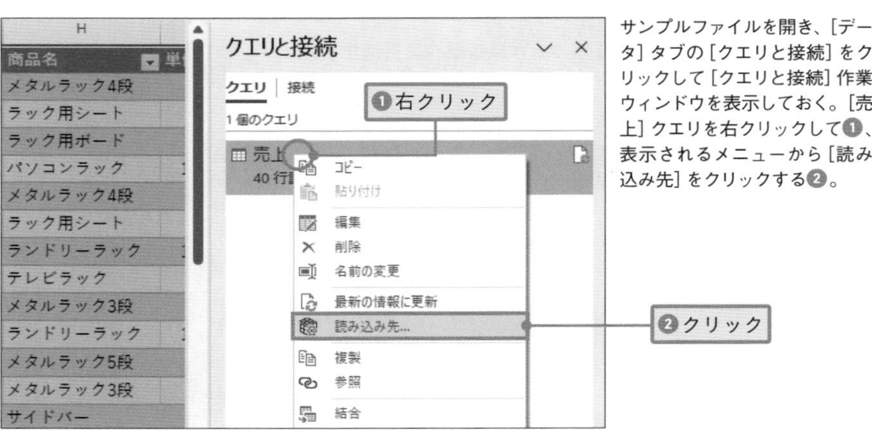

サンプルファイルを開き、[データ]タブの[クエリと接続]をクリックして[クエリと接続]作業ウィンドウを表示しておく。[売上]クエリを右クリックして❶、表示されるメニューから[読み込み先]をクリックする❷。

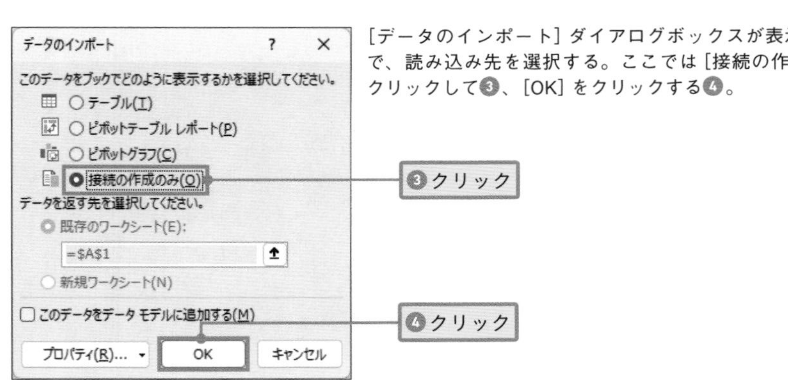

[データのインポート]ダイアログボックスが表示されるので、読み込み先を選択する。ここでは[接続の作成のみ]をクリックして❸、[OK]をクリックする❹。

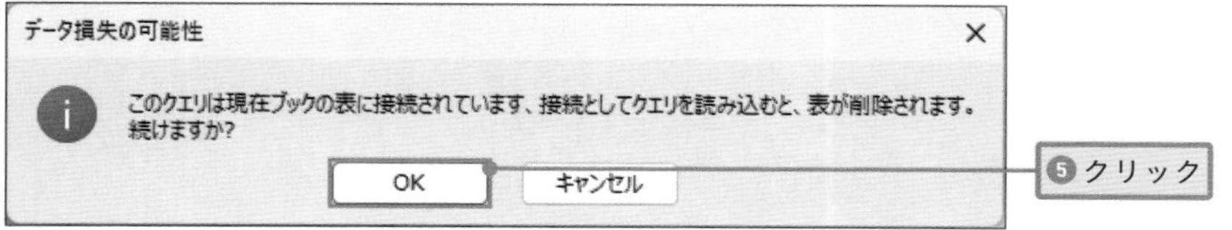

テーブルが削除されることを通知するメッセージが表示されるので、[OK] をクリックする❺。

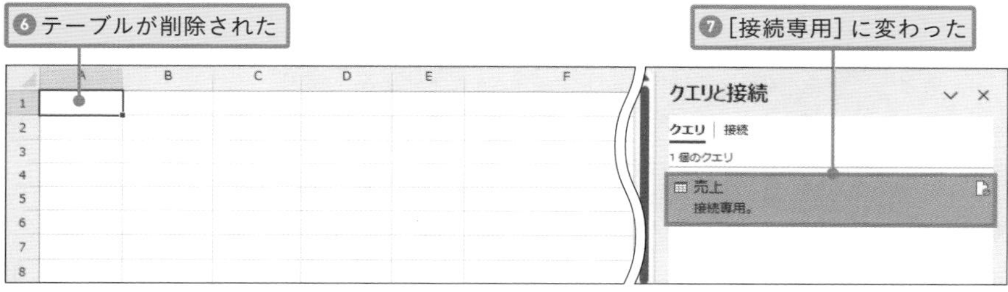

テーブルが削除され❻、接続専用のクエリに変わる❼。

元の読み込み先が [テーブル] の場合、テーブル内のセルをクリックすると表示される [クエリ] タブの [読み込み] グループにある [読み込み先] をクリックしても、読み込み先の変更を行えます。

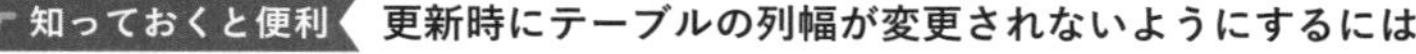

知っておくと便利　更新時にテーブルの列幅が変更されないようにするには

初期設定では、更新時に列のデータの長さに合わせてテーブルの列幅が調整されます。手動で列幅を変更したあと、更新時に自動調整されないようにするには、テーブル内のセルを選択して [データ] タブの [クエリと接続] グループにある [プロパティ] をクリックし、表示される画面で右図のように設定します。

▼ **更新時にテーブルの列幅が自動調整されないようにする**

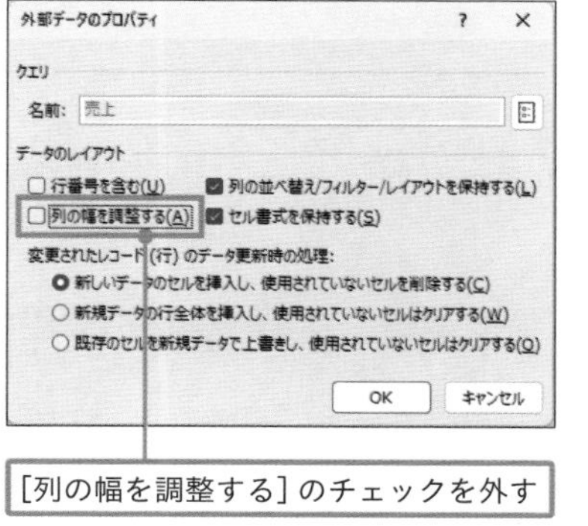

9-3 クエリを削除して データをデータソースから切り離す

クエリの削除

Sample 0903_ クエリ削除 .xlsx

データソースと切り離して自由に編集する

クエリのデータをワークシートに読み込んだあとで、「読み込んだ表に行を追加してデータを入力する」「列を削除する」などの編集をしても、クエリを更新すると編集が取り消され、元の表の形に戻ってしまいます(列を追加して数式を入力した場合は、その列は残ります)。読み込んだ表を自由に編集したい場合は、クエリを削除してデータソースから切り離します。読み込んだデータはそのまま残るので、自由に編集を行えます。ただし、それ以降データソースのデータに変更があった場合でも、更新は行えない点に注意してください。

クエリを削除する

サンプルファイルを開き、[データ] タブの [クエリと接続] をクリックして❶、[クエリと接続] 作業ウィンドウを表示する。[売上] クエリを右クリックして❷、表示されるメニューから [削除] をクリックする❸。

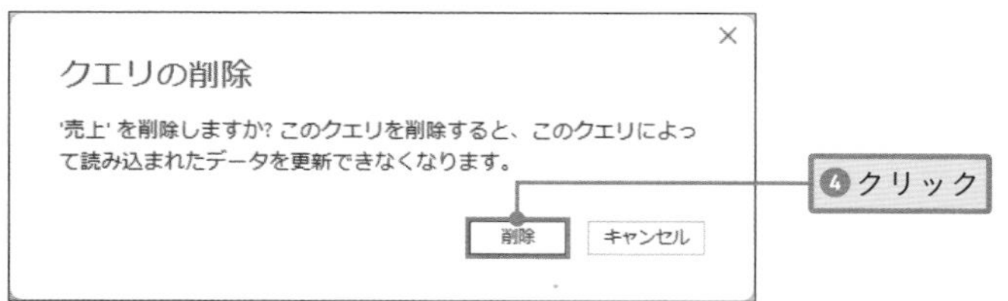

[クエリの削除] ダイアログボックスが表示されたら、[削除] をクリックする❹。

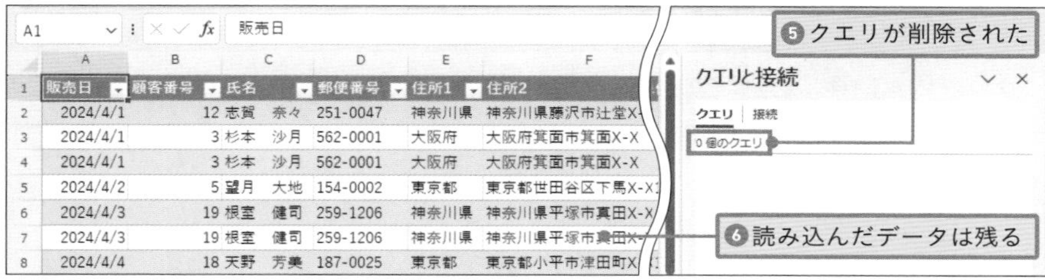

クエリが削除され、[クエリと接続] 作業ウィンドウから表示が消える❺。既にワークシートに読み込んでいたデータはそのまま残るので、今後は自由に編集できる❻。

知っておくと便利 [クエリ] タブでも操作できる

この節のサンプルのようにクエリのデータがワークシートに読み込まれている場合、テーブル内のセルを選択すると[クエリ]タブが表示されます。[クエリと接続] 作業ウィンドウでクエリを右クリックしたときに表示されるメニュー項目の多くは、[クエリ]タブからも実行できます。例えばクエリを削除するには[クエリ]タブの[削除]をクリックします。

▼[クエリ]タブでクエリを削除する

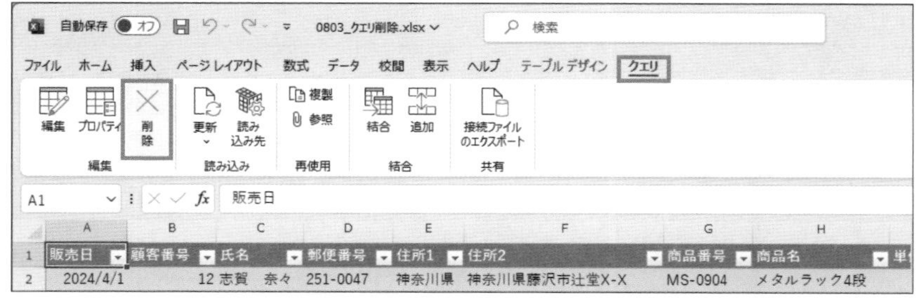

09 管理・運用の効率化 クエリを管理・運用するための機能を知ろう

9-4 クエリをグループ化してわかりやすく管理する

クエリのグループ化

Sample 0904_ クエリグループ化 .xlsx

クエリをグループ分けする

ブック内に数多くのクエリがある場合は、何らかの基準でクエリをグループ化すると整理できます。目的のクエリを探すときも、雑然と並んでいる中から探すより見つけやすくなります。

▼クエリのグループ化

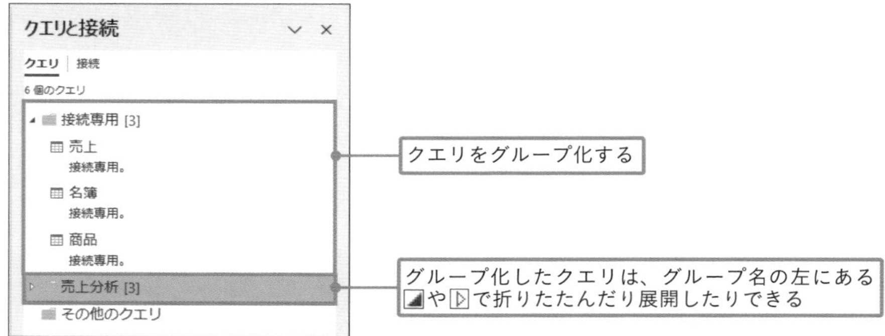

クエリのグループ化を設定する

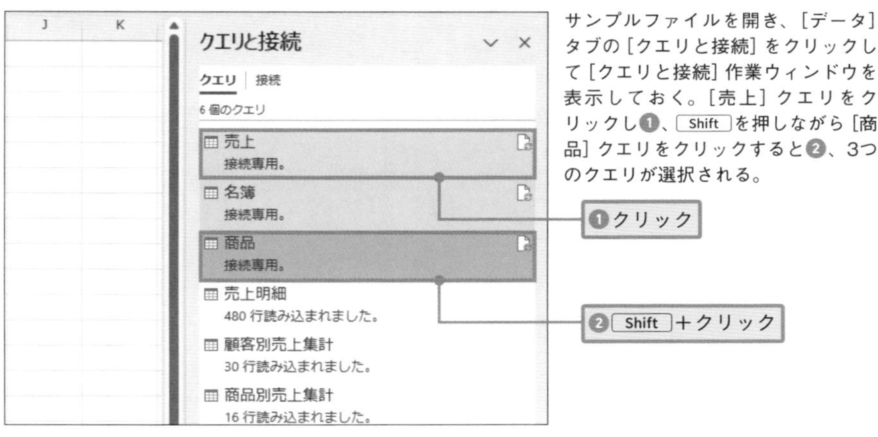

サンプルファイルを開き、[データ] タブの [クエリと接続] をクリックして [クエリと接続] 作業ウィンドウを表示しておく。[売上] クエリをクリックし❶、Shift を押しながら [商品] クエリをクリックすると❷、3つのクエリが選択される。

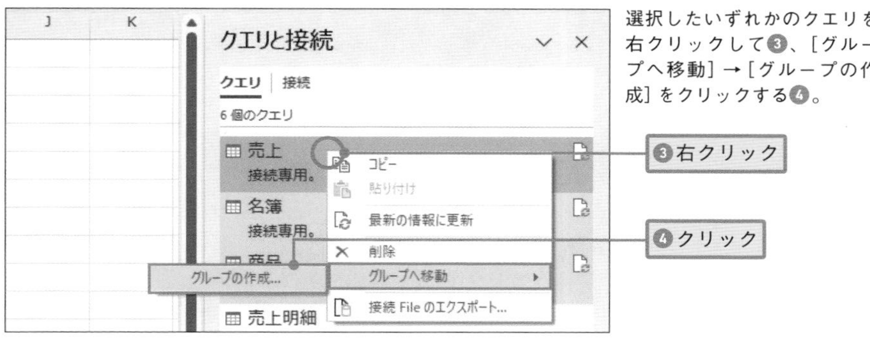

選択したいずれかのクエリを右クリックして❸、[グループへ移動]→[グループの作成]をクリックする❹。

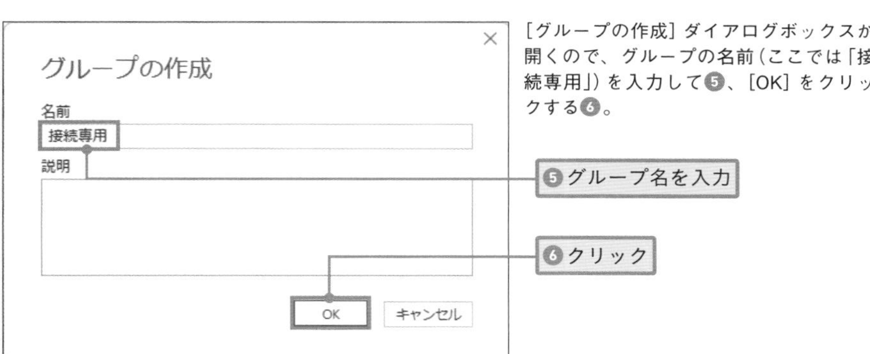

[グループの作成]ダイアログボックスが開くので、グループの名前(ここでは「接続専用」)を入力して❺、[OK]をクリックする❻。

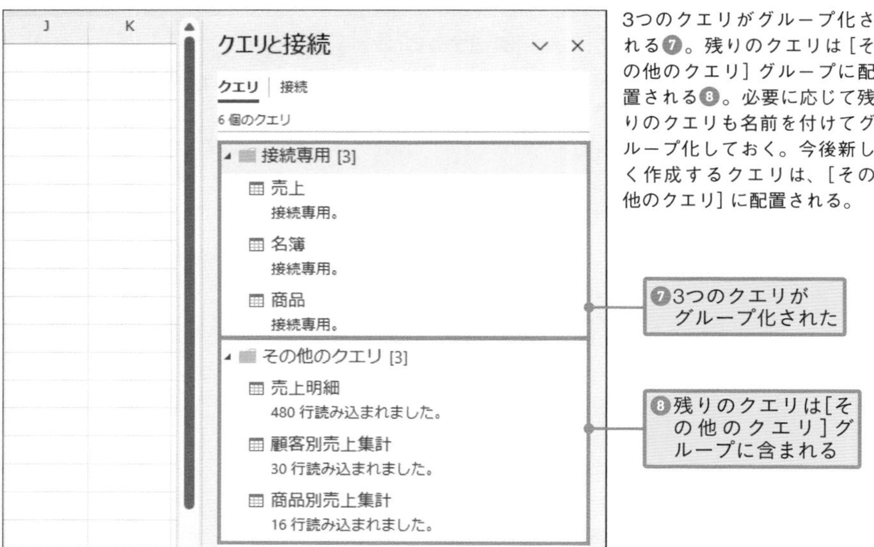

3つのクエリがグループ化される❼。残りのクエリは[その他のクエリ]グループに配置される❽。必要に応じて残りのクエリも名前を付けてグループ化しておく。今後新しく作成するクエリは、[その他のクエリ]に配置される。

Power Query エディターの画面左部にあるナビゲーションウィンドウでも、同様の操作でクエリをグループ化できます。[クエリと接続] 作業ウィンドウとナビゲーションウィンドウのどちらで設定してももう一方に反映されます。

知っておくと便利 グループへの移動と解除

クエリを作成済みのグループに移動するには、クエリを右クリックして [グループへ移動] をクリックし、表示されるメニューからグループ名を選択します。

グループを解除するには、グループ名を右クリックして [グループ解除] をクリックします。グループを解除しても、クエリは削除されません。ちなみに右クリックしたメニューから [グループの削除] をクリックすると、中のクエリごとグループが削除されるので注意してください。

▼ クエリのグループへの移動

知っておくと便利 クエリの並び順を変更するには

[クエリと接続] 作業ウィンドウのクエリは基本的に作成順に並びますが、順序を変えることもできます。それにはクエリを右クリックして、[上へ移動] または [下へ移動] をクリックします。クエリをわかりやすい順序で並べることで、管理しやすくなります。

STEP UP

クエリに適切な名前を付けることも重要

クエリ名は、シート名やテーブル名から自動で命名されますが、クエリを管理するうえでわかりやすい名前に変更することも大切です。Power Query エディターでは、[クエリの設定] 作業ウィンドウの [名前] 欄でクエリ名を変更できます。クエリ名を変更すると、ナビゲーションウィンドウに表示されるクエリ名も変更されます。

一方、Excelでクエリ名を変更するには、[クエリと接続] 作業ウィンドウでクエリを右クリックして、[名前の変更] をクリックします。もしくはクエリをクリックして F2 を押しても、クエリ名を変更できます。

知っておくと便利 複数のクエリの関係を確認するには

［クエリの依存関係］を使用すると、クエリとデータソースの関係や、クエリ同士の関係を確認できます。［クエリのマージ］や［クエリの追加］などで複数のクエリを結合したり、9-6節で紹介する［参照］という機能でクエリを元に新たなクエリを作成したりしたときに、依存関係をひと目で把握できるので便利です。

［クエリの依存関係］で複数のクエリの関係を確認する

❶Power Query エディターを表示しておく

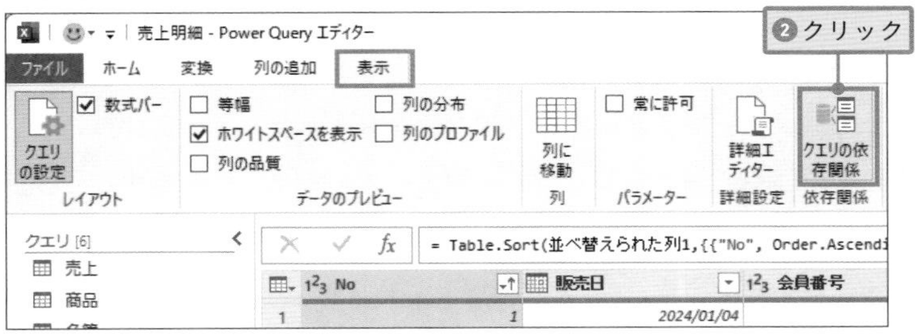

Power Query エディターを表示し❶、［表示］タブの［クエリの依存関係］をクリックする❷。

❸［クエリの依存関係］ダイアログボックスを表示できた

［クエリの依存関係］ダイアログボックスが開き、クエリとデータソースやクエリ同士の関係を確認できる❸。

09 管理・運用の効率化 クエリを管理・運用するための機能を知ろう

9-5

ステップの名前を変更してわかりやすく管理する

ステップ名の変更、ステップの説明の設定

Sample 0905_ ステップ名 .xlsx

ステップの処理や意図がわかる名前を付ける

多くのステップを行うクエリでは、[適用したステップ] 欄に似たようなステップ名が並びます。あとから編集する際に、いちいちステップを選択してプレビューを確認しなければ、ステップの具体的な内容がわからなくなります。編集効率を上げるために、処理内容や意図が伝わるわかりやすいステップ名に変更するとよいでしょう。クエリをチームのメンバーで共有する場合にも、管理しやすくなります。ここではステップ名を変更する2つの方法を紹介します。

[名前の変更]からステップ名を変更する

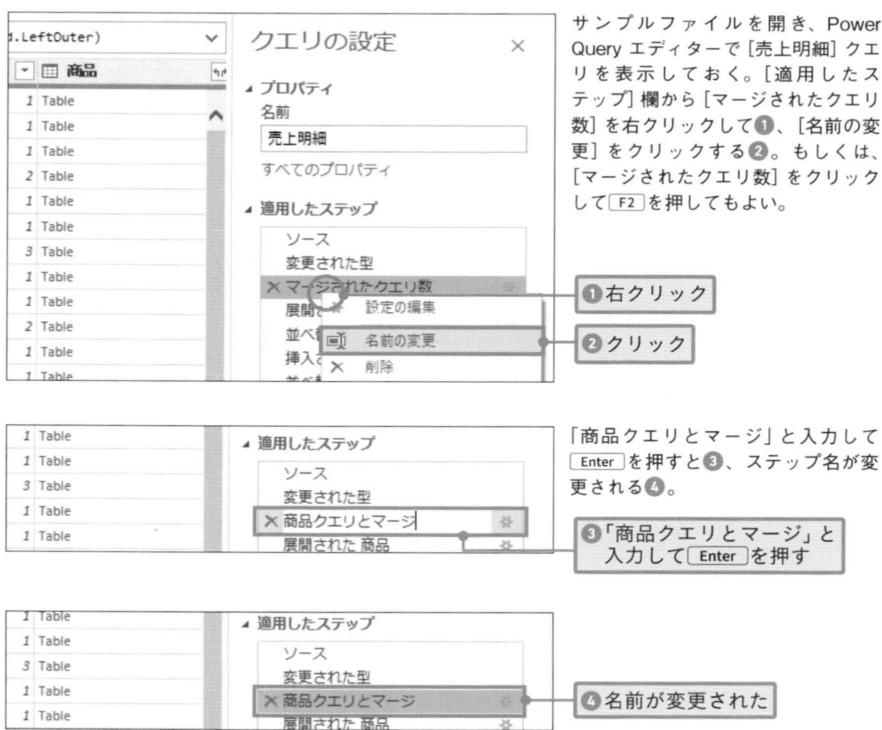

サンプルファイルを開き、Power Query エディターで [売上明細] クエリを表示しておく。[適用したステップ] 欄から [マージされたクエリ数] を右クリックして❶、[名前の変更] をクリックする❷。もしくは、[マージされたクエリ数] をクリックして F2 を押してもよい。

「商品クエリとマージ」と入力して Enter を押すと❸、ステップ名が変更される❹。

[プロパティ]からステップ名と説明を設定する

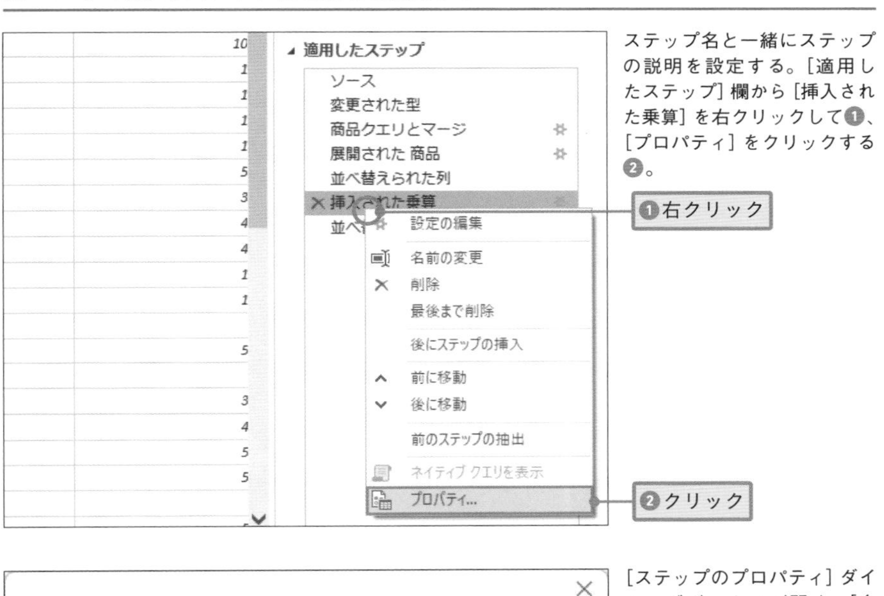

ステップ名と一緒にステップの説明を設定する。[適用したステップ] 欄から [挿入された乗算] を右クリックして❶、[プロパティ] をクリックする❷。

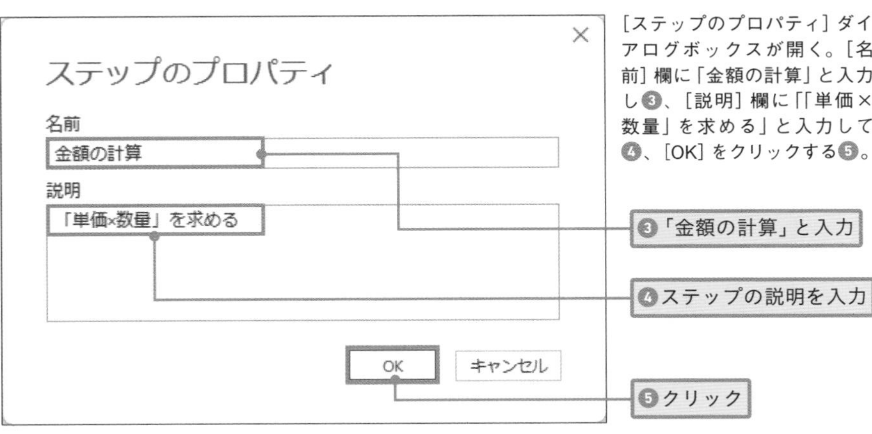

[ステップのプロパティ] ダイアログボックスが開く。[名前] 欄に「金額の計算」と入力し❸、[説明] 欄に「「単価×数量」を求める」と入力して❹、[OK] をクリックする❺。

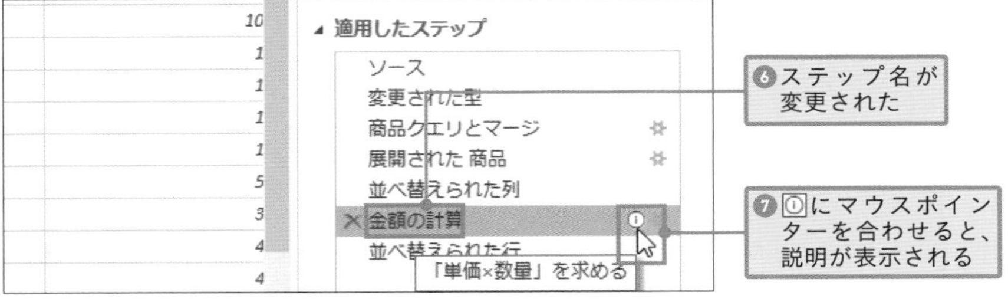

ステップ名が変更され❻、その右にⓘが表示される。そこにマウスポインターを合わせると、手順❹で入力したステップの説明が表示される❼。

9-6

既存のクエリを「参照」してクエリを効率よく作成する

クエリの参照、参照と複製の違い

Sample 0906_ クエリ参照 .xlsx

クエリの[参照]と[複製]

既存のクエリを元に新しいクエリを作成したいときは、[参照]または[複製]という機能を使用します。下図を見てください。既存のクエリであるクエリAには、ステップ1～3が設定されています。クエリBはクエリAを参照して作成したもので、クエリCはクエリAを複製して作成したものです。どちらもステップ3までの編集が済んだところから効率よく新しいステップを追加できます。

2つの違いは、ステップ1～3を編集できるかどうか、また、クエリAの変更が反映されるかどうかです。[参照]で作成したクエリBではステップ1～3を編集できません。ただし、クエリAでステップが編集されたり追加されたりした場合、その変更はクエリBに反映されます。一方、[複製]で作成したクエリCでは、ステップ1～3を自由に編集できますが、クエリAとは切り離されるためクエリAで行われた変更は反映されません。この節では[参照]を使用して新しいクエリを作成する方法を解説します。[複製]の操作については次節で紹介します。

▼[参照]と[複製]の違い

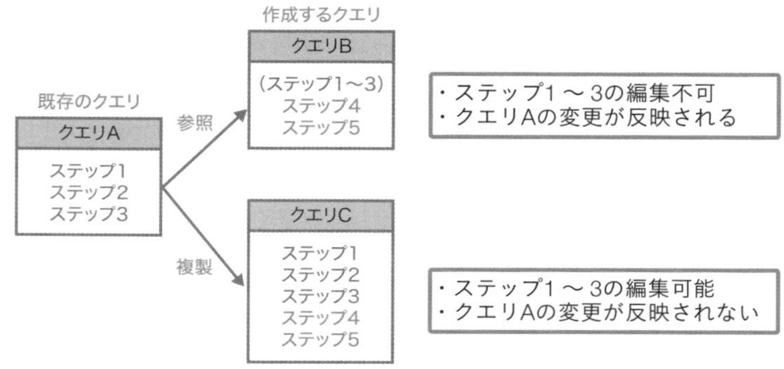

既存のクエリを参照して新しいクエリを作成する

下図の［売上明細］クエリは、3つの表をマージし、金額を計算して作成したものです。このクエリから「商品別」「顧客別」「都道府県別」など、さまざまな売上集計表を作成したいときは、［参照］を使用するのが便利です。マージや金額の計算などが済んだところから、すぐに集計をはじめられます。また、例えば各集計表の集計項目を税込み金額に変更することになった場合、［売上明細］クエリの［金額］列で税込み金額を計算し直します。そうすれば、各クエリを更新するだけですぐに税込み金額の集計に変わります。

サンプルファイルには既に［売上明細］クエリが用意されているので、本節ではそれを参照して［商品別集計］クエリを作成する手順を紹介します。

▼［売上明細］クエリを参照して［商品別集計］クエリを作成する

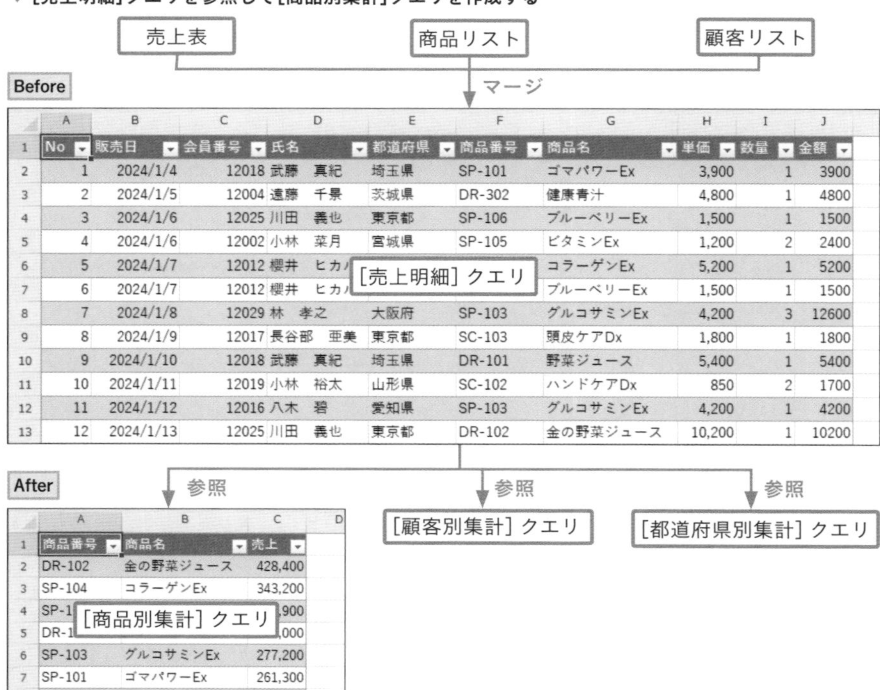

	A	B	C	D	E	F	G	H	I	J
1	No	販売日	会員番号	氏名	都道府県	商品番号	商品名	単価	数量	金額
2	1	2024/1/4	12018	武藤　真紀	埼玉県	SP-101	ゴマパワーEx	3,900	1	3900
3	2	2024/1/5	12004	遠藤　千景	茨城県	DR-302	健康青汁	4,800	1	4800
4	3	2024/1/6	12025	川田　義也	東京都	SP-106	ブルーベリーEx	1,500	1	1500
5	4	2024/1/6	12002	小林　菜月	宮城県	SP-105	ビタミンEx	1,200	2	2400
6	5	2024/1/7	12012	櫻井　ヒカ			コラーゲンEx	5,200	1	5200
7	6	2024/1/7	12012	櫻井　ヒカ			ブルーベリーEx	1,500	1	1500
8	7	2024/1/8	12029	林　孝之	大阪府	SP-103	グルコサミンEx	4,200	3	12600
9	8	2024/1/9	12017	長谷部　亜美	東京都	SC-103	頭皮ケアDx	1,800	1	1800
10	9	2024/1/10	12018	武藤　真紀	埼玉県	DR-101	野菜ジュース	5,400	1	5400
11	10	2024/1/11	12019	小林　裕太	山形県	SC-102	ハンドケアDx	850	2	1700
12	11	2024/1/12	12016	八木　碧	愛知県	SP-103	グルコサミンEx	4,200	1	4200
13	12	2024/1/13	12025	川田　義也	東京都	DR-102	金の野菜ジュース	10,200	1	10200

	A	B	C
1	商品番号	商品名	売上
2	DR-102	金の野菜ジュース	428,400
3	SP-104	コラーゲンEx	343,200
4	SP-1		,900
5	DR-1		,000
6	SP-103	グルコサミンEx	277,200
7	SP-101	ゴマパワーEx	261,300
8	DR-103	果実ジュース	250,000
9	DR-301	スッキリ野菜	220,400

クエリを参照して新しいクエリを作成する

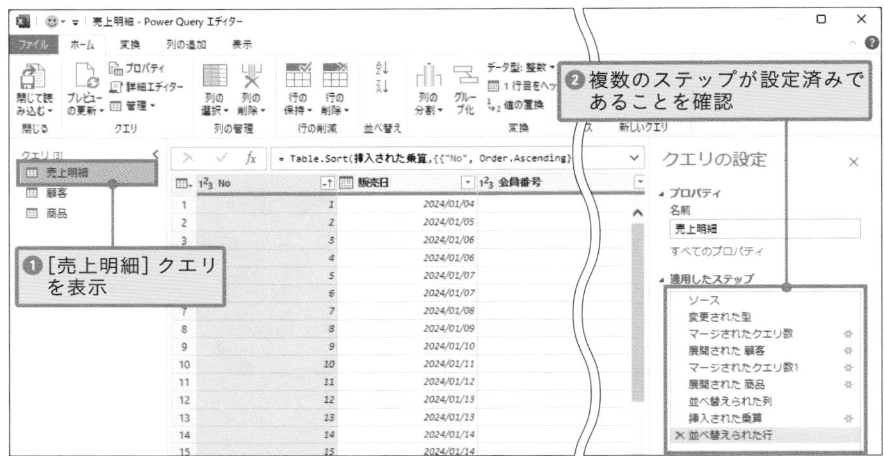

サンプルファイルを開き、Power Query エディターで [売上明細] クエリを表示しておく❶。[適用したステップ] 欄に複数のステップが設定されていることを確認する❷。

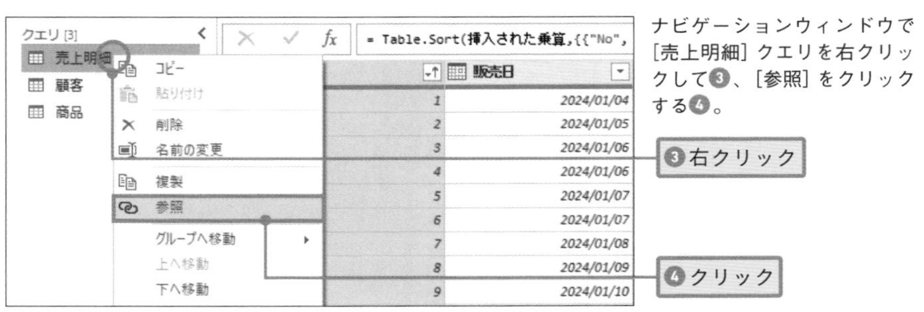

ナビゲーションウィンドウで [売上明細] クエリを右クリックして❸、[参照] をクリックする❹。

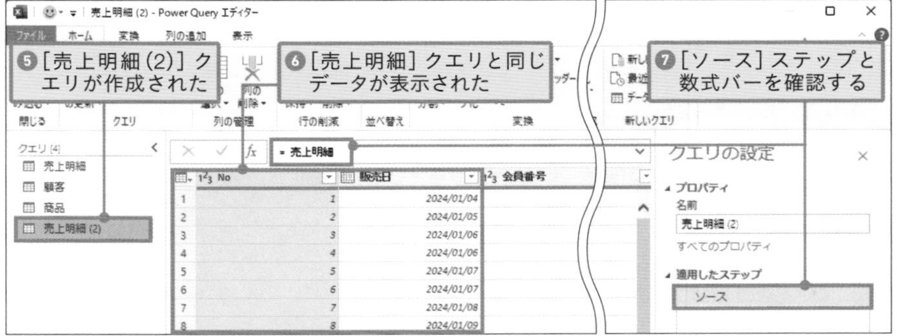

[売上明細 (2)] クエリが作成される❺。プレビューには、[売上明細] クエリと同じデータが表示される❻。[適用したステップ] 欄には [ソース] ステップだけが表示され、数式バーには「= 売上明細」と表示される❼。

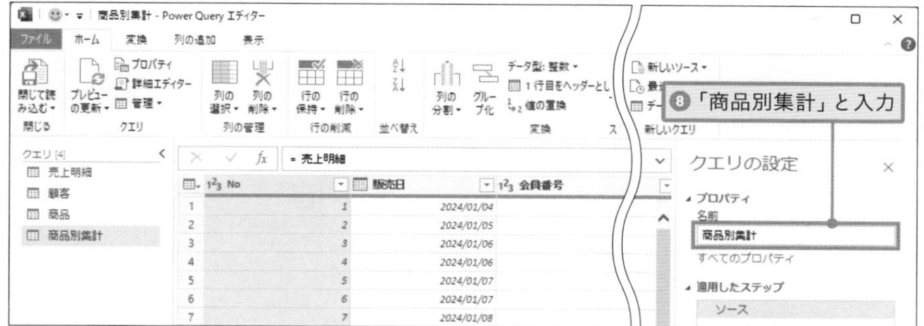

[クエリの設定] 作業ウィンドウの [名前] 欄に「商品別集計」と入力して Enter を押す❽。

知っておくと便利　[参照] のその他の方法

参照の元になるクエリ（ここでは [売上明細] クエリ）がワークシートに読み込まれている場合、テーブルのセルをクリックして、[クエリ] タブの [再使用] グループにある [参照] をクリックしても、そのテーブルのクエリを参照した新しいクエリを作成できます。また、[クエリの接続] 作業ウィンドウでクエリを右クリックして、[参照] をクリックしても、そのクエリを参照した新しいクエリを作成できます。いずれの場合も、Power Query エディターが起動して、前ページの手順❺の状態になります。

商品別に売上を集計する

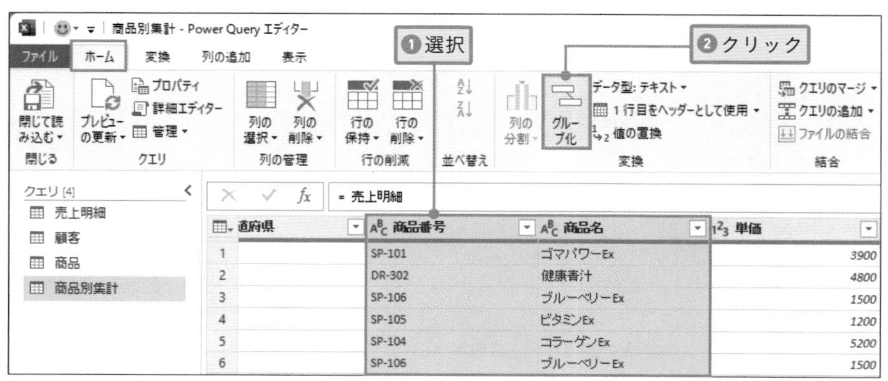

[商品番号] の列名をクリックし、Ctrl を押しながら [商品名] の列名をクリックして、2列を選択する❶。[ホーム] タブの [グループ化] をクリックする❷。

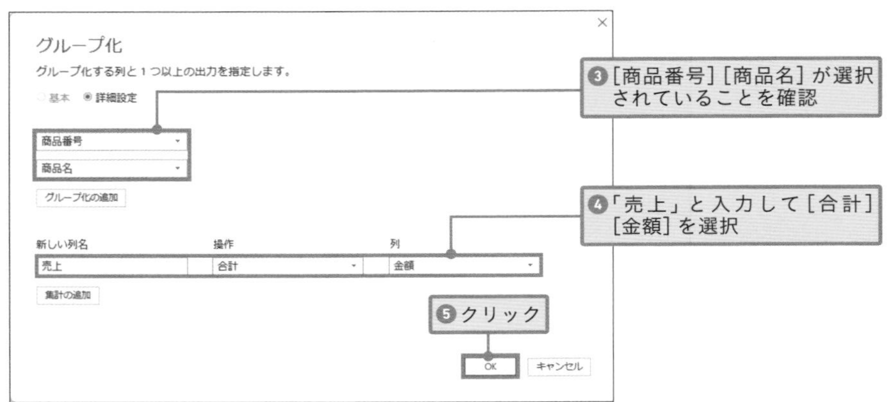

[グループ化] ダイアログボックスが開くので、グループ化する列として[商品番号][商品名] が指定されていることを確認する❸。[新しい列名] 欄に「売上」と入力し、[操作] 欄から[合計]、[列] 欄から[金額] を選択して❹、[OK] をクリックする❺。

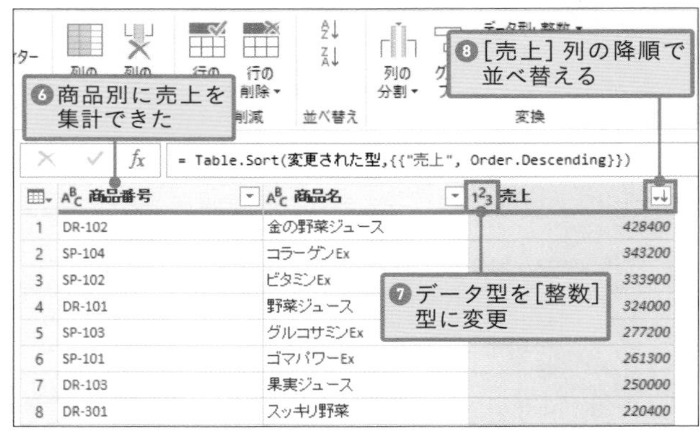

商品別に売上が集計される❻。[売上] 列のデータ型を [整数] 型に変え❼、フィルターボタンをクリックして[降順で並べ替え] を選択して並べ替える❽。[ホーム] タブの [閉じて読み込む] をクリックしてワークシートに読み込んでおく。

知っておくと便利 **複数のクエリの更新**

Excelの[データ] タブの[クエリと接続] グループにある[すべて更新] をクリックすると、ブック内のすべてのクエリが更新されます。データが大量にあり、更新に時間がかかるようなら、[クエリと接続] 作業ウィンドウで[最新の情報に更新] ( ) をクリックすれば、目的のクエリだけを更新できます。なお、1つだけ更新に時間がかかるクエリがある場合は、[クエリと接続] 作業ウィンドウでそのクエリを右クリックし、[プロパティ] から[すべて更新でこの接続を更新する] のチェックを外しておくと、[すべて更新] を実行したときに除外できます。

9-7 既存のクエリを「複製」してクエリを効率よく作成する

クエリの複製

Sample 0907_ クエリ複製 .xlsx

ステップの似たクエリを複製して新しいクエリを作成する

［複製］を使用すると、既存のクエリをコピーして新しいクエリを作成できます。複製したクエリは元のクエリと切り離されるので、既存のステップの編集や新しいステップの追加を自由に行えます。本節では下図の「Before」の［月別分類別集計］クエリを複製して集計のステップを編集し、［店舗別分類別集計］クエリを作成します。

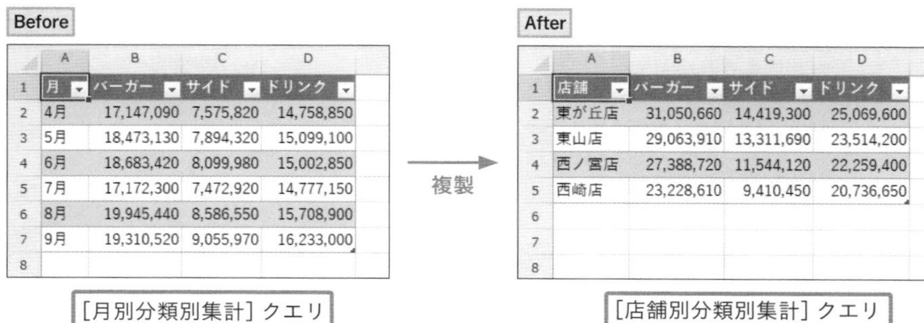

Before

	A	B	C	D
1	月	バーガー	サイド	ドリンク
2	4月	17,147,090	7,575,820	14,758,850
3	5月	18,473,130	7,894,320	15,099,100
4	6月	18,683,420	8,099,980	15,002,850
5	7月	17,172,300	7,472,920	14,777,150
6	8月	19,945,440	8,586,550	15,708,900
7	9月	19,310,520	9,055,970	16,233,000
8				

［月別分類別集計］クエリ

複製

After

	A	B	C	D
1	店舗	バーガー	サイド	ドリンク
2	東が丘店	31,050,660	14,419,300	25,069,600
3	東山店	29,063,910	13,311,690	23,514,200
4	西ノ宮店	27,388,720	11,544,120	22,259,400
5	西崎店	23,228,610	9,410,450	20,736,650
6				
7				
8				

［店舗別分類別集計］クエリ

クエリを複製して新しいクエリを作成する

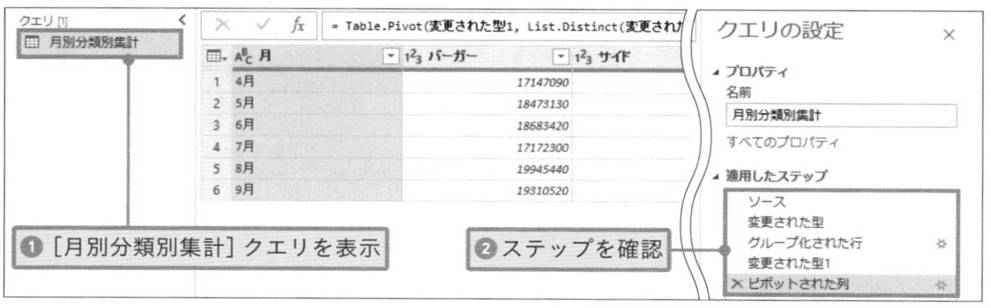

サンプルファイルを開き、Power Query エディターで［月別分類別集計］クエリを表示しておく❶。［適用したステップ］欄でステップを確認する❷。

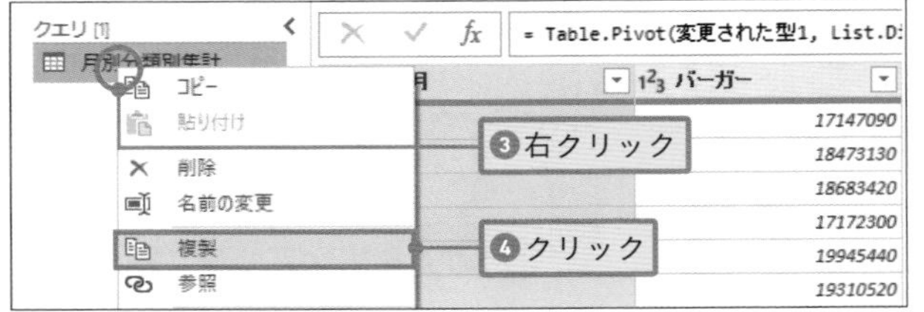

ナビゲーションウィンドウで[月別分類別集計]クエリを右クリックして❸、[複製]をクリックする❹。

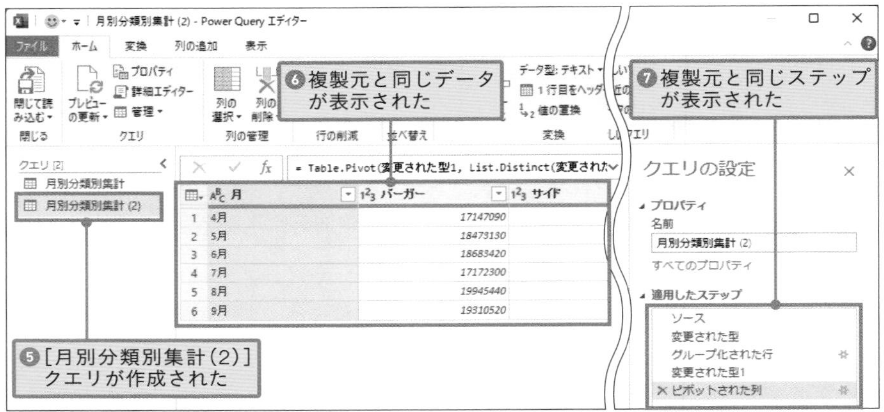

[月別分類別集計(2)]クエリが作成される❺。プレビューに複製元の[月別分類別集計]クエリと同じデータが表示され❻、[適用したステップ]欄にも複製元と同じステップが表示される❼。

集計表を「店舗別分類別」に変更する

複製したクエリの[グループ化された行]ステップを編集して、グループ化の単位を[月]から[店舗]に変更します。

グループ化の設定を変更する

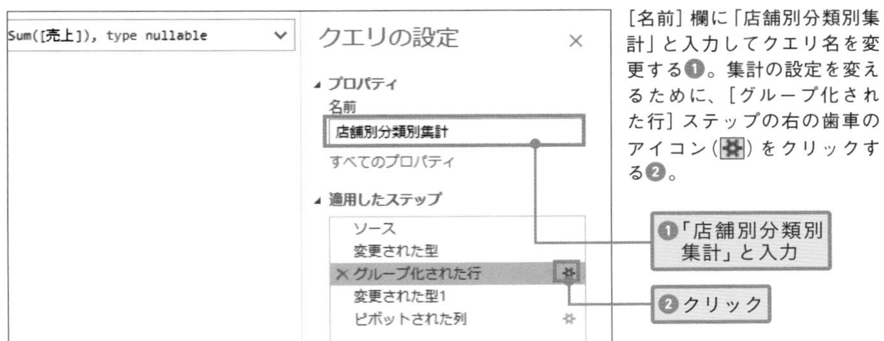

[名前]欄に「店舗別分類別集計」と入力してクエリ名を変更する❶。集計の設定を変えるために、[グループ化された行]ステップの右の歯車のアイコン()をクリックする❷。

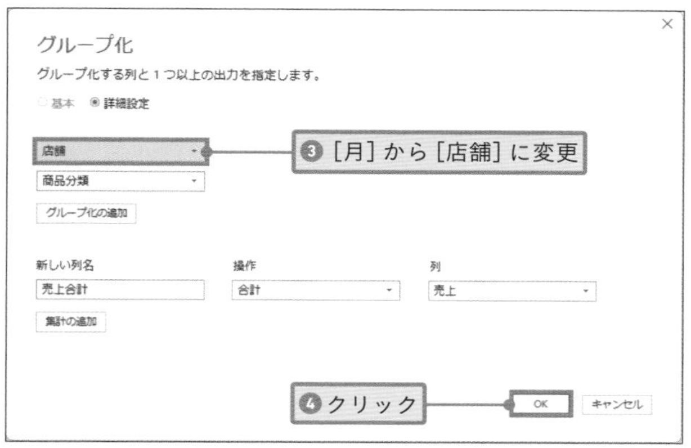

[グループ化]ダイアログボックスが表示される。グループ化の単位を[月]から[店舗]に変更して❸、[OK]をクリックする❹。

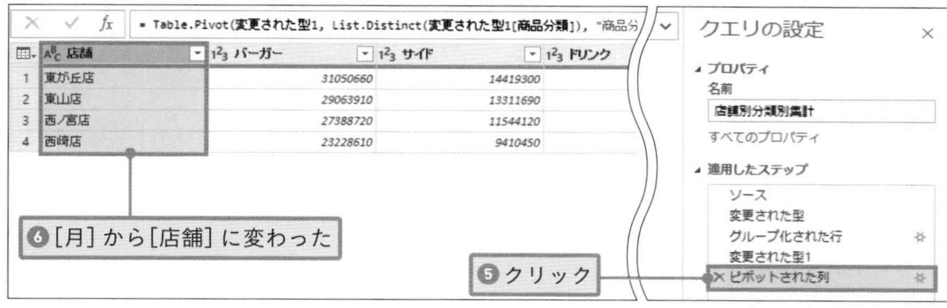

[適用したステップ]欄で最後のステップをクリックし❺、集計の縦軸が[月]から[店舗]に変わったことを確認する❻。

複製の元になるクエリ(ここでは[月別分類別集計]クエリ)がワークシートに読み込まれている場合、テーブルのセルをクリックして、[クエリ]タブの[再使用]グループにある[複製]をクリックしても、そのテーブルのクエリを複製できます。また、[クエリの接続]作業ウィンドウでクエリを右クリックして、[複製]をクリックしても複製できます。

途中のステップを編集すると、それ以降のステップにエラーが出る場合があります。例えば手順❸で[月]ではなく[商品分類]を[店舗]に変えた場合、[ピボットされた列]ステップにエラーが出ます。その場合、[ピボットされた列]ステップを削除して、[店舗]列を選択して[列のピボット]をやり直します。

STEP UP

クエリをほかのブックにコピーする

Sample 0907_コラム_クエリコピー.xlsx

作成したクエリは、ほかのブックにコピーして利用できます。ここでは、外部ファイルをデータソースとするクエリをコピーします。なお、ブック内のテーブルをデータソースとするクエリをコピーする場合は、コピー先のブックにも同じ構成のテーブルを作成するか、コピー元のブックからテーブルをコピーするなどして更新してください。

クエリをほかのブックにコピーする

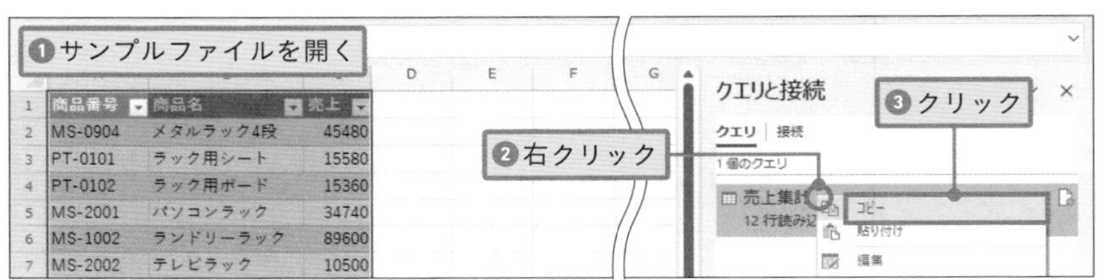

サンプルファイルを開き、［データ］タブの［クエリと接続］をクリックして［クエリと接続］作業ウィンドウを表示しておく❶。［売上集計］クエリを右クリックし❷、［コピー］をクリックする❸。

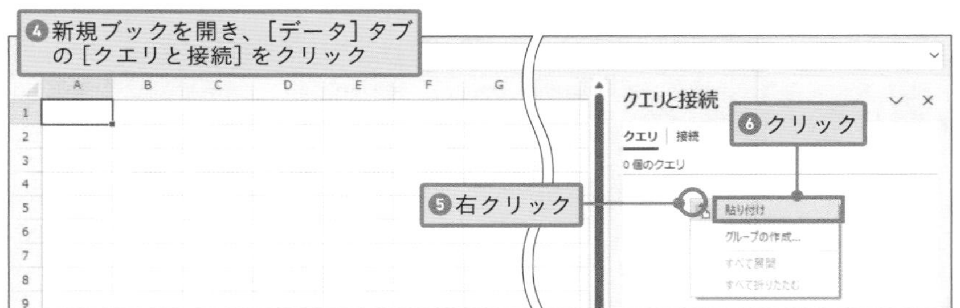

新規ブックを開き、［データ］タブの［クエリと接続］をクリックして［クエリと接続］作業ウィンドウを表示する❹。［クエリと接続］作業ウィンドウの無地の部分を右クリックし❺、［貼り付け］をクリックする❻。

［売上集計］クエリが貼り付けられ、データが表示される❼。

Chapter

10

演習
販売管理システムの出力データを集計しよう

いよいよ最終章です。この章では、販売管理システムからの出力をデータソースとして、売上データを分析するための集計を行います。ここまで学んできた内容の総復習です。実務に即したクエリを作成することで、スキルアップを図りましょう。

10-1

パワークエリを活用して販売データを分析する

日別集計、商品別集計、グラフ化、ピボットテーブル

会計単位のデータから日別の売上や客単価を集計する

この章では、売上の動向を分析するための集計を行います。データソースとなるのは、POSレジや販売管理システムからの出力を想定した「会計.csv」「明細.csv」「商品.csv」の3つです。いずれも1カ月分のデータが入力されています。

「会計.csv」は、お買上日やお買上額、支払方法などの項目から構成されます。10-2節ではこのファイルをデータソースとしてパワークエリで集計を行い、毎日の売上や客数、客単価などを求めます。また、グラフを使用して日々の売上の推移を可視化します。

Before：データソース

会計.csv

データ数：2060行

[区分] 列には、祝日や振替休日を示す「祝」「振」の文字が入力されている

	A	B	C	D	E	F	G	H	I
1	レシートID	お買上日	曜日	区分	時刻	お買上点数	お買上額	支払方法	備考
2	10001	2024/9/1	日		9:05	2	3762	現金	休日割引
3	10002	2024/9/1	日		9:13	9	760	現金	休日割引
4	10003	2024/9/1	日		9:21	5	2135	QRコード決済	休日割引
5	10004	2024/9/1	日		9:29	14	2591	現金	休日割引
6	10005	2024/9/1	日		9:37	12	4446	クレジットカード	休日割引
7	10006	2024/9/1	日		9:45	8	2413	現金	休日割引
8	10007	2024/9/1	日		[illegible]	1	[illegible]	現金	休日割引
1524	11523	2024/9/22	日	祝	19:36	[illegible]	1235	現金	休日割引
1525	11524	2024/9/22	日	祝	19:43	13	7160	QRコード決済	休日割引
1526	11525	2024/9/22	日	祝	19:50	8	2337	クレジットカード	休日割引
1527	11526	2024/9/22	日	祝	19:57	1	4560	現金	休日割引
1528	11527	2024/9/23	月	振	9:02	12	3939	クレジットカード	休日割引
1529	11528	2024/9/23	月	振	9:09	17	4385	QRコード決済	休日割引
[illegible]	12057	[illegible]	月		19:22	[illegible]	1100	現金	
2059	12058	2024/9/30	月		19:34	1	2800	現金	
2060	12059	2024/9/30	月		19:46	10	900	QRコード決済	
2061	12060	2024/9/30	月		19:58	1	320	QRコード決済	
2062									

レシートの上部や下部に印字されるデータをまとめたファイル。1枚のレシートが1行のデータになる

After：日別に売上を集計

日別集計クエリ

	A	B	C	D	E	F	G	H	I
1	お買上日	曜日	区分	売上	（内現金）	（内他）	客数	客単価	
2	2024/9/1	日		174,266	89,670	84,596	81	2,151	
3	2024/9/2	月		147,610	68,590	79,020	59	2,502	
4	2024/9/3	火		141,580	78,330	63,250	59	2,400	
5	2024/9/4	水		133,900	63,720	70,180	61	2,195	
6	2024/9/5	木		148,900	74,670	74,230	62	2,402	
7	2024/9/6	金		181,150	99,660	81,490	68	2,664	
8	2024/9/7	土		220,425	120,699	99,726	86	2,563	
9	2024/9/8	日		180,810	106,932	73,878	79	2,289	
10	2024/9/9	月		144,870	56,220	88,650	55	2,634	
11	2024/9/10	火		128,650	71,560	57,090	58	2,218	
12	2024/9/11	水		128,230	58,620	69,610	62	2,068	
13	2024/9/12	木		100,120	60,680	39,440	60	1,669	
14	2024/9/13	金		168,260	87,500	80,760	65	2,589	
15	2024/9/14	土		215,240	153,897	61,343	84	2,562	
16	2024/9/15	日		235,247	80,561	154,686	93	2,530	
17	2024/9/16	月	祝	205,628	109,713	95,915	79	2,603	
18	2024/9/17	火		128,990	75,420	53,570	52	2,481	
19	2024/9/18	水		158,630	85,240	73,390	55	2,884	
20	2024/9/19	木		147,530	59,080	88,450	61	2,419	
21	2024/9/20	金		163,820	80,480	83,340	68	2,409	
22	2024/9/21	土		230,743	104,448	126,295	85	2,715	
23	2024/9/22	日	祝	299,248	155,974	143,274	94	3,183	
24	2024/9/23	月	振	263,083	124,483	138,600	83	3,170	
25	2024/9/24	火		190,220	79,880	110,340	54	3,523	
26	2024/9/25	水		192,740	88,260	104,480	59	3,267	
27	2024/9/26	木		155,460	73,920	81,540	57	2,727	
28	2024/9/27	金		195,560	83,800	111,760	67	2,919	
29	2024/9/28	土		239,525	126,997	112,528	81	2,957	
30	2024/9/29	日		218,898	141,006	77,892	77	2,843	
31	2024/9/30	月		120,150	65,640	54,510	56	2,146	
32									

売上と支払方法別の内訳を求める

客数と客単価を求める

日別の売上推移を表すグラフ

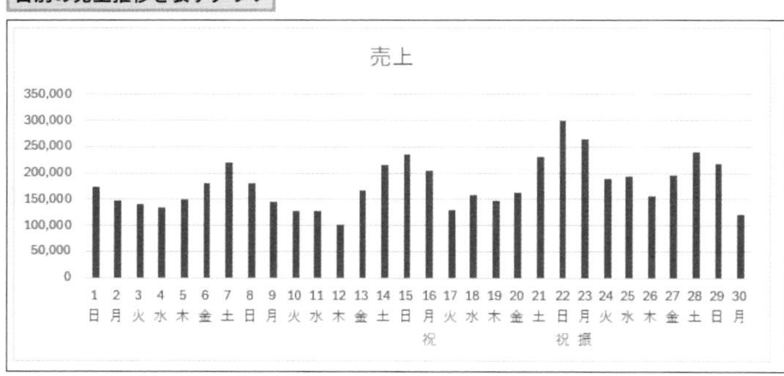

日付だけでなく曜日や祝日の情報を表示して、平日と休日の売上の違いをわかりやすく可視化する

販売明細データから各商品の売上や粗利を集計する

10-3節では、「明細.csv」のデータに「商品.csv」のデータをマージして、ケーキ部門の商品を抽出し、商品別に販売数、売上、粗利の集計を行います。パワークエリで集計用のデータを作成するところまで行い、実際の集計はピボットテーブルで実行します。

Before：データソース

明細.csv

	A	B	C	D	E	F	G	H
1	レシートID	No	商品ID	販売単価	数量	金額		
2	10001	1	DS-101	152	1	152		
3	10001	2	HC-102	3610	1	3610		
4	10002	1	BG-107	76	8	608		
5	10002	2	DS-101	152	1	152		
6	10003	1	CC-103	427	5	2135		
7	10004	1	CC-105	437	1	437		
8	10004	2	DS-101	152	2	304		
9	[illegible]	3	DS-[illegible]	190	[illegible]	1140		
4904	12057	1	DS-102	220	5	1100		
4905	12058	1	HC-101	2800	1	2800		
4906	12059	1	BG-101	90	10	900		
4907	12060	1	DS-106	320	1	320		
4908								

データ数：4906行

レシートの明細データをまとめたファイル。
1商品ごとの販売単価や数量が1行のデータになる

商品.csv

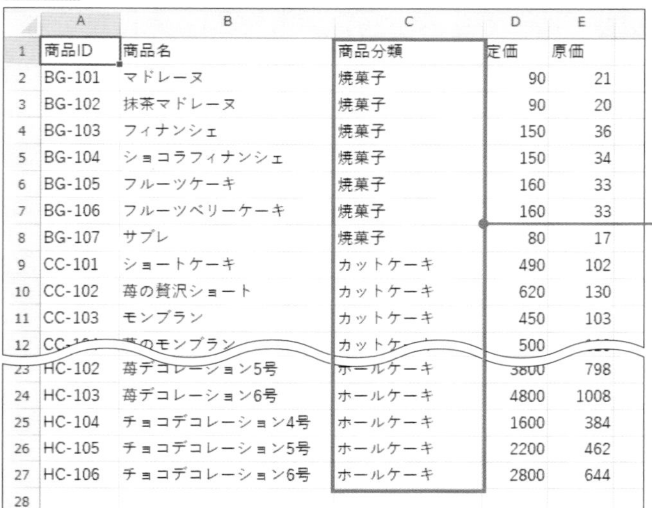

	A	B	C	D	E
1	商品ID	商品名	商品分類	定価	原価
2	BG-101	マドレーヌ	焼菓子	90	21
3	BG-102	抹茶マドレーヌ	焼菓子	90	20
4	BG-103	フィナンシェ	焼菓子	150	36
5	BG-104	ショコラフィナンシェ	焼菓子	150	34
6	BG-105	フルーツケーキ	焼菓子	160	33
7	BG-106	フルーツベリーケーキ	焼菓子	160	33
8	BG-107	サブレ	焼菓子	80	17
9	CC-101	ショートケーキ	カットケーキ	490	102
10	CC-102	苺の贅沢ショート	カットケーキ	620	130
11	CC-103	モンブラン	カットケーキ	450	103
12	CC-[illegible]	苺のモンブラン	カットケ[illegible]	500	[illegible]
23	HC-102	苺デコレーション5号	ホールケーキ	3800	798
24	HC-103	苺デコレーション6号	ホールケーキ	4800	1008
25	HC-104	チョコデコレーション4号	ホールケーキ	1600	384
26	HC-105	チョコデコレーション5号	ホールケーキ	2200	462
27	HC-106	チョコデコレーション6号	ホールケーキ	2800	644
28					

データ数：26行

商品情報が入力されているファイル。
定価や原価が入力されている

商品分類は焼菓子、カットケーキ、デイリースイーツ、ホールケーキの4種類

After：商品別に売上を集計

ピボットテーブル

	A	B	C	D	E
1	行ラベル	合計 / 数量	合計 / 金額	合計 / 粗利	
2	**⊟カットケーキ**	**5,359**	**2,620,575**	**2,038,046**	
3	苺の贅沢ショート	1,638	992,279	779,339	
4	モンブラン	1,322	581,376	445,210	
5	ショートケーキ	643	307,370	241,784	
6	チーズケーキ	611	227,335	174,178	
7	アップルパイ	476	200,610	153,962	
8	ガトーショコラ	397	178,480	140,368	
9	苺のモンブラン	272	133,125	103,205	
10	**⊟ホールケーキ**	**328**	**1,009,510**	**781,992**	
11	苺デコレーション6号	74	344,640	270,048	
12	苺デコレーション5号	52	191,140	149,644	
13	苺デコレーション4号	57	155,400	117,096	
14	チョコデコレーション6号	50	136,780	104,580	
15	チョコデコレーション5号	57	122,430	96,096	
16	チョコデコレーション4号	38	59,120	44,528	
17	**総計**	**5,687**	**3,630,085**	**2,820,038**	
18					
19					

ケーキの分類の商品を対象に集計する

粗利の高い順に並べ替えて表示する

知っておくと便利　本来の役割を踏まえてパワークエリを利用しよう

パワークエリの本来の役割は、外部からデータを取り込み、正しく整形してExcelやパワーピボットに渡すことです。パワークエリには多くの機能が搭載されており、本書はパワークエリの解説本という性質上、そうしたさまざまな機能を紹介してきました。この章でもパワークエリの中で集計やマージを行います。しかし、集計はピボットテーブル、マージはパワーピボットの得意分野です。多機能ゆえパワークエリですべてをやりたくなってしまいますが、データを整形したら、あとはExcelやパワーピボットに任せたほうが効率がよい場合があるということを頭の片隅に留めておいてください。

とはいえ、この章のサンプルのように数千件程度のデータなら、パソコンの性能にもよりますが、パワークエリで集計もマージもサクサク行えます。パワークエリは大変便利なツールです。大いにパワークエリを活用してください。

10-2 会計単位のデータから日別の売上や客単価を集計する

CSV ファイルの読み込み、列の削除、条件列の設定、データ型の変更、グラフの作成

Sample 会計 .csv

会計データからクエリを作成して不要な列を削除する

「会計.csv」には、お買上日やお買上額など、会計ごとの情報が入力されています。本節ではパワークエリの集計機能を使用して、売上を集計します。さらに1つの会計を1人の客として客数や客単価も集計します。まずは「会計.csv」からクエリを作成し、不要な列を削除します。

「会計 .csv」からクエリを作成する

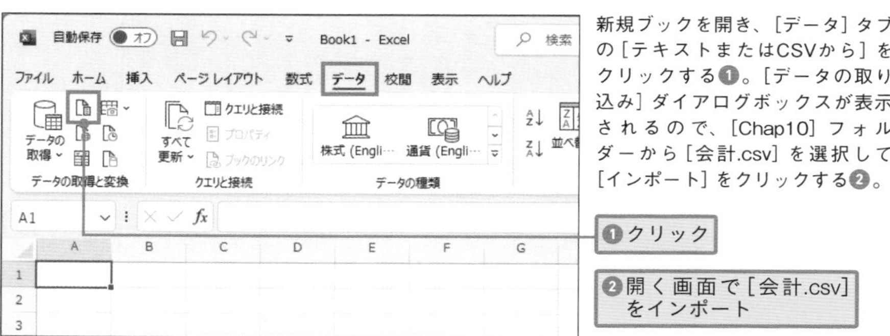

新規ブックを開き、［データ］タブの［テキストまたはCSVから］をクリックする❶。［データの取り込み］ダイアログボックスが表示されるので、［Chap10］フォルダーから［会計.csv］を選択して［インポート］をクリックする❷。

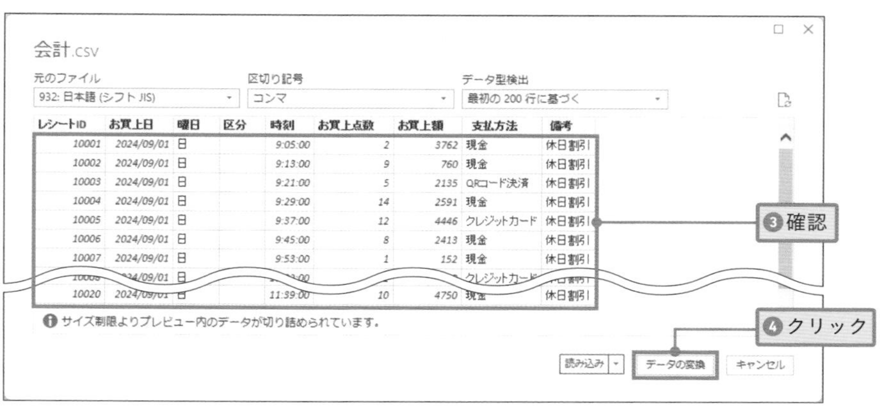

「会計.csv」のデータが正しく表示されるのを確認して❸、［データの変換］をクリックする❹。

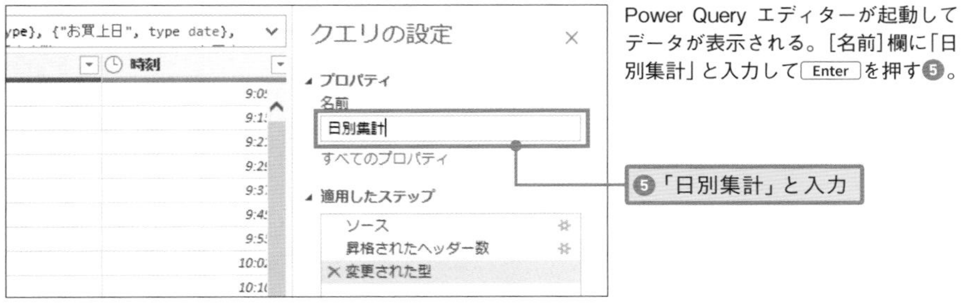

Power Query エディターが起動してデータが表示される。［名前］欄に「日別集計」と入力して Enter を押す❺。

不要な列を削除する

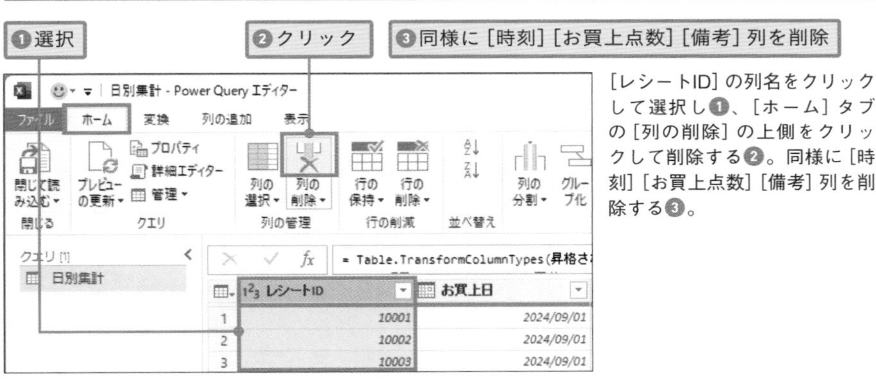

［レシートID］の列名をクリックして選択し❶、［ホーム］タブの［列の削除］の上側をクリックして削除する❷。同様に［時刻］［お買上点数］［備考］列を削除する❸。

	お買上日	曜日	区分	お買上額	支払方法
1	2024/09/01	日		3762	現金
2	2024/09/01	日		760	現金
3	2024/09/01	日		2135	QRコード決済
4	2024/09/01	日		2591	現金
5	2024/09/01	日		4446	クレジットカード

❹5列が残った

［お買上日］［曜日］［区分］［お買上額］［支払方法］の5列が残る❹。

知っておくと便利　［列の選択］を使用して列を削除する方法もある

［ホーム］タブの［列の選択］をクリックすると、右図のような画面に列名が一覧表示されます。ここでチェックを外した列を一括削除できます。列数が多い場合に便利です。この機能では、140ページで紹介した［列の削除］→［他の列の削除］と同様に、元データに追加された列は、更新時に自動で削除されます。

▼［列の選択］ダイアログボックス

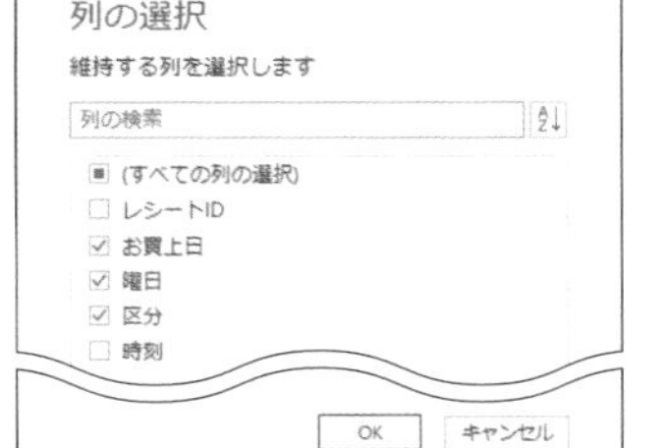

お買上額を現金払いと他方法払いに振り分ける

売上の内訳を集計する準備として、[現金払] 列と [他払] 列を作成します。[条件列] 機能を使用して、[支払方法] が「現金」のお買上額を [現金払] 列に、「現金」ではないお買上額を [他払] 列に振り分けます。

[条件列]を使用して[現金払]列を作成する

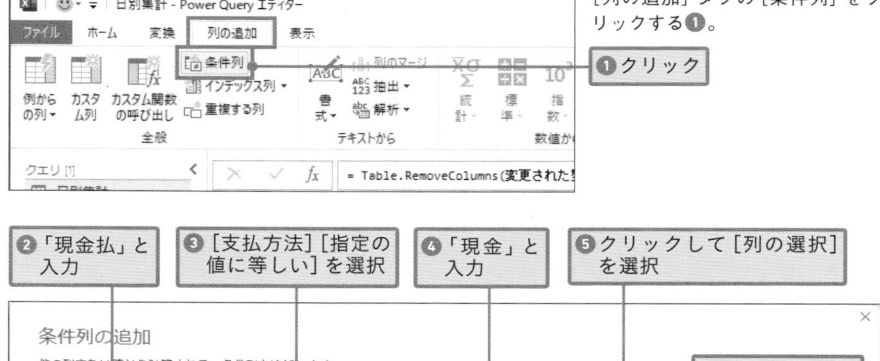

[列の追加] タブの [条件列] をクリックする❶。

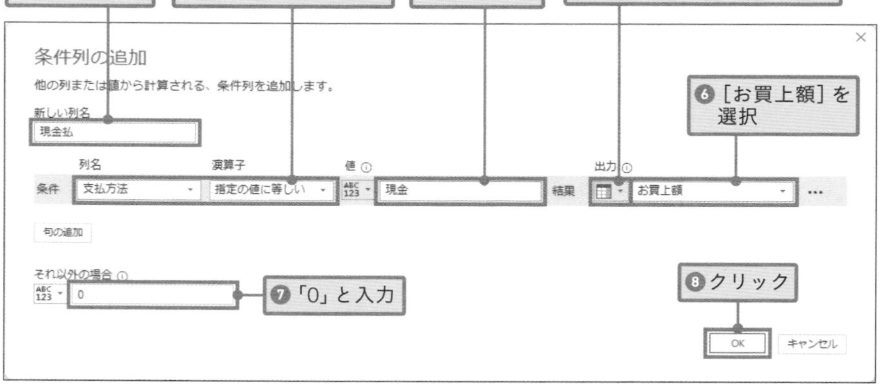

追加する列の列名として「現金払」と入力する❷。図の❸～❼のように条件を入力すると、[支払方法] 列の値が「現金」と等しい場合に [現金払] 列に [お買上額] の値が表示され、それ以外の場合に「0」が表示されるようになる。最後に [OK] をクリックする❽。

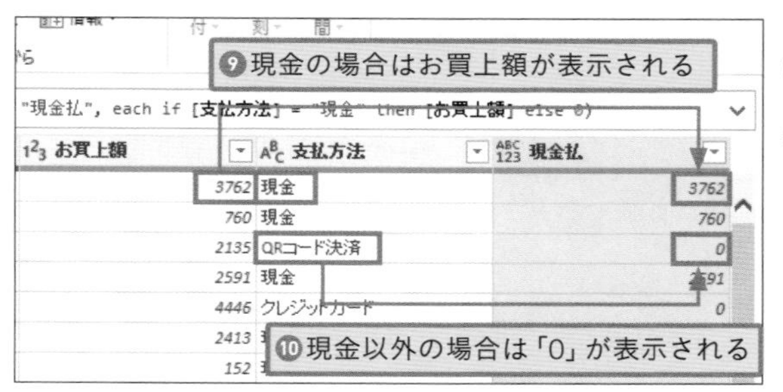

[支払方法] が「現金」の行の [現金払] 列に [お買上額] の値が表示され❾、それ以外の場合に「0」が表示される❿。

[条件列]を使用して[他払]列を作成する

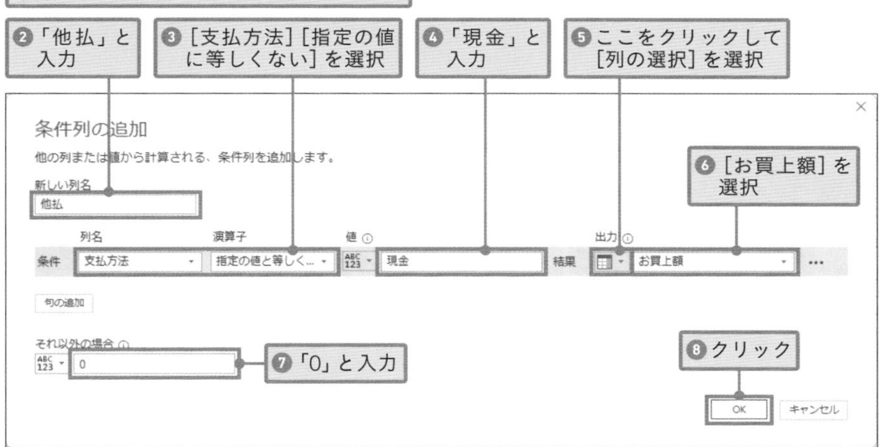

[列の追加]タブの[条件列]をクリックして❶、追加する列の列名として「他払」と入力する❷。図の❸～❼のように条件を入力すると、[支払方法]列の値が「現金」ではない場合に[他払]列に[お買上額]の値が表示され、それ以外の場合に「0」が表示されるようになる。最後に[OK]をクリックする❽。

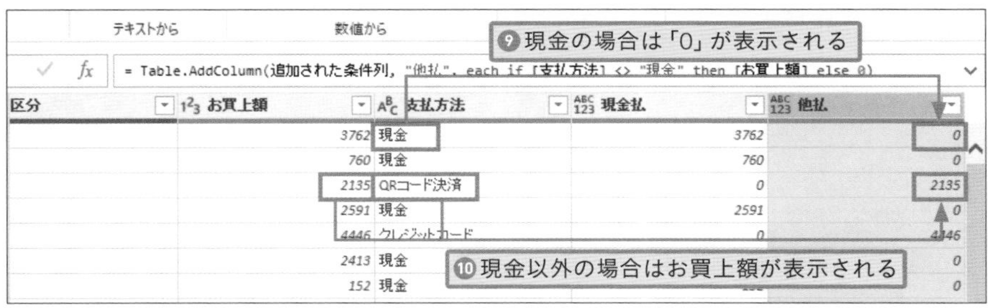

区分	お買上額	支払方法	現金払	他払
	3762	現金	3762	0
	760	現金	760	0
	2135	QRコード決済	0	2135
	2591	現金	2591	0
	4446	クレジットカード	0	4446
	2413	現金		0
	152	現金		0

[支払方法]が「現金」の行の[他払]列に「0」が表示され❾、それ以外の場合に[お買上額]の値が表示される❿。

⓫[整数]型に変更

```
= Table.AddColumn(追加された条件列, "他払", each if [支払方法] <> "現金" then [お買上額] else 0)
```

区分	お買上額	支払方法	現金払	他払
	3762	現金	3762	0
	760	現金	760	0
	2135	QRコード決済	0	2135
	2591	現金	2591	0
	4446	クレジットカード	0	4446
	2413	現金	2413	0

[現金払][他払]列のデータ型を[整数]に変更しておく⓫。

売上とその内訳、客数、客単価を集計する

［グループ化］機能を使用して集計を行います。［お買上日］［曜日］［区分］列をグループ化して、お買上額などの項目を集計します。

[グループ化]を使用して集計する

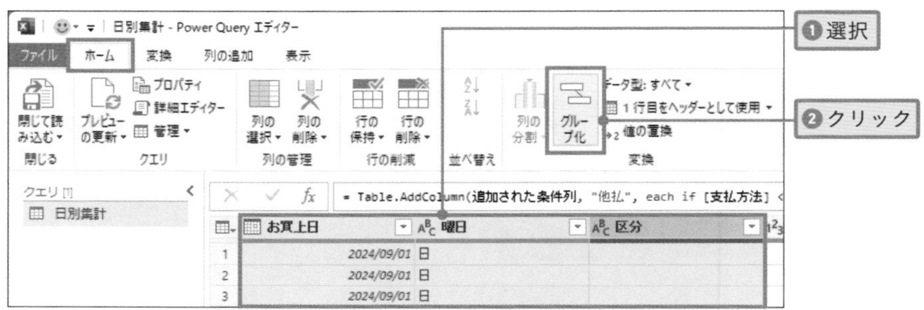

［お買上日］の列名をクリックし、Shift を押しながら［区分］の列名をクリックして3列を選択する❶。［ホーム］タブの［グループ化］をクリックする❷。

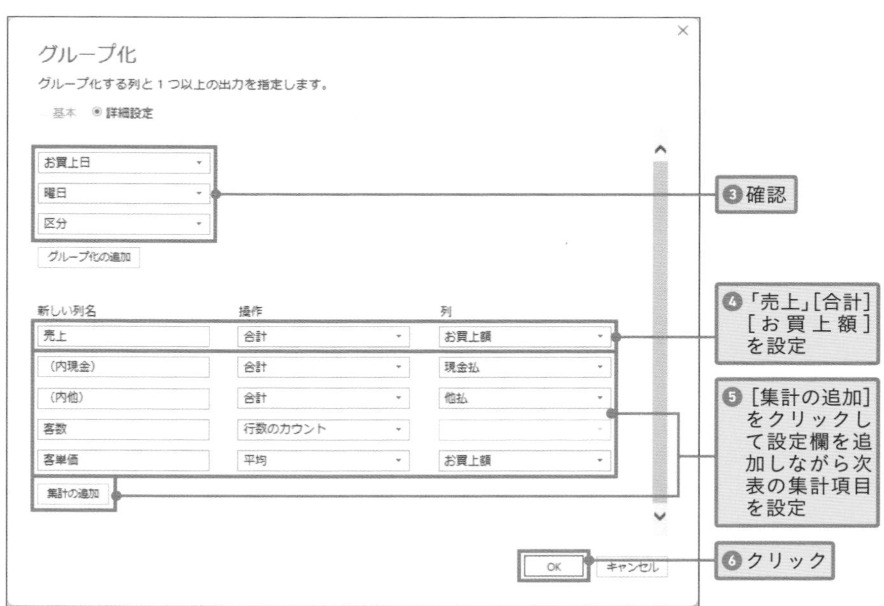

［グループ化］ダイアログボックスが開くので、グループ化する列として［お買上日］［曜日］［区分］が選択されていることを確認する❸。［新しい列名］に「売上」と入力し、［操作］から［合計］、［列］から［お買上額］を選択する❹。以上で、［お買上日］ごとに［お買上額］の合計を求める［売上］列を追加できる。［集計の追加］をクリックすると集計欄を追加できるので、次ページの表の集計項目を設定し❺、［OK］をクリックする❻。

▼集計項目

新しい列名	操作	列
売上	合計	お買上額
（内現金）	合計	現金払
（内他）	合計	他払
客数	行数のカウント	（列指定なし）
客単価	平均	お買上額

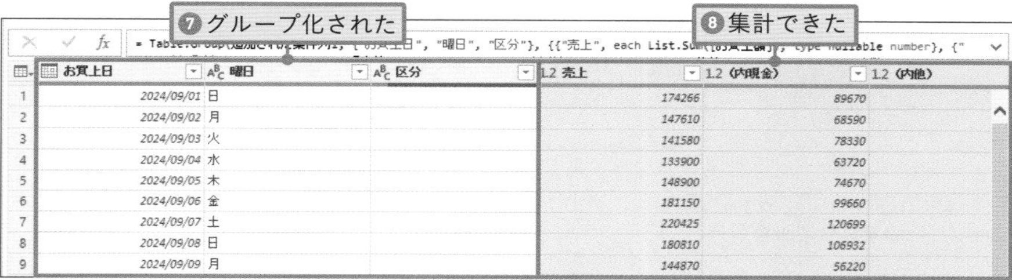

［お買上日］［曜日］［区分］が日にちごとにグループ化される❼。［売上］［（内現金）］［（内他）］［客数］［客単価］の5列の集計項目が表示される❽。

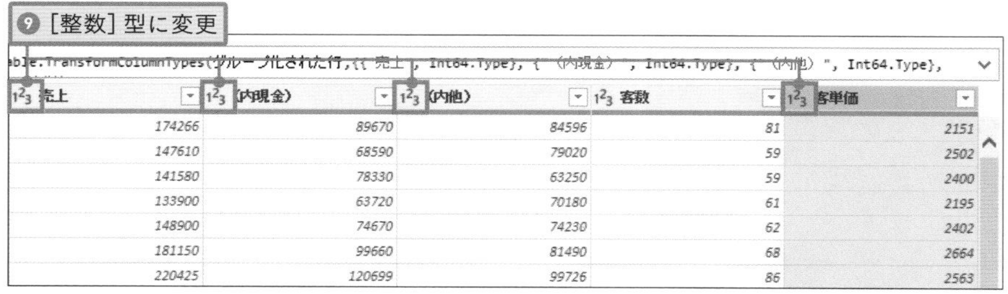

［売上］［（内現金）］［（内他）］［客単価］列のデータ型を［整数］型にしておく❾。［客単価］を［整数］型にすると小数部が消えるが、今回は概算値がわかればいいので問題ない。

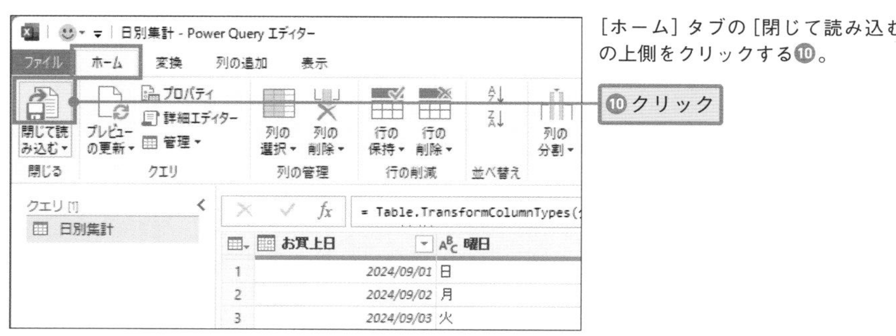

［ホーム］タブの［閉じて読み込む］の上側をクリックする❿。

グラフを作成する

クエリのデータをワークシートに読み込んだら、グラフ上で平日と休日の区別が付くように横軸用のデータを用意してから、縦棒グラフを作成します。

グラフの横軸用のデータを用意する

❶ワークシートに読み込まれた　❷桁区切りスタイルを設定

	A	B	C	D	E	F	G	H	I	J
1	お買上日	曜日	区分	売上	（内現金）	（内他）	客数	客単価		
2	2024/9/1	日		174,266	89,670	84,596	81	2,151		
3	2024/9/2	月		147,610	68,590	79,020	59	2,502		
4	2024/9/3	火		141,580	78,330	63,250	59	2,400		
5	2024/9/4	水		133,900	63,720	70,180	61	2,195		

クエリのデータがワークシートに読み込まれたら❶、数値のセルD2 ～ H31を選択して、［ホーム］タブの［数値］グループにある［桁区切りスタイル］をクリックして数値を3桁区切りする❷。いったん、ブックに名前を付けて保存しておく。

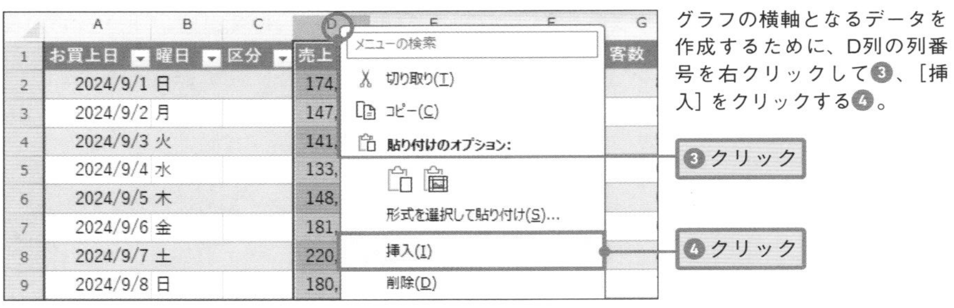

グラフの横軸となるデータを作成するために、D列の列番号を右クリックして❸、［挿入］をクリックする❹。

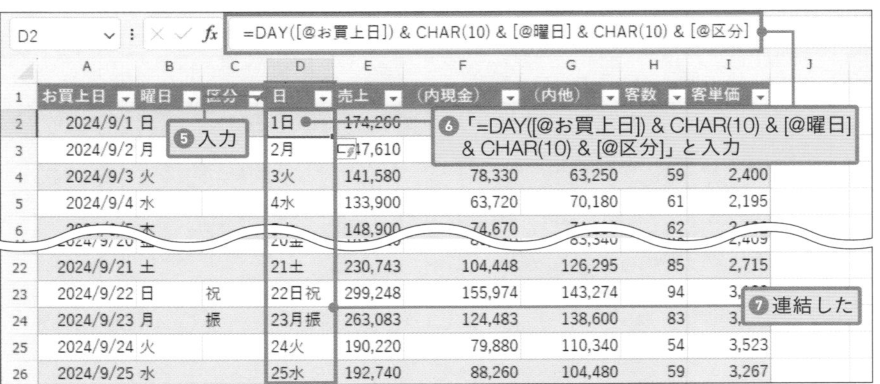

挿入された列の見出しとして「日」と入力し❺、その下のセルD2に図の数式を入力する❻。数式は自動で列のすべてのセルに自動入力され、日にちと曜日、区分が連結して表示される❼。区分が未入力の場合は「1日、2月、3火」形式、区分が入力されている場合は「22日祝」のように表示される。

POINT

改行を挟みながら日にちと曜日、区分を連結する

前ページの手順❻では、お買上日の「日」と曜日、区分の文字を連結した列を作成しました(下記の式参照)。この列をもとにグラフを作成すると、横軸を見れば平日の売上か休日の売上かを判断できます。

=DAY([@お買上日]) & CHAR(10) & [@曜日] & CHAR(10) & [@区分]

数式中の「CHAR(10)」は改行を表します。つまりこの式は「日」、改行、曜日、改行、区分の5項目を連結しています。改行を連結しても[ホーム]タブの[折り返して全体を表示する]を設定しない限り、セル上で「日」、曜日、区分が改行されることはありませんが、グラフ上では改行されます。

なお、セルD2に数式を入力する際に「[@お買上日]」はセルA2、「[@曜日]」はセルB2、「[@区分]」はセルC2をクリックすると自動入力できます。数式中の「DAY」は日付から「日」の数値を取り出す関数です。

縦棒グラフを作成する

❶セルD1 ～ E31を選択

	A	B	C	D	E	F	G	H	I	J	K
1	お買上日	曜日	区分	日	売上	(内現金)	(内他)	客数	客単価		
2	2024/9/1	日		1日	174,266	89,670	84,596	81	2,151		
3	2024/9/2	月		2月	147,610	68,590	79,020	59	2,502		
4	2024/9/3	火		3火	141,580	78,330	63,250	59	2,400		
5	2024/9/4	水		4水	133,900	63,720	70,180	61	2,195		
6	2024/9/5	木		5木	148,900	74,670	74,230	62	2,402		
29	2024/9/28	土		28土	[illegible]	126,997	112,528	81	[illegible]		
30	2024/9/29	日		29日	218,898	141,006	77,892	77	2,843		
31	2024/9/30	月		30月	120,150	65,640	54,510	56	2,146		
32											

グラフ化するセルD1 ～ E31を選択する❶。

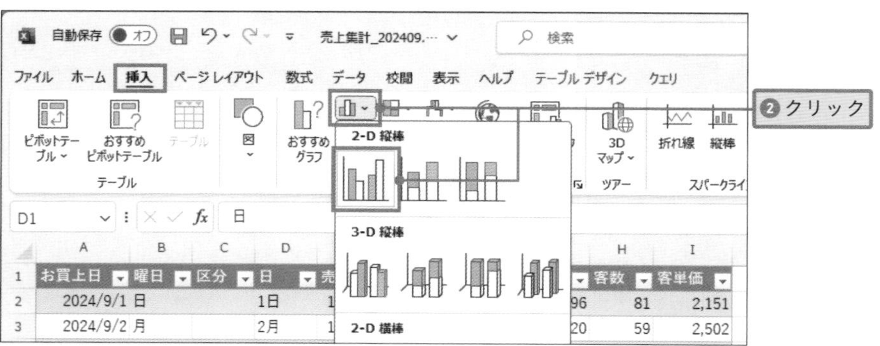

[挿入]タブの[縦棒/横棒グラフの挿入]→[集合縦棒]をクリックする❷。

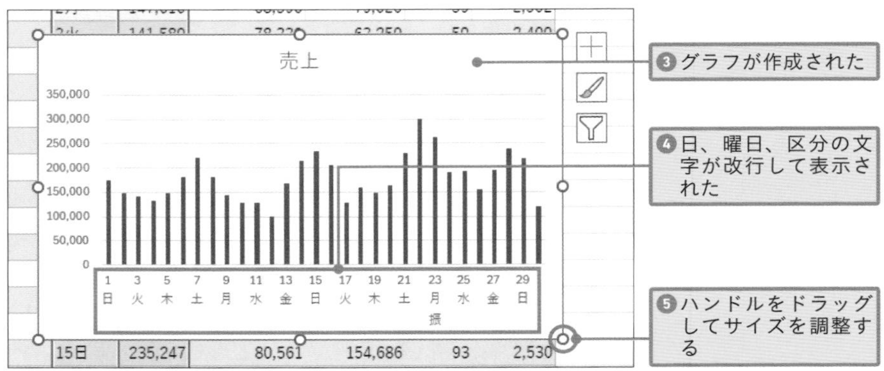
売上
❸グラフが作成された
❹日、曜日、区分の文字が改行して表示された
❺ハンドルをドラッグしてサイズを調整する
15日
235,247
80,561
154,686
93
2,530

グラフが作成される❸。横軸には、日、曜日、区分の文字が改行して表示される❹。グラフの幅が狭いと日付が数日飛ばしになってしまうので、白丸のハンドルをドラッグしてグラフのサイズを調整する❺。なお、グラフの配置は、グラフの無地の部分にマウスポインターを合わせ、「グラフエリア」というポップヒントが表示されるところをドラッグすると調整できる。

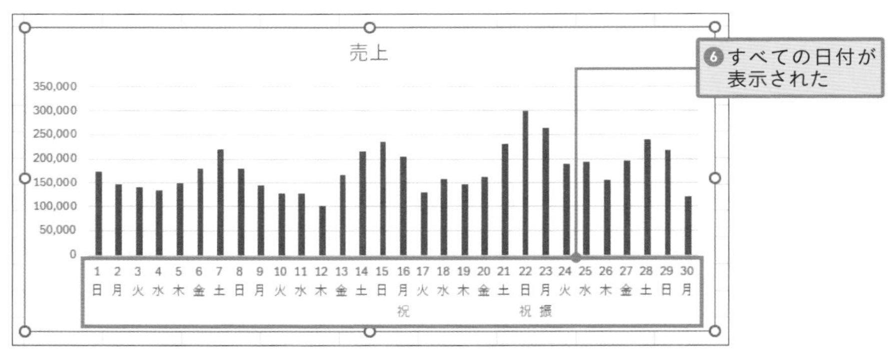
売上
❻すべての日付が表示された

30日分の日付が表示される❻。上書き保存して、次節に進む。

知っておくと便利　［区分］列や［曜日］列を作成するには

「祝」「振」などの区分がシステムから出力されない場合、Excelで祝日の一覧表を作成し、日付を連結列として会計データとマージするとよいでしょう。

また、パワークエリで曜日の列を用意したい場合は、［お買上日］列を選択して［列の追加］タブの［日付］→［日］→［曜日名］をクリックします。「日曜日、月曜日……」の形式の列が追加されるので、その列を選択して［変換］タブの［抽出］→［最初の文字］をクリックし、開く画面で「1」を指定すると、「日、月、火…」形式に変換されます。

▼ 祝日の一覧表

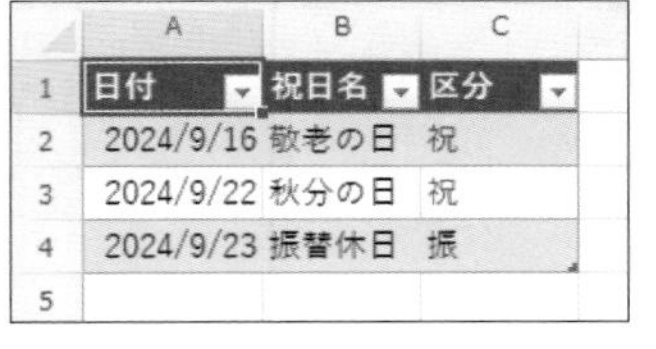

日付	祝日名	区分
2024/9/16	敬老の日	祝
2024/9/22	秋分の日	祝
2024/9/23	振替休日	振

10-3

販売明細データから各商品の売上や粗利を集計する

行の削除、任意の計算、クエリのマージ、ピボットテーブル

Sample 前節の操作後のブック、商品.csv、明細.csv

明細データと商品データからクエリを作成する

この節ではピボットテーブルを使用して、商品のうちケーキの販売数、売上、粗利を集計します。まずは、「商品.csv」から読み込み専用の［商品］クエリを作成します。続いて「明細.csv」からも［商品別集計］クエリを作成します。

「商品.csv」から読み込み専用のクエリを作成する

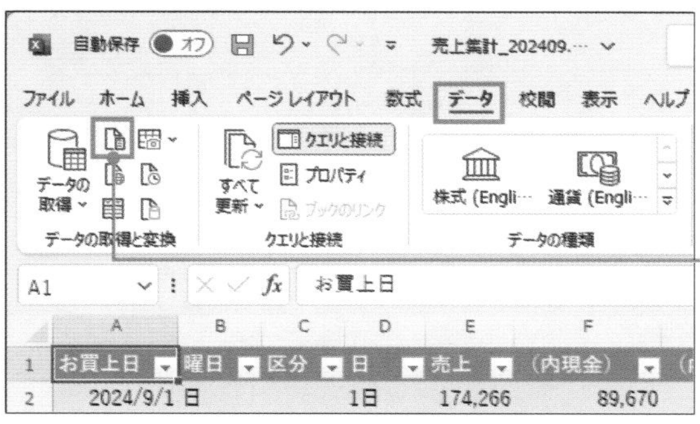

［データ］タブの［テキストまたはCSVから］をクリックする❶。［データの取り込み］ダイアログボックスが表示されるので、［Chap10］フォルダーから［商品.csv］を選択して［インポート］をクリックする❷。

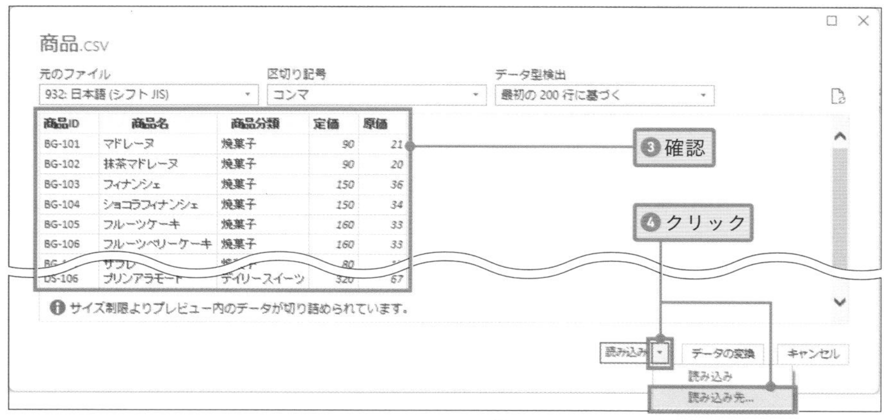

「商品.csv」のデータが正しく表示されることを確認する❸。［読み込み］の［▼］をクリックし、［読み込み先］をクリックする❹。

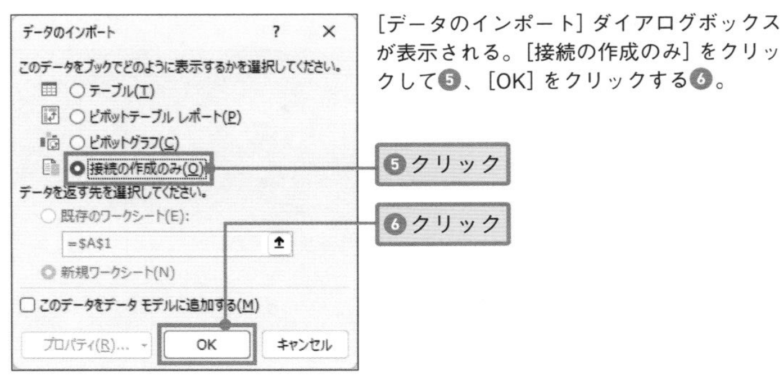

［データのインポート］ダイアログボックスが表示される。［接続の作成のみ］をクリックして❺、［OK］をクリックする❻。

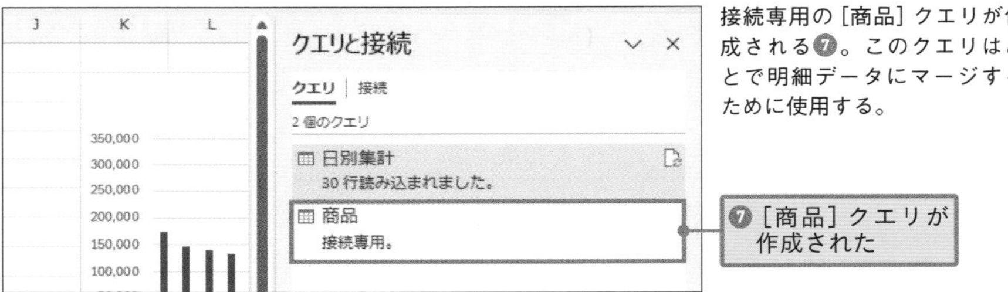

接続専用の［商品］クエリが作成される❼。このクエリはあとで明細データにマージするために使用する。

「明細.csv」から集計の元になる[商品別集計]クエリを作成する

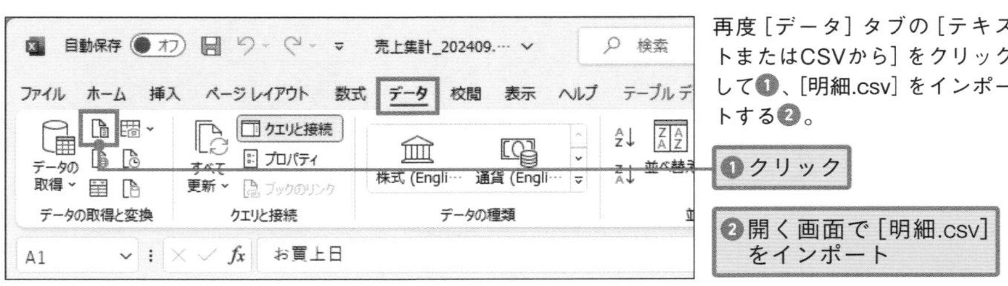

再度［データ］タブの［テキストまたはCSVから］をクリックして❶、[明細.csv］をインポートする❷。

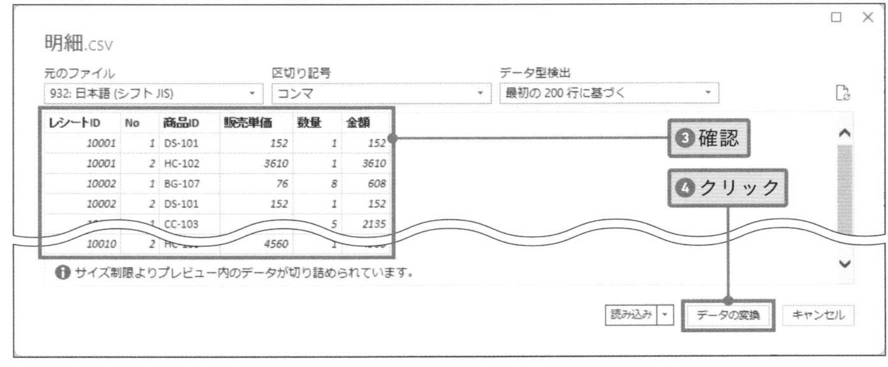

レシートID	No	商品ID	販売単価	数量	金額
10001	1	DS-101	152	1	152
10001	2	HC-102	3610	1	3610
10002	1	BG-107	76	8	608
10002	2	DS-101	152	1	152
	1	CC-103		5	2135
10010	2		4560		

「明細.csv」のデータが正しく表示されるのを確認して❸、［データの変換］をクリックする❹。

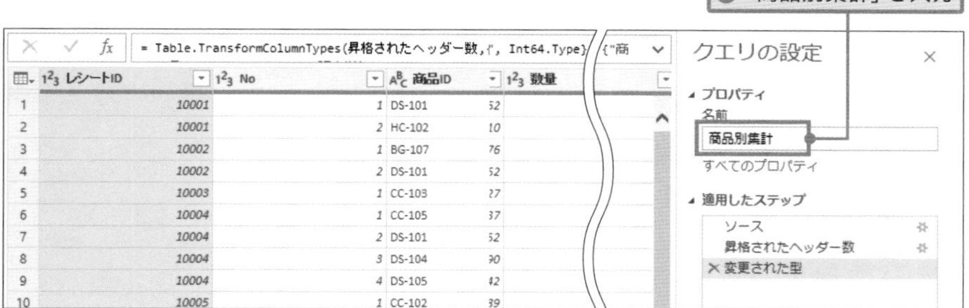

Power Query エディターが起動してデータが表示される。「明細」というクエリ名が設定されるので、[名前] 欄に「商品別集計」と入力して Enter を押し❺、クエリ名を変更する。

不要な列を削除する

[レシートID] 列と [No] 列は集計に使用しません。不要な列は早い段階で削除しておくと、以降のステップの処理の負担を軽減できます。

不要な列を削除する

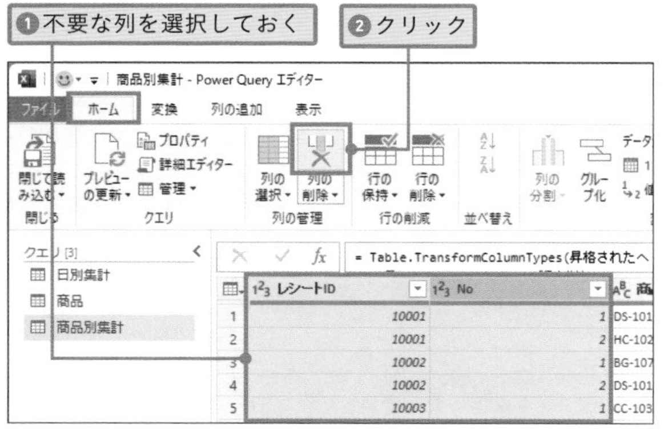

[レシートID] の列名をクリックし、Ctrl を押しながら [No] 列をクリックして2列を選択する❶。[ホーム] タブの [列の削除] の上側をクリックする❷。

❸4列が残った

```
= Table.RemoveColumns(変更された型,{"レシートID", "No"})
```

	商品ID	販売単価	数量	金額
1	DS-101	152	1	152
2	HC-102	3610	1	3610
3	BG-107	76	8	608
4	DS-101	152	1	152
5	CC-103	427	5	2135
6	CC-105	437	1	437

[商品ID] [販売単価] [数量] [金額] の4列が残る❸。

不要な行を削除する

不要な行も早めに削除しておきましょう。特にこのあと行うマージは負荷のかかる処理なので、その前に行の削除を済ませておくと処理効率が上がります。集計の対象にするケーキは、商品IDが「CC」または「HC」ではじまるので、これを条件としてフィルターを実行します。

不要な行を削除する

[商品ID] 列のフィルターボタンをクリックし❶、[テキストフィルター] → [指定の値で始まる] をクリックする❷。

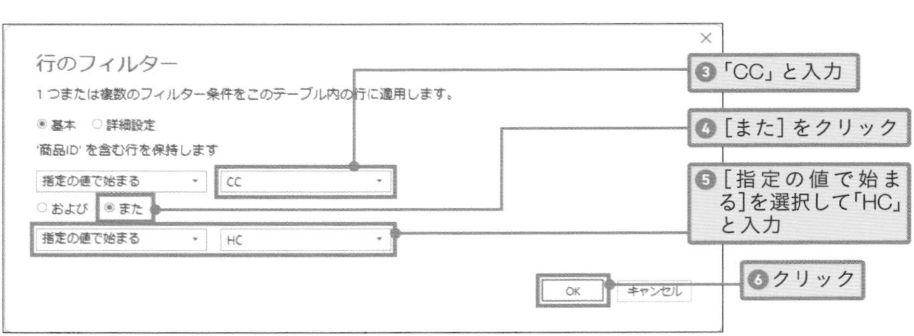

[行のフィルター] ダイアログボックスが表示される。[指定の値で始まる] の右に「CC」と入力し❸、[また] をクリックする❹。[指定の値で始まる] を選択して「HC」と入力する❺。以上で「CCではじまる、またはCDではじまる」という条件が設定される。最後に [OK] をクリックする❻。

	商品ID	販売単価	数量	金額
1	HC-102	3610	1	
2	CC-103	427	5	
3	CC-105	437	1	
4	CC-102	589	6	
5	CC-105	437	2	
6	CC-106	361	3	
7	CC-101	465	2	
8	CC-103	427	4	
9	HC-103	4560	1	
10	CC-101	465	2	
11	CC-102	589	2	
12	CC-103	427	5	

❼「CC」または「HC」ではじまる商品IDの行が抽出された

[商品ID] の値が「CC」または「HC」ではじまる行が抽出され❼、そのほかの行は削除される。

[商品]クエリをマージする

次に［商品］クエリをマージして、表に［商品名］［商品分類］［原価］の3列を追加します。

[商品]クエリをマージする

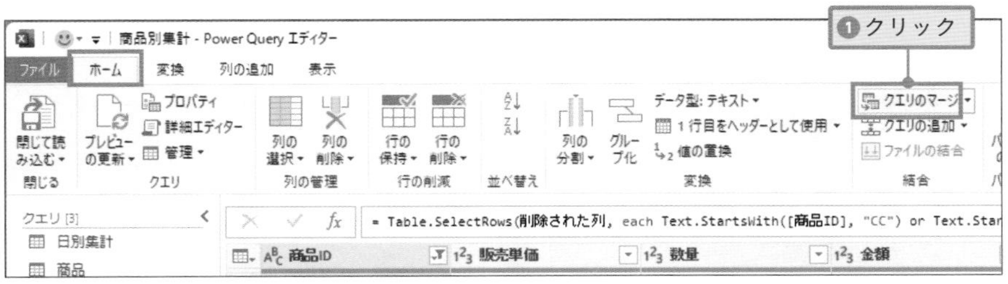

［ホーム］タブの［クエリのマージ］をクリックする❶。

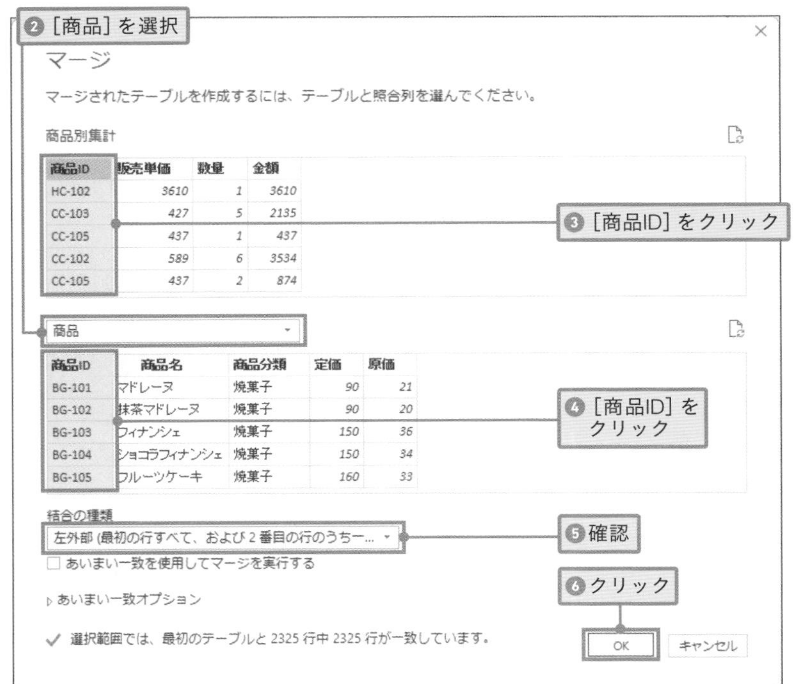

［マージ］ダイアログボックスが表示される。マージする表として［商品］を選択し❷、照合列として［商品別集計］クエリの［商品ID］列と❸、［商品］クエリの［商品ID］列をクリックする❹。結合の種類として［左外部］が選択されていることを確認して❺、［OK］をクリックする❻。

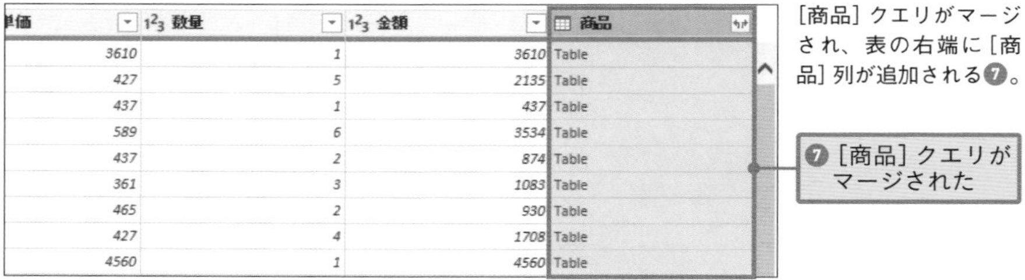

[商品] クエリがマージされ、表の右端に [商品] 列が追加される❼。

[商品]列を展開する

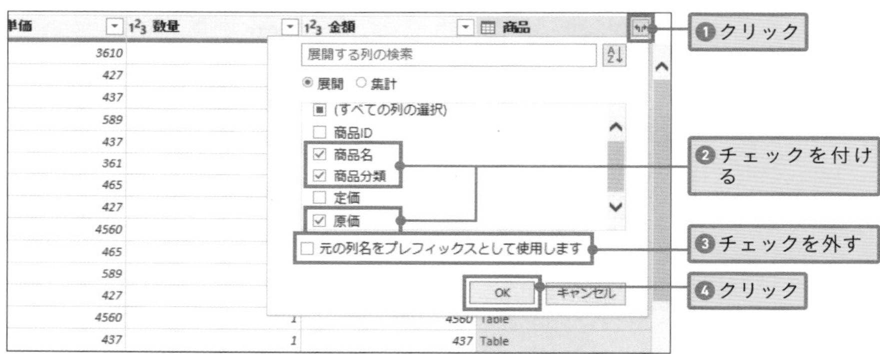

[商品] 列の [展開] ボタンをクリックし❶、[商品名] [商品分類] [原価] だけにチェックを付ける❷。[元の列名をプレフィックスとして使用します] のチェックを外して❸、[OK] をクリックする❹。

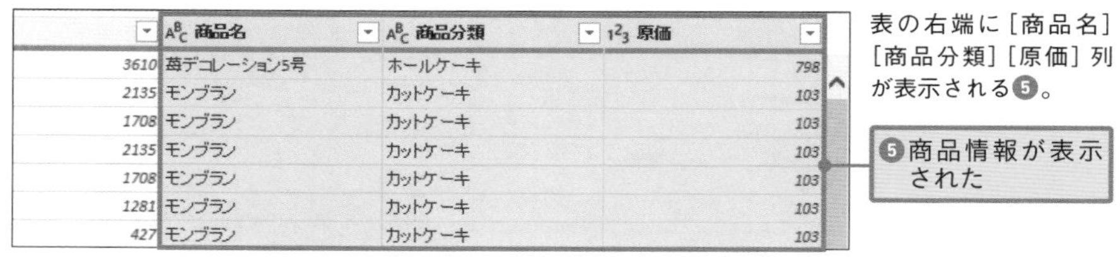

表の右端に [商品名] [商品分類] [原価] 列が表示される❺。

❻列を移動する

```
ReorderColumns(#"展開された 商品",{"商品ID", "商品名", "商品分類", "販売単価", "原価", "数量", "金額"})
```

	商品ID	商品名	商品分類	販売単価	原価
1	HC-102	苺デコレーション5号	ホールケーキ	3610	798
2	CC-103	モンブラン	カットケーキ	427	103
3	CC-103	モンブラン	カットケーキ	427	103
4	CC-103	モンブラン	カットケーキ	427	103
5	CC-103	モンブラン	カットケーキ	427	103
6	CC-103	モンブラン	カットケーキ	427	103
7	CC-103	モンブラン	カットケーキ	427	103
8	CC-105	ガトーショコラ	カットケーキ	437	96

列名をドラッグして、[商品名] [商品分類] 列を [商品ID] の右に、[原価] を [販売単価] の右に移動しておく❻。

粗利を計算する

「(販売単価－原価)×数量」の式を使用して粗利を求めます。定価で販売した場合は行数の少ない[商品]クエリで「定価－原価」を求めておくほうが効率的ですが、今回のデータでは日によって販売単価が異なるので、実売価格である「販売単価」から原価を引きます。

[カスタム列]を使用して粗利を計算する

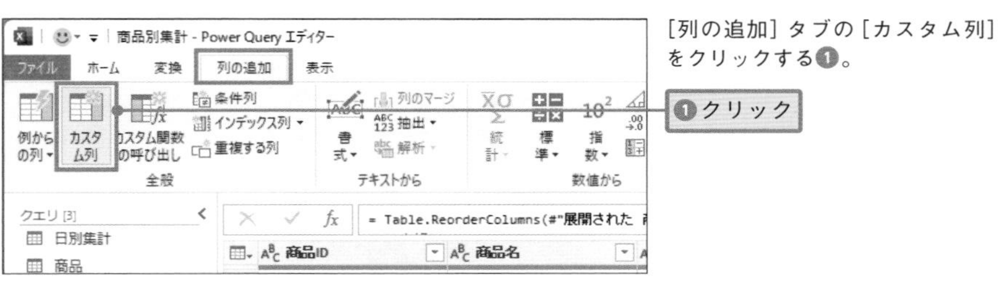

[列の追加] タブの [カスタム列] をクリックする❶。

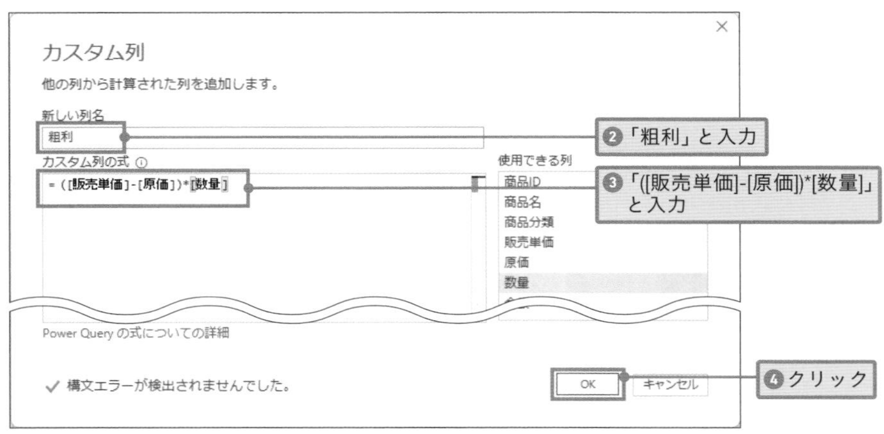

[カスタム列] ダイアログボックスが開いたら、[新しい列名] 欄に「粗利」と入力して❷、[カスタム列の式] 欄に「([販売単価]-[原価])*[数量]」と入力する❸。その際、「[販売単価]」「[原価]」「[数量]」は [使用できる列] 欄からダブルクリックで入力可能。最後に [OK] をクリックする❹。

```
= Table.TransformColumnTypes(追加されたカスタム,{{"粗利", Int64.Type}}
```

❻ [整数] 型に変更

販売単価	原価	数量	金額	粗利
3610	798	1	3610	2812
427	103	5	2135	1620
427	[illegible]	4	1708	1296
427	[illegible]	5	2135	1620
427	103	4	1708	1296
427	103	3	1281	972
427	103	1	427	324

❺粗利が求められた

粗利が求められる❺。データ型のアイコンをクリックして、[整数] 型に変更する❻。

ピボットテーブルに読み込んで集計する

ピボットテーブルに読み込んで、商品分類別、商品別に[数量][金額][粗利]を集計します。[数量]は商品の販売数、[金額]は「販売単価×数量」で求めた商品の売上額です。

[ピボットテーブルレポート]に読み込む

❶クリック

[ホーム]タブの[閉じて読み込む]の下側→[閉じて次に読み込む]をクリックする❶。

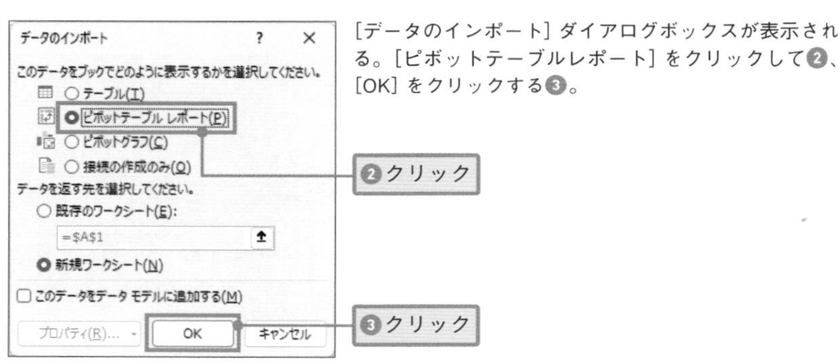

❷クリック
❸クリック

[データのインポート]ダイアログボックスが表示される。[ピボットテーブルレポート]をクリックして❷、[OK]をクリックする❸。

❹ピボットテーブルの骨格が作成された
❺クリックして[データソース順で並べ替え]をクリックしておく

ピボットテーブルの骨格が作成される❹。フィールドリストをクエリの列名と同じ順序に揃えるために、[ツール]をクリックして[データソース順で並べ替え]をクリックしておく❺。

集計項目を指定して集計する

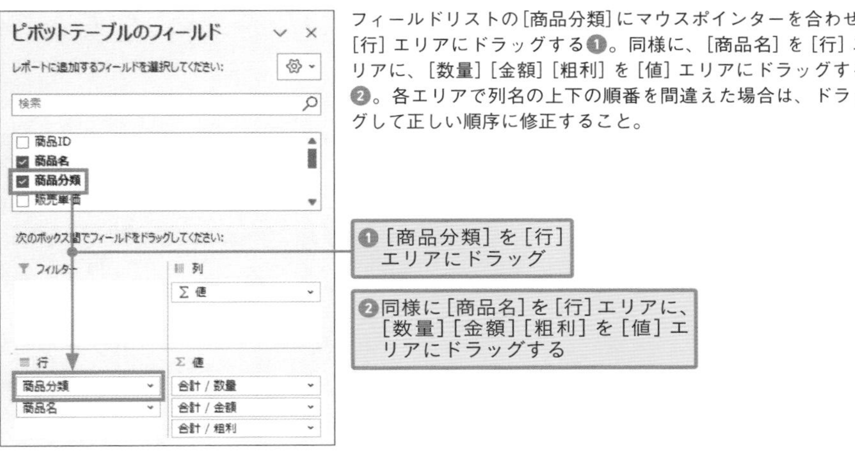

フィールドリストの[商品分類]にマウスポインターを合わせ、[行]エリアにドラッグする❶。同様に、[商品名]を[行]エリアに、[数量][金額][粗利]を[値]エリアにドラッグする❷。各エリアで列名の上下の順番を間違えた場合は、ドラッグして正しい順序に修正すること。

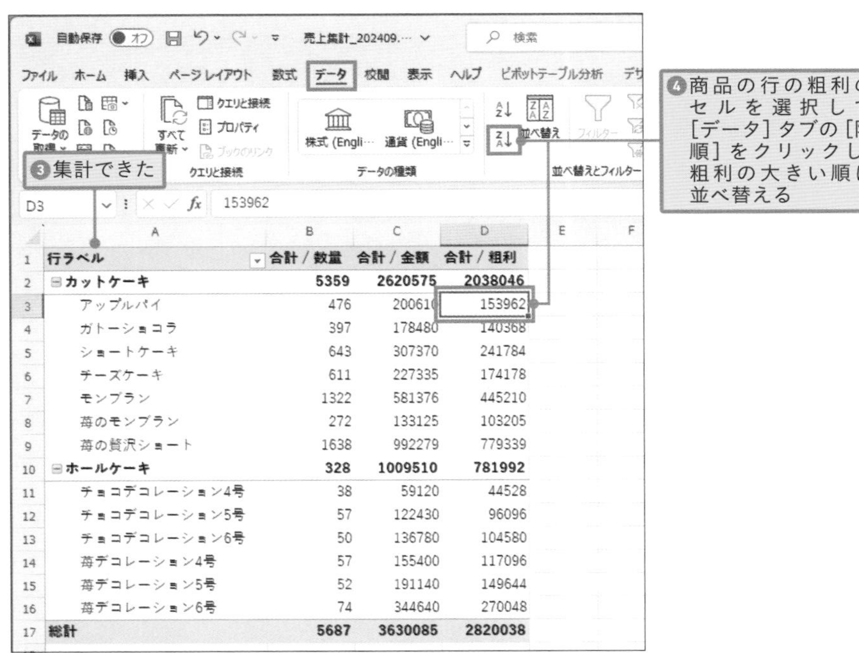

	A	B	C	D
1	行ラベル	合計 / 数量	合計 / 金額	合計 / 粗利
2	⊟カットケーキ	5359	2620575	2038046
3	アップルパイ	476	200610	153962
4	ガトーショコラ	397	178480	140368
5	ショートケーキ	643	307370	241784
6	チーズケーキ	611	227335	174178
7	モンブラン	1322	581376	445210
8	苺のモンブラン	272	133125	103205
9	苺の贅沢ショート	1638	992279	779339
10	⊟ホールケーキ	328	1009510	781992
11	チョコデコレーション4号	38	59120	44528
12	チョコデコレーション5号	57	122430	96096
13	チョコデコレーション6号	50	136780	104580
14	苺デコレーション4号	57	155400	117096
15	苺デコレーション5号	52	191140	149644
16	苺デコレーション6号	74	344640	270048
17	総計	5687	3630085	2820038

商品が分類ごとに階層構造になって表示され、数量、金額、粗利が集計される❸。いずれかの商品の行の粗利のセルを選択し、[データ]タブの[降順]をクリックすると、329ページの表のように粗利の大きい順に商品が並べ替えられる❹。「カットケーキ」などの分類のセルを選択した場合は商品の並べ替えができないので注意。

索引

■ 数字・アルファベット

■ あ行

■ か行

■ さ行

た行

な行

■ は行

■ ま行

■ や行

■ ら行

■ わ行

●著者プロフィール

きたみ あきこ

テクニカルライター。東京都生まれ、神奈川県在住。お茶の水女子大学理学部化学科卒。
大学在学中に分子構造の解析を通してプログラミングと出会う。
プログラマー、パソコンインストラクターの経験をもとに、現在はパソコン関係のフリーライターとして活動中。近著に『増強改訂版 できる イラストで学ぶ 入社1年目からのExcel VBA』(インプレス)、『極める。Excel関数 データを自由自在に操る［最強］事典』(翔泳社)、『Excel関数＋組み合わせ術［実践ビジネス入門講座］【完全版】第2版』(SBクリエイティブ) などがある。

- Office Kitami ホームページ
  https://www.office-kitami.com/

●本書サポートページ

https://isbn2.sbcr.jp/24699/

本書をお読みいただいたご感想を上記URLからお寄せください。
本書に関するサポート情報やお問い合わせ受付フォームも掲載しておりますので、あわせてご利用ください。

カバーデザイン……山之口正和＋齋藤友貴（OKIKATA）
本文デザイン・組版……クニメディア株式会社
編集……小平 彩華

○本書内の内容の実行については、すべて自己責任のもとで行ってください。内容の実行により発生したいかなる直接、間接的被害について、著者およびSBクリエイティブ株式会社、製品メーカー、購入した書店、ショップはその責を負いません。
○本書の内容に関するお問い合わせに際して、編集部への電話によるお問い合わせはご遠慮ください。

データ収集・整形の自動化がしっかりわかる Excel パワークエリの教科書

2024年 7月 8日 初版第1刷発行

著者……きたみ あきこ
発行者……出井 貴完
発行所……SBクリエイティブ株式会社
〒105-0001 東京都港区虎ノ門2-2-1
https://www.sbcr.jp
印刷・製本……株式会社シナノ

落丁本、乱丁本は小社営業部にてお取り替えいたします。定価はカバーに記載されております。

Printed in Japan ISBN 978-4-8156-2469-9